高麗時代 歷年代 資料集

- 기년명 기와 자료를 중심으로 -

(재)세종문화재연구원

● 일러두기
1. 집성 시기 : 고려시대 (통일신라 말과 조선 초의 유물도 일부 포함)
2. 집성 대상 : 2013년까지 정식 보고서가 간행된 유적의 출토품.
3. 축척 : 도면의 기본적인 축척은 아래와 같다.
    1) 유구 : 도면 하단에 개별 축척을 표시.
    2) 유물
    - 기년명 유물 : 유물별로 개별적인 축척을 제시.
    - 공반유물 : 토기류 1/6, 기와류 1/10, 철기 · 석기 · 토제품 1/4, 청동기류 1/2, 기타 소형 유물 1/1
4. 유물속성표

예시 1) 연호명 기와

<table>
<tr><th colspan="8">1. 太平興國七年 銘 암키와</th></tr>
<tr><td colspan="8">도면</td></tr>
<tr><td colspan="8">명문확대</td></tr>
<tr><th colspan="2">명문내용</th><th>연호</th><th>연호명 년도</th><th colspan="2">국명(왕)</th><th>고려</th><th>절대연대</th></tr>
<tr><td colspan="2">太平興國七年…
竹州凡草近水O…</td><td>太平興國</td><td>976~983</td><td colspan="2">北宋(太祖)</td><td>成宗 元年</td><td>982</td></tr>
<tr><th rowspan="2">종류</th><th rowspan="2">태토</th><th rowspan="2">소성도</th><th colspan="3">색조</th><th colspan="2">제원</th></tr>
<tr><th>내</th><th>외</th><th>속심</th><th>길이</th><th>폭</th></tr>
</table>

(continued)

종류	태토	소성도	내	외	속심	길이	폭	두께
암키와	세사립 미량 포함	연질		갈색/암갈색		(17.4)	(24)	2.4

<table>
<tr><td colspan="3">제작속성</td></tr>
<tr><th colspan="2">외면</th><th>내면</th><th>측면</th></tr>
<tr><td colspan="2">2중의 세장방형 방곽 내 명문 시문</td><td>포목흔, 점토합흔, 사절흔</td><td></td></tr>
</table>

예시 2) 간지명기와

<table>
<tr><th colspan="6">1. 丙寅年鳳 銘 암키와</th></tr>
<tr><td colspan="6">도면</td></tr>
<tr><td colspan="6">명문확대</td></tr>
<tr><th>명문</th><th>간지명</th><th colspan="3">간지명 년도</th><th>추정연대</th></tr>
<tr><td>丙寅年鳳</td><td>丙寅</td><td colspan="3">960, 966, 1026, 1086, 1146, 1206, 1266, 1326, 1386</td><td>960</td></tr>
</table>

종류	태토	소성도	내	외	속심	길이	폭	두께
암키와	정선+사립	경질	회청	회청	회청	(21.4)	(15.1)	2.3

<table>
<tr><td colspan="3">문양 및 제작속성</td></tr>
<tr><th>외면</th><th>내면</th><th>측면</th></tr>
<tr><td>어골문</td><td>포목흔, 물손질</td><td>와도흔 내측 0.2~ 0.9㎝</td></tr>
</table>

    1) 보고서에 기재되지 않은 속성은 공란으로 처리함.
    2) 제원의 단위는 '㎝'이며, 괄호 안에 수치를 기입하는 경우는 잔존길이를 나타냄.
5. 유구명 · 유물명 등의 명칭을 비롯하여, 각 유물의 세부 속성 또는 기년명문의 시기 판단은 보고자의 견해를 따랐다.
6. 출토 맥락이 불명확한 유물은 유구와 공반유물을 수록하지 않았다.
    - '주요유물'은 유적 전체의 주요 출토 유물이며 '공반유물'은 동일 유구 내 출토 유물이다.
7. 유적의 순서는 가나다순으로 배열하였다.

高麗時代 歷年代 資料集

이남규 · 도영아 · 김정주 · 정은미
(재)세종문화재연구원 엮음

학연문화사

■ **이남규**李南珪

1979년 서울대학교 인문대학 고고학과 학사
1981년 서울대학교 대학원 고고학과 석사
1992년 히로시마대학교 문학연구과 박사
1991년~2015년 현재 한신대학교 한국사학과 교수

■ **도영아**都英娥

2003년 경북대학교 고고인류학과 학사
2005년 경북대학교 대학원 고고인류학과 수료
2004년 (재)성림문화재연구원 연구원
2009년~2015년 현재 (재)세종문화재연구원 조사팀장

■ **김정주**金情晭

2011년 수원대학교 사학과 학사
2011년 (재)불교문화재연구소 연구원
2013년 한신대학교박물관 연구원
2015년 한신대학교 대학원 한국사학과 (고고학) 석사
2015년 현재 (재)한국문화유산연구원 연구원

■ **정은미**鄭銀美

2013년 한신대학교 한국사학과 학사
2014년 한신대학교박물관 연구원
2015년 한신대학교 대학원 한국사학과 (고고학) 수료
2015년 현재 (재)불교문화재연구소 연구원

高麗時代 歷年代 資料集

2015년 10월 29일 초판 1쇄 인쇄
2015년 10월 30일 초판 1쇄 발행

엮은이 (재)세종문화재연구원
펴낸이 권혁재

편집 권이지
출력 CMYK
인쇄 한일프린테크

펴낸곳 학연문화사
등록 1988년 2월 26일 제2-501호
주소 서울시 금천구 가산동 371-28 우림라이온스밸리 B동 712호
전화 02-2026-0541~4
팩스 02-2026-0547
E-mail hak7891@chol.net

ISBN 978-89-5508-329-3
ISBN 978-89-5508-247-0 세트

발간사

    올해로 개원 7년째를 맞이한 세종문화재연구원은 새로 건립된 연구원 건물로 이전하여 더 나은 근무여건과 연구환경을 조성하였으며, 이를 계기로 한층 더 발전되고, 성숙한 연구원이 되고자 합니다. 우리 연구원은 지난 시간 동안 문화유산에 대한 조사 및 전문연구자 양성과 학술활동 장려를 통한 고고학 연구역량 강화를 지향하는 목표아래 끊임없는 노력을 해왔습니다. 그러한 노력의 일환으로 2011년부터 각 시대별 역연대 자료집을 꾸준히 발간하여 왔으며, 이번에 발간된 학술연구총서는 그러한 취지에 따라 주변 연구자들의 적극적인 협조와 우리 연구원 소속 연구자들의 노력이 합해진 결과라 생각합니다.

    처음으로 발간한 【東아시아 古墳 歷年代 資料集】은 2011년에 발간하였으며, 3~6세기 한·중·일 3국의 역연대를 알 수 있는 자료를 중심으로 그와 공반된 유물을 모두 정리하여 동아시아 고대사 연구의 기초적인 틀을 만들었습니다. 이후 2012년 6월에 발간된 【嶺南地域 原三國時代의 木棺墓】는 원삼국시대 영남지역의 역연대자료를 집성하여, 시대별 전환기인 원삼국시대의 당시 사회상을 밝히는데 밑거름 역할을 하였습니다. 또한 2012년 8월에 발간된 【原三國·三國時代 歷年代論】은 원삼국·삼국시대 역연대 논쟁 및 중국·일본 고분 자료에 대한 국내 연구자들의 다양한 해석을 집성한 논문집으로, 기존에 발간된 자료집을 재해석하여 한국고대사 정립에 도움이 되었다고 생각합니다. 그 이후 2013년에 발간된 【統一新羅時代 歷年代 資料集】은 6세기 중엽부터 935년 통일신라 멸망까지 한·일에서 출토된 유물 가운데 기년명이 있거나 어느 정도 시기를 추정할 수 있는 유구와 유물에 대해 성격별로 구분하여 시기적인 변천 양상을 잘 보여 주었습니다.

    이번에 발간된 【高麗時代 歷年代 資料集】은 기존에 발간된 역연대 자료집에 이어, 중세시대인 고려시대에 해당합니다. 고려시대는 문헌사료가 앞선 시대에 비해서는 풍부한 편이지만, 고고학 분야에서의 편년체계 확립은 다소 미흡한 실정입니다. 이에 우리 연구원에서는 고려시대에 확인되는 명문기와를 중심으로 역연대 자료집을 집성하게 되었습니다. 기와는 사지와 건물지 유적에서 가장 많이 출토되는 유물로, 당시의 수공업기술로부터 유통체계에 이르기까지 시대의 문화적 특성과 사회상이 그대로 투영되어 있는 물질자료입니다. 하지만 기와의 분류 및 분석에는 각 연구자들간의 다양한 시각이 존재하고 있어 체계적인 기와 분석 연구를 위해서 여러 연구자들의 시각을 종합하고 객관적인 연구기준을 설정할 필요성이 제기되었습니다. 따라서 본 자료집은 명문이 발견된 기와를 지역별로 분류하고, 연호명과 간지명 기와에 따른 시기 구분을 하여 기와 연구에 대한 보다 객관적인 연구기준을 설정하였습니다. 기와 이외의 역연대 자료는 기년명이 새겨진 자기, 동전, 목기, 옥·석기, 회화 및 문서 등으로서 표로 정리하였습니다.

　이번 자료집을 통해 많은 고고학 연구자들이 고려시대에 대해 관심을 가져, 학문적으로 더욱 발전하는 계기가 마련되기를 조심스레 기원해 봅니다. 나아가 고려시대의 전체적인 편년 체계를 수립하고, 시기적인 변천 양상을 설정하는데 많은 도움이 되었으면 하는 바람입니다.

　"뜻이 있는 곳에 길이 있다"라는 말이 있습니다. 우리 연구원은 우리나라 고고학 발전에 뒷받침 해줄 양서를 펴내는 데에 뜻을 가지고 있으며, 이를 위해 앞으로도 지속적인 노력을 하여 학술연구총서를 꾸준히 발간하고자 하니, 많은 성원과 관심 부탁드립니다.

　끝으로 이번 자료집 발간에 적극 참여해 주신 이남규선생님과 여러 선생님들, 그리고 우리 연구원의 임직원, 그리고 학연문화사 관계자 여러분에게 깊은 감사의 마음을 전합니다.

2015년 10월

(재)세종문화재연구원장 김창억

목 차

I. 머리말

지난 20여년간 폭발적인 국토개발과 연동하여 무수한 발굴이 이루어짐으로써 우리나라 고고학은 외견상 급속한 양적 팽창을 보여 왔다. 하지만 그러한 성장에 힘입어 학술적인 수준도 어느 정도 향상된 것은 사실이나 아직 질적 수준에서 괄목할만한 발전을 이루었다고 말하기는 어려운 실정이다.

지금도 여전히 우리나라 고고학은 시간성 문제의 해결에 과도할 정도의 에너지를 소비하고 있다고 해도 과언이 아니다. 학술지를 통해 발표되는 많은 논고들이 형식분류와 편년 부분에 중점을 두고 있는 사실이 그를 반증한다. 그럼에도 불구하고 한국고고학은 시대구분과 시기구분에 있어 안정된 편년체계를 구축하고 있지 못하다.

특히 최근에 여러 연구자들에 의해 관심이 증대되고, 각종 학술지를 통한 논고의 발표도 크게 증가하는 추세를 보이고 있는 중세고고학의 경우는, 종합적인 상대편년체계가 아직 제대로 확립되어 있지 않을 뿐만 아니라, 절대편년의 설정에 있어서도 고고지자기나 AMS 등의 과학적 방법론에 근거하는 사례들이 많은 반면 상대적으로 역연대자료의 활용은 아직 부족해 보인다.

그것은 당시의 역연대자료가 제대로 집성되지 못하였던데 원인이 있다고 할 수 있고, 한편으로는 자료의 폭증 결과 이미 3천건을 초과한 중세고고학의 각종 보고서들을 개인적 차원에서 섭렵하여 연대기자료를 일일이 파악하는 것은 거의 불가능한 상황이 되었기 때문이라고 할 수 있다.

이러한 상황에서 그동안 고대의 역연대자료에 대해 각별한 관심과 노력을 보여온 세종문화재연구원이 중세의 역연대자료의 집성에 착수하게 된 것은 대단히 고무적인 일이고 우리나라 중세고고학의 발전에 있어 중요한 전기를 마련한 계기가 되었다고 생각한다.

중세의 기년명 자료들은 연호명 자료, 간지명 자료 등으로 존재하고, 기와 이외에도 동전, 금속기, 자기, 옥석기, 목기, 문서 및 기타 등이 있으나 금회에는 기와의 역연대자료를 그 출토 맥락과 세부적 속성까지 상세히 파악하여 보고하는데 중점을 두었고, 기타의 자료들은 그 목록만을 정리하여 제시하는 수준으로 하였다. 그것은 앞서 밝혔듯 간행된 중세의 발굴보고서가 상당히 방대한 양이고 건물지들에서 출토된 막대한 양의 기와들에 대한 전수(全數)조사에 예상 보다 많은 시간이 소요되었기 때문이다. 그 결과 원래의 1년 계획에서 기간을 반 년 연장하여 기와에 대한 자료 집성을 마무리할 수 있었다.

사실 양적으로 폭증한 중세 관련 발굴보고서 전체를 처음부터 하나도 빠짐 없이 검토하였다면 보다 많은 시간이 필요했겠지만, 다행히 한신대학교 박물관의 중세연구실에서 3년 전부터 중세 유적 전체에 대한 자료 집성과 카테고리 분류작업을 진행해오던 과정에 이러한 역연대자료 종합화가 시작되어 예상 보다 빠른 시일 내에 유물 파악과 정리작업을 마무리할 수 있었다.

이번에 역연대 자료들은 2013년까지 발간된 모든 중세관련 유적 발굴보고서, 전시 도록 및 기타 자료들을 망라하여 집성된 것으로서 연호명 기와의 경우 송, 요, 금, 원의 각종 연호명 21종이 각 100년 정도의 시차를 가지면서 순차적으로 확인되는 점이 주목된다. 이는 우리나라 중세 유적과 유물의 연대를 파악하는데 있어 대단히 중요한 자료적 가치가 있을 뿐만 아니라, 당시 고려와 중국의 각 시기별 정치 세력들과의 외교관계를 파악하는데에도 유용한 자료라는 점에서 그 중요성은 아무리 강조해도 지나치지 않을 것이다.

지난 20개월이라는 결코 짧지 않은 기간 동안 자료들을 파악하기 위해 많은 애를 써준 한신대학교 대학원생 김정주, 정은미와 학부생 최정범, 김다영, 정희영의 노고에 깊은 감사를 드리고, 본 자료집의 출간을 적극 지원해주신 세종문화재연구원의 김창억 원장님을 비롯한 관계자분들께도 심심한 사의를 표하는 바이다.

2015년 10월
자료집성자들을 대표하여 **이남규** 씀

II. 역연대 유물의 종류와 성격 개요

발굴조사 출토 기와의 연호명 현황

연번	연호명(한국)	한국		중국			비고
		왕	연호명년도	나라	왕	연호명년도	
1	(峻豊)	光宗	960~963	宋	太祖		
2	乾德	光宗		宋	太祖	963~968	송의 중국 통일
3	太平興國	景宗~成宗		宋	太宗	976~983	고려왕 대외적 황제칭호 공식 폐기
4	雍熙	成宗		宋	太宗	984~987	
5	大中祥符	穆~顯宗		宋	真宗	1008~1016	
6	太平	顯宗~定宗		遼	聖宗	1021~1030	
7	重熙	定宗		遼	興宗	1032~1055	
8	青寧	文宗		遼	道宗	1055~1064	
9	咸雍	文宗		遼	道宗	1065~1074	
10	大安	宣宗		遼	道宗	1085~1094	清寧→咸雍→大康→大安→壽昌
11	乾統	肅宗~睿宗		遼	天祚帝	1101~1110	
12	天慶	睿宗		遼	天祚帝	1111~1120	예종11년~ 인종9년 요의 연호 폐지, 60갑자 사용
13	正隆	毅宗		金	海隆王	1149~1161	
14	大定	毅宗~明宗		金	世宗	1161~1189	
15	承安	明宗		金	章宗	1190~1200	
16	大德	忠烈王		元	成宗	1297~1307	
17	延祐	忠肅王		元	仁宗	1314~1320	
18	至治	忠肅王		元	仁宗	1321~1323	
19	泰定	忠肅王		元	顯宗	1324~1328	
20	天曆	忠肅王		元	天順帝 文宗	1328~1329	
21	至正	忠惠王~恭愍王		元	順帝	1341~1367	

기년명 기와의
시기별 세부 속성

1) 연호명 기와

시기		국명	연호명	출토유적	지역	비고
963	광종4년	高麗	峻豊四年壬	안성 봉업사지, 안성 망이산성	경기도	
965	태조3년	宋	乾德三年	평택 관방유적	경기도	
967	태조5년	宋	乾德五年/大○山[(白)土]	안성 봉업사지	경기도	
968	태조6년	宋	乾德六年○○○	담양 읍내리	충청도	
976 ~983	태종	宋	興國	안성 망이산성, 창녕 술정리 사지	경기도, 경상도	
980	태종5년	宋	太平興國五年	익산 미륵사지	전라도	
982	성종원년	宋	太平興國七年壬午三月日/ 竹州凡草近水(仁)水(吳)(矣)	안성 봉업사지, 안성 망이산성, 안성 장능리 사지, 영동 계산리, 영동 부용리·양정리	경기도, 충청도	
983	성종2년	宋	興國八	안성 봉업사지	경기도	
983~986	태조	宋	…善凡/雍熙…	안성 봉업사지	경기도	
1017	진종6년	宋	中祥符十年丁巳	천안 홍경사지	충청도	
1028	성종8년	遼	太平八年戊辰定林寺大藏當草	부여 정림사지	충청도	
1021 ~1030	성종	遼	大平	거창 상동, 창원 삼정자동	경상도	
1030	성종10년	遼	太平十	당진 안국사지	충청도	
1035	성종	遼	太平十五連	사천 선진리성	경상도	
1045	흥종14년	遼	重熙十四年乙酉五月日記凡鳳	부여 무량사지	충청도	
1056	도종	遼	青寧丙申正月日作	부여 무량사지	충청도	
1070	도종6년	遼	聖住寺 咸雍六年	보령 성주사지	전라도	
1080 or 1089		遼	大安五年下…大○…	사자산 흥녕선원	강원도	서하 혜종 大安1076~1085, 요 도종 太安1085~1094
1103	천조제 건통3년	遼	○統三年癸○	완도 법화사지	전라도	(乾)統으로 추정
1113	천조제 천력3년	遼	○○造管 天慶三年癸巳 ○○○尤○	양양 진전사지	강원도	
1157	해릉왕 2년	金	正豊二年丁丑, 寺○一品八月造	마산 회원현성	경상도	正豊은 본래 正隆으로 고친 것
1182	세종22년	金	寺上院○監役副都監大師性林大匠暢交/ 大定二十二年壬寅四月日	충주 숭선사지	충청도	

1297~1307	성종	元	大德	서산 보원사지	충청도	
1299	성종3년	元	大德三年	양양읍성	강원도	
1314	인종	元	延祐元年	순창 대모산성	전라도	
1317	인종4년	元	延祐四年·彌力丁巳	익산 미륵사지	전라도	
1318	인종5년	元	延祐五年	북한산 삼천사지	서울	
1322	영종2년	元	至治二年師自寺造瓦	익산 사자암	전라도	
1324~1328	진종	元	泰定	안양사지	경기도	
1326	진종2년	元	泰定三年戊O王(三?)公山利(社?)造瓦大丙梁日	영천 본촌동	경상도	
1330	문종1년	元	天曆三年 庚牛, 年施主 張介耳	익산 사자암	전라도	
1330	문종1년	元	天歷三年庚午施主張介耳	익산 미륵사지	전라도	
1351	순제11년	元	至正, 十一年	영광 남천리	전라도	
1358	순제18년	元	至正十八年三月十三日	인제 한계산성	강원도	
1363	순제23년	元	至正二十三年/癸卯/韓天石/金石龍/崔尙書/金O派	고창 선운사	전라도	

2) 간지명 기와

추정시기	국명	간지명	출토유적	지역	비고
925	태조8년	고려	…O年乙酉八月日竹…/ …里凡草[伯土]能達毛	안성 봉업사지	경기도	能達은 高麗史에 列傳 王順式附 堅金條와 太祖 十九年 九月條에 기록이 나타나고 있는 인물로 문헌기록을 검토하면 청주 호족으로 고려 초 태조 왕건 때 왕명에 의해 청주지방에 파견된바 있으며 이후 후백제를 견제하고 삼국을 통일하는데 중요한 역할을 담당한 인물이다. 고려 초 을유년에 해당하는 것은 고려 태조8년 (925)
956	광종7년	고려	丙辰上年/OO(攽)(宣)[佰土]	안성 봉업사지	경기도	
958	광종9년	고려	(發)(令)/ 戊午年凡初作[佰士]必(攽)毛	안성 봉업사지	경기도	
960	광종11년		觀音… 庚申崇造	안성 장능리 사지	경기도	
961	광종12년	고려	辛酉年酉年作草	안성 봉업사지	경기도	
968	광종19년		戊辰九月日	담양 읍내리	전라도	乾德六年戊OO명 암키와와 조합됨
969	광종20년	고려	己巳年千年主人光大	안성 봉업사지	경기도	
969	광종20년	고려	天+己巳八月十日作官草	안성 봉업사지	경기도	
974	광종25년	고려	甲戌九月十一日元作O	안성 봉업사지	경기도	
977	경종2년		丁丑七月七日作草	안성 봉업사지	경기도	
1018	현종9년		戊午午三月日奉先弘慶瓦徒造	천안 홍경사지	충청도	
1056	문종10년		靑寧丙申正月日作	부여 무량사지	충청도	
1084	선종원년		…年O元甲子…/…大匠僧朴…	영월 흥녕선원	강원도	
1086	선종3년		…年, 本丙寅, …寺O年, …丙寅	용인 유운리	경기도	凡草本丙寅 香水寺O年
1113	예종8년		年癸巳四月日尤造	양양 진전사지, 양양읍성	강원도	

1140	인종18년		庚申二月三十日惠音寺造近李明	파주 혜음원지	경기도	
1248	고종35년		戊申年二月日	익산 미륵사지	전라도	延祐4年명 기와가 집중 출토되는 유구층에서는 함께 확인되지 않고 있어 14C 이전의 고려 중후기에 해당되는 戊申으로 판단됨
1351	충정왕 3년		辛卯	영광 남천리	전라도	
920, 980			丙辰上年○○(攸)(宣)[佰土]	안성 봉업사지	경기도	戊午년과 가장 비슷한 시기의 丙辰년. 920년(고려 태조 3년), 980년(고려 경종 5년)
924,984,1044, 1104,1164,1224, 1284,1344			甲申	화순 잠정리	전라도	
929,989,1049, 1109,1169,1229, 1289,1349,			己丑三月日寺道人木	영광 불갑사	전라도	
932, 992, 1052, 1112, 1172, 1232, 1292, 1352			壬辰年厚心堂主散員同正表○○	장흥 상방촌	전라도	
935 995			乙未年	담양 읍내리	전라도	
947, 1007, 1067, 1127, 1187, 1247, 1307, 1367			…○丁未匀貢	양양읍성	강원도	
950, 1010, 1070, 1130, 1190, 1250, 1310, 1370			庚戌二月 日造主事審別將同正表○○	장흥 상방촌, 영암 천황사	전라도	
954, 1014, 1074, 1134, 1194, 1254, 1314, 1374			甲寅年造資福寺匠亡金棟梁善良	사천 본촌리 사지	경상도	
958, 1018, 1078, 1138, 1198, 1258, 1318, 1378			光州戊午	광주읍성	전라도	
960, 1020, 1080, 1140, 1200, 1260, 1320, 1380			庚申三年	인제 한계산성	강원도	
962, 1022, 1082, 1142, 1202, 1262, 1322			三年壬戌…日, 化主李應春兩主, 金佑石兩主, 趙	팔공산 북지장사	경상도	
964, 1084, 1204			…甲子○朴○…	사자산 흥녕선원	강원도	
966, 1026, 1086, 1146, 1206, 1266, 1326, 1386			丙寅年鳳林	창원 봉림사지	경상도	
970, 1030, 1090, 1150, 1210, 1270, 1330, 1390			庚午九月(日造瓦差使)	장흥 상방촌	전라도	
973, 1033, 1093, 1153, 1213, 1273, 1333, 1393			癸酉湧仙寺持○丘僧 信行(?)	산청 강누리	경상도	
974, 1034, 1094, 1154, 1214, 1274, 1334			甲戌九月十一日元作	대전 상대동	충청도	
976, 1036, 1096, 1156, 1216, 1276, 1336			丙子三月日文沫阼扞苗	서산 보원사지	충청도	

977, 1037, 1097, 1157, 1217, 1277, 1337			丁丑	서천 남산성	충청도	
989, 1049, 1109, 1169, 1205, 1265, 1325			己丑年閏二月日朴	영덕 묘장사지	경상도	
1004, 1064			甲辰三月	합천 백암리 사지	경상도	
1036, 1096			丙子年四月日O磴寺	부여 무량사지	충청도	연호명과 가까운 두 연대로 추정
1068, 1128			戊甲造(?)	용인 마북동	경기도	1068년(고려 문종22년), 1128년(고려 인종6년) 추정
1123,1183, 1243			癸卯三月大匠惠印	완도 법화사지	전라도	주변 출토 乾統3년 癸未 명문와와 청자의 편년과 비슷한 1123, 1183, 1243년으로 추정
1133, 1193, 1253			客癸丑	동래 고읍성지	경상도	
1167, 1227			丁亥年金海 客舍桃東面	김해 봉황동	경상도	상감청자의 연대에 미루어 보고서에서 고려하는 연대.
1178, 1298			戊戌年	하남 교산동	경기도	1178년 (고려 明宗 9년), 1298년 (고려 忠烈王 24년). 주름무늬병 편과 관련한 시기 유추
1297, 1357			丁酉年造	합천 영암사지	경기도	공반출토 상감 음각 청자편으로 서긍이 고려를 다녀온 시기인 1123년 이후로 추정. 주변 범자문 암막새가 확인되는 것으로 몽고 침입 이후인 1297 또는 1357년으로 추정함

Ⅲ. 지역별 역연대 기와

1. 서울

1) 북한산 삼천사지 (北漢山 三川寺址)

서 울

유적위치	서울시 은평구 진관내동 산 51 및 경기도 고양시 북한동 산 1-1 일대
조사사유	유적 정비 · 복원을 위한 발굴조사
조사연혁	지표조사 : 1999. 07. 15 ~ 1999. 07. 23 (불교문화재 발굴조사단) 　　　　 1999 ~ 2004 (서울역사박물관) 시 · 발굴조사 : 2005 ~ 2008 (서울역사박물관)
유적입지	삼천사지는 중취봉 능선 중단에 위치하며, 행정구역상 경기도 고양시 덕양구 북한동 산 1-1번지에 속한다. 이 사지의 대지암지는 해발고도 342.4m에 자리하며, 그곳에서 서남쪽으로 약 100m 떨어진 곳에 위치한 B지구는 해발고도 302.6m이다. 진관내동에 있는 삼천사를 기점으로 부왕동 암문방향으로 삼천사 계곡을 따라 올라가면 조사지역에 다다른다.

유구현황	고려시대~ 조선시대	건물지(11), 석축(6)

주요유물	대지국사비편(大智國師碑片), 금니목가구편(金泥木家具片), 원통형 사리합 등

기년유물	「延祐五年」銘 암키와(1점), 「丁丑閏七月」銘 암키와(1점) - 각각 대지암지, 부속건물지에서 확인되었으나 정확한 출토 위치는 알 수 없음.

연번	보고서 유물번호	기와 종류	명문내용	연대
1	대지암지-61	암키와	延祐五年	1318
2	부속건물지-174	〃	丁丑閏七月	977, 1037, 1097, 1157, 1217, 1277, 1337

시기 · 성격	대지암지를 발굴조사한 결과 중정형 탑비전지가 확인되었다. 탑비전지는 가운데에 대지국사 법경의 부도전으로 추정되는 중심건물지가 있고, 그것의 좌우에 보조건물인 좌전과 우전이 들어섰으며, 서남쪽으로 긴 장행랑이 남쪽을 차폐하는 구조를 보인다. 곧 탑비전지는 4동중정형(四棟中庭形)의 구조를 보인다. 　출토된 유물과 건물의 중통-개축상황 등을 통해 초축 당시부터 수 회에 걸친 개축 · 보수가 있었음이 확인되었다. 건물지의 변화양상을 추적한 결과 대지암지에서는 초창기-중창기-쇠퇴기 등 3단계 이상의 변천과정이 있었던 것으로 파악된다. 초창기는 대지국사 법경의 입적과 부도의 건립에 따라 부도전과 부도 및 탑비가 건립된 시기이다. 이때는 부도전, 우전, 부도탑비만 조성되었고, 이후 두 번째 중창기에 이르러서야 좌전과 남행랑이 들어섰다. 세 번째의 사찰의 쇠퇴기에는 좌전과 우전, 그리고 남행랑이 퇴락하여 사용되지 않는 상태에서, 탑비가 서 있던 중정 일대에 담이 설치되었고, 중심 건물지는 북동쪽으로 확장되었다. 이 시기에 이르러 건물의 남쪽에 온돌 건물지 1개 동이 중축되었다. 　유적의 존속 시기는 출토된 유물 및 탑비의 양식 등으로 보아, 10세기 말 경에 창건되어 16세기 말에 폐사된 것으로 추정된다.

참고문헌	불교문화재발굴조사단, 1999, 『북한산의 불교유적- 북한산 불교유적 지표조사보고서』, 대한불교조계종. 서울역사박물관, 2005, 『서울특별시 문화유적 지표조사 종합보고서』 Ⅰ~Ⅲ. ＿＿＿＿＿＿＿＿, 2011, 『북한산 삼천사지 발굴조사보고서』.

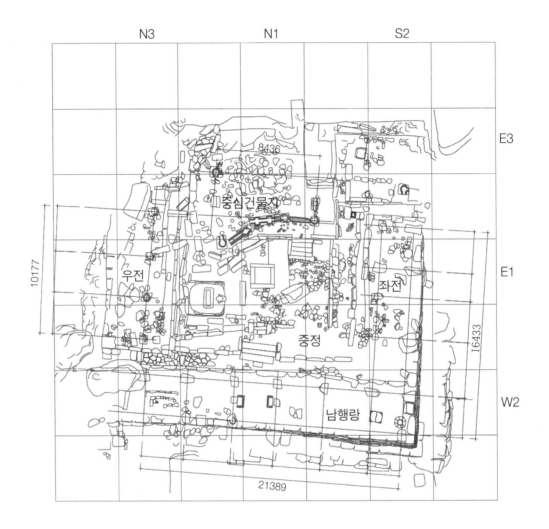

N3   N1   S2

E3

8436

중심건물지

우전   좌전   E1

10177   중정   16433

남행랑   W2

21389

0   15m [1/300]

〈 대지암지 유구 현황도 (1:300) 〉

(1) 延祐五年 銘 암키와

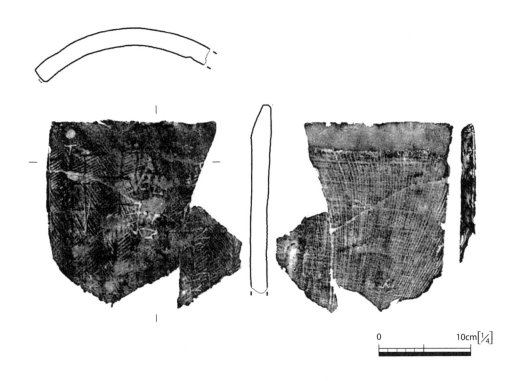

0   10cm[¼]

명문	연호	연호명 년도	국명(왕)		고려	절대연대
延祐五年	延祐	1314~1319	元 (仁宗 7年)		忠肅王 5年	1318

종류	태토	소성도	색조			제원		
			내	외	속심	길이	폭	두께
암키와	정선된 점토	경질		회색		(23)	(21.8)	2.1

문양 및 제작속성		
외면	내면	측면
세선의 사선문+종선	빗질흔, 물손질	내측 와도흔

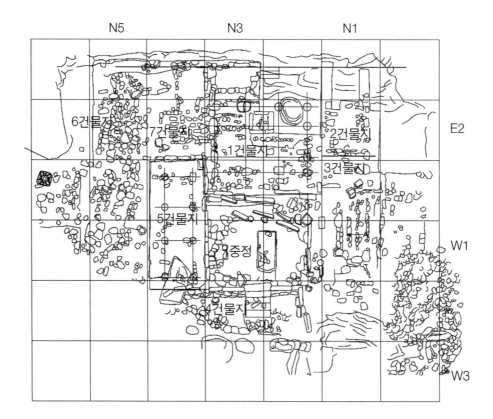

N5 N3 N1

E2

6건물지 7건물지 2건물지

1건물지

3건물지

5건물지 중정

W1

4건물지

W3

0 15m[1/300]

〈 대지암지 부속건물군 유구현황도 (1:300) 〉

(2) 丁丑閏七月 銘 암키와

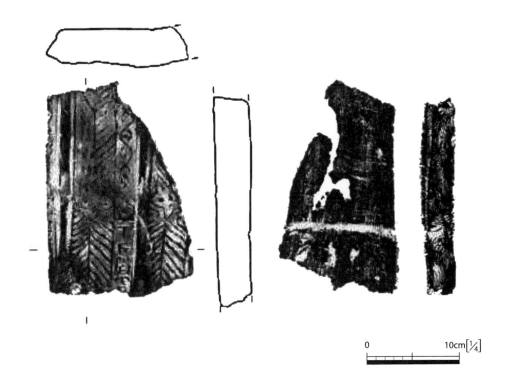

0   10cm[¼]

명문	간지명	간지명 년도					추정연대	
丁丑閏七月	丁丑	977, 1037, 1097, 1157, 1217, 1277, 1337						
종류	태토	소성도	색조			제원		
			내	외	속심	길이	폭	두께
암키와	정선된 점토	경질		회청색		(19.1)	(13.1)	3.2
문양 및 제작속성								
외면		내면			측면			
어골문+화문		포목흔, 점토합흔			내측 와도흔			

Ⅲ. 지역별 역연대 기와

2. 경기도

1) 광주향교 수복사부지 (廣州鄕校 守僕舍敷地)

경기도

유적위치	경기도 하남시 교산동 227-1				
조사사유	수복사 해체복원 공사 전 유적 부존여부 파악				
조사연혁	시굴조사 : 2004년 광주향교 주변 일대에 대한 조사 (한양대학교박물관) 발굴조사 : 2005.09.21 ~ 2005.10.31 (한양대학교박물관)				
유적입지	조사지역은 광주향교 내 수복사(守僕舍)가 위치하고 있는 곳이다. 조사가 이루어진 구역은 수복사의 북쪽, 서재의 서편에 해당하는 장소로 면적은 약 145㎡에 이른다.				
유구현황	고려시대	적심(11)			
	고려시대~조선시대	담장시설(2)			
	근대	아궁이시설(1)			
주요유물	토기, 도기, 청자잔탁, 귀목문 수막새, 당초문 암막새, 연호명 기와 등				
기년유물	「泰定」銘 암키와(1점)- 지표수습				
	연번	보고서 유물번호	기와 종류	명문내용	연대
	1	도면 36-1	암키와	泰定廣州/~年客舍	1324~1327
시기·성격	이미 두 차례에 걸친 광주향교 및 광주향교 주변에 대한 조사 결과 광주향교 조성 이전시기에 이 일대에 건물지가 존재했음을 확인한 바 있다. 　수복사 부지 발굴조사 결과 역시 건물지의 적심들이 여러 기 확인되었고, 그 형태와 규모로 보아 향교 이전에 대규모의 건물들이 조성되었을 가능성이 매우 높다. 그 성격에 대해서는「守僕」銘 명문와나 기존의 조사성과에서도 알 수 있듯이 고려시대 광주목의 관아터일 개연성이 있다. 또한 하부층에서 확인된 여러 유물들과 유적 인근의 이성산성, 교산동 건물지와의 연관성을 고려해 볼 때 관아지 뿐만 아니라 비슷한 시기에 조성된 대규모의 취락일 가능성도 있다. 　출토된 토기류는 주로 10세기대의 것으로 판단되는데, 인근의 이성산성이나 교산동 건물지 등 하남시 일대에서 확인되는 고려시대의 토기류와 같은 성격이다. 출토된 기와 중 귀목문 막새류의 경우는 12~13세기, 연화문과 당초문 계열의 경우는 10~11세기대의 전형적인 특징을 보이고 있으며, 평기와의 경우도 광주향교 발굴조사 때 하부 건물지에서 출토된 고려시대 기와와 같은 양상을 보인다. 또한 지표수습품이기는 하지만 「○○泰定廣州○○와二(?)年客舍○○」라는 문자가 시문된 명문와로 보아 이 일대에 고려시대의 건물지가 존재했던 것으로 판단된다.				
참고문헌	漢陽大學校博物館, 2006,『廣州鄕校 守僕舍敷地 發掘調査 報告書』, 第63輯.				

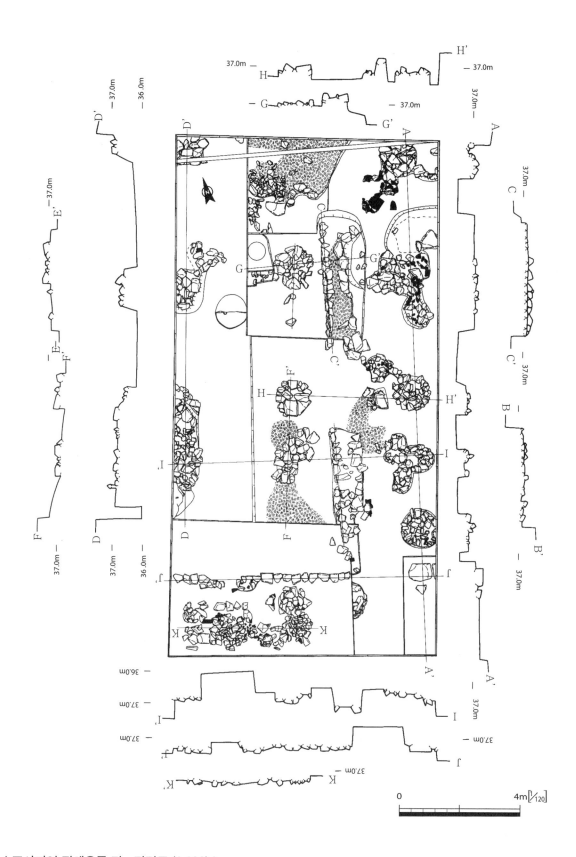

〈 조사지역 전체유구 평 · 단면도 (1:120) 〉

(1) 泰定 銘 암키와

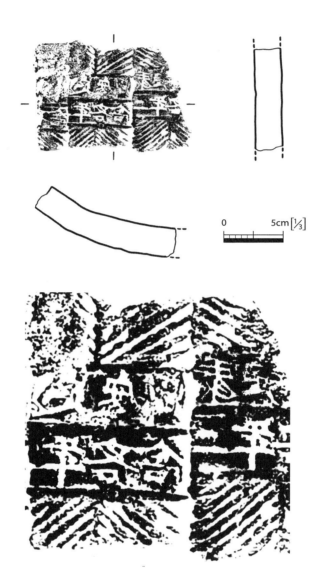

명문	연호	연호명 년도	국명(왕)		고려		절대연대
泰定	泰定	1324~1327	元 (晋宗 1~4年)		忠肅王 11~15年		
종류	태토	소성도	색조			제원	
			내	외	속심	길이	폭	두께
암키와		경질		회백색		(8.3)	(12)	2.3
문양 및 제작속성							
외면			내면			측면	
어골문+3줄의 횡대+명문			포흔, 포목연결흔, 물손질				

2) 안성 망이산성 (安城 望夷山城)

경기도

유적위치	경기도 안성시 일죽면 금산리 산48번지 일원
조사사유	유구의 존재여부 파악 및 그 규모와 성격을 규명함.
조사연혁	지표조사 : 1991.12 ~ 1992.06 (단국대학교 중앙박물관) 발굴조사 : 1994.11.28 ~ 1996.12.30 (1차-단국대학교 중앙박물관) 　　　　　 1998.05.24 ~ 1998.09.01 (2차-단국대학교 중앙박물관) 　　　　　 2005.08.08 ~ 2005.11.30 (3차-단국대학교 매장문화재연구소)
유적입지	망이산성은 중부지방을 가로지르는 차령산맥의 중간 지점에 있다. 망이산에서 가장 높은 곳은 남쪽에 있는 해발 472m의 봉우리이며, 이곳에 봉수대가 자리를 잡고 있다. 이 봉수는 동래-경주-영천-안동-충주를 거치며 올라오는 직봉(直烽)과 남해-진주를 거쳐 올라오는 간봉(間烽)을 받아 한성의 목멱산(남산)으로 넘기는 길목에 자리를 잡고 있다.

유구현황	1차 발굴조사	삼국시대~조선시대	봉수대 주변(백제시대), 남문지(통일신라시대), 2호 치성(고려시대), 봉수대(조선시대)
	2차 발굴조사	나말여초	서문지, 배수구
	3차 발굴조사	통일신라~고려시대	성벽, 제사유구, 주거지

주요유물	1차 발굴조사	검은간토기 · 덧띠토기(청동기시대), 항아리 · 바리 · 굽접시 · 대접 · 단지 · 병 등(백제시대), 줄무늬병 · 덧줄무늬병(통일신라시대), 기년명 및 명문기와(고려시대), 백자 · 분청사기 (조선시대)
	2차 발굴조사	연호명(峻豊, 興國) 등 명문기와, 토기류, 철제류 등
	3차 발굴조사	기와류, 철제류 외

시기 · 성격	1차 발굴조사 결과 망이산성은 내부에 백제에 의해 축조된 것으로 추정되는 토성이, 외부에는 통일신라 시대부터 고려시대까지 사용된 것으로 추정되는 석성이 존재함이 확인되었다. 또한 성 내부에서는 다수의 건물지와 우물지 등이 확인되었다. 2차 발굴조사에서는 서문지에서 「峻豊四年」銘 기와가 출토되어 문지의 변천과 더불어 고려시대 초반에 제작된 기와의 속성 및 안성을 중심으로 전개되었던 여러 가지 역사적인 사실을 확인할 수 있었다. 3차 발굴조사에서는 성벽을 비롯하여 성 내부의 수혈유구와 팔각건물지를 비롯한 기타 유구가 확인되었다. 　　이상의 조사 결과를 볼 때 망이산성은 삼국시대에 백제가 정상부에 토성을 축조한 이래 석성으로 개축되어 통일신라, 고려, 조선시대를 거치면서 지속적으로 활용된 산성임이 확인되었다.
참고문헌	단국대학교 중앙박물관, 1996, 『망이산성 발굴보고서(1)』. 단국대학교 중앙박물관, 1999, 『안성 망이산성 2차 발굴조사 보고서』, 제25책. 단국대학교 매장문화재연구소, 2006, 『안성 망이산성 3차 발굴조사 보고서』, 제39책.

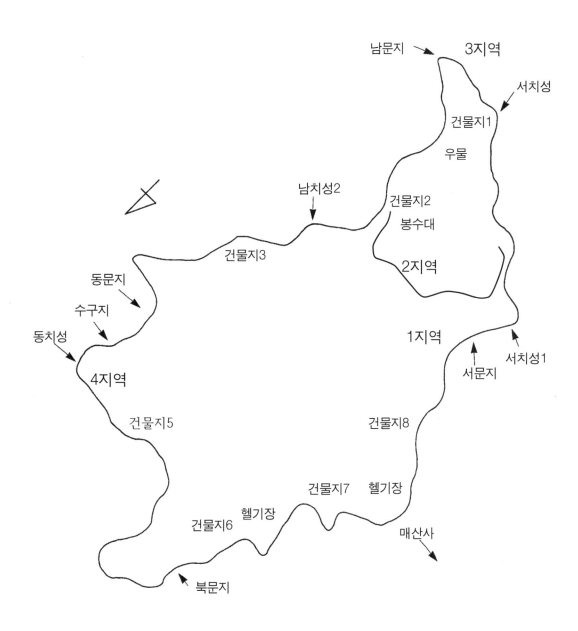

남문지 → 3지역

서치성

건물지1

우물

남치성2

건물지2

봉수대

2지역

건물지3

동문지

1지역

수구지

서치성1

동치성

서문지

4지역

건물지5

건물지8

헬기장

건물지7

건물지6 헬기장

헬기장

매산사

북문지

0   100m [1/2000]

〈 망이산성 현황도 (1:2,000) 〉

2)-1 안성 망이산성 3지역 남문터

유구성격	지표면에서 30㎝되는 깊이에 동북 방향으로 축을 이룬 한 줄의 석렬이 남문터 출입구 왼쪽 지점에서 나타났다. 이 석렬과 그 밑에 쌓인 것들을 들어내자 꺾쇠 모양으로 꺾인 석렬 구조가 나타났다. 이 구조물은 출입구 바깥쪽으로 가며 출입구의 중심선을 향하여 조금 꺾여 들어간 모습을 하고 있다. 　출입구의 서북쪽 석축은 기단석이 제대로 남아 있다. 기단석의 바닥 부분을 튼튼히 하려고 그 부분에 돌을 깔았다. 출입구의 남동벽, 즉 오른쪽에는 기단석이 3개 남아 있었고, 바깥쪽 기단석은 무너져 있었다. 현재 남아 있는 기단석의 전체 길이는 445㎝이다. 기단석 위에는 부분에 따라 2-3열을 이루는 석축이 거의 수직으로 쌓인 것으로 나타난다. 출입구의 양쪽 기단석 사이에서 잰 너비는 410㎝이고, 그리고 양쪽 벽 사이에서 잰 너비는 465㎝ 정도이다. 　남문 안쪽 성벽의 석축 아랫부분은 모두 제대로 남아 있다. 왼쪽과 오른쪽의 석축 밑단은 같은 방법으로 축조되었다. 기반암을 깎아서 편평하게 만든 다음, 흙을 깔아 다지고, 그 위 에 크고 작은 잡석 다짐을 하였고, 또다시 그 위에 큼직한 돌을 이용하여 밑단을 만들었다. 　한편 오른쪽 석축 갓 쪽에는 동북-서남 방향으로 옹벽이 축조되었다. 오른쪽 석축과 옹벽이 이루는 각은 거의 직각이다. 옹벽을 만들기 위하여 먼저 기반암층 위에 작은 돌과 흙을 다져 쌓았다. 그리고 오른쪽 석축의 밑돌과 같은 높이로 돌들을 올려놓고, 그 위에 옹벽을 축조하였다. 현재 옹벽은 2-3줄 정도 남아 있으며, 최대 높이는 75㎝, 길이는 250㎝ 정도이다.
시기	통일신라시대 후기~고려시대 초기

기년유물	「○平○國七年…竹州丹草近(?)」銘 암키와(2점), 「己巳年千年主(?)人○大(?)」銘 암키와(1점), 「丁丑七月七日作○」銘 암키와(1점)				
	연번	보고서 유물번호	기와 종류	명문내용	연대
	1	탁본1-7	암키와	國七年	982
	2	탁본2-4	〃	○平○國七年…竹州丹草近(?)	〃
	3	탁본2-6	〃	己巳年千年主(?)人○大(?)	969?
	4	탁본2-5	〃	丁丑七月七日作○	977?

공반유물	목항아리, 편병·자라병·줄무늬 병·덧줄무늬병, 굽접시, 명문기와, 화살촉 등

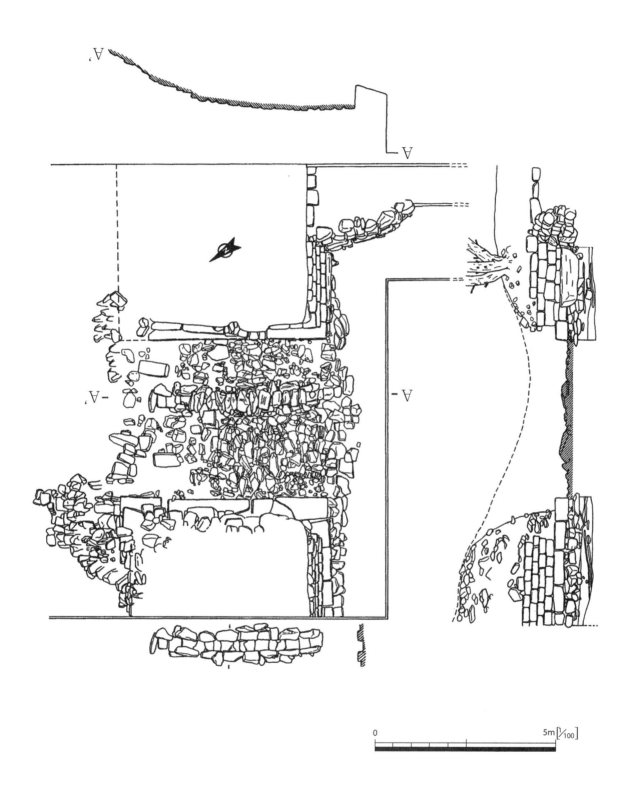

〈 3지역 남문터 평면도 및 입·단면도 (1:100) 〉

(1) 國七年 銘 암키와

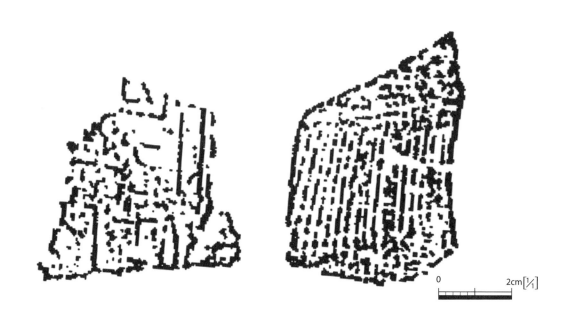

0 　　　　　　2cm[⅟₁]

명문	연호	연호명 년도	국명(왕)	고려	절대연대
國七年	太平興國	976~983	宋 (太宗 7年)	成宗 元年	982

종류	태토	소성도	색조			제원		
			내	외	속심	길이	폭	두께
암키와	바탕흙에 모래 혼입	연질		짙은갈색		(7)	(6)	2

문양 및 제작속성		
외면	내면	측면
선문 종방향으로 구획 후 명문 시문, 물손질	포목흔, 빗질흔	

(2) ○平○國七年…竹州丹草近(?) 銘 암키와

0   5cm[½]

명문	연호	연호명 년도	국명(왕)	고려	절대연대
○平○國七年…州丹草近(?)	太平興國	976~983	宋 (太宗 7年)	成宗 元年	982

종류	태토	소성도	색조			제원		
			내	외	속심	길이	폭	두께
암키와	바탕흙에 모래 혼입	연질		회색		(17)	(12.5)	1.8

문양 및 제작속성		
외면	내면	측면
선문 종방향으로 구획 후 명문 시문, 물손질	포목흔	와도흔 내측 1/3

(3) 己巳年千年主(?)人○大(?) 銘 암키와

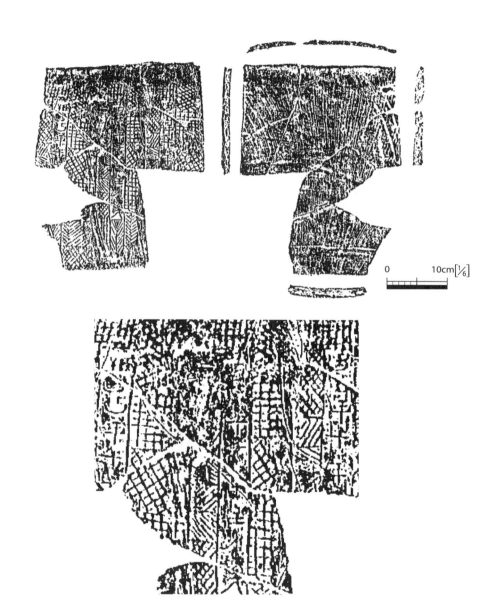

0   10cm[⅙]

명문	간지명	간지명 년도					추정연대		
己巳年千年主(?)人○大(?)	己巳	969, 1029, 1089, 1149, 1209, 1269, 1329, 1389					969		
종류	태토	소성도	색조			제원			
			내	외	속심	길이	폭	두께	
암키와	바탕흙에 모래 혼입	경질		연한 갈색		35	25	1.3	
문양 및 제작속성									
외면		내면			측면				
격자+사격자+어골문+명문		포목흔, 모골흔			와도흔 내측 1/3				

(4) 己巳年千年主(?)人O大(?) 銘 암키와

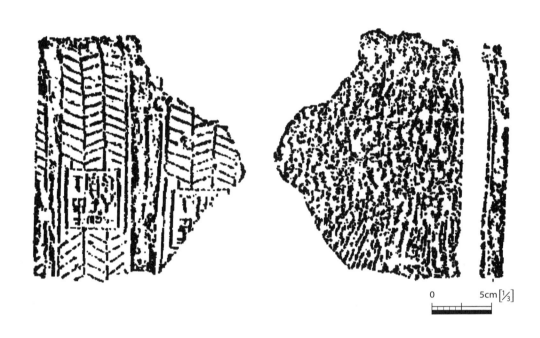

0   5cm [⅓]

명문	간지명	간지명 년도					추정연대	
丁丑七月七日作O	丁丑	977, 1037, 1097, 1157, 1217, 1277, 1337					977	
종류	태토	소성도	색조			제원		
			내	외	속심	길이	폭	두께
암키와	바탕흙에 모래 혼입	경질		회갈색		(21)	(17.5)	1.6
문양 및 제작속성								
외면		내면			측면			
어골문+명문		포목흔, 모골흔			와도흔 내측 1/3			

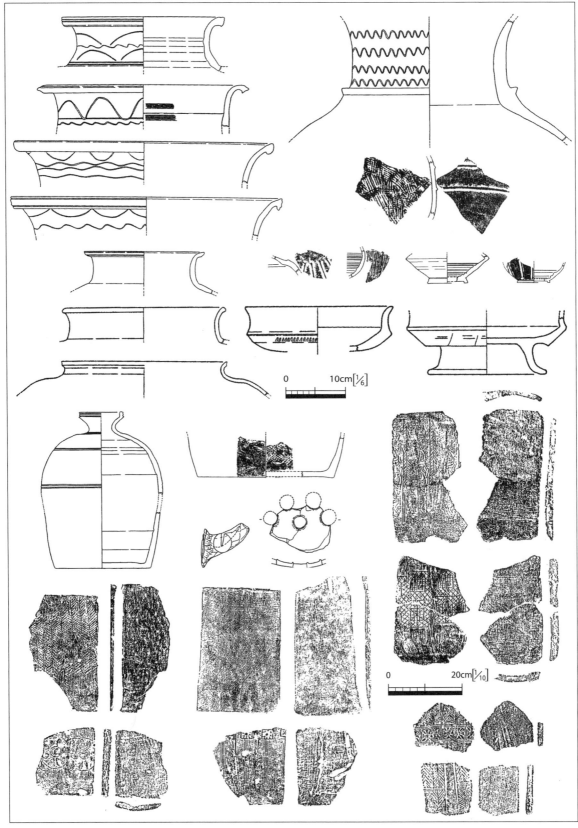

〈 3지역 남문터 공반출토유물 〉

2)-2 안성 망이산성 4지역 2호 치성

유구성격	2호 치성은 망이산성의 북동북 지점에 있다. 이곳의 체성은 동-서 방향으로 있으며, 2호 치성 부분이 있는 곳을 휘감으며 남쪽으로 달린다. 즉 치성 남쪽 부분은 체성과 연결된다. 발굴 조사 당시 2호 치성은 이미 많은 부분이 허물어져 윗부분은 제대로 남아 있지 않았다. 검은 갈색의 겉흙을 제거하자, 치성에서 굴러 떨어진 많은 성돌이 흩어져 있는 모습으로 나타났고, 이런 성돌 틈 사이에 기와 조각과 질그릇 조각들이 있었다. 부분에 따라 조금 차이는 있지만 겉흙 층 밑에서 바로 기반암이 드러났다. 치성의 평면 형태는 정사각형을 이루고 있다. 북쪽 기단석의 최대 너비는 약 8.1m이며, 이곳에서 체성 벽까지의 수직선 거리는 약 8m이다. 현재 남아 있는 치성 앞부분의 높이는 6.7m이다. 지금까지 발굴된 결과를 참조할 때, 치성의 가장 밑 부분 기단석은 기반암층을 판판하게 고른 다음 올려놓은 것으로 보인다. 치성의 기단석이 제대로 남아 있는 앞부분을 살펴보면 다음과 같다. 바닥에는 거칠게 다듬은 판판한 돌(두께 약 20-30㎝, 너비 35-85㎝)을 13개 놓았다. 기단석은 10줄로 쌓아올렸고, 각 기단마다 5-7㎝ 정도 물려쌓기를 하였다. 치성 앞면의 기단석은 약 50도의 기울기를 보인다. 기단석 윗부분의 치성 벽체는 거의 수직에 가깝게 쌓여 있다. 기단석의 앞부분 바닥돌은 수직으로 쌓은 벽체보다 105㎝ 정도 앞으로 놓여 있다. 바닥돌을 뺀 기단석의 전체 높이는 약 265㎝이다. 치성의 양쪽 벽면은 거의 수직으로 쌓였다. 치성의 동벽은 기반암을 깎은 다음, 거칠게 다듬은 돌을 놓아 밑단을 마련하였다. 이 바닥돌 위의 석렬은 물려쌓기를 하였고, 이곳부터 다듬은 돌을 가지고 수직에 가까운 벽체를 쌓았다. 체성과 치성이 맞붙어 있는 지점과 치성의 가장 아래쪽 지점에 놓인 ①번 기단석과의 높이 차이는 약 145㎝이다. 치성 동벽과 서벽 양쪽은 서로 공통된 몇 가지 특징을 보여준다. 첫째, 치성의 양쪽 벽은 체성의 벽면과 서로 맞물리지 않게 쌓였다. 둘째, 치성의 벽면에는 쐐기돌이 상당히 박혀 있지만, 체성 벽에는 그것들이 박혀 있지 않다.

시기	통일신라 후기~고려 초기

기년유물	「己巳八月」銘 암키와(1점)				
	연번	보고서 유물번호	기와 종류	명문내용	연대
	5	탁본1-1	수키와	己巳八月	969?

공반유물	목항아리, 편병, 덧줄무늬병, 항아리, 완, 자배기, 굽접시, 시루조각, 손잡이 등의 토기류, 명문기와 및 기와류, 철제류 등

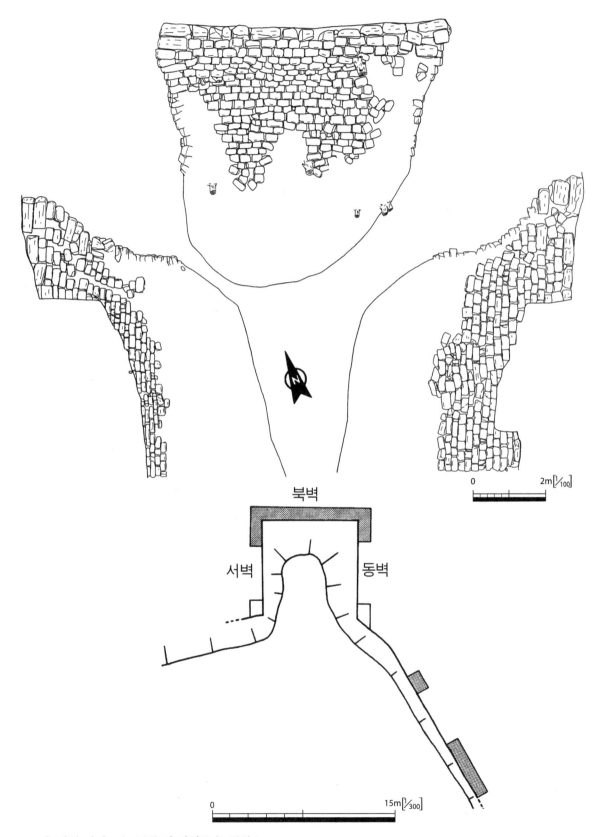

북벽

서벽   동벽

〈 2호 치성 평면도 (1:300) 및 입면도 (1:100) 〉

(5) 己巳八月 銘 수키와

0   5cm[½]

명문	간지명	간지명 년도					추정연대	
己巳八月	己巳	969, 1029, 1089, 1149, 1209, 1269, 1329, 1389					969	
종류	태토	소성도	색조			제원		
			내	외	속심	길이	폭	두께
수키와	바탕흙에 모래 혼입	경질		짙은 회색		(11)	(13)	1.7
문양 및 제작속성								
외면		내면			측면			
어골문+원문+명문		포목흔, 모골흔, 합철흔, 물손질			와도흔 내측 1/3			

2)-3 안성 망이산성 서문지 제1와적층

유구성격	서문지는 성안과 바깥쪽으로 확장 조사한 결과 축조된 후 2차례에 걸쳐 개축되었음을 알 수 있었다. 암반층을 삭토한 후 문지내의 기저부로 바로 이용한 바닥층은 문을 통해 옹벽을 지나 성내로 들어오는 출입부로 추정되었다. 또한 문지 통로부는 암반층이 높은 곳은 삭토하고, 낮은 곳은 점토층 위로 석축을 쌓아 바닥부를 조성한 후 그 위로 초축된 문지의 기단부를 조성하였다. 문지 내·외벽과 옹벽, 바깥쪽 석축 역시 동일한 토층으로 다지거나 뒷채움 하여 쌓았다. 그러므로 확인된 문지 통로부의 개축된 측벽 외에는 동일시기에 축조되었음을 알 수 있었다. 그러나 이러한 성벽 하부의 점토층에서는 유물이 수습되지 않아 초축된 성벽의 상한선 추정이 불가능하였다. 다만 암갈색 점토로 다짐한 층에서 와적층이 노출되어 이 층이 문이 축조된 이후 퇴적되거나 개축 이전에 인위적으로 형성된 층임을 알 수 있다. 와적된 기와들은 주로 격자문과 사격자 문양이 주로 표현되었다. 이 기와들은 삼국 말~통일신라시대의 것으로 보이는데, 서문지는 적어도 이 기와들이 사용되기 이전에 축조되었을 것으로 추정된다. 2차례에 걸쳐 개축된 문지는 토층과 유물의 출토상황이 거의 같아 시기의 차이가 별로 없을 것으로 보인다. 이 개축된 문지의 바닥 위로는 어골문 수키와, 연화문과 花紋이 새겨진 암키와 등과 함께 많은 양의 명문기와가 수습되었다. 이것들은 대체로 통일신라 말기에서 고려시대 초반에 걸쳐 제작된 것으로 추정된다. 특히「峻豊四年」銘 기와는 963년(고려 광종 14)에 조성된 기와로 가장 상층에서 수습된 점을 감안할 때 서문지는 이 시기에 마지막으로 개축되어 사용되다가 폐문(廢門)된 것으로 판단된다.
시기	통일신라 말기~고려시대 초반

기년유물	「峻豊」銘 암키와(2점), 「○○峻豊四年壬戌大介(?)山/竹州」銘 암키와(3점), 「興國」銘 암키와(1점)			
	연번	보고서 유물번호	기와 종류	명문내용	연대

연번	보고서 유물번호	기와 종류	명문내용	연대
6	사진 4	암키와	峻豊	960~963
7	사진 5	〃	〃	〃
8	사진 1	〃	峻豊四年壬戌大介(?)山/竹州	963
9	사진 2	〃	峻豊四年壬戌大介(?)山	〃
10	사진 3	〃	(峻)豊四年壬戌	〃
11	사진 8	〃	興國	976~983

공반유물	명문기와, 토기류, 자기류, 석재류, 철기류

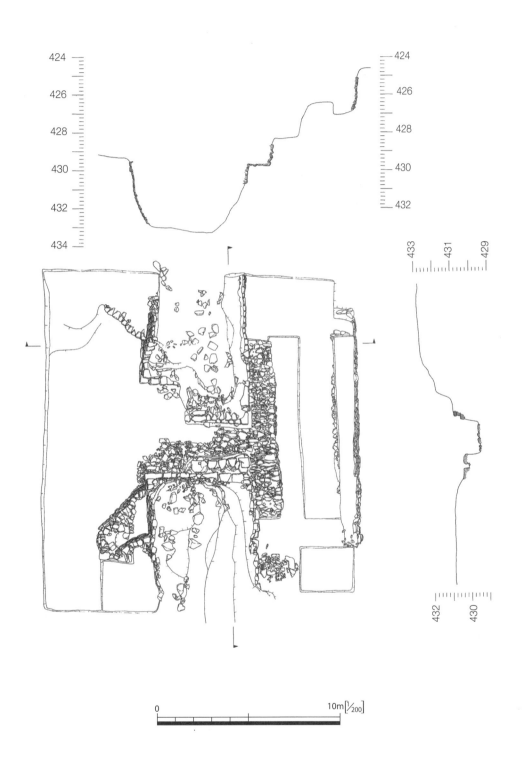

〈 서문지 평면도 및 단면도 (1:200) 〉

⑹ 峻豊 銘 암키와

0   5cm[½]

명문		연호	연호명 년도	국명(왕)		절대연대
峻豊		峻豊	960~963	高麗(光宗 11~14年)		
종류	태토	소성도	색조			제원		

종류	태토	소성도	내	외	속심	길이	폭	두께
암키와	점토에 굵은 석립이 함유	경질		적갈색		(10.5)	(11.6)	1.5

문양 및 제작속성		
외면	내면	측면
명문	포목흔, 물손질	

(7) 峻豊 銘 암키와

0 ⊢─────────⊣ 5cm[½]

명문	연호	연호명 년도	국명(왕)		절대연대
峻豊	峻豊	960~963	高麗(光宗 11~14年)		

종류	태토	소성도	색조			제원		
			내	외	속심	길이	폭	두께
암키와	점토에 굵은 석립이 함유	경질		적갈색		(8)	(6)	1.8

문양 및 제작속성		
외면	내면	측면
명문	포목흔, 물손질	

(8) 峻豊四年壬戌大介(?)山/竹州 銘 암키와

0   5cm [⅓]

명문	연호	연호명 년도	국명(왕)		절대연대
峻豊四年壬戌大介(?)山/竹州	峻豊	960~963	高麗 (光宗 11~14年)		963

종류	태토	소성도	색조			제원		
			내	외	속심	길이	폭	두께
암키와	점토에 가는 석립이 함유	경질		회청색		(34.5)	27.5	1.5

문양 및 제작속성		
외면	내면	측면
장방형 곽 내부에 명문 타날	포목흔, 하단 깎기 조정 3㎝	와도흔 내측 1/3

(9) 峻豊四年壬戌大介(?)山 銘 암키와

0   5cm[⅓]

명문		연호	연호명 년도	국명(왕)		절대연대
峻豊四年壬戌大介(?)山		峻豊	960~963	高麗 (光宗 11~14年)		963
종류	태토	소성도	색조			제원		
			내	외	속심	길이	폭	두께
암키와	점토에 굵은 석립이 함유	경질		회갈색		34.5	32.5	1.5
문양 및 제작속성								
외면		내면			측면			
선문 종방향 구획후 명문시문		포목흔, 물손질						

(10) (峻)豊四年壬戌 銘 암키와

0 5cm [⅓]

명문		연호	연호명 년도	국명(왕)			절대연대
峻豊四年壬戌		峻豊	960~963	高麗 (光宗 11~14年)			963
종류	태토	소성도	색조			제원	
			내	외	속심	길이	폭	두께
암키와	점토에 굵은 석립이 함유	경질		회갈색		(22)	(10.5)	1.5
문양 및 제작속성							
외면		내면		측면			
명문		포목흔, 물손질		와도흔 내측 1/3			

(11) 興國 銘 암키와

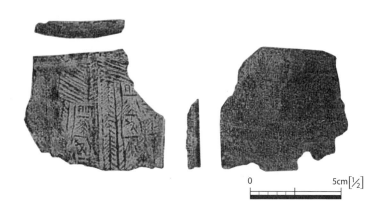

명문	연호	연호명 년도	국명(왕)		고려	절대연대
國七年	太平興國	976~983	北宋 (太宗 1~8年)		成宗 元年	
종류	태토	소성도	색조		제원	
			내	외	속심	길이	폭	두께
암키와	점토에 굵은 석립이 함유	경질		암갈색		(13.7)	(15.8)	1.9
문양 및 제작속성						
외면		내면		측면		
방곽에 명문 타날		포목흔		와도흔 내측 1/2		

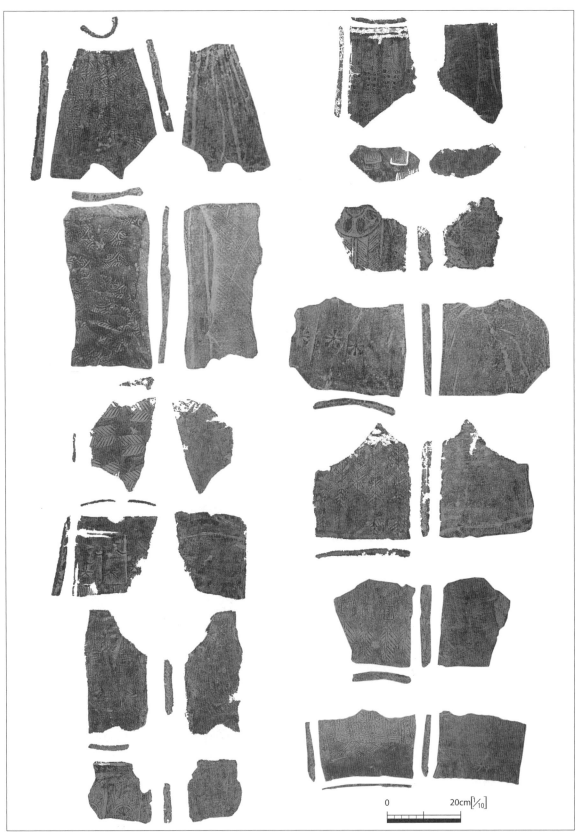

0   20cm[1/10]

〈 서문지 제1와적층 공반출토유물 〉

3) 안성 봉업사지 (安城 奉業寺址)

경기도

유적위치	경기도 안성시 죽산면 죽산리 240-1 ~3, 243-1번지 일대				
조사사유	유적 정비를 위한 학술발굴조사				

조사연혁	발굴조사 : 1997.09.24 ~ 1998.03.31 (1차-경기도박물관)
	             2000.10.10 ~ 2001.03.31 (2차-경기도박물관)
	             2004.03.10 ~ 2004.09.30 (3차-경기도박물관)				

유적입지	봉업사지가 위치한 죽산리 오층석탑 주변은 현재 밭으로 경작되고 있으며, 그 외곽에는 수기의 민묘가 조성되어 있다. 오층석탑이 서 있는 곳은 평탄면에 가까운 완만한 경사면 지형으로서, 북쪽으로는 비봉산(해발372m), 죽주산(해발250m)이 솟아 있고 그 지맥이 동서방향으로 펼쳐져 있다. 남쪽으로는 남산(해발331.5m)과 바깥 걸미산(해발330m)을 중심으로 동서방향의 지맥이 돌아간다. 비봉산과 남산사이에는 죽산천이 서에서 동으로 흐르고 있으며, 남산에서 북류하는 용설천이 유적 남쪽의 안광마을에서 죽산천과 합류하는데, 죽산천은 용인 양지방향에서 흘러내려온 청미천과 합류하여 동류한다. 이러한 지형여건으로 인하여 죽산지역은 고대부터 기호지방과 삼남지방을 연결하는 지리적 요충지로서 주목받아 왔으며, 교통·경제·문화의 중심지로 성장하였다. 이와 같은 역사적 배경 하에 많은 문화유적이 죽산지역을 중심으로 분포하고 있다.				
유구현황	1차·2차 발굴조사	통일신라시대 ~고려시대	통일신라시대 목탑지, 고려시대 건물지(28), 보도석렬, 부석시설, 배수시설 등		
	3차 발굴조사	통일신라시대 ~고려시대 등	통일신라시대 석탑 기단, 고려시대 건물지(6), 범종 주조유구, 담장석렬 및 부석시설		
주요유물	1차·2차 발굴조사	인동당초문암막새, 연화보상화문수막새, 명문기와(奉業寺 및 연호·간지명 기와 40여종 500개점), 고려청자, 중국자기, 납석제 인장 등			
	3차 발굴조사	통일신라시대 보상화문 암막새, 명문기와(太和 6年銘, 연호 및 간지명 기와 30여종 200여점), 석조인물상			
기년유물	1차·2차 발굴조사 :「峻豊四年壬」銘 수키와(1점),「乾德五年…/大O山[(白)士]…」銘 수키와(5점),「太平興國七年壬午三月日/竹州凡草近水(仁)水(吳)(矣)」銘 암키와(5점),「興國八」銘 암키와(4점),「…善凡/雍熙…」銘 암키와(1점)·수키와(1점),「…O年乙酉八月日竹…/…里凡草[伯士]能達毛」銘 암키와(1점)·수키와(3점),「丙辰上年/OO(攸)(宣)[佰土]」銘 암키와(6점)·수키와(3점),「(發)(令)/戊午年凡初作[佰士]必(攸)毛」銘 암키와(61점),「辛酉年酉年作草」銘 암키와(23점),「己巳年千年主人光大」銘 암키와(28점),「甲戌九月十一日元作O」銘 암키와(13점)				

연번	보고서 유물번호	기와 종류	명문내용	연대
1	도면 46-2	수키와	峻豊四年壬	963
2	도면 46-3	〃	乾德五年…/大O山[(白)士]…	967
3	도면 46-4	〃	〃	〃
4	도면 46-5	〃	〃	〃
5	도면 46-6	〃	〃	〃
6	도면 47-1	암키와	太平興國七年壬午三月日/ 竹州凡草近水(仁)水(吳)(矣)	982
7	도면 47-2	〃	〃	〃
8	도면 47-3	〃	〃	〃

	9	도면 47-4	〃	〃	〃
	10	도면 47-5	〃	〃	〃
	11	도면 48-1	〃	興國八	983
	12	도면 48-2	〃	〃	〃
	13	도면 48-3	〃	〃	〃
	14	도면 48-4	〃	…善凡/雍熙…	984~987
	15	도면 48-5	수키와	〃	〃
	16	도면 49-1	암키와	…O年乙酉八月日竹…/ …里凡草[伯士]能達毛	925？
	17	도면 49-2	수키와	〃	〃
	18	도면 49-3	〃	〃	〃
	19	도면 49-4	암키와	丙辰上年/OO(攸)(宣)[佰土]	956？
	20	도면 49-5	〃	〃	〃
	21	도면 49-6	〃	〃	〃
	22	도면 49-7	〃	〃	〃
	23	도면 49-8	〃	〃	〃
	24	도면 49-9	〃	〃	〃
	25	도면 49-10	수키와	〃	〃
	26	도면 50	암키와	(發)(令)/戊午年凡初作[佰土]必(攸)毛	958？
기년유물	27	도면 51	암키와	〃	〃
	28	도면 52	〃	辛酉年酉年作草	961？
	29	도면 53	〃	己巳年千年主人光大	969？
	30	도면 54	〃	甲戌九月十一日元作O	974？
	31	도면 55	〃	〃	〃

3차 발굴조사 : 「乾德五年丁卯」銘 암키와(5점), 「O國八年/天下太平」銘 암키와(2점), 「四年(庚)(戌)四月」銘 암키와(4점), 「丙辰上年OO(攸)(宣)[佰土]」銘 암키와(4점), 「(發)(令)/戊午年凡草作伯士必(攸)(毛)」銘 암키와(3점), 「(草)作伯士O山(毛)」銘 암키와(2점), 「天+己巳八月十日作官草」銘 암·수키와(36점), 「丁丑七月七日作草」銘 암키와(2점)

연번	보고서 유물번호	기와 종류	명문내용	연대
32	도면 23-1	암키와	乾德五年丁卯	967
33	도면 23-2	〃	〃	〃
34	도면 23-3	〃	〃	〃
35	도면 23-4	〃	O國八年/天下太平	983
36	도면 23-5	〃	〃	〃
37	도면 24	〃	四年(庚)(戌)四月~	950？
38	도면 25-1	〃	丙辰上年OO(攸)(宣)[佰土]	956？
39	도면 25-2	〃	〃	〃
40	도면 25-3	〃	〃	〃
41	도면 25-4	〃	〃	〃
42	도면 25-5	〃	(發)(令)/戊午年凡草作伯士必(攸)(毛)	958？
43	도면 25-6	〃	〃	〃
44	도면 26-1	〃	(草)作伯士O山(毛)	〃
45	도면 26-2	암·수키와	天+己巳八月十日作官草	969？
46	도면 27-2	암·수키와	〃	〃
47	도면 27-3	암·수키와	〃	〃
48	도면 28	암·수키와	〃	〃
49	도면 29	〃	丁丑七月七日作草	977？

시기 · 성격	발굴조사결과 죽산리 3층 석탑을 중심으로 남북축선상의 정연한 가람배치와 6개소의 건물지, 담장석렬 및 부석시설, 그리고 범종유구 등이 확인되었다. 이중에서 건물지 1, 죽산리 3층 석탑, 그리고 건물지 6은 일직선상에 배치되어 있는데, 건물방향은 죽산리 5층 석탑 주변 중심지역의 축선과 일치하고 있다. 이러한 배치는 죽산리 3층 석탑 일대의 사찰구조가 봉업사의 창건 내지는 중창 과정에서 동시에 고려되었음을 알려주는 것으로서, 당시 사원 조영의 일면을 파악할 수 있는 자료로 판단된다. 고려 초기의 작품으로 편년되는 죽산리 3층 석탑의 하부에서 통일신라시대 석탑의 하층기단이 확인되었다. 이처럼 통일신라시대의 하층기단 위에 고려시대의 석탑이 건립된 것은 매우 특수한 예로 주목되는데, 하층기단 하부에서 출토된 「太和六年」銘 기와를 통해 832년(흥덕왕 7)이라는 그 상한연대를 알 수 있었다. 이는 9세기 석탑 건립이 전국화 되던 양상 속에 죽산 일대 또한 예외가 아니었음을 밝혀주는 중요한 유물로 평가된다. 또한 1 · 2차 조사에서 확인된 봉업사 이전의 華次寺와 관련하여 볼 때, 죽산지역에는 통일신라시대에도 사찰이 밀집 조성되어 있었음을 알 수 있다. 인근의 망이산성 발굴과 이곳의 1·2차 조사에서 출토된 다양한 명문기와 중 고려 광종~성종대에 이르는 기와가 3차 조사에서도 다량을 확인되었다. 특히「乾德」,「興國」,「丁丑」銘 등의 기와를 통해 볼 때 고려시대 전기에 죽산이 종교적으로나 행정군사적 거점이었고, 특히 광종대 이후의 중앙집권화 과정에서 중요한 지역적 기능을 담당하였을 것으로 짐작된다. 이는 죽산지역이 개경에서 삼남으로 통하는 길목에 위치하여 당시 강력한 세력을 형성하였던 충주, 진천, 청주 등지의 호족세력을 견제하기 위한 곳으로 중요시되었기 때문인 것으로 판단된다.
참고문헌	京畿道博物館, 2002,『奉業寺』, 第8冊. 京畿道博物館, 2005,『高麗 王室寺刹 奉業寺』, 第21冊.

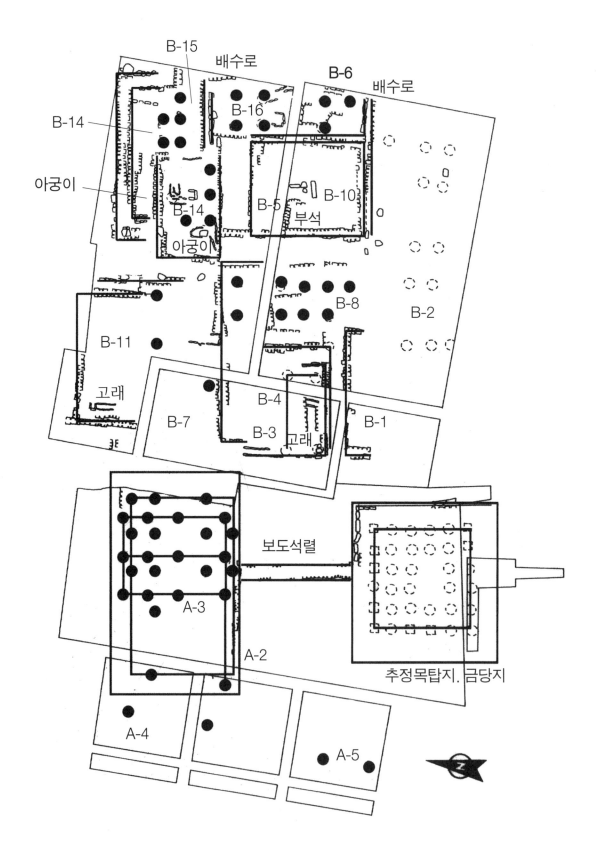

〈 1 · 2차 발굴조사 전체유구배치도 (스케일 보고서 미기재) 〉

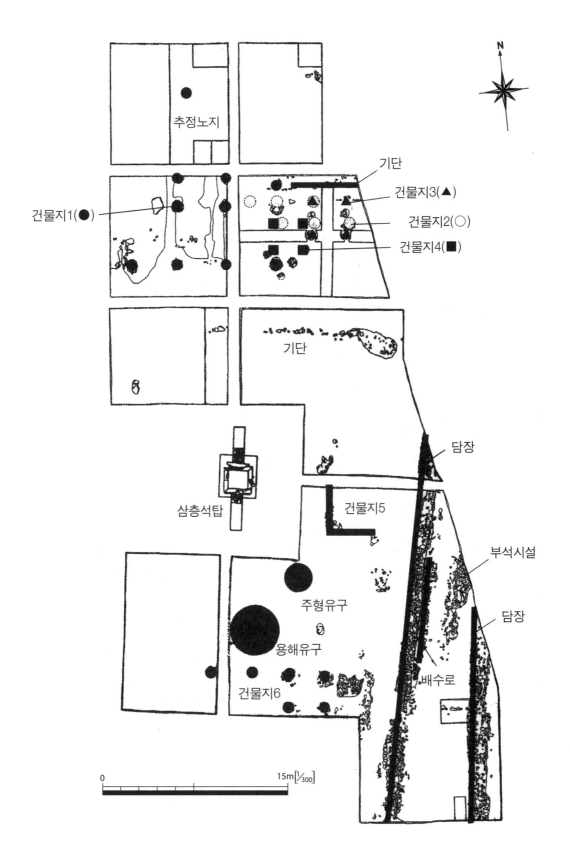

추정노지

기단

건물지3(▲)

건물지1(●)

건물지2(○)

건물지4(■)

기단

담장

삼층석탑

건물지5

부석시설

담장

주형유구

용해유구

배수로

건물지6

0   15m〔1/300〕

〈 3차 발굴조사 전체유구배치도 (1:300) 〉

(1) 峻豊四年壬 銘 수키와

0   2cm[¹/₁]

명문	연호	연호명 년도	국명(왕)		절대연대
峻豊四年壬	峻豊	960~963	高麗 (光宗 11~14年)		963

종류	태토	소성도	색조			제원		
			내	외	속심	길이	폭	두께
수키와								

문양 및 제작속성		
외면	내면	측면
	포목흔, 눈테흔, 물손질	

(2) 乾德五年 銘 수키와

0   2cm[⅟₁]

명문		연호	연호명 년도	국명(왕)	고려	절대연대
乾德五年…/ 大O山[(白)土]…		乾德	963~968	宋 (太祖 5年)	光宗 18年	967
종류	태토	소성도	색조			제원		
			내	외	속심	길이	폭	두께
수키와								1.6~1.8
문양 및 제작속성								
외면			내면			측면		
방곽내 명문, 집선문, 타날폭 6.3㎝			포목흔, 물손질					

(3) 乾德五年 銘 수키와

0   2cm[⅟₁]

명문		연호	연호명 년도	국명(왕)	고려	절대연대
乾德五年…/ 大○山[(白)土]…		乾德	963~968	宋 (太祖 5年)	光宗 18年	967

종류	태토	소성도	색조			제원		
			내	외	속심	길이	폭	두께
수키와								1.6~1.8

문양 및 제작속성		
외면	내면	측면
방곽내 명문, 집선문, 타날폭 6.3㎝	포목흔, 물손질	

(4) 乾德五年 銘 수키와

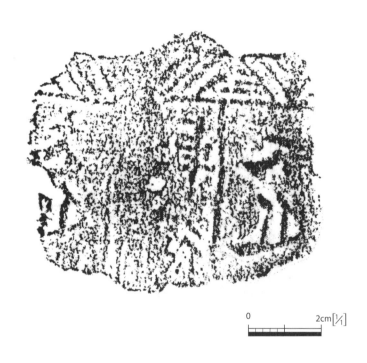

0   2cm[⅟₁]

명문	연호	연호명 년도	국명(왕)	고려	절대연대
乾德五年…/ 大O山[(白)士]…	乾德	963~968	宋 (太祖 5年)	光宗 18年	967

종류	태토	소성도	색조			제원		
			내	외	속심	길이	폭	두께
수키와								1.6~1.8

문양 및 제작속성		
외면	내면	측면
방곽내 명문, 집선문, 타날폭 6.3㎝	포목흔, 물손질	

(5) 乾德五年 銘 수키와

0   2cm[⅟₁]

명문		연호	연호명 년도	국명(왕)	고려	절대연대
乾德五年…/ 大○山[(白)土]…		乾德	963~968	宋 (太祖 5年)	光宗 18年	967

종류	태토	소성도	색조			제원		
			내	외	속심	길이	폭	두께
수키와								1.6~1.8

문양 및 제작속성		
외면	내면	측면
방곽내 명문, 집선문, 타날폭 6.3㎝	포목흔, 물손질	

⑹ 太平興國七年 銘 암키와

명문		연호	연호명 년도	국명(왕)	고려	절대연대
太平興國七年壬午三月日/ 竹州凡草近水 (仁)水(吳)(矣)		太平興國	976~983	宋 (太宗 7年)	成宗 1年	982

종류	태토	소성도	색조			제원		
			내	외	속심	길이	폭	두께
암키와								2.1~2.8

문양 및 제작속성		
외면	내면	측면
방곽내 명문, 타날폭 6.5㎝	포목흔, 물손질	와도흔 내측 0.3~0.6㎝

(7) 太平興國七年 銘 암키와

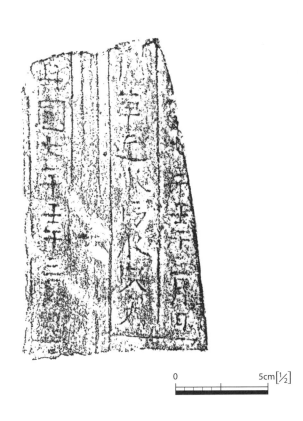

0   5cm[½]

명문		연호	연호명 년도	국명(왕)	고려	절대연대
太平興國七年壬午三月日/ 竹州凡草近水(仁)水(吳)(矣)		太平興國	976~983	宋 (太宗 7年)	成宗 1年	982
종류	태토	소성도	색조			제원		
			내	외	속심	길이	폭	두께
암키와								2.1~2.8
문양 및 제작속성								
외면			내면			측면		
방곽내 명문, 타날폭 6.5㎝			포목흔, 물손질			와도흔 내측 0.3~0.6㎝		

⑻ 太平興國七年 銘 암키와

명문	연호	연호명 년도	국명(왕)	고려	절대연대
太平興國七年壬午三月日/ 竹州凡草近水(仁)水(吳)(矣)	太平興國	976~983	宋 (太宗 7年)	成宗 1年	982

종류	태토	소성도	색조			제원		
			내	외	속심	길이	폭	두께
암키와								2.1~2.8

문양 및 제작속성		
외면	내면	측면
방곽내 명문, 타날폭 6.5㎝	포목흔, 물손질	와도흔 내측 0.3~0.6㎝

(9) 太平興國七年 銘 암키와

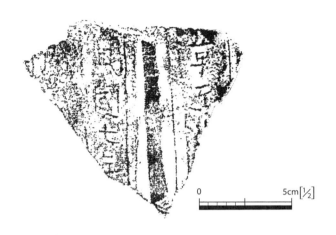

명문		연호	연호명 년도	국명(왕)	고려	절대연대
太平興國七年壬午三月日/ 竹州凡草近水(仁)水(吳)(矣)		太平興國	976~983	宋 (太宗 7年)	成宗 1年	982
종류	태토	소성도	색조			제원		
			내	외	속심	길이	폭	두께
암키와								2.1~2.8
문양 및 제작속성								
외면			내면			측면		
방곽내 명문, 타날폭 6.5㎝			포목흔, 물손질			와도흔 내측 0.3~0.6㎝		

(10) 太平興國七年 銘 암키와

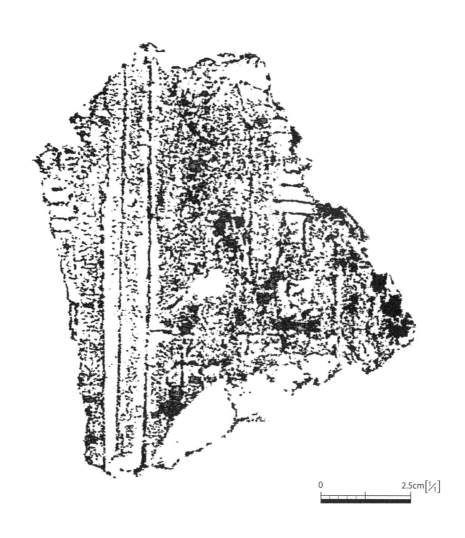

0   2.5cm[⅟₁]

명문	연호	연호명 년도	국명(왕)	고려	절대연대
太平興國七年壬午三月日/ 竹州凡草近水(仁)水(吳)(矣)	太平興國	976~983	宋 (太宗 7年)	成宗 1年	982

종류	태토	소성도	색조			제원		
			내	외	속심	길이	폭	두께
암키와								2.1~2.8

문양 및 제작속성		
외면	내면	측면
방곽내 명문, 타날폭 6.5㎝	포목흔, 물손질	와도흔 내측 0.3~0.6㎝

(11) 興國八 銘 암키와

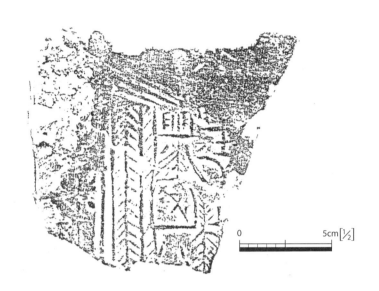

명문	연호	연호명 년도	국명(왕)	고려	절대연대
興國八	興國	976~983	宋 (太宗 8年)	成宗 2年	983

종류	태토	소성도	색조			제원		
			내	외	속심	길이	폭	두께
암키와		경질		회청색				1.7~2.7

문양 및 제작속성		
외면	내면	측면
방곽내 명문, 타날폭 6.5㎝	포목흔, 물손질	와도흔 내측 0.3~0.6㎝

(12) 興國八 銘 암키와

명문		연호	연호명 년도	국명(왕)	고려	절대연대
興國八		興國	976~983	宋 (太宗 8年)	成宗 2年	983

종류	태토	소성도	색조			제원		
			내	외	속심	길이	폭	두께
암키와		경질		회청색				1.7~2.7

문양 및 제작속성		
외면	내면	측면
방곽내 명문, 타날폭 6.5㎝	포목흔, 물손질	와도흔 내측 0.3~0.6㎝

(13) 興國八 銘 암키와

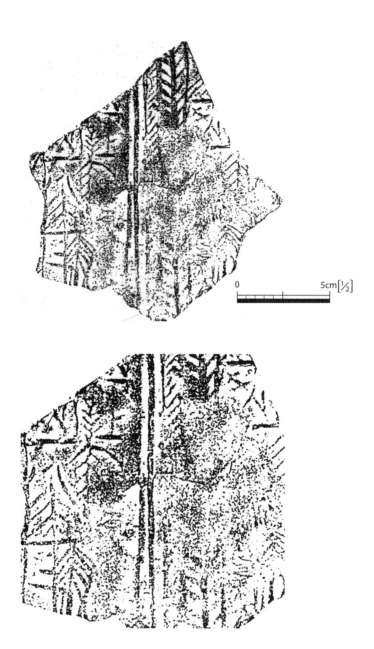

명문	연호	연호명 년도	국명(왕)	고려	절대연대
興國八	興國	976~983	宋 (太宗 8年)	成宗 2年	983

종류	태토	소성도	색조			제원		
			내	외	속심	길이	폭	두께
암키와		경질		회청색				1.7~2.7

문양 및 제작속성		
외면	내면	측면
방곽내 명문, 타날폭 6.5㎝	포목흔, 물손질	와도흔 내측 0.3~0.6㎝

(14) 雍熙 銘 암키와

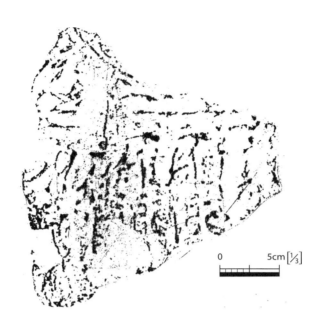

명문	연호	연호명 년도	국명(왕)		고려	절대연대
…善凡/雍熙…	雍熙	984~987	宋 (太宗 9~12年)		成宗 3~6年	983

종류	태토	소성도	색조			제원		
			내	외	속심	길이	폭	두께
암키와		경질		회청색				1.8/2.4

문양 및 제작속성		
외면	내면	측면
방곽내 명문, 집선문	포목흔	

(15) 雍熙 銘 수키와

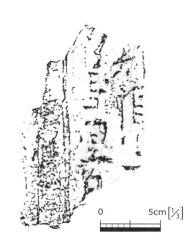

0   5cm [⅓]

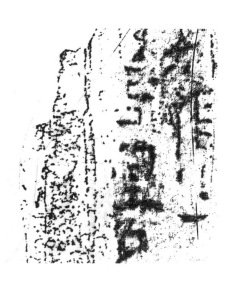

명문	연호	연호명 년도	국명(왕)	고려	절대연대
…善凡/雍熙…	雍熙	984~987	宋 (太宗 9~12年)	成宗 3~6年	983

종류	태토	소성도	색조			제원		
			내	외	속심	길이	폭	두께
수키와		경질		회청색				1.8/2.4

문양 및 제작속성		
외면	내면	측면
방곽내 명문, 집선문	포목흔	

(16) 乙酉 銘 암키와

0   2.5cm[⅟₁]

명문	간지명	간지명 년도		추정연대
…O年乙酉八月日竹…/ …里凡草[伯士]能達毛	乙酉	925, 965, 1025, 1085, 1145, 1205, 1265, 1325, 1385		925

종류	태토	소성도	색조			제원		
			내	외	속심	길이	폭	두께
암키와								

문양 및 제작속성		
외면	내면	측면
방곽 내 명문 시문, 7×22㎝	포목흔, 물손질	와도흔 내측 0.1~0.5㎝

(17) 乙酉 銘 수키와

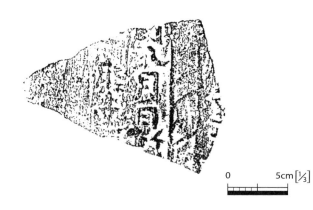

명문	간지명	간지명 년도					추정연대
…O年乙酉八月日竹…/ …里凡草[伯士]能達毛	乙酉	925, 965, 1025, 1085, 1145, 1205, 1265, 1325, 1385					925

종류	태토	소성도	색조			제원		
			내	외	속심	길이	폭	두께
수키와								

문양 및 제작속성		
외면	내면	측면
방곽 내 명문 시문, 7×22㎝	포목흔, 물손질	와도흔 내측 0.1/0.5㎝

(18) 乙酉 銘 수키와

0   5cm[½]

명문	간지명	간지명 년도		추정연대
…O年乙酉八月日竹…/ …里凡草[伯士]能達毛	乙酉	925, 965, 1025, 1085, 1145, 1205, 1265, 1325, 1385		925

종류	태토	소성도	색조			제원		
			내	외	속심	길이	폭	두께
수키와								

문양 및 제작속성		
외면	**내면**	**측면**
방곽 내 명문 시문, 7×22㎝	포목흔, 물손질	와도흔 내측 0.1/0.5㎝

(19) 丙辰 銘 암키와

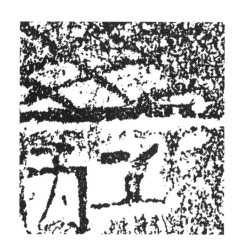

명문	간지명	간지명 년도					추정연대	
丙辰上年/ ○○(攸)(宣)[佰土]	丙辰	956, 1016, 1076, 1136, 1196, 1256, 1316, 1376					956	
종류	태토	소성도	색조			제원		
			내	외	속심	길이	폭	두께
암키와								
문양 및 제작속성								
외면			내면			측면		
방곽 내 명문 시문, 사격자문, 7×22㎝			포목흔, 물손질, 상단 물손질			와도흔 내측 0.1~0.6㎝		

(20) 丙辰 銘 암키와

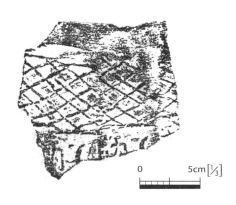

0   5cm[⅓]

명문	간지명	간지명 년도	추정연대
丙辰上年/ ○○(攸)(宣)[佰土]	丙辰	956, 1016, 1076, 1136, 1196, 1256, 1316, 1376	956

종류	태토	소성도	색조			제원		
			내	외	속심	길이	폭	두께
암키와								

문양 및 제작속성		
외면	내면	측면
방곽 내 명문 시문, 사격자문, 7×22㎝	포목흔, 물손질, 상단 물손질	와도흔 내측 0.1~0.6㎝

(21) 丙辰 銘 암키와

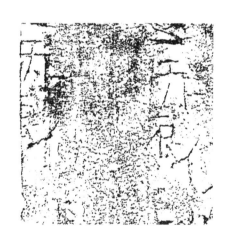

명문	간지명	간지명 년도	추정연대
丙辰上年/ ○○(攸)(宣)[佰土]	丙辰	956, 1016, 1076, 1136, 1196, 1256, 1316, 1376	956

종류	태토	소성도	색조			제원		
			내	외	속심	길이	폭	두께
암키와								

문양 및 제작속성		
외면	내면	측면
방곽 내 명문 시문, 사격자문, 7×22㎝	포목흔, 물손질, 상단 물손질	와도흔 내측 0.1~0.6㎝

(22) 丙辰 銘 암키와

0   5cm[½]

명문	간지명	간지명 년도		추정연대
丙辰上年/ ○○(攸)(宣)[佰土]	丙辰	956, 1016, 1076, 1136, 1196, 1256, 1316, 1376		956

종류	태토	소성도	색조			제원		
			내	외	속심	길이	폭	두께
암키와								

문양 및 제작속성		
외면	**내면**	**측면**
방곽 내 명문 시문, 사격자문, 7×22㎝	포목흔, 물손질, 상단 물손질	와도흔 내측 0.1~0.6㎝

(23) 丙辰 銘 암키와

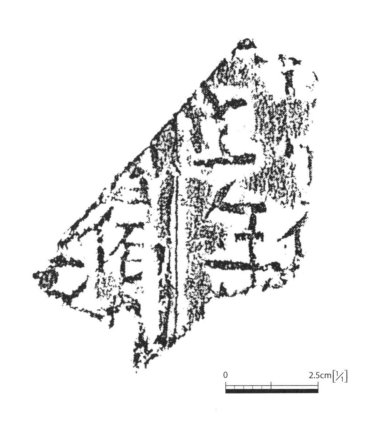

0   2.5cm[1/1]

명문	간지명	간지명 년도					추정연대	
丙辰上年/ ○○(攸)(宣)[佰土]	丙辰	956, 1016, 1076, 1136, 1196, 1256, 1316, 1376					956	
종류	태토	소성도	색조			제원		
			내	외	속심	길이	폭	두께
암키와								
문양 및 제작속성								
외면			내면			측면		
방곽 내 명문 시문, 사격자문, 7×22cm			포목흔, 물손질, 상단 물손질			와도흔 내측 0.1~0.6cm		

(24) 丙辰 銘 암키와

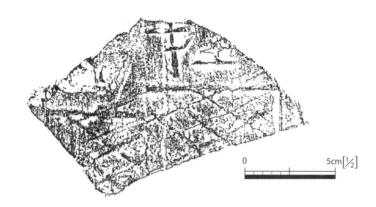

명문	간지명	간지명 년도	추정연대
丙辰上年/ ○○(攸)(宣)[佰土]	丙辰	956, 1016, 1076, 1136, 1196, 1256, 1316, 1376	956

종류	태토	소성도	색조			제원		
			내	외	속심	길이	폭	두께
암키와								

문양 및 제작속성		
외면	내면	측면
방곽 내 명문 시문, 사격자문, 7×22㎝	포목흔, 물손질, 상단 물손질	와도흔 내측 0.1~0.6㎝

(25) 丙辰 銘 수키와

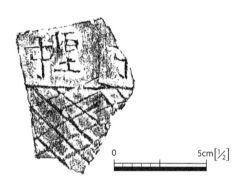

명문	간지명	간지명 년도		추정연대
丙辰上年/ ○○(攸)(宣)[佰土]	丙辰	956, 1016, 1076, 1136, 1196, 1256, 1316, 1376		956

종류	태토	소성도	색조			제원		
			내	외	속심	길이	폭	두께
수키와								

문양 및 제작속성		
외면	내면	측면
방곽 내 명문 시문, 사격자문, 7×22㎝	포목흔, 물손질, 상단 물손질	와도흔 내측 0.1~0.6㎝

(26) 戊午 銘 암키와

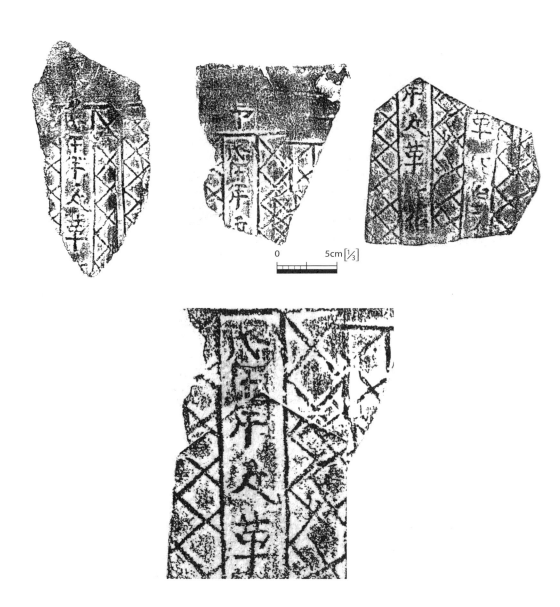

0   5cm [⅓]

명문		간지명	간지명 년도			추정연대	
(發)(令)/ 戊午年凡初作[佰士]必(攸)毛		戊午	958, 1018, 1078, 1138, 1198, 1258, 1318, 1378			958	
종류	태토	소성도	색조			제원	
			내	외	속심	길이	폭	두께
암키와								1.4~2.8
문양 및 제작속성							
외면			내면			측면	
방곽 내 명문 시문, 사격자문, 9.1×29.7㎝			포목흔, 하단 물손질			와도흔 내측 0.1~0.5㎝	

(27) 戊午 銘 암키와

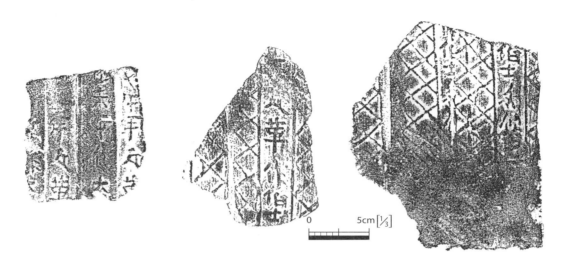

0   5cm[⅓]

명문	간지명	간지명 년도			추정연대
(發)(令)/戊午年凡初作[佰士]必(攸)毛	戊午	958, 1018, 1078, 1138, 1198, 1258, 1318, 1378			958

종류	태토	소성도	색조			제원		
			내	외	속심	길이	폭	두께
암키와								1.4~2.8

문양 및 제작속성		
외면	내면	측면
방곽 내 명문 시문, 사격자문, 9.1×29.7㎝	포목흔, 하단 물손질	와도흔 내측 0.1~0.5㎝

(28) 辛酉 銘 암키와

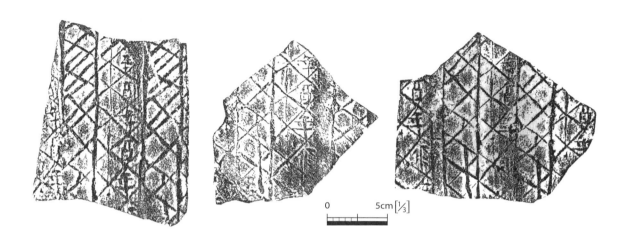

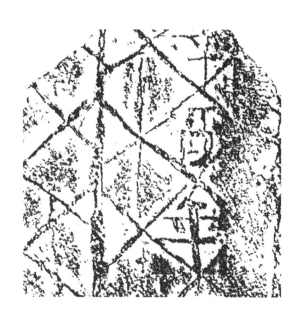

명문	간지명	간지명 년도			추정연대
辛酉年酉年作草	辛酉	961, 1021, 1081, 1141, 1201, 1261, 1321, 1381			961

종류	태토	소성도	색조			제원		
			내	외	속심	길이	폭	두께
암키와		경질		회청색			31	

문양 및 제작속성		
외면	내면	측면
사격자 문양내 1자씩 명문 음각, 2조의 종선문, 8.9×29.7㎝	포목흔, 상·하단 물손질	전면 와도흔

(29) 己巳 銘 암키와

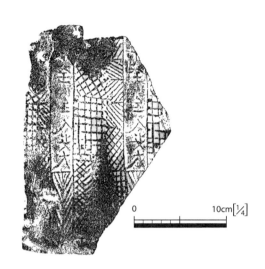

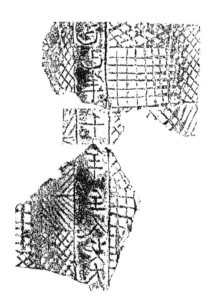

명문	간지명	간지명 년도				추정연대
己巳年千年主人光大	己巳	969, 1029, 1089, 1149, 1209, 1269, 1329, 1389				969

종류	태토	소성도	색조			제원		
			내	외	속심	길이	폭	두께
암키와								1.7~2.8

문양 및 제작속성		
외면	내면	측면
방곽내 명문, 사격자문+격자문+사선문+어골문,10.4×32.4㎝, 상단 물손질 3~3.7㎝, 하단 물손질 5.7㎝	포목흔, 물손질, 하단 물손질 3㎝	와도흔 내측 0.2~0.5㎝

(30) 甲戌 銘 암키와

0   10cm[¼]

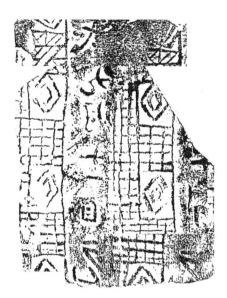

명문	간지명	간지명 년도		추정연대
甲戌九月十一日元作O	甲戌	974, 1034, 1094, 1154, 1214, 1264, 1324, 1384		974

종류	태토	소성도	색조	제원		
				길이	폭	두께
암키와			회청색			1.5~2.7

문양 및 제작속성		
외면	내면	측면
방곽내 명문, 격자문+사격자문+능형문, 8.1×31.7㎝, 상단 물손질 3~3.7㎝, 하단 물손질 3.5~13㎝	포목흔, 물손질, 하단 물손질 3.5~7.5㎝	와도흔 내측 0.2~1.5㎝

(31) 甲戌 銘 암키와

명문	간지명	간지명 년도			추정연대
甲戌九月十一日元作O	甲戌	974, 1034, 1094, 1154, 1214, 1264, 1324, 1384			974

종류	태토	소성도	색조	제원		
				길이	폭	두께
암키와			회청색			1.5~2.7

문양 및 제작속성		
외면	내면	측면
방곽내 명문, 격자문+사격자문+능형문, 8.1×31.7㎝, 상단 물손질 3~3.7㎝, 하단 물손질 3.5~13㎝	포목흔, 물손질, 하단 물손질 3.5~7.5㎝	와도흔 내측 0.2~1.5㎝

(32) 乾德五年丁卯 銘 수키와

명문	연호	연호명 년도	국명(왕)	고려	절대연대
乾德五年丁卯	乾德	963~968	宋 (太祖 5年)	光宗 18年	967

종류	태토	소성도	색조			제원		
			내	외	속심	길이	폭	두께
암키와								1.4~1.8

문양 및 제작속성		
외면	내면	측면
명문, 사격자문, 폭 6.3㎝	포목흔, 빗질흔	

(33) 乾德五年丁卯 銘 수키와

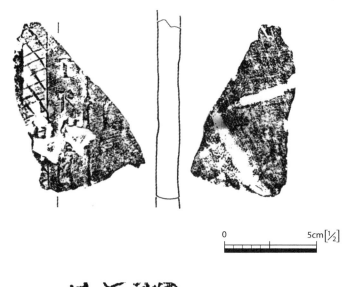

명문	연호	연호명 년도	국명(왕)	고려	절대연대
乾德五年丁卯	乾德	963~968	宋 (太祖 5年)	光宗 18年	967

종류	태토	소성도	색조			제원		
			내	외	속심	길이	폭	두께
암키와								1.4~1.8

문양 및 제작속성		
외면	내면	측면
명문, 사격자문, 폭 6.3cm	포목흔, 빗질흔	

(34) 乾德五年丁卯 銘 수키와

명문		연호	연호명 년도	국명(왕)	고려	절대연대
乾德五年丁卯		乾德	963~968	宋 (太祖 5年)	光宗 18年	967

종류	태토	소성도	색조			제원		
			내	외	속심	길이	폭	두께
암키와								1.4~1.8

문양 및 제작속성		
외면	내면	측면
명문, 사격자문, 폭 6.3㎝	포목흔, 빗질흔	

(35) (興)國八年 銘 암키와

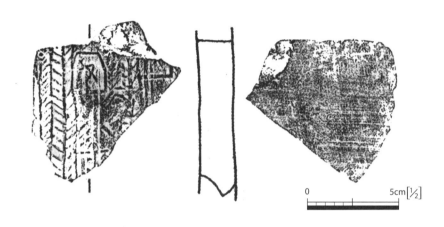

명문	연호	연호명 년도	국명(왕)	고려	절대연대
○國八年/天下太平	興國	976~983	宋 (太宗 8年)	成宗 2年	983

종류	태토	소성도	색조			제원		
			내	외	속심	길이	폭	두께
암키와		경질		회청색				1.1~2.3

문양 및 제작속성		
외면	내면	측면
명문, 어골문	포목흔	와도흔 내측 0.2㎝

(36) (興)國八年 銘 암키와

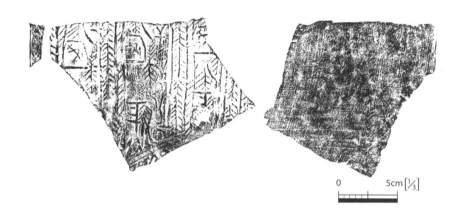

명문	연호	연호명 년도	국명(왕)	고려	절대연대
O國八年/天下太平	興國	976~983	宋 (太宗 8年)	成宗 2年	983

종류	태토	소성도	색조			제원		
			내	외	속심	길이	폭	두께
암키와		경질		회청색				1.1~2.3

문양 및 제작속성		
외면	내면	측면
명문, 어골문	포목흔	와도흔 내측 0.2㎝

(37) 庚戌 銘 암키와

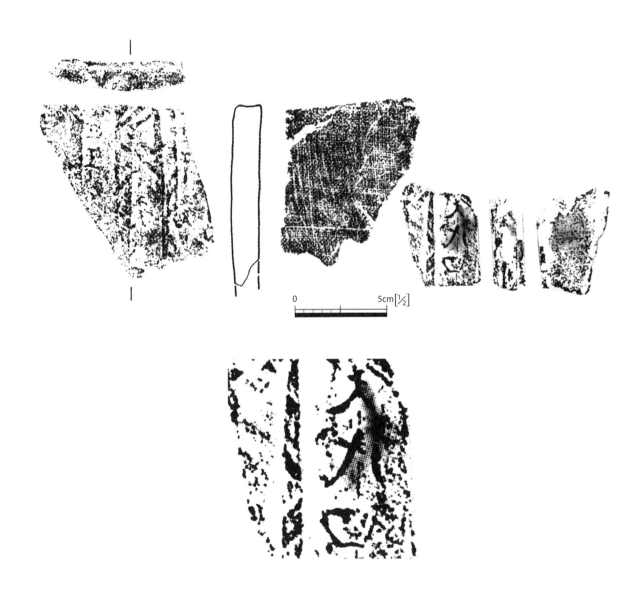

명문	간지명	간지명 년도		추정연대
四年(庚)(戌)四月	庚戌	950, 1010, 1070, 1110, 1170, 1230, 1290		950

종류	태토	소성도	색조			제원		
			내	외	속심	길이	폭	두께
암키와		경질		회청색				1.1~2.3

문양 및 제작속성		
외면	내면	측면
명문, 어골문		와도흔 내측 0.2㎝

(38) 丙辰 銘 암키와

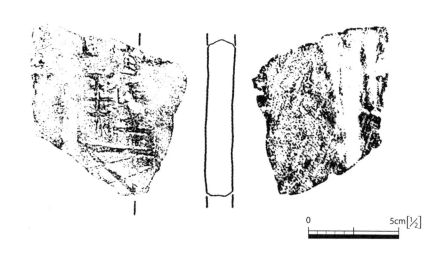

0   5cm[½]

명문	간지명	간지명 년도		추정연대
丙辰上年〇〇(攸)(宣)[佰土]	丙辰	956, 1016, 1076, 1136, 1196, 1256, 1316, 1376		956

종류	태토	소성도	색조			제원		
			내	외	속심	길이	폭	두께
암키와		경질		회청색				1.4~2.2

문양 및 제작속성		
외면	내면	측면
명문, 사격자문	포목흔, 빗질흔	와도흔 내측 0.2~0.3㎝

(39) 丙辰 銘 암키와

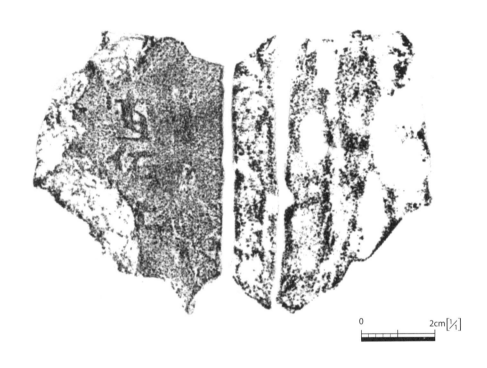

0   2cm[⅟₁]

명문	간지명	간지명 년도					추정연대
丙辰上年○○(攸)(宣)[佰土]	丙辰	956, 1016, 1076, 1136, 1196, 1256, 1316, 1376					956
종류	태토	소성도	색조			제원	
			내	외	속심	길이	폭	두께
암키와		경질		회청색				1.4~2.2
문양 및 제작속성							
외면		내면		측면			
명문, 사격자문		포목흔, 빗질흔		와도흔 내측 0.2~0.3㎝			

(40) 丙辰 銘 암키와

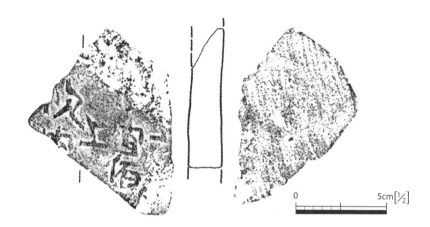

명문	간지명	간지명 년도						추정연대
丙辰上年○○(攸)(宣)[佰土]	丙辰	956, 1016, 1076, 1136, 1196, 1256, 1316, 1376						956

종류	태토	소성도	색조			제원		
			내	외	속심	길이	폭	두께
암키와		경질		회청색				1.4~2.2

문양 및 제작속성		
외면	내면	측면
명문, 사격자문	포목흔, 빗질흔	와도흔 내측 0.2~0.3㎝

(41) 丙辰 銘 암키와

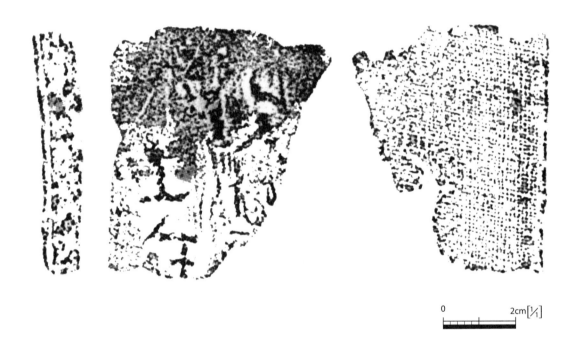

0   2cm[⅟₁]

명문	간지명	간지명 년도						추정연대
丙辰上年〇〇(攸)(宣)[佰土]	丙辰	956, 1016, 1076, 1136, 1196, 1256, 1316, 1376						956

종류	태토	소성도	색조			제원		
			내	외	속심	길이	폭	두께
암키와		경질		회청색				1.4~2.2

문양 및 제작속성		
외면	내면	측면
명문, 사격자문	포목흔, 빗질흔	와도흔 내측 0.2~0.3cm

(42) 戊午 銘 암키와

0   5cm[½]

명문	간지명	간지명 년도						추정연대
(發)(令)/ 午年凡初作[佰士]必(攸)毛	戊午	958, 1018, 1078, 1138, 1198, 1258, 1318, 1378						958
종류	태토	소성도	색조			제원		
			내	외	속심	길이	폭	두께
암키와		연질		회색, 갈색				1.8~2.5
문양 및 제작속성								
외면		내면			측면			
방곽 내 명문, 사격자문, 폭 9.1㎝		하단 물손질 5.8㎝			와도흔 내측 0.8㎝			

(43) 戊午 銘 암키와

명문	간지명	간지명 년도						추정연대
(發)(令)/ 午年凡初作[佰士]·必(攸)毛	戊午	958, 1018, 1078, 1138, 1198, 1258, 1318, 1378						958

종류	태토	소성도	색조			제원		
			내	외	속심	길이	폭	두께
암키와		연질		회색, 회갈색				1.8~2.5

문양 및 제작속성		
외면	내면	측면
방곽 내 명문, 사격자문, 폭 9.1㎝	하단 물손질 5.8㎝	와도흔 내측 0.8㎝

(44) 戊午 銘 암키와

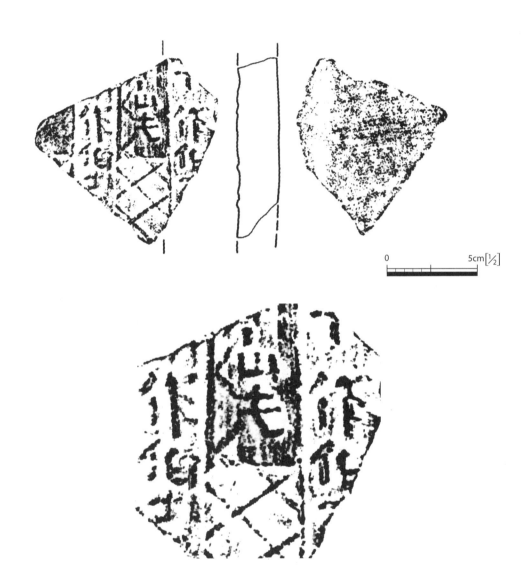

명문	간지명	간지명 년도						추정연대
(發令/戊午年凡) (草)作伯士O山(毛)	戊午	958, 1018, 1078, 1138, 1198, 1258, 1318, 1378						958
종류	태토	소성도	색조			제원		
			내	외	속심	길이	폭	두께
암키와								2.1~2.2
문양 및 제작속성								
외면		내면			측면			
방곽 내 명문, 사격자문, 폭 9.1㎝		하단 물손질 5.8㎝			와도흔 내측 0.8㎝			

(45) 己巳 銘 암키와

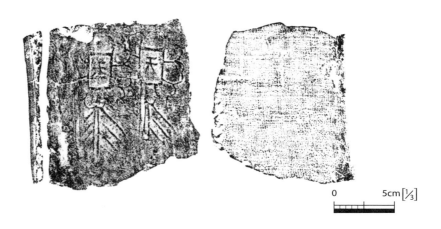

0 5cm [⅓]

명문	간지명	간지명 년도	추정연대
天+己巳八月十日作官草	己巳	969, 1029, 1089, 1149, 1209, 1269, 1329, 1389	969

종류	태토	소성도	색조	제원		
				길이	폭	두께
암·수키와		경질	회청색, 황갈색, 적갈색			1~1.8

문양 및 제작속성		
외면	내면	측면
방곽내 명문, 어골문, 물손질	포목흔, 빗질흔, 물손질	와도흔 내측 0.2~0.7㎝

(46) 己巳 銘 암키와

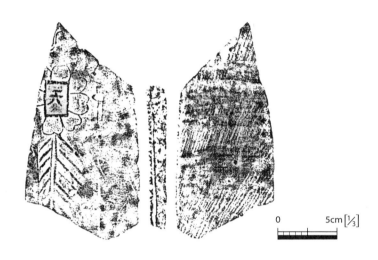

명문	간지명	간지명 년도	추정연대
天+己巳八月十日作官草	己巳	969, 1029, 1089, 1149, 1209, 1269, 1329, 1389	969

종류	태토	소성도	색조	제원		
				길이	폭	두께
암·수키와		경질	회청색, 황갈색, 적갈색			1~1.8

문양 및 제작속성		
외면	내면	측면
방곽내 명문, 어골문, 물손질	포목흔, 빗질흔, 물손질	와도흔 내측 0.2~0.7㎝

(47) 己巳 銘 암키와

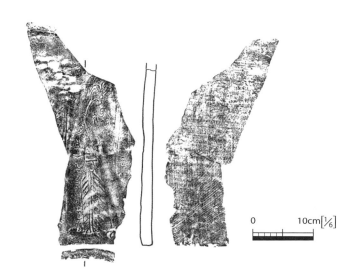

명문	간지명	간지명 년도			추정연대
天+己巳八月十日作官草	己巳	969, 1029, 1089, 1149, 1209, 1269, 1329, 1389			969

종류	태토	소성도	색조	제원		
				길이	폭	두께
암·수키와		경질	회청색, 황갈색, 적갈색			1~1.8

문양 및 제작속성		
외면	내면	측면
방곽내 명문, 어골문, 물손질	포목흔, 빗질흔, 물손질	와도흔 내측 0.2~0.7㎝

(48) 己巳 銘 암키와

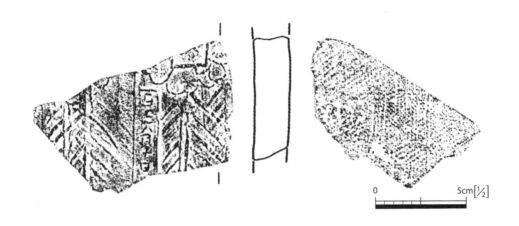

명문	간지명	간지명 년도				추정연대
天+己巳八月十日作官草	己巳	969, 1029, 1089, 1149, 1209, 1269, 1329, 1389				969
종류	태토	소성도	색조	제원		
				길이	폭	두께
암·수키와		경질	회청색, 황갈색, 적갈색			1~1.8
문양 및 제작속성						
외면		내면		측면		
방곽내 명문, 어골문, 물손질		포목흔, 빗질흔, 물손질		와도흔 내측 0.2~0.7㎝		

(49) 丁丑 銘 암키와

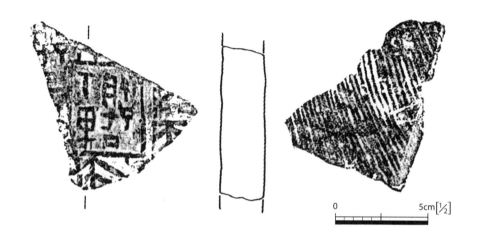

명문	간지명	간지명 년도			추정연대
丁丑七月七日作草	丁丑	977, 1037, 1097, 1157, 1217, 1277, 1337			977
종류	태토	소성도	색조	제원	
				길이	폭	두께
암키와		경질	회청색			2.3~2.4
문양 및 제작속성					
외면		내면		측면	
방곽내 명문, 어골문		포목흔, 빗질흔			

4) 안성 장능리 사지 (安城 長陵里 寺址)

경기도

유적위치	경기도 안성시 죽산면 장능리 산 160번지 일원
조사사유	골프장 건설에 따른 구제발굴조사
조사연혁	지표조사 : 2004 (중앙승가대학 불교사학연구소) 시굴조사 : 2005.10.10 (중앙문화재연구원) 발굴조사 : 2005.11.01 ~ 2006.05.24 (중앙문화재연구원)
유적입지	죽산면 장능리 일원은 죽산면과 삼죽면, 금광면의 경계에 솟아오른 칠장산(해발 492.4m)에서 북쪽으로 약 2.7㎞ 떨어진 지점에 도덕산(해발 366.4m)이 위치해있다. 도덕산의 산세는 서사면이 급경사를 이룬 반면 동사면은 비교적 완경사를 이룬다. 주능선은 북쪽으로 뻗어나간 능선과, 정상부에서 동쪽으로 뻗어나간 능선이 있고, 가지능선은 북쪽으로 뻗어나간 능선에서 동쪽으로 뻗어나가 있다. 유적이 위치한 곳은 도덕산 정상에서 동쪽으로 뻗어 내린 능선의 하단에 위치한 계곡부로 이곳에서는 사지(寺址)가 조사되었다. 북쪽에서 동쪽으로 뻗어내린 가지능선의 남쪽 계곡부에 유물산포지가 위치해 있다.
유구현황	고려시대	건물지(6)
	조선시대	온돌유규(5), 성격미상 적석시설(1)
주요유물	금동불상, 청동탁, 명문기와(기년명), 자기 등
시기 · 성격	안성 장능리사지에서 조사된 건물지의 성격은, 사용된 석재의 규모나 출토유물의 성격으로 보아 봉업사나 인근의 사찰과 깊이 연관된 산지가람 혹은 암자의 형태로 판단된다. 또한 장대석 기단이나 자기류, 기와류, 전 등으로 보아 당시 상당히 높은 지위에 있었던 승려가 기거하며 수도생활을 했을 것으로 추정된다. 조사된 유적과 출토유물들은 죽산지역의 당시 불교건축과 미술 뿐만 아니라, 당시의 정치와 종교 사이의 관계를 밝힐 수 있는 중요 자료로 판단되며, 또한 폐사 이후 조선시대까지의 이 지역 사회상을 밝히는 자료로서의 가치도 지니고 있다. 유물은 명문기와가 출토되어 건물지의 축조시기를 가늠해볼 수 있다. 명문기와 중 하나는 「太平興國七年 壬午三月日 竹州凡草匠…」이고, 다른 하나는 「觀音○○ 庚申崇造」이다. 태평흥국칠년은 宋代 太宗의 연호로 고려 성종 1년(982)에 해당한다. 庚申은 「凡(瓦)草」銘 기와(958)가 출토되어 주변 봉업사 출토유물과 비교한 결과 960년(고려 光宗 11)에 해당할 가능성이 높은 것으로 보인다.
참고문헌	中央文化財研究院, 2008, 『安成 長陵里寺址』, 第126冊.

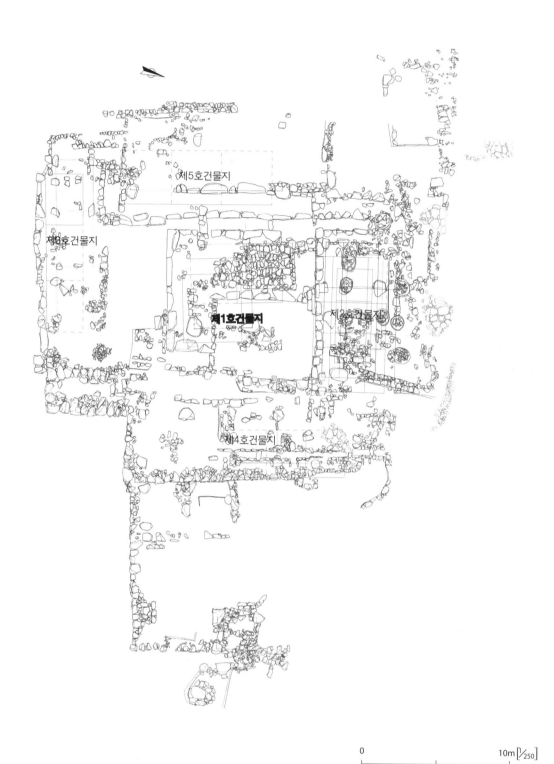

제5호건물지

제6호건물지

제1호건물지

제2호건물지

제4호건물지

0   10m [1/250]

〈 조사지역 전체 유구현황도 (1:250) 〉

4)-1 안성 장능리사지 1호 건물지

유구성격	이 건물지는 남쪽 기단의 동쪽에서 확인된 계단시설과 기단, 온돌시설, 배연시설로 구성되어있다. 남아있는 초석으로 볼 때 초축 건물의 규모와 형태는 정면과 측면 한 칸의 방형이다. 개축된 건물의 규모와 형태는 정면 2칸 측면 1칸의 'ㄴ'자형이다. 장축방향은 북서-남동(N-18°-W)방향이다. 온전히 남아있는 남쪽과 서쪽의 기단석렬로 보았을 때, 동서길이 836㎝, 남북길이 809㎝ 정도로 동서 폭이 약간 넓기는 하나 방형에 가깝다고 볼 수 있다.				
시대	고려시대				
기년유물	「太平興國七年」銘 암키와(3점), 「庚申崇造」銘 암키와(1점)				
	연번	보고서 도면번호	기와 종류	명문내용	연대
	1	도면8-5	암키와	太平興國七年…竹州凡草近水O	982
	2	도면8-9	〃	太平興國七年壬午三月O 州凡草近水O水O	〃
	3	도면9-1	〃	太平興國七年…竹州凡草O水O水	〃
	4	도면8-6	〃	觀音…庚申崇造	960?
공반유물	명문와(念佛, 凡草, 天 銘), 전, 용두편, 치미편 청자발, 분청사기대접, 도기호, 납석제 병 저부, 청동종, 청동탁, 철제수저 등				

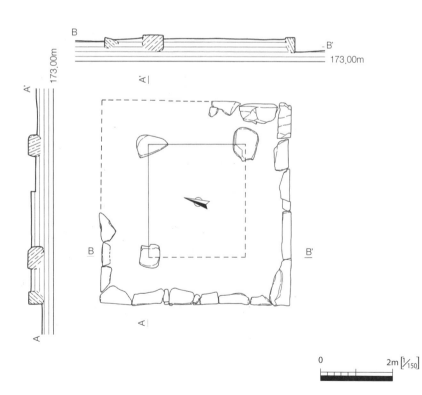

⟨ 1호 건물지 평 · 단면도 (1:150) ⟩

(1) 太平興國七年 銘 암키와

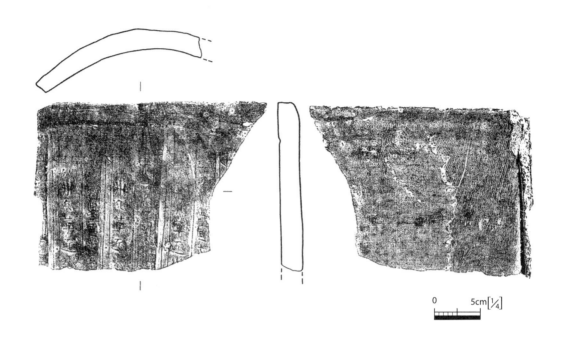

명문		연호	연호명 년도	국명(왕)		고려	절대연대
太平興國七年… 竹州凡草近水O…		太平興國	976~983	北宋 (太祖 7年)		成宗 元年	982
종류	태토	소성도	색조			제원		

종류	태토	소성도	내	외	속심	길이	폭	두께
암키와	세사립 미량 포함	연질		갈색/ 암갈색		(17.4)	(24)	2.4

문양 및 제작속성		
외면	내면	측면
2중의 세장방형 방곽 내 명문 시문	포목흔, 점토합흔, 사절흔	

⑵ 太平興國七年 銘 암키와

명문		연호	연호명 년도	국명(왕)		고려	절대연대
太平興國七年壬午三月O 竹州凡草近水O水O		太平興國	976~983	北宋 (太祖 7年)		成宗 元年	982
종류	태토	소성도	색조			제원		
			내	외	속심	길이	폭	두께
암키와	사립 비교적 다량 함유	경질		회청색		(25.6)	(14.6)	2.1
문양 및 제작속성								
외면			내면			측면		
			포목흔, 점토합흔			와도흔 내측 2㎜		

(3) 太平興國七年 銘 암키와

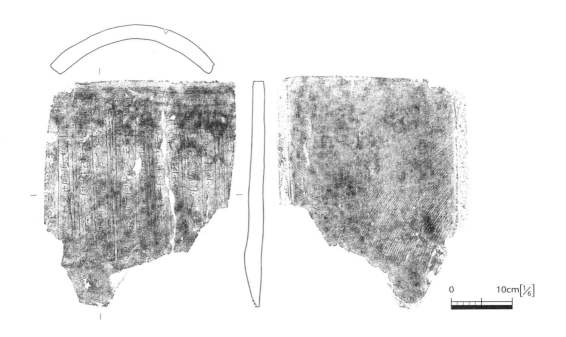

명문		연호	연호명 년도	국명(왕)	고려	절대연대
太平興國七年… 竹州凡草O水O水…		太平興國	976~983	北宋 (太祖 7年)	成宗 元年	982

종류	태토	소성도	색조			제원		
			내	외	속심	길이	폭	두께
암키와	사립이 포함					(34.8)	(26.1)	2.7

문양 및 제작속성		
외면	내면	측면
	포목흔, 빗질흔	와도흔 내측 0.5㎝

(4) 庚申 銘 암키와

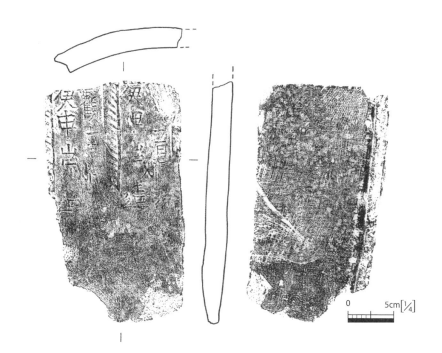

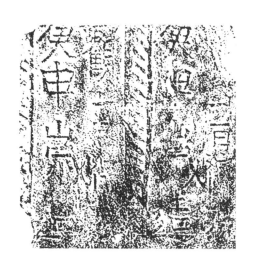

명문	간지명	간지명 년도						추정연대
觀音…庚申崇造	庚申	960, 1020, 1080, 1140, 1200, 1260, 1320, 1380						
종류	태토	소성도	색조			제원		
			내	외	속심	길이	폭	두께
암키와	굵은 사립이 소량 함유	연질		연갈색		(24.6)	(14.1)	2.4
문양 및 제작속성								
외면			내면			측면		
어골문			빗질흔					

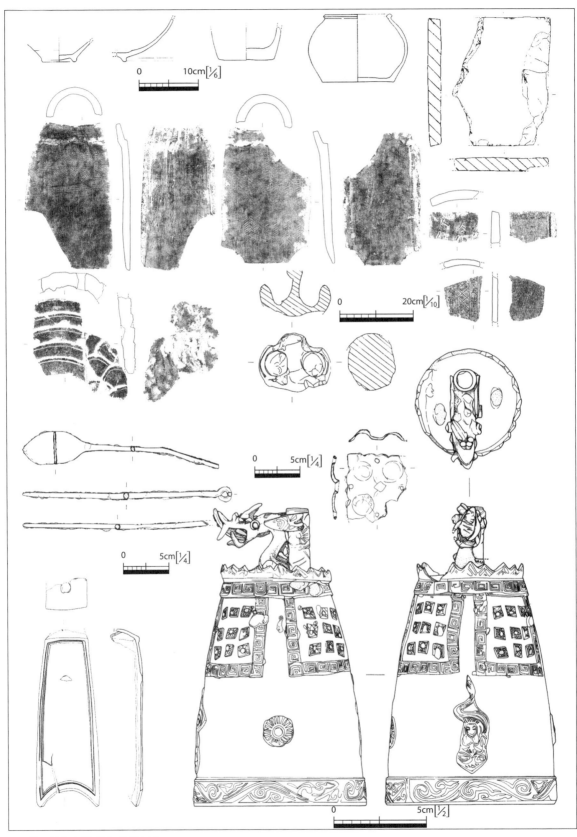

〈 1호 건물지 공반출토유물 〉

5) 안양 안양사지 (安養 安養寺址)

경기도

유적위치	경기도 안양시 만안구 석수1동 212-1번지 일원
조사사유	김중업박물관을 비롯한 복합문화예술공간으로 활용하기 위한 구제발굴조사
조사연혁	시굴조사 : 2008.12.22 ~ 2009.01.21 (한울문화재연구원) 발굴조사 : 2009.06.18 ~ 2009.10.06 (1차-한울문화재연구원) 　　　　　 2010.06.08 ~ 2010.08.20 (2차-한울문화재연구원) 　　　　　 2011.05.18 ~ 2011.06.26 (3차-한울문화재연구원)
유적입지	석수1동은 삼성산(三聖山)의 서쪽 능선 끝부분에 위치하고 있으며, 서쪽과 남쪽으로 한강의 지류인 안양천이 북서-남동 방향으로 흐르고 있다. 또한 조사지역의 좌측에 국도 1호선이 지난다.

유구현황	고려시대	건물지(9), 접탑지(1), 답도(1)
	조선시대	건물지(2)

주요유물	청동향로, 철제 동물상 명문기와(기년명 등), 청자, 고려백자, 명문전, 이형전편 등
시기 · 성격	2008년의 시굴조사와 2009년~2011년의 3년에 걸친 발굴조사 결과 확인된 층위는 조사지역에 따라 차이가 있지만 크게 7개 층으로 구분된다. 구 유유산업부지는 통일신라시대 후기에서부터 조선시대 전기까지의 문화층이 형성되어 있었으며 기년명 기와는 고려말의 「泰定」銘 기와가 확인되었다. 중초사지 당간지주에 기록된 사실과 Ⅵ층에서 출토된 유물들의 편년을 고려할 때 안양사지 하부에 중초사와 관련된 유구가 잔존할 가능성은 매우 높은 것으로 추정된다. 고려 태조가 안양사를 건립했던 시점을 안양사의 창건시기로 본다면 창건 이후에 어떠한 이유에서 대부분의 건물들이 무너졌는지는 알 수 없으나 안양사를 다시 중건하는 과정에서 중심 사역에 대한 지정(地定)이 이루어졌고, 그 결과 과거 중초사의 지표층보다 안양사 중건 이후의 지표층이 약 50~70㎝ 정도 높아진 것으로 판단된다.
참고문헌	한울문화재연구원, 2013, 『安養寺址』, 발굴조사보고 39.

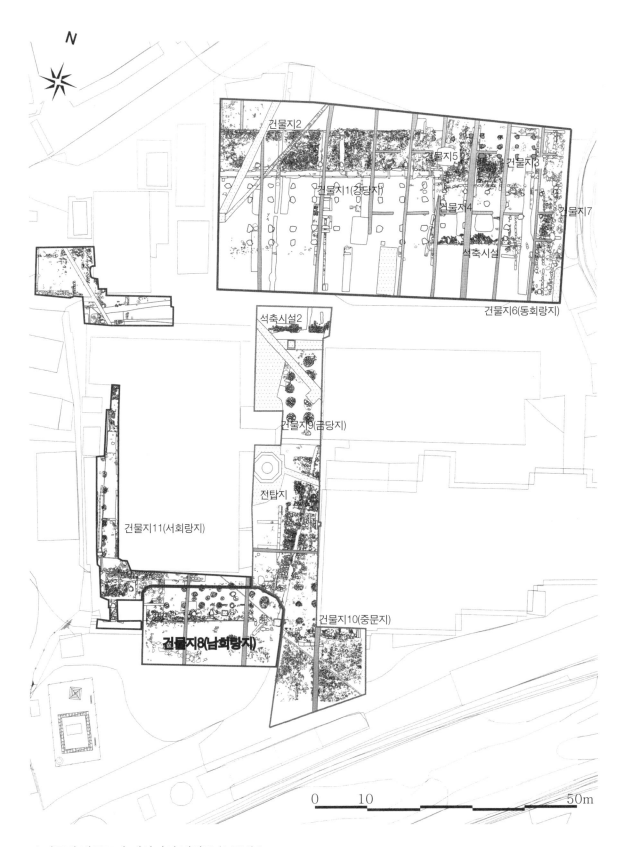

〈 연도별 발굴조사 대상지역 범위도 (1:700) 〉

5)-1 안양 안양사지 건물지 8(남회랑지)

유구성격	건물지 8은 당간지주에서 북동쪽으로 30m 떨어진 곳에 위치하고, 건물지 9의 동쪽에는 건물지 10(중문지)이 위치하며, 북서쪽에는 건물지 11(서회랑지)이 위치한다. 확인된 초석 및 잡석지정 열을 기준으로 건물지의 평면형태를 추정해본 결과 서로 다른 평면을 가진 건물지가 확인되었다. 그 중 북측기단과 가장 가깝게 초석 및 잡석지정이 열을 이루는 건물지의 조성 시기가 빠른 것으로 추정된다. 　1차 건물지의 초석은 3개가 확인되었고 자연석에 가까운 형태이다. 잡석지정 9기 및 동서방향으로 연결되는 고맥이도 확인되었다. 건물지의 평면형태는 정면 8칸 측면 1칸으로 추정되며 주칸 거리는 정면 3,376~3,463㎜, 측면 3,218㎜이다. 2차 건물지는 초석 3개와 접석지정은 5기가 각각 확인되었다. 정면 4칸, 측면 1칸이 확인되었으나, 남측기단이 건물지 11(서회랑지)까지 연결되는 것으로 볼 때, 건물지의 전체적인 평면형태는 정면 8칸, 측면 1칸으로 판단된다. 주칸거리는 정면 3,659~3,839㎜, 측면 3,563㎜이다. 건물지의 남측 1열 중심에서 남측기단 끝선까지의 길이는 1,444㎜이다. 　건물지의 기단은 남쪽과 북쪽에서 확인되었다. 남측기단은 대부분이 유실되고 지대석과 면석 1매만이 남아있다. 남아있는 초석의 높이로 보아 갑석 1단을 더 올렸을 가능성이 있지만 남아있지 않아 알 수 없다. 　건물지 8의 북측기단은 2011년 추가 발굴조사에서 확인되었는데 대부분 유실되고 일부만 확인되었다. 건물지의 북측기단은 남측기단과는 다르게 40~60㎝ 크기의 할석을 면을 맞추어 1단만 놓았다. 그런데 북측기단을 조사하던 중 동서 방향으로 연결되는 석렬이 노출되었다. 이 석렬은 일부만 확인되었으나 건물지 10의 북측기단이나 건물지 11의 남측기단과 연결될 가능성이 있는 것으로 추정된다. 기단과 석렬 사이는 30~40㎝ 간격을 두고 떨어져있고 사이에서 기와편이 다량으로 폐기된 채 남아 있는 것으로 볼 때 이 석렬은 배수로일 가능성이 높은 것으로 판단된다.
시기	고려시대

기년유물

「泰定」銘 암키와(1점)

연번	보고서 유물번호	기와 종류	명문내용	연대
1	278	암키와	泰定	1324~1327

공반유물	명문기와(기년명 등), 연화문수막새, 암막새(연화당초문, 당초문, 귀면문, 일휘문), 청사압출양각화문, 청자상감국화문, 분청자연봉형기와장식 등

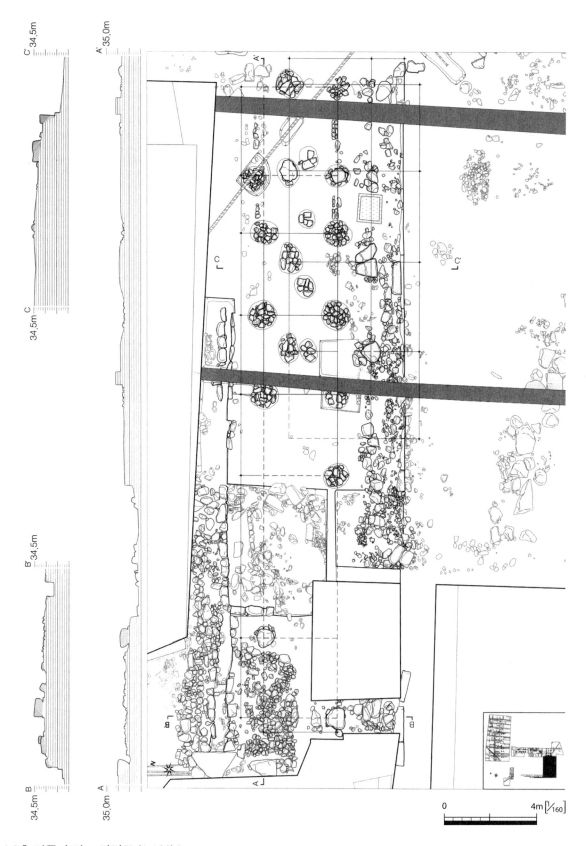

〈 8호 건물지 평·단면도 (1:160) 〉

(1) 泰定 銘 암키와

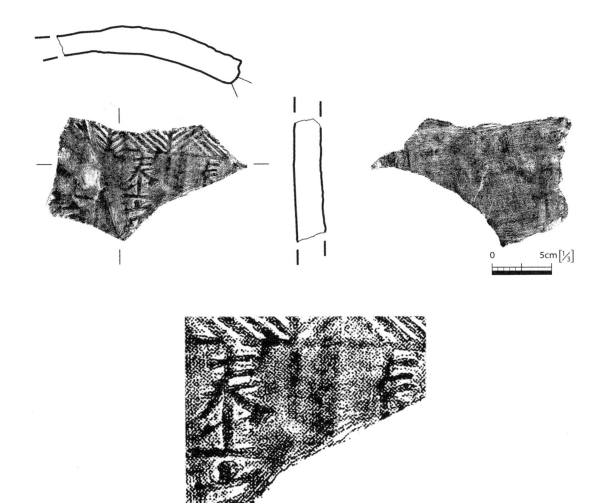

명문	연호	연호명 년도	국명(왕)		고려		절대연대
泰定	泰定	1324~1327	元 (晋宗 1~4年)		忠肅王 15~16年		

종류	태토	소성도	색조			제원		
			내	외	속심	길이	폭	두께
암키와				회청색		(10.9)	(15.7)	2.1

문양 및 제작속성		
외면	내면	측면
	윤철흔	

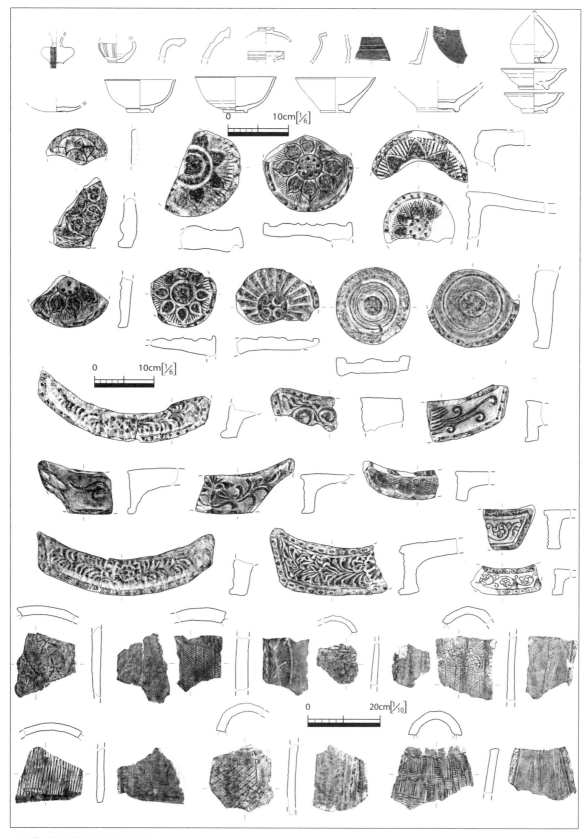

〈 8호 건물지 공반출토유물 〉

6) 오산 가장동 유적 (烏山 佳長洞 遺蹟)

경기도

유적위치	경기도 오산시 가장동 산 61번지 일원	
조사사유	오산 가장2 일반산업단지 조성부지에 따른 구제발굴조사	
조사연혁	지표조사 : 2007.12 (한신대학교박물관) 시·발굴조사 : 2009.10.19 ~ 2011.05.31 (서경문화재연구원)	
유적입지	오산 가장동유적 일원은 산지와 평지로 이루어진 복합지형으로서, 동쪽과 서쪽에 3㎞ 떨어져 오산천과 황구지천이 위치한다.	
유구현황	통일신라시대	석실묘(1)
	고려시대	건물지(4), 제철유구·폐기장(5), 기와가마(1), 석곽묘(10)
	고려시대~ 조선시대	주거지(7), 토광묘(147)
	조선시대	도기가마 공방지(3), 탄요(2), 회곽묘(33)
주요유물	명문기와, 도기류, 자기류, 백자 명기 및 복식, 철편 및 슬래그	
시기·성격	본 유적의 시기는 크게 4시기로 나눌 수 있다. 신석기시대 주거지와 수혈이 확인되는 선사시대 유적과 삼국과 통일신라시대의 주거지와 석실묘가 확인되는 6세기 후반~7세기 후반의 유적, 고려시대 야철지, 기와가마 및 건물지 등 11세기 후반~15세기 초에 해당하는 유적, 조선시대 분묘와 주거지, 도기가마 등이 확인되는 15세기~19세기 유적 등으로 구분된다. 그 중 4-2지점의 고려시대 건물지에서 출토된 명문기와를 통해 「大德四年(1300)」이라는 절대연대가 파악되었고, '香水寺'라는 성격과 관련되었을 가능성이 있는 명문이 확인되었다.	
참고문헌	한신대학교박물관, 2007, 『오산 가장 지방산업단지(3단계) 조성사업부지내 문화유적 지표조사 보고서』. 서경문화재연구원, 2013, 『오산 가장동유적』, 유적조사보고 제5책.	

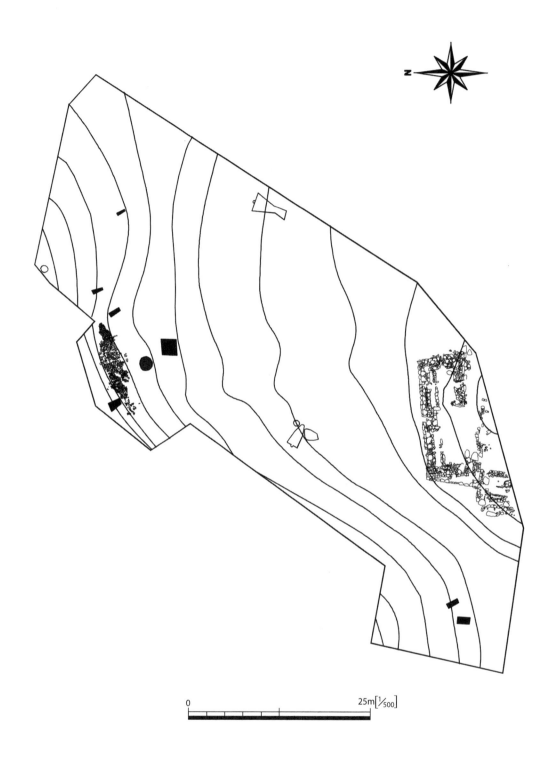

〈 4-2지점 발굴조사 유구현황도 (1:500) 〉

6)-1 오산 가장동 유적 4-2지점 3차 건물지

유구성격	건물지는 총 3차에 걸쳐 건립·폐기된 양상을 보이는데, 1~2차는 중복에 의한 파괴가 심하여 전체적인 규모나 구조를 확인할 수 없는 상태였다. 그러나 3차 건물지에서는 일반 초석건물과는 다른 형태의 기단시설 및 내부 구조를 확인할 수 있었다. 기단시설은 폭 1.1~1.2m에 높이 약 50~60㎝ 가량의 담장식 기단이 외주열에 해당하는 초석과 기둥의 뿌리부분을 감싸고 둘러진 양상이었다. 취사·난방 등 일상생활을 위한 시설이 전혀 확인되지 않은 건물의 내부는 채 마루와 지면 사이의 공간을 띠웠으며, 중앙의 통로와 외부로 나가는 계단시설을 통해 내부 공간이 양분되어 있다. 이와 같은 구조는 시기적인 특성이라기보다는 용도에 따른 구조적 특징으로 이해해야할 것으로 보인다.

시 기	고려시대

<table>
<tr><td rowspan="12">기년유물</td><td colspan="5">「大德四年」銘 암키와(10점)</td></tr>
<tr><td>연번</td><td>보고서 유물번호</td><td>기와 종류</td><td>명문내용</td><td>연대</td></tr>
<tr><td>1</td><td>22</td><td>암키와</td><td>大德四年</td><td>1300</td></tr>
<tr><td>2</td><td>23</td><td>〃</td><td>〃</td><td>〃</td></tr>
<tr><td>3</td><td>24</td><td>〃</td><td>〃</td><td>〃</td></tr>
<tr><td>4</td><td>25</td><td>〃</td><td>〃</td><td>〃</td></tr>
<tr><td>5</td><td>45</td><td>〃</td><td>〃</td><td>〃</td></tr>
<tr><td>6</td><td>46</td><td>〃</td><td>〃</td><td>〃</td></tr>
<tr><td>7</td><td>27</td><td>〃</td><td>大德四年八月日</td><td>〃</td></tr>
<tr><td>8</td><td>26</td><td>〃</td><td>大德四年八月日/南書宣O官全</td><td>〃</td></tr>
<tr><td>9</td><td>28</td><td>〃</td><td>〃</td><td>〃</td></tr>
<tr><td>10</td><td>30</td><td>〃</td><td>〃</td><td>〃</td></tr>
</table>

공반유물	명문기와, 분청사기, 토제방추차, 구슬 등

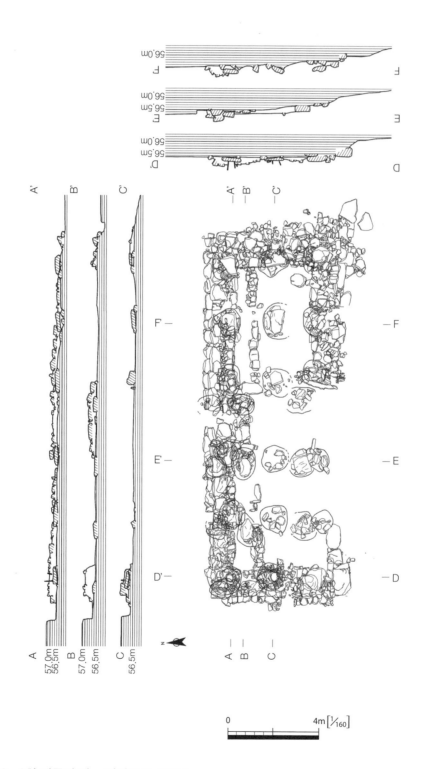

〈 4-2지점 2·3차 건물지 평·단면도 (1:160) 〉

(1) 大德四年 銘 암키와

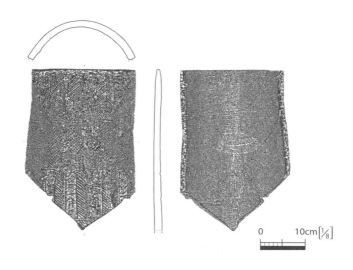

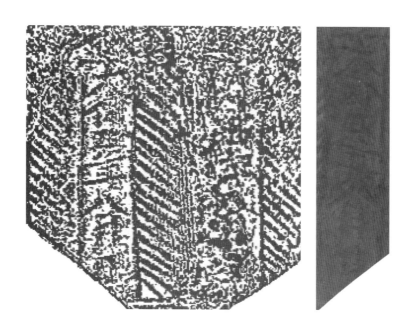

명문		연호	연호명 년도	국명(왕)		고려	절대연대
大德四年		大德	1297~1307	元 (成宗 4年)		忠烈王 26年	1300

종류	태토	소성도	색조			제원		
			내	외	속심	길이	폭	두께
암키와		경질		암적갈색		(34.3)	(24.5)	1.58

문양 및 제작속성		
외면	내면	측면
사격자+어골문	포목흔, 윤철흔, 하단물손질조정	와도흔 내측 1/6

(2) 大德四年 銘 암키와

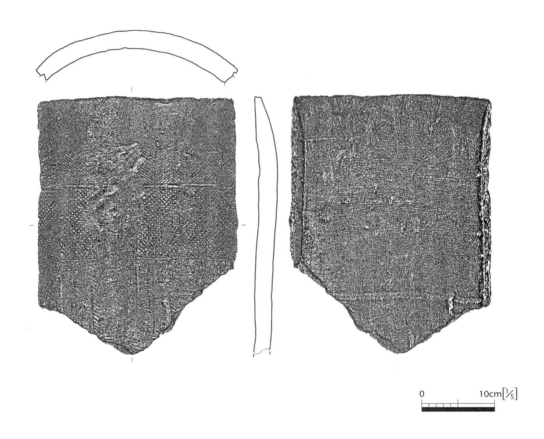

0 　　　　　10cm[⅕]

명문	연호	연호명 년도	국명(왕)	고려	절대연대
大德四年	大德	1297~1307	元 (成宗 4年)	忠烈王 26年	1300

종류	태토	소성도	색조			제원		
			내	외	속심	길이	폭	두께
암키와		경질		회청색		(34.2)	(27.9)	2.57

문양 및 제작속성		
외면	내면	측면
사격자+어골문	포목흔, 빗질흔, 하단물손질조정	와도흔 내측 1/2

(3) 大德四年 銘 암키와

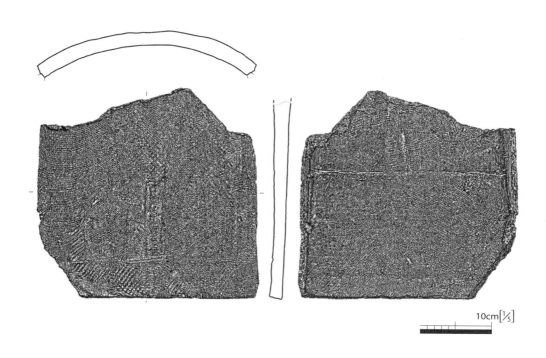

10cm[⅕]

명문	연호	연호명 년도	국명(왕)	고려	절대연대
大德四年	大德	1297~1307	元 (成宗 4年)	忠烈王 26年	1300

종류	태토	소성도	색조			제원		
			내	외	속심	길이	폭	두께
암키와		경질		회청색		(26,5)	29	1,85
문양 및 제작속성								
외면			내면			측면		
사격자+어골문			포목흔, 빗질흔, 하단물손질조정			와도흔 내측 1/2		

(4) 大德四年 銘 암키와

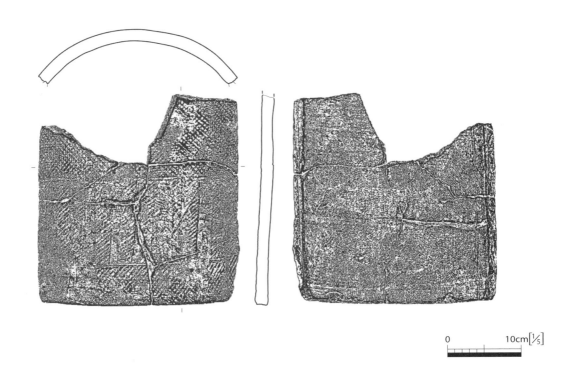

0   10cm[⅕]

명문	연호	연호명 년도	국명(왕)		고려	절대연대
大德四年	大德	1297~1307	元 (成宗 4年)		忠烈王 26年	1300

종류	태토	소성도	색조			제원		
			내	외	속심	길이	폭	두께
암키와		경질		황갈색		(27.8)	27.7	1.63

문양 및 제작속성		
외면	내면	측면
사격자+어골문	포목흔, 윤철흔, 사절흔, 빗질흔, 하단물손질조정	와도흔 내측 1/4

(5) 大德四年 銘 암키와

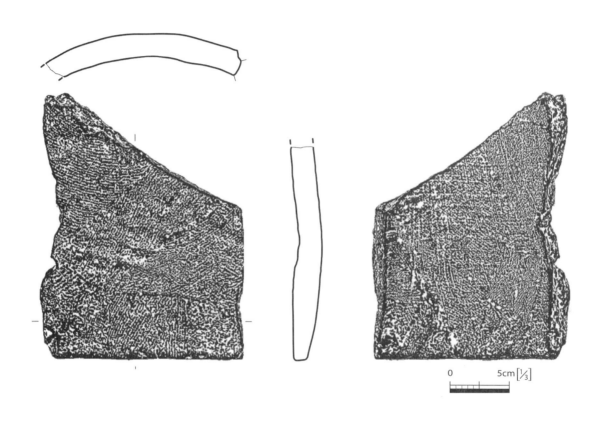

0　　　5cm [⅓]

명문		연호	연호명 년도	국명(왕)		고려	절대연대
大德四年		大德	1297~1307	元 (成宗 4年)		忠烈王 26年	1300
종류	태토	소성도	색조			제원	
			내	외	속심	길이	폭	두께
암키와		경질		회청색		(21.3)	(16.6)	1.91
문양 및 제작속성							
외면		내면			측면		
사격자+어골문		포목흔, 사절흔, 빗질흔, 하단물손질조정			와도흔 내측 1/2		

(6) 大德四年 銘 암키와

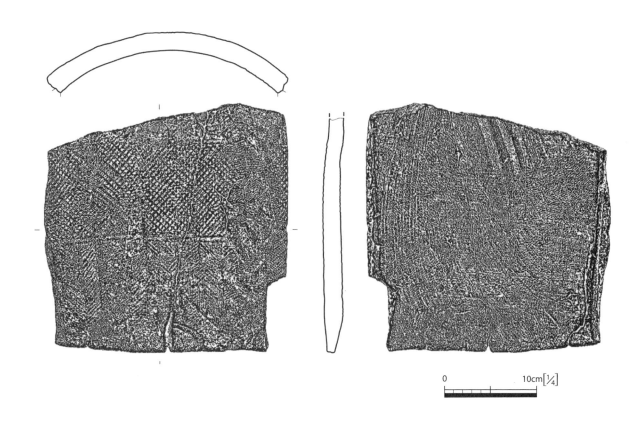

0 _____ 10cm[¼]

명문	연호	연호명 년도	국명(왕)	고려	절대연대
大德四年	大德	1297~1307	元 (成宗 4年)	忠烈王 26年	1300

종류	태토	소성도	색조			제원		
			내	외	속심	길이	폭	두께
암키와		경질		암색		(26.5)	26.9	1.94

문양 및 제작속성		
외면	내면	측면
사격자+어골문	포목흔, 빗질흔, 하단물손질조정	와도흔 내측 1/3

(7) 大德四年八月日 銘 암키와

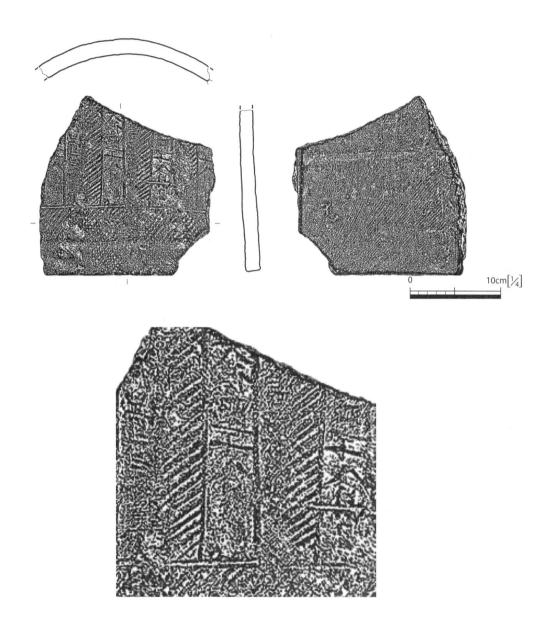

명문	연호	연호명 년도	국명(왕)		고려	절대연대
大德四年八月日	大德	1297~1307	元 (成宗 4年)		忠烈王 26年	1300

종류	태토	소성도	색조			제원		
			내	외	속심	길이	폭	두께
암키와		경질		암색		(18.9)	(19.3)	1.4

문양 및 제작속성		
외면	내면	측면
사격자+어골문	포목흔, 윤철흔, 빗질흔, 하단물손질조정	와도흔 내측 1/8

(8) 大德四年八月日/南書宣O官全 銘 암키와

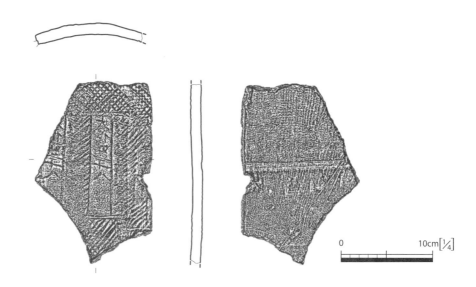

명문		연호	연호명 년도	국명(왕)		고려	절대연대
大德四年八月日 /南書宣O官全		大德	1297~1307	元 (成宗 4年)		忠烈王 26年	1300
종류	태토	소성도	색조			제원		
			내	외	속심	길이	폭	두께
암키와		경질		암회색		(19.2)	(12.9)	1
문양 및 제작속성								
외면			내면			측면		
사격자+어골문			포목흔, 윤철흔			와도흔 내측 1/2		

⑼ 大德四年八月日/南書宣O官全 銘 암키와

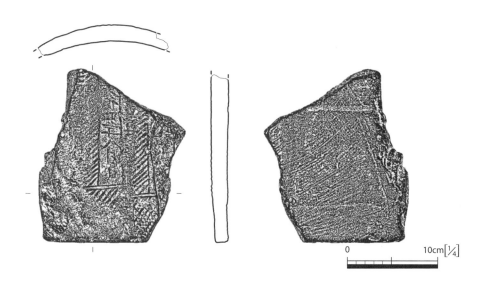

명문		연호	연호명 년도	국명(왕)	고려	절대연대
大德四年八月日 /南書宣O官全		大德	1297~1307	元 (成宗 4年)	忠烈王 26年	1300

종류	태토	소성도	색조			제원		
			내	외	속심	길이	폭	두께
암키와		경질		회황색		(18.3)	(16.1)	1.8

문양 및 제작속성		
외면	내면	측면
사격자+어골문	포목흔, 빗질흔, 하단물손질조정	

(10) 大德四年八月日/南書宣O官全 銘 암키와

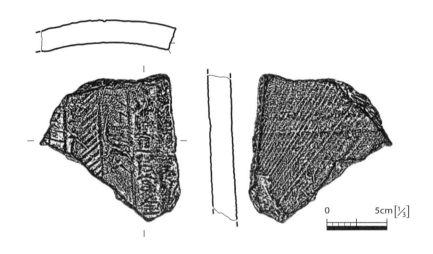

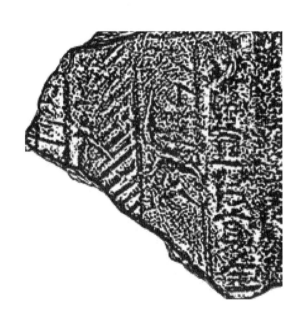

명문		연호	연호명 년도	국명(왕)	고려	절대연대
大德四年八月日 /南書宣O官全		大德	1297~1307	元 (成宗 4年)	忠烈王 26年	1300

종류	태토	소성도	색조			제원		
			내	외	속심	길이	폭	두께
암키와		경질		암회색		(11.7)	(11.7)	1.8

문양 및 제작속성		
외면	내면	측면
사격자+어골문	포목흔, 윤철흔, 빗질흔, 하단물손질조정	와도흔 내측 1/2

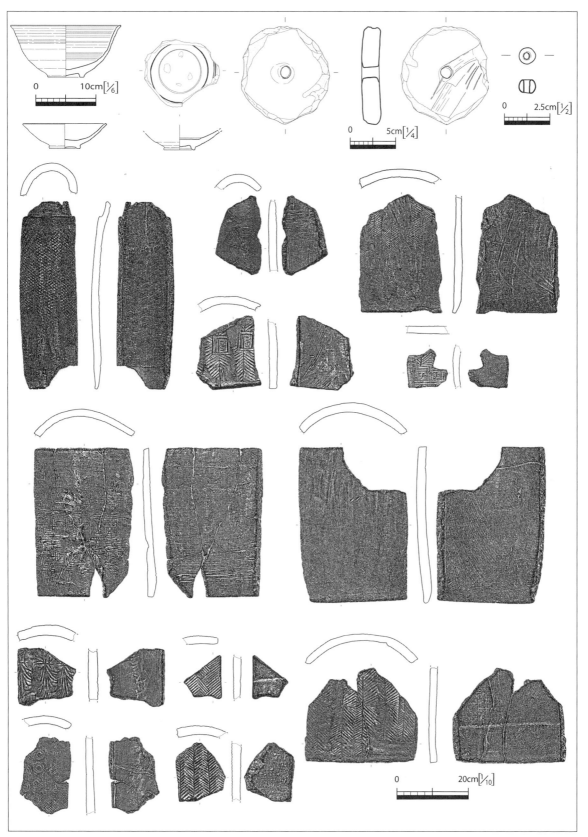

〈 2지점 2 · 3차 건물지 공반출토유물 〉

7) 여주 고달사지 (驪州 高達寺址)

경기도

유적위치	경기도 여주군 북내면 상교리 47-1번지 일원
조사사유	사역의 정비와 보존에 필요한 기초 자료를 확보하기 위한 학술 발굴
조사연혁	발굴조사 : 1998. 07. 27 ~ 1999. 01. 27 (1차- 경기도박물관) 　　　　　1999. 09. 27 ~ 2000. 06. 22 (2차- 경기도박물관, 기전문화재연구원) 　　　　　2000. 11. 01 ~ 2001. 09. 05 (3차- 기전문화재연구원) 　　　　　2002. 08. 28 ~ 2003. 07. 30 (4차- 기전문화재연구원) 　　　　　2004. 03. 03 ~ 2004. 11. 12 (5차- 기전문화재연구원) 　　　　　2005. 05. 19 ~ 2006. 05. 28 (6차- 기전문화재연구원)
유적입지	'혜목산'으로 추정되는 우두산 남쪽 산줄기로 삼면이 둘러싸였고 동쪽이 넓게 트인 대지 위에 앉혀져 있다. 또한 서쪽에서 동쪽으로 흘러내려오는 두 개의 작은 시내가 우두산에서 발원하여 고달사지를 둘러싼 후, 북쪽에서 남쪽으로 흘러나오는 금당천(金塘川)과 만나 남한강(南漢江)이라는 큰 물줄기로 빠져나간다.

유구현황	통일신라 말	선대유구(1)
	고려시대	건물지(10), 미상유구(1), 담장지(1), 석조(2), 탑지(1)
	고려~ 조선시대	축대(3)

주요유물	인화문토기, 기와, 자기, 도기, 금속유물 등
시기·성격	현재까지 고달사지 발굴은 6차에 걸쳐 실시되어 중심사역에 대한 구체적인 내용은 어느 정도 밝혀졌다. 고달사지는 문헌기록을 통해서도 사세(寺勢)의 변동이 개략적으로 정리될 수 있다. 　1기 가람 (8세기 중엽~9세기 전엽) : 탐색 트렌치를 통하여 선대유구가 확인되었고, 조사 과정에서 통일신라시대의 전형적인 인화문토기가 출토되었다. 이런 가정은 신라 경덕왕 23년(764년)에 고달사가 창건되었다는 『봉은본말지(奉恩本末誌)』(권상로 편, 1943)의 기록과도 일치한다. 　2기 가람 (9세기 중엽~10세기 전엽) : 쌍사자석등지가 있는 가구역과 석조불대좌가 있는 나구역에 몇몇 건물이 조영된 시기이다. 또한 이 시기 원종대사혜진탑비에 '고달원(高達院)'으로 기록된 사실은 주목할 만하다. 　3기 가람 (10세기 중엽~11세기 중엽) : 쌍사자석등을 비롯하여 고달사지 부도, 원종대사혜진탑, 원종대사혜진탑비, 석조불대좌 등 고달사를 대표하는 국보 및 보물급 석물들이 이 시기에 집중적으로 제작된 것으로 추정된다. 　4~5기 가람 (11세기 후엽~12세기 후엽) : 고달사의 사역이 최고조로 확대된 시기로서, 현재 노출된 건물지의 배치상으로 볼 때 이 시기가 중심연대일 가능성이 매우 높다. 기와는 연화문 막새기와가 여전히 사용되지만 귀목문 기와가 새롭게 출현하여 유행하게 되는데, 이 시기에 고달사의 대대적인 중수가 이루어진 것으로 되어 있다. 한편 이 시기 명문기와에서 보이는 사명(寺名)은 하나같이 '고달사(高達寺)'로 되어있다. 　6기 가람 (13세기 전엽~폐사) : 이 시기에 조영되거나 유지된 건물지로 나· 4·5건물지와 가-2 건물지만을 들 수 있어 사역의 축소를 짐작케 한다. 이와 함께 고급자기가 급격히 소멸하고 일상용기가 자기의 주종을 이루는 사실도 사세의 축소를 반영한다.
참고문헌	畿田文化財研究院, 2007,『高達寺址 II』, 제77책.

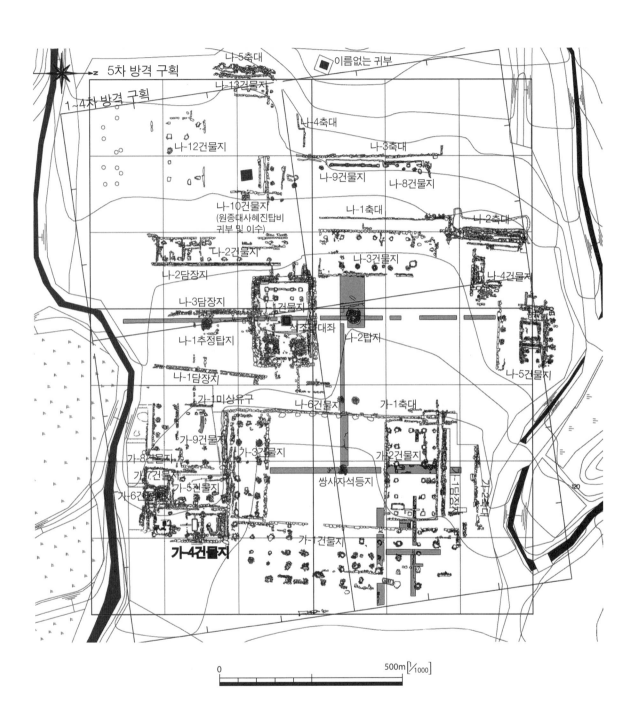

〈 조사지역 전체유구배치도(1:1,000) 〉

7)-1 여주 고달사지 가-4호 건물지

유구성격	가-1·2·3 건물지로 둘러싸인 원(院)을 외부로부터 차단해주는 역할을 하는 건물지로 북어칸에 석조(石槽)가 안치되어 있다. 　건물지의 규모는 정면 4칸(주칸거리 4.3~4.6m), 측면 1칸(주칸거리 5.5m)이다. 건물지의 기단석렬은 전후면 및 북쪽 측면이 비교적 잘 남아있으며, 남쪽 측면의 경우 가-4 축대가 위에 중첩되어 있어 확인하지 못했다. 다만 전후면의 기단너비가 측면의 기단너비보다 훨씬 넓은데, 이는 한차례 중창(1~2차 건물지)을 거치면서 전후면은 넓히되 측면은 동선 및 배수처리에 필요한 공간 확보를 위해 그대로 사용한 결과로 보여진다. 　이러한 중창 흔적은 동일한 4칸 평면에 위아래로 초석이 중첩되어 놓여 있으면서 전면으로 범위가 약간 확장된 초석 및 고맥이 시설을 통해 확연히 알 수 있다. 이는 남어칸 및 북협칸에 구들을 깔면서 이전의 대형초석 위에 바로 적심을 얹고 소형초석을 놓아 바닥을 높인 것으로 추정되며, 이때 좌우에는 각각 석조와 마루를 설치한 것으로 판단된다. 또한 2차 건물지의 고맥이는 1차 건물지의 고맥이로 사용된 1~2단의 할석렬(고막이 너비 40~50㎝)을 일부 재사용하면서 암키와의 내면이 위로 향하도록 깔아주는 방식으로 고맥이의 폭을 넓혀 수리해 주었다. 　남어칸 및 북협칸의 주칸거리는 4.6m로 마루 및 석조가 안치된 실보다 1자 정도 넓어, 구들을 들인 실을 조금 넓게 잡아주었음을 알 수 있다. 남어칸와 북협칸에는 방형으로 구획된 아궁이가 남아있는데, 이들은 모두 실의 가운데 동남쪽에 치우쳐 위치해 있고, 여기서 뻗어나간 불길은 동쪽과 북쪽 벽면을 따라 가다가 북서우 초석옆으로 빠져나가는 'ㄷ'자형 구들 형식을 갖춘 것으로 추정된다. 　북어칸에는 석조2(장변길이 3.21m, 단변길이는 1.49m, 높이 0.98m)가 가운데에 놓여 있는 점이 특이하다. 석조 2는 1차 건물지의 조성 당시 현 위치에 안치되었으며, 외곽바닥면은 할석으로 받쳐 고정되고, 주변에는 박석을 깔아주어 수조 배수구에서 나오는 물을 처리해 주었던 것으로 추정된다. 이후 2차 건물지 중창시 기단토를 성토해주는 과정에서 1차 건물지의 배수시설이 유실되었을 가능성이 있다. 그 과정에서 석조의 물을 데우기 위해 아궁이와 3줄의 고래를 설치했던 것으로 추정되나 아궁이시설은 확인되지 않았다.

시 기	고려시대				
기년유물	「丁巳」銘 암키와(1점)				
	연번	보고서 유물번호	기와 종류	명문내용	연대
	1	도면157-4	암키와	丁巳	957, 1017, 1077, 1137, 1197, 1257, 1317, 1377
공반유물	세판연화문(細瓣蓮華紋), 복판연화문(複瓣蓮華紋), 명문기와(高達寺, 丁巳), 고려청자, 도기, 철제장식품, 미상 토제품, 석기 등				

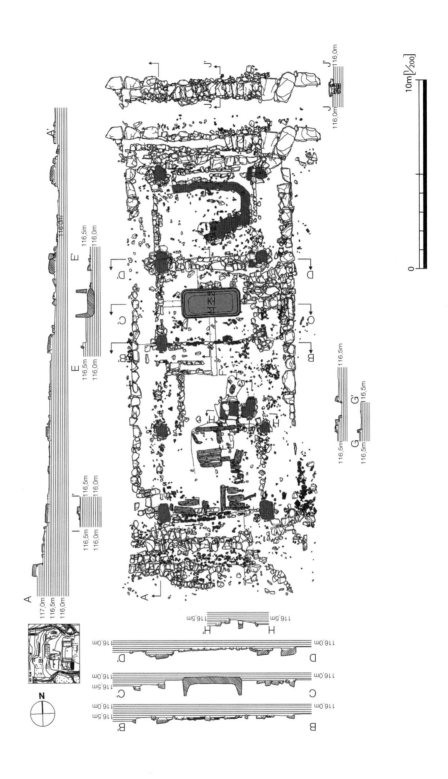

〈 가-4건물지 평 · 단면도 (1:200) 〉

(1) 丁巳 銘 암키와

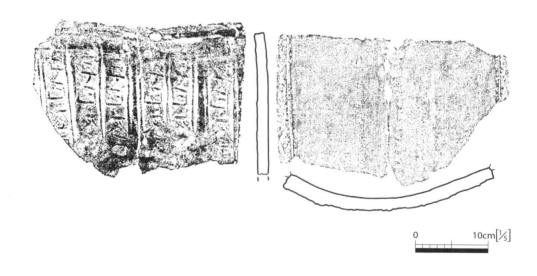

명문	간지명	간지명 년도					추정연대	
丁巳	丁巳	957, 1017, 1077, 1137, 1197, 1257, 1317, 1377						
종류	태토	소성도	색조			제원		
			내	외	속심	길이	폭	두께
암키와		경질		회청색		(20.1)	(28.9)	1.2
문양 및 제작속성								
외면			내면			측면		
명문(타날폭 3.5㎝), 물손질			포목흔, 합철흔			와도흔 내측 1/4~1/3		

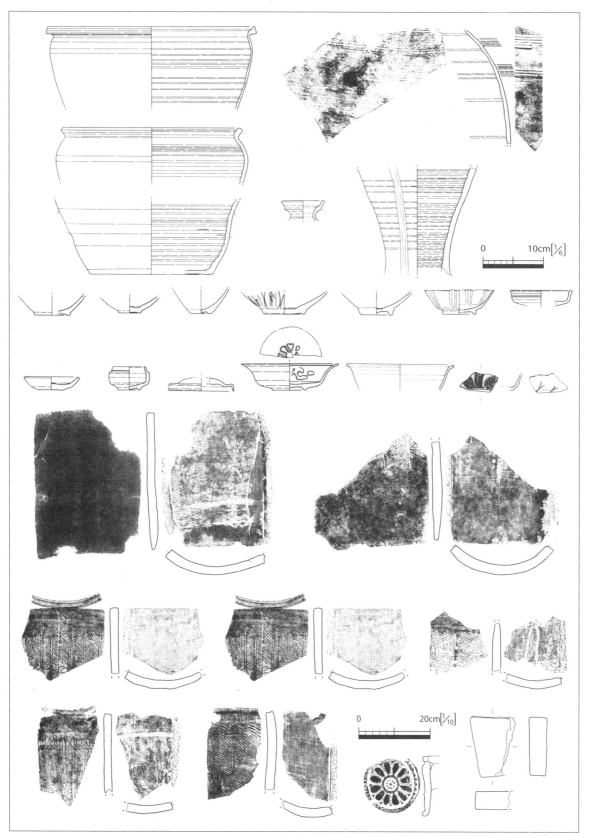

〈 가-4호 건물지 공반출토유물 〉

8) 용인 마북리 건물지 (龍仁 麻北里 建物址)

경기도

유적위치	경기도 용인시 구성읍 마북리 391번지 일원	
조사사유	아파트 신축을 위한 구제발굴조사	
조사연혁	지표조사 : 2001.03.25 ~ 2001.04.09 (세종대학교박물관) 발굴조사 : 2001.04.27 ~ 2001.07.18 (세종대학교박물관)	
유적입지	유적의 남쪽으로는 탄천(炭川)이 동-서 방향으로 흐르며, 탄천의 남쪽 건너편에는 영동고속도로가 지나고 있다. 지형은 고지도나 현재의 현황을 참고해볼 때 원래 낮은 구릉 지대였던 것으로 파악된다. 마북리 유적은 언남리 유적에서 서쪽으로 약 600m 거리에 있다.	
유구현황	고려시대~조선시대	건물지(2), 석렬유구
주요유물	고려청자, 고려백자, 명문기와 등	
시기·성격	마북리유적의 건물지는 고려시대로 접어들면서부터 비중 있는 건물이 축조되었던 것으로 보인다. 2지구의 제1석렬은 통일신라시대에 축조되었을 가능성이 높고, 2지구의 제2석렬은 고려시대 초기에 조성되었을 가능성이 높다. 그리고 2지구의 제1건물지와 제2건물지에서 고려시대 유물이 함께 출토되는 점과 어골문 암키와가 담장시설의 안쪽에 쌓여진 채 출토된 것으로 보아 고려시대 중반기 이후에 축조되었던 것으로 사료된다. 출토된 기와 중 에서는 12세기 이후에 제작된 어골문과 복합어골문 기와들이 가장 많은 비중을 차지하고 있어 이 유적은 12~13세기를 중심으로 가장 많은 건물들이 조성되었던 것으로 판단된다. 　건물지에 성격에 대해서는 단정할 만한 자료가 적은 편이지만 출토기와 중에 「卍」자와 「寺」자, 범어가 새겨진 명문기와가 포함된 점으로 보아 절터일 가능성이 매우 높다. 또한 신갈리의 현화사로 추정되는 절터에서 출토된 「호化寺 癸卯」자 명문기와와 같은 것이 1점 출토되어 현화사와의 직·간접적인 관련성도 보이고 있다.	
참고문헌	세종대학교박물관, 2003, 『龍仁 麻北里-건물지 발굴조사 보고서』.	

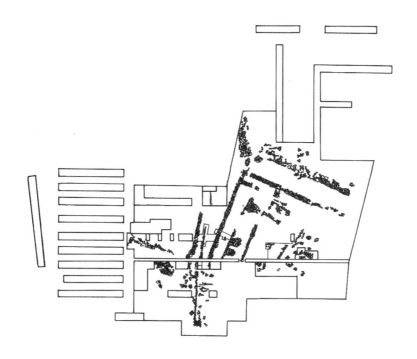

〈 조사지역 전체 유구배치도 (1:1,000) 〉

8)-1 용인 마북리 건물지 2지구 2호 건물지

유구성격	2지구에서는 축조시기가 다른 건물지의 유구가 조사되었는데, 건물의 성격이나 규모를 파악하기는 어려운 상태였다. 　2지구에서 조사된 건물지의 유구는 담장시설, 기단석렬, 배수로 및 장방형의 건물지 1채이다. 이 중 담장시설과 배수로 시설을 갖춘 긴 네모꼴의 건물지가 제1건물지이고, 담장시설만 남은 건물지가 제2건물지이다. 　제2건물지는 제1건물지의 동쪽에 위치한 담장시설을 포함한 안쪽에 위치하며 담장시설만 남은 상태이다. 담장시설의 축조방법은 석렬의 양쪽에 놓은 돌들은 바깥쪽으로 면을 맞추어 놓았고, 안쪽은 작은 돌들로 채웠다. 남아 있는 담장시설의 길이는 23.4m이고, 높이는 20~30cm이며, 너비는 130cm 정도이다. 　담장시설의 가운데 부분은 파괴되어 무너진 돌들이 넓게 흩어진 상태로 조사되었다. 그리고 서쪽 옆의 제1건물지 담장시설과의 간격은 430cm 정도이다. 　이 건물지는 제1건물지와 일정한 간격을 둔 후에 담장시설을 하여 공간을 구분하였던 것으로 추정되는데, 건물지가 있었던 곳은 콘크리트 건물과 폐기물이 묻혀 완전히 파괴된 상태였다.

시 기	고려시대				
기년유물	「戊甲」銘 암키와(2점)				
	연번	보고서 유물번호	기와 종류	명문내용	연대
	1	도면 73-1	암키와	戊甲O	1068, 1128 ?
	2	도면 73-2	〃	戊甲造(?)	〃

공반유물	토기류, 고려청자, 고려백자, 수막새(화문), 명문와(東, 卍, 범어), 평기와(사격자문, 집선문, 어골문, 복합문), 전(塼), 토제품, 석제품 등

N ⌒⌒ N'
82.08m   82.08m

O ⌒⌒ O'
82.08m   82.08m

0   5m [1/100]

〈 2지구 2호 건물지 평 · 단면도 (1:100) 〉

(1) 戊甲 銘 암키와

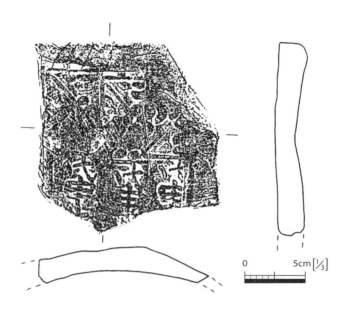

명문	간지명	간지명 년도			추정연대		
戊甲O	戊甲	948, 1008, 1068, 1128, 1188, 1248, 1308, 1368			1068, 1128		
종류	태토	소성도	색조			제원	
			내	외	속심	길이	폭	두께
암키와	점토에 석영과 운모, 장석이 혼합	연질		회백색		(16.1)	(16)	2.2
문양 및 제작속성							
외면		내면			측면		
방곽 내 명문 시문(右書)		포목흔					

(2) 戊甲造 銘 암키와

명문	간지명	간지명 년도		추정연대
戊甲造(?)	戊甲	948, 1008, 1068, 1128, 1188, 1248, 1308, 1368		1068, 1128

종류	태토	소성도	색조			제원		
			내	외	속심	길이	폭	두께
암키와	점토에 석영과 운모, 장석이 혼합	연질		회백색		(21.7)	(12.8)	2.2

문양 및 제작속성		
외면	내면	측면
방곽 내 명문 시문(右書)	포목흔, 빗질흔	

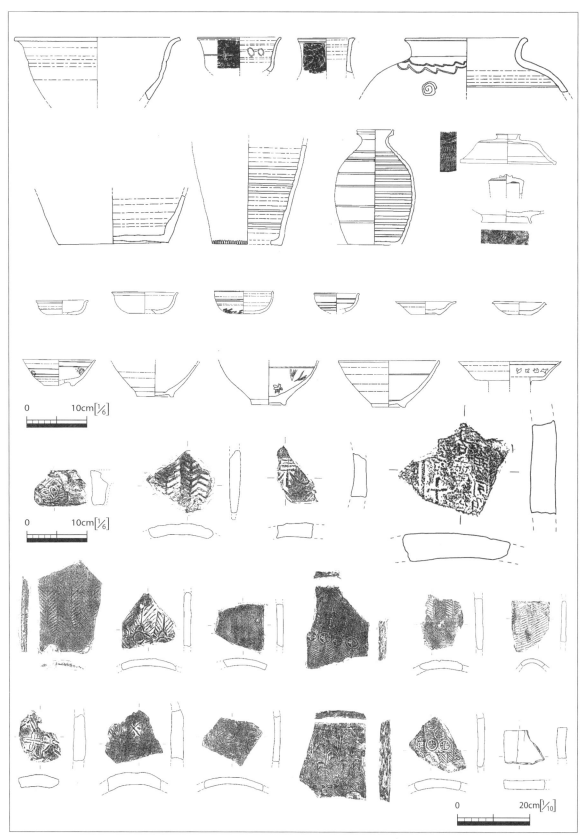

0 ㅡㅡ 10cm[⅙]

0 ㅡㅡ 10cm[⅙]

0 ㅡㅡㅡ 20cm[⅒]

〈 2지구 2호 건물지 공반출토유물 〉

9) 용인 마북리 중세취락 (龍仁 麻北里 中世聚落)

경기도

유적위치	용인시 구성읍 마북동 331-1 · 3 · 6 · 10 · 11번지 일원		
조사사유	A 지구 - 근린생활시설 신축공사 및 우림아파트 인도설치 공사 B~I 지구 - 우림아파트 인도설치 공사		
조사연혁	발굴조사 : 2004.02.24 ~ 2004.05.17 (A지구-한신대학교박물관) 2005.04.04 ~ 2006.09.16 (B지구-한신대학교박물관)		
유적입지	광주산맥의 한줄기인 법화산(383.2m)의 남서쪽 봉우리(해발 170.5m)에서 흘러내린 가지능선이 맞닿은 평탄지로 조사지역 북동쪽에서는 마북천이 남서방향으로 흘러 남쪽의 탄천과 합류한다. 탄천의 남측은 신갈동의 구릉성 지형들로 이루어져 있으며 그 사이에 영동고속도로와 김량장동으로 향하는 지방도로가 동서로 놓여있다. 그리고 서남측에는 경부고속도로와 영동고속도로가 교차하는 신갈인터체인지가 위치하고, 서울에서 오산으로 향하는 23번 국도가 인접해 있어 교통의 요지라 할 수 있다.		
유구현황	A지구	통일신라시대	주거지(8), 수혈(군)(5), 우물(1), 노지(4), 매납유구(2), 석렬유구(1)
		고려시대	건물지(8), 기타(폐기유구, 폐와무지, 적석 등)
	C지구	삼국시대(백제)	수혈(1), 구상유구(1)
		통일신라시대	굴립주건물지(1), 수혈(21), 화덕유구(1), 석렬유구(1)
	D지구	고려시대	건물지 外(1)
	E지구	조선시대~근대	우물(1)
	I지구	통일신라시대	수혈(5), 구상유구(1), 소성유구(1)
		고려시대	석렬(1), 수혈(4), 구상유구(1)
		조선시대~근대	우물(1)
주요유물	토기, 도기, 자기, 목기, 기와, 철기 등		
시기 · 성격	이곳에서는 삼국시대, 조선시대 및 근현대의 유구들도 확인되었으나 거의 대부분은 통일신라시대와 고려시대의 것들이다. 　3개 지구에서 총 11종 50여기가 확인된 통일신라 유구들에서 토기편들은 17종에, 기종을 알 수 있는 것만도 380점 이상에 달하며, 이들 중 시간성을 잘 반영하는 장경호, 고배, 뚜껑, 대부완 및 병류는 그 연대가 6세기 후반~9세기 후반에 걸친 것으로 파악하였다. 　4개 지구에서 5종 15기 유구와 확인된 고려시대 유구들 중 A지구의 건물지 8기 및 그와 관련된 유구들에 대한 구조와 기와류, 자기 · 도기류 등의 출토유물 성격을 고찰한 결과 그 중심연대가 12세기에 해당하고 기능은 당시 사찰로 이용되었을 가능성이 높은 것으로 판단하였다. 　그리고 고려~조선시대에는 이 지역에 용구현의 치소가 있었고, 그와 관련된 각종 유구들이 이곳 일대의 넓은 범위에서 속속 확인되고 있다.		
참고문헌	한신대학교박물관, 2003,『용인 마북리 근린생활시설 신축부지 문화유적지표조사 보고서』. 한신대학교박물관, 2004,『용인 마북리 근린생활시설 신축부지내 문화유적시굴조사보고서』. 한신대학교박물관, 2010,『龍仁 麻北里 中世聚落』, 第35册.		

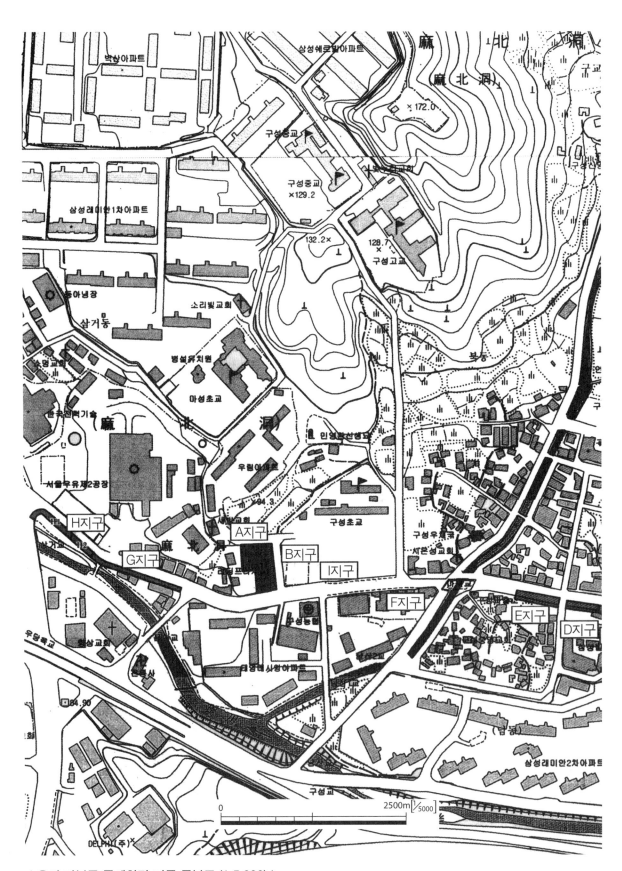

〈 용인 마북동 중세취락 지구 구분도 (1:5,000) 〉

9)-1 용인 마북리 중세취락 A지구 상층

성 격	A지구의 층위는 조사지역 중앙의 트렌치를 통해 총 7개 층으로 나누어져 있음이 확인되었는데, 이 가운데 시기적으로 구분이 가능한 유의미한 층위는 총 2개 층(통일신라시대문화층·고려시대문화층)이다. 조사 당시 확인된 여러 개의 층은 주거지나 건물지 등의 시설물을 조성하는 과정에서 진행된 대지조성 등에 의해 형성된 것으로 추정된다. 그러나 이러한 층위는 북쪽에서 남쪽으로 갈수록 경사지는 조사지역의 지형적인 특성상 '가' 지점에 비해 '나' 지점이 비교적 복잡한 양상을 보이며 '가' 지점의 경우 고려시대 문화층 하부에 별다른 문화층 없이 자연암반층이 노출되었다.
	마북동유적 A지점의 건물지들은 기초를 견고하게 하여 축조한 중심건물을 북쪽에 두고 이로부터 정남쪽으로 약 30m거리에 문을 중심으로 한 행랑 건물을 동서 방향으로 배치한 구조를 보인다. 두 건물 사이의 공간은 중정(中庭)이 되었으며, 그 동쪽에 치우쳐 생활공간인 온돌건물을 배치하였다. 행랑의 동측 일직선상에 철기를 제작하는 소규모 단야 공방과 창고로 활용된 건물을 설치하였는데, 그 남쪽 전면의 기단은 경내의 기단보다 높게 축조하였다. 이러한 양상을 고려할 때, A지구는 동서 대칭의 구조를 띠고 있을 가능성이 높다. 본 조사 범위는 건물지 경내 중심의 동반부에 지나지 않는 셈이다.
	A지점의 유적은 조사범위 남쪽으로도 연장되고 있는데, 남쪽 도로 건너편은 세종대학교 박물관 조사지역 2지구에 해당한다(세종대학교박물관 2003). 이 일대에서는 2기의 대형 건물지와 담장시설, 2열의 석렬, 적석유구 등이 확인되었는데, 출토된 유물이 A지점과 일치한다고 해도 과언이 아닐 만큼 공통적이어서 동시기의 유적으로 보아도 무방하다. 하지만 이 유적의 북쪽에서 30m 구간에서 유구가 확인되지 않은 것으로 보고되어 A지구 남쪽의 양상은 알 수 없다. 그런데 A지점 남쪽 경계를 기점으로 약 60m 거리에서 확인된 제1석렬과 제2석렬은 동서 방향으로 놓여 있어 A지구 '나' 지점의 기단석렬과 방향이 같다. 세종대 2지구의 중심건물인 제1건물지와 제2건물지의 주축선이 북동-남서 방향인 것과 대조적이다. 이러한 점을 감안하면 A지구 건물지의 남쪽 범위는 세종대 2지구 제2석렬 까지 약 120m에 이르게 된다.

시 기	고려시대				
기년유물	「戊甲」銘 암키와(1점)				
	연번	보고서 유물번호	기와 종류	명문내용	연대
	1	A-기67	암키와	戊甲造上…	1068, 1128 ?
공반유물	보고서에서 기년명 기와가 출토된 유구를 기술하지 않아 알 수 없음.				

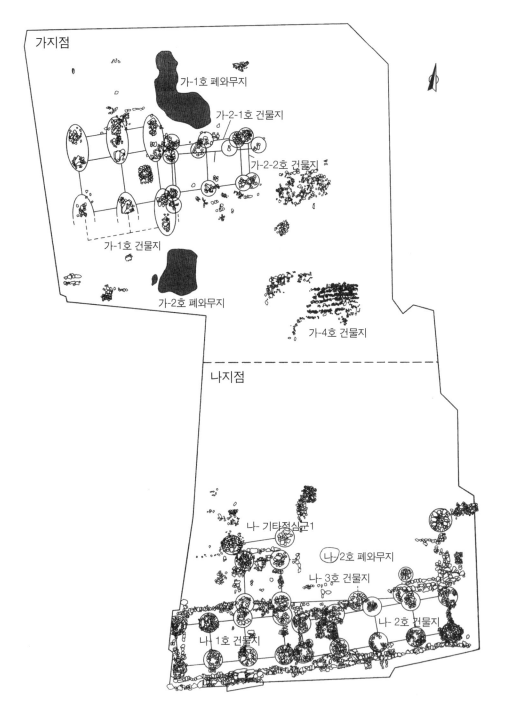

가지점

가-1호 폐와무지

가-2-1호 건물지

가-2-2호 건물지

가-1호 건물지

가-2호 폐와무지

가-4호 건물지

나지점

나- 기타적심군1

나-2호 폐와무지

나- 3호 건물지

나- 2호 건물지

나- 1호 건물지

0   4m[1/120]

〈 A지구 유구배치도 (1:120) 〉

(1) 戊甲 銘 암키와

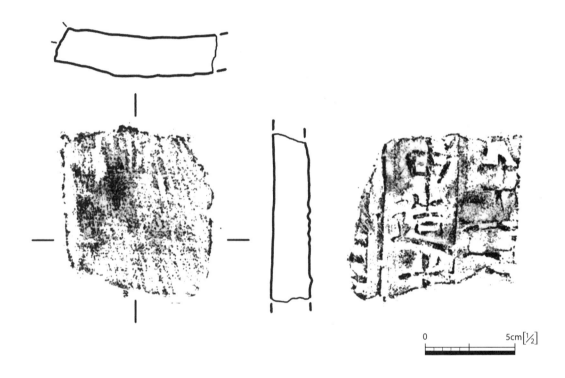

명문	간지명	간지명 년도				추정연대	
戊甲造上…	戊甲	948, 1008, 1068, 1128, 1188, 1248, 1308, 1368				1068, 1128	
종류	태토	소성도	색조			제원	
			내	외	속심	길이	폭	두께
암키와	정선도 上	上	회황색	회색	회색	(9.5)	(11.3)	1.7~2.2
문양 및 제작속성							
외면		내면			측면		
		포흔, 사절흔					

10) 용인 마북리 사지 (龍仁 麻北里 寺址)

경기도

유적위치	경기도 용인시 구성면 마북리 산 37번지
조사사유	아파트 신축부지 내 구제발굴조사
조사연혁	지표조사 : 1999.04 (한신대학교박물관) 시굴조사 : 1999.07.19 ~ 발굴조사 : 1999.08.23 ~ 1999.10.05 (한신대학교박물관)
유적입지	용인시 구성면 마북리 일대는 법화산(372m)에서 남서쪽으로 발달한 구릉성 지형으로 이루어져 있다. 유적의 좌우에는 돌출한 구릉들이 있고, 남서쪽으로는 길게 곡간부가 형성되어 인근 주민들의 텃밭으로 이용되고 있었다. 남서쪽 인근에 경부고속도로와 남동쪽에서 북서쪽으로 흐르는 탄천이 위치하고 있다.

유구현황	고려시대	건물지(3)
	조선시대	토광묘(2)

주요유물	도기대옹, 자기류, 명문기와(기년명 등), 청동향완, 철제종편, 숟가락 등

기년유물	「戊甲」銘 암키와(2점) - 정확한 출토 위치를 알 수 없음				
	연번	보고서 유물번호	기와 종류	명문내용	연대
	1	38	암키와	戊甲年(?)一寺/ 草	1068, 1128
	2	51	〃	戊申年	〃

시기·성격	건물지 3동과 그에 수반된 4개의 석축유구 및 7개의 소형유구가 확인되었으며, 아울러 2기의 토광묘도 함께 발굴되었다. 건물지 가운데 훼손이 심한 1기(6호 유구)는 나말여초를 전후한 시기의 기와와 토기가 출토되어 상대적으로 먼저 축조되었다가 폐기된 것으로 볼 수 있으며 나머지 2기(1·2호 건물지)는 「卍」, 「寺」, 「館(寺)院」銘의 기와, 철종편, 청동제나 자기로 된 향완(香館) 등이 출토되어 院의 기능도 겸한 사찰의 법당과 숙박시설이었던 것으로 판단하였다. 1·2호 건물지에서 출토된 자기·기와·도기 들은 11~12세기에 속하는 것들이 주종을 이루며, 그 밖에 15~16세기의 분청사기나 순백자도 출토된 점으로 볼 때, 이 건물지가 고려 전기에 사찰로 이용되다가 13~14세기의 공백 기간을 걸친 후 조선시대 전기에 한때 재이용되었던 것으로 추정된다.

참고문헌	한신대학교박물관, 2003, 『龍仁 麻北里寺址』, 第17册.

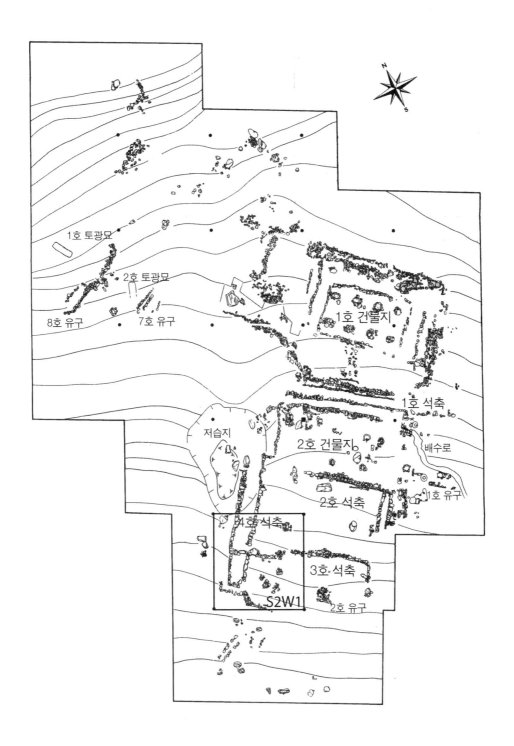

< 조사지역 전체유구배치도 (1:800) >

(1) 戊甲 銘 암키와

명문	간지명	간지명 년도					추정연대	
戊甲年(?)一寺/草	戊甲	948, 1008, 1068, 1128, 1188, 1248, 1308, 1368					1068, 1128	
종류	태토	소성도	색조			제원		
			내	외	속심	길이	폭	두께
암키와	모래와 활석이 혼입	연질		회청색		(36.6)	(19.7)	1~2
문양 및 제작속성								
외면		내면			측면			
어골문		포목흔			와도흔 내측			

(2) 戊甲 銘 암키와

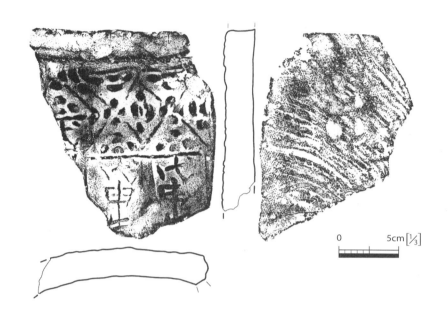

명문	간지명	간지명 년도					추정연대	
戊申年	戊甲	948, 1008, 1068, 1128, 1188, 1248, 1308, 1368					1068, 1128	

종류	태토	소성도	색조			제원		
			내	외	속심	길이	폭	두께
암키와	모래 혼입	연질		회청색		(14.7)	(14)	2.3~2.6

문양 및 제작속성		
외면	내면	측면
초화문	포목흔, 빗질흔,	와도흔 내측

11) 용인 전대리·유운리 유적 (龍仁 前垈里·留雲里 遺蹟)

경기도

유적위치	경기도 용인시 처인구 포곡읍 유운리 일원
조사사유	유원지 개발에 따른 문화유적 구제발굴조사
조사연혁	지표조사 : 2003.01 ~ 2003.08 (명지대학교박물관) 시굴조사 : 2009.07.22 ~ 2009.09.11 (기호문화재연구원) 발굴조사 : 2009.10.17 ~ 2009.12.23 (기호문화재연구원)
유적입지	향수산(458m) 줄기인 시루봉의 남쪽사면과 동쪽사면 일부로 완만한 사면경사를 보이고 있으며, 남쪽 전면에는 바로 인접하여 유운천이 흐르고 있어 지형상 생활유적이 자리할 가능성이 높은 지역에 해당한다.
유구현황	고려시대~조선시대 건물지(5), 담장지(3), 매납수혈(5), 석렬(1)
주요유물	청자, 분청사기, 백자, 사이호, 장동호, 명문기와 외

기년유물

「大定二十六年」銘 암키와(2점), 「丙寅」銘 암키와(3점)
- 정확한 출토지를 알 수 없음

연번	보고서 유물번호	기와 종류	명문내용	연대
1	176	암키와	…二十六年…定二十六年	金 世宗 26年
2	182	〃	大定二十六…	〃
3	175	〃	丙寅, …年	1086, 1146, 1206, 1266, 1326, 1386
4	178	〃	…年, 本丙寅, …寺O年, …丙寅	〃
5	183	〃	…寺O年, 丙寅	〃

시기·성격

　　건물지에서 출토된 명문기와 중 건물의 성격 및 시기를 알 수 있는 기와가 모두 5점이 출토되었다. 이 중 「大定二十六年」銘 기와는 2점으로 중국의 金 世宗의 연호이며 1186년에 해당한다. 한편 「丙寅」銘 기와는 3점으로 기와편을 조합하면 '凡草本丙寅 香水寺O年'이 된다. 이 중 '香水寺'는 기와가 사용된 장소로 곧 유운리 건물지의 성격을 알려주는 결정적인 단서이다.

　　향수사는 靑道 雲門寺 경내의 圓鷹國師碑에 기록된 學一(1052~1144)의 행적과 1530년(中宗 25)에 간행된 『新增東國輿地勝覽』卷之十 京畿 龍仁縣 〈佛宇〉條에 기록된 기사를 통해 확인된다. 學一은 慧炤, 坦然과 함께 고려전기 선풍을 떨쳤던 인물로 國師가 13살 때인 1064년 경에 향수사에 주석한 惠含스님을 찾아가 親見하였다는 내용이 전한다. 이를 통해 11세기 중반 향수사가 혜함을 중심으로 한 선종사찰로 상당한 영향력을 가졌다는 것을 알 수 있다. 이후 향수사는 『신증동국여지승람』에 '香水寺 在縣東二十里'라고 기록되어 조선전기 현치소가 위치하였던 지금의 기흥구 마북동 일대로부터 향수사지와의 거리가 비교적 일치한다. 그러나 위치에 대한 내용 외에 조선시대 향수사에 관한 상세한 내용은 기록을 통해 더 이상 확인되지 않으며, 1799년(정조 23)에 편찬된 「梵宇攷」에 폐사에 대한 기사만이 전하고 있다.

| 참고문헌 | 명지대학교박물관, 2003, 『龍仁 에버랜드 事業敷地 地表調査 報告書』.
기호문화재연구원, 2011, 『龍仁 前垈里, 留雲里 遺蹟』, 발굴조사보고 20. |

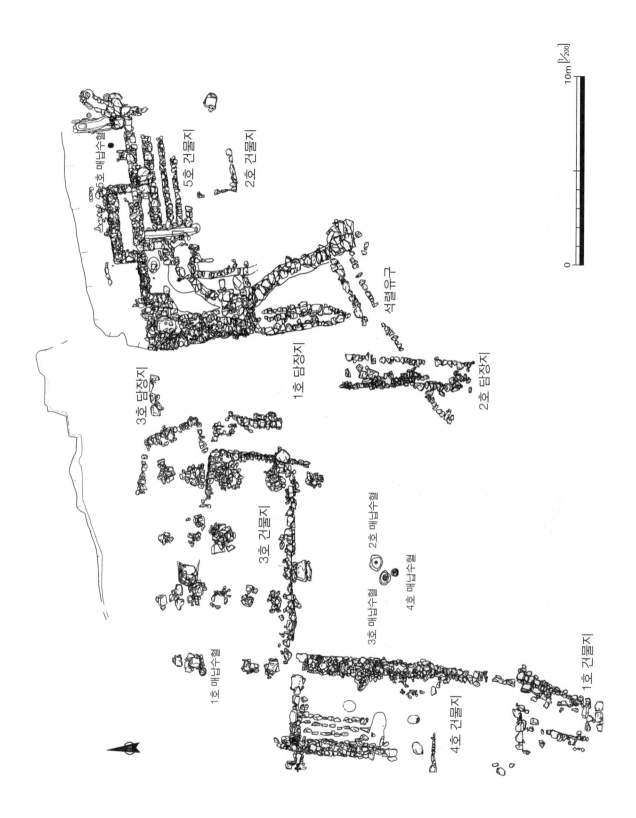

5호 매납수혈

5호 건물지

2호 건물지

석렬유구

3호 담장지

1호 담장지

2호 담장지

3호 건물지

3호 매납수혈

2호 매납수혈

4호 매납수혈

1호 매납수혈

4호 건물지

1호 건물지

10m

〈 조사지역 유구배치도 (1:200) 〉

(1) 大定 銘 암키와

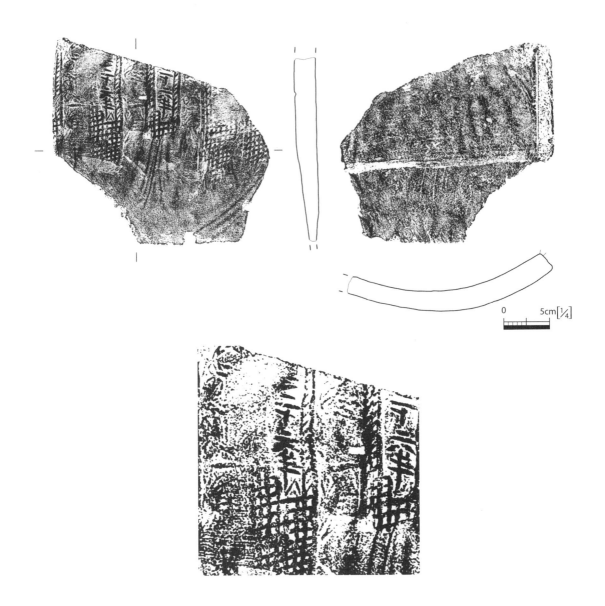

명문	연호	연호명 년도	국명(왕)	고려	절대연대
…二十六年…定二十六年	大定	1161~1187	金 (世宗 26年)	明宗 16年	1186

종류	태토	소성도	색조			제원		
			내	외	속심	길이	폭	두께
암키와	얇은 세석립이 섞인 점토	경질	회색	회색		(19)	(23.5)	0.7~2.3

문양 및 제작속성		
외면	내면	측면
사격자문(타날폭 6cm), 물손질, 하단조정(8cm)	포목흔, 윤철흔, 물손질	와도흔 내측 1/4

(2) 大定 銘 암키와

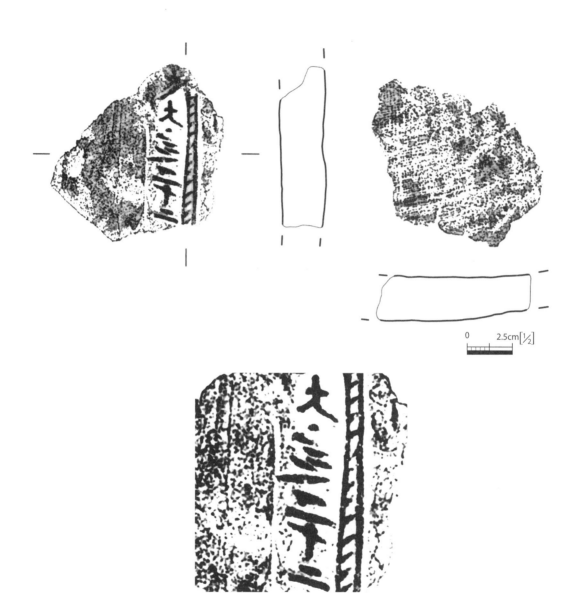

명문	연호	연호명 넌도	국명(왕)		고려	절대연대
大定二十六…	大定	1161~1187	金 (世宗 26年)		明宗 16年	1186

종류	태토	소성도	색조			제원		
			내	외	속심	길이	폭	두께
암키와	얇은 세석립이 섞인 점토	연질	진회색	진회색		(9.5)	(9)	2~2.2

문양 및 제작속성		
외면	내면	측면
사격자문	포목흔(8×8)	

(3) 丙寅 銘 암키와

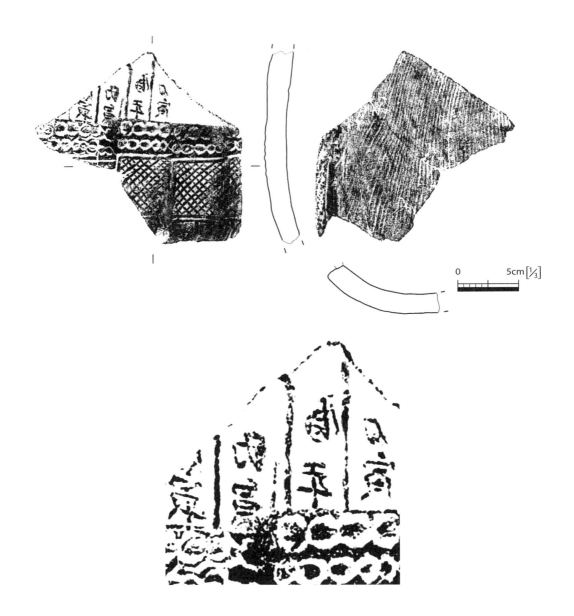

명문	간지명	간지명 년도						추정연대
丙寅, …年	丙寅	966, 1026, 1086, 1146, 1206, 1266, 1326, 1386						

종류	태토	소성도	색조			제원		
			내	외	속심	길이	폭	두께
암키와	얇은 세석립이 섞인 점토	경질	회청색	회청색		(20)	(20.7)	1.7~2

문양 및 제작속성		
외면	내면	측면
사격자문(타날폭 6cm)	포목흔(10×9), 사절흔	와도흔 내측 1/2

(4) 丙寅銘 암키와

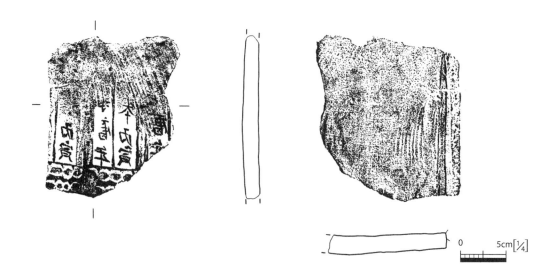

명문	간지명	간지명 년도						추정연대
…年, 本丙寅, …寺○年, …丙寅	丙寅	966, 1026, 1086, 1146, 1206, 1266, 1326, 1386						

종류	태토	소성도	색조			제원		
			내	외	속심	길이	폭	두께
암키와	얇은 세석립이 섞인 점토	경질	회청색	회청색		(18.5)	(14.5)	1~1.6

문양 및 제작속성		
외면	내면	측면
사격자문(타날폭 6cm)	포목흔(10×9), 사절흔	와도흔 내측 1/2

(5) 丙寅 銘 암키와

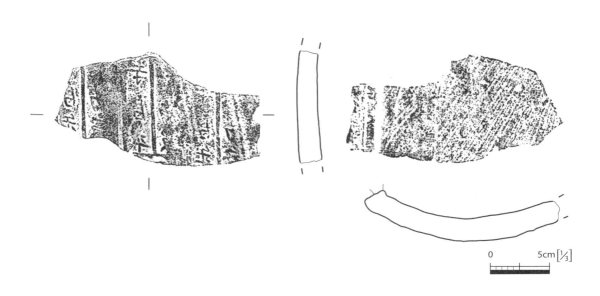

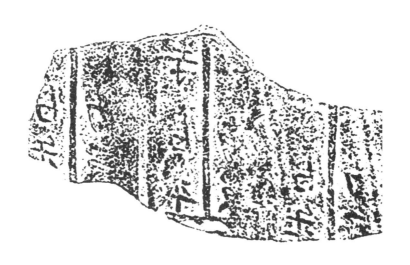

명문	간지명	간지명 년도				추정연대	
…寺○年, 丙寅	丙寅	966, 1026, 1086, 1146, 1206, 1266, 1326, 1386					
종류	태토	소성도	색조			제원	
			내	외	속심	길이	폭	두께
암키와	얇은 세석립이 섞인 점토	연질	회청색	회청색		(9)	(16.5)	1.6
문양 및 제작속성							
외면		내면			측면		
횡대 구획 후 명문 시문		포목흔(10땀), 사절흔			와도흔 내측 1/2		

12) 이천 갈산동 유적 (利川 葛山洞 遺蹟)

경기도

유적위치	경기도 이천시 갈산동 644-1번지 일원
조사사유	주택건설
조사연혁	발굴조사 : 2004.11.15 ~ 2005.07.23 (1차-중앙문화재연구원) 　　　　 2005.10.10 ~ 2006.01.05 (2차-중앙문화재연구원)
유적입지	조사지역이 위치하고 있는 곳은 해발 약 67m 내외로 구릉들 및 나지막한 저구릉성 산지로 되어 있다. 이곳은 자연지리적 여건이 매우 좋고, 산세가 험하지 않아 주거관련 시설이나 분묘 등이 입지하기에 매우 양호한 지형이다.

유구현황	통일신라시대	주거지(21), 수혈유구(6), 요지(窯址)(1)
	나말여초	추정탑지(1), 탑재출토지(1), 폐기장(4), 석렬유구(9), 적석유구(3), 수혈유구(30), 저장혈(14), 담장지(2)
	나말여초~ 조선	건물지(16)
	고려시대	기와무지

주요유물	완, 편병, 벼루, 옹, 기와류, 철겸(鐵鎌) 등
시기 · 성격	이천시 안흥동 일대는 이번 발굴조사가 이루어지기 이전부터 안흥사지와 관련된 기와가 출토되고, 건물지의 초석 및 석열 등이 확인되었다. 이는 문헌사료에 나타나는 기록과 함께 이 지역에 매우 중요한 유적이 존재한다는 것을 이미 인식시켜주고 있었다. 　문헌에 기록된 '안흥사'는 2차에 걸쳐 발굴조사 된 13~16호 건물지에 해당되는 것으로, 이 가운데 가장 유력한 곳은「辛卯四月九日造安興寺凡草」銘 기와가 출토되고 있는 13~15호 건물지일 가능성이 높다. 16호 건물지는 13~15호 건물지와 연결되어 있는 남북방향의 석열이 노출되어 같은 시기의 건물지로 보인다. 또한 16호 건물지의 기단석열에서 남동쪽으로 약 15m 떨어진 구릉사면 하단부에서 소형 석탑재들이 노출되어 寺址가 존재하였다는 것은 분명한 사실로 확인되었다. 다만 이 일대에서 조사된 건물지는 사원의 중심건물인 금당지의 성격보다는 승방이나 기타 부속건물로 추정된다. 　문헌에 기록된 안흥사는 고려 초기에 사세가 크게 확장되었던 것으로 보이는데, 13~15호 건물지에서 출토된「辛卯」銘 기와로 볼 때 고려 초기(931년, 991년)에 동쪽 지역으로 이건하여 중창되었음을 알 수 있다. 그리고 이 일대에서 경복궁으로 이건된 나말여초기의 오층석탑 석탑재가 확인되고, 발굴조사에서 출토된 소형의 석탑재는 고려 후기에 건립된 것으로 보인다. 이것으로 보아 안흥사는 고려 후기를 거쳐 조선 초기까지 법등을 이어온 것으로 파악되며, 폐사시기는 조선 중기 이후로 추정된다. 　안흥사지는 인접해있는 경기도 지역의 여주 고달사지, 안성 봉업사지 등과 함께 고려초기 이후 이 지역 건물지의 구조양상과 축조방법 등에 대해 종합적으로 살펴볼 수 있는 중요 자료가 되고 있다.
참고문헌	중앙문화재연구원, 2007,『利川 葛山洞遺蹟』, 第112冊.

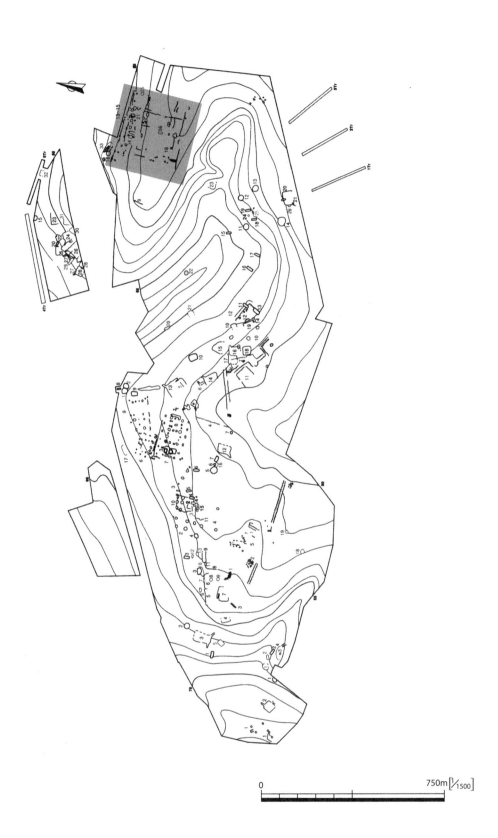

〈 조사지역 전체유구배치도 (1:1,500) 〉

12)-1 이천 갈산동 유적 13~15호 건물지

유구성격	13호 건물지 : 동서로 뻗은 등고선과 평행하게 적심석이 조성되었으며, 14호 건물지보다 선행된 건물지로 추정된다. 적심석은 경사면 상단부에 4기와 14호 건물지의 기단석열과 인접하여 1기가 'ㄱ'자형으로 확인되었다. 적심석은 명황색 풍화암반층을 90㎝ 정도 파고, 길이 10~30㎝의 방형 내지 부정형의 할석을 채워 넣었다. 기단석열은 제대로 확인되지 않았다. 14호 건물지 : 14호 건물지 기단부는 구릉 사면 하단의 생토면을 'ㄴ'형으로 생절토한 뒤, 건물지의 바깥쪽에 해당되는 석재는 길이 30~40㎝와 80㎝ 이상의 대형 석재를 혼용하여 치밀하게 쌓아올렸다. 기단부는 5단 정도가 남아있으며, 최하단석에서 상단부로 올라갈수록 약간씩 들여쌓았다. 석재 사이사이에는 적석된 석재보다 작은 소형 할석을 채운 곳도 있으며, 일부에서는 기와편이 사용되기도 하였다. 또한 트렌치조사를 실시한 결과, 최하단석과 상부의 석재까지 점성이 약간 있는 암갈색사질토와 명황갈색사질토를 약 5번에 걸쳐 다진 것으로 확인된다. 15호 건물지 : 15호 건물지는 14호 건물지의 동쪽에 인접하여 위치한다. 기단석열은 14호 건물지의 기단석열과 대체로 평행하게 조성되었는데, 14호 건물지의 가장 동쪽에 위치한 적심초석의 기단석열에서 약간 'ㄱ' 형태로 꺾여 축조되었다. 적심석은 14호 건물지의 초축 시 유구와 거의 일직선상으로 놓았다. 기단부의 축조방법은 거의 흡사하며, 14호 건물지에 사용된 석재가 주로 중대형의 석재라면 15호 건물지의 석재는 그보다 작은 편이다.
시 기	고려시대

기년유물

「辛卯四月九日造安興寺凡草」銘 암키와(20점)

연번	보고서 유물번호	기와 종류	명문내용	연대
1	도면 91-1	암키와	辛卯四月九日造安興寺凡草	931? 991?
2	도면 91-2	〃	辛卯四月	〃
3	도면 92-1	〃	四月	〃
4	도면 92-2	〃	辛卯四月九日	〃
5	도면 93-1	〃	辛卯	〃
6	도면 93-2	〃	辛卯四月九日造安興	〃
7	도면 93-3	〃	安興寺	〃
8	도면 94-1	〃	辛卯四月九日造安興	〃
9	도면 94-2	〃	辛卯四月九日造	〃
10	도면 94-3	〃	辛卯四月	〃
11	도면 95-1	〃	月九日	〃
12	도면 95-2	〃	辛卯四月九日造安興寺	〃
13	도면 95-3	〃	辛卯四月九日造安興寺凡草	〃
14	도면 95-4	〃	辛卯四月九日造安興寺	〃
15	도면 96-1	〃	辛卯四月九日造安興寺凡草	〃
16	도면 96-2	〃	辛卯四月九日造	〃
17	도면 96-3	〃	四月九日造安興寺	〃
18	도면 102-4	〃	辛卯四月九日造安	〃
19	도면 103-1	〃	辛卯四月九日造安	〃
20	도면 103-2	〃	辛卯四月九日造	〃

공반유물	도기병・호, 연화대좌, 청자항아리, 화문 청자 저부편, 기와편, 동곳, 와범 등

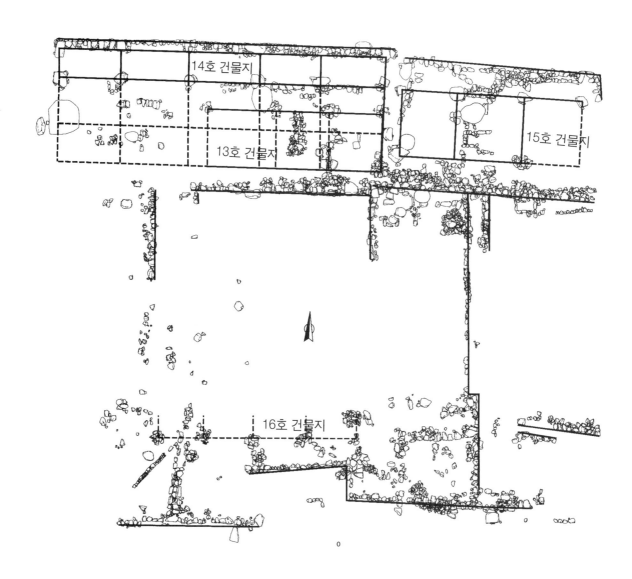

14호 건물지

15호 건물지

13호 건물지

16호 건물지

0   2m [1/150]

〈 13~15호 건물지 유구배치도 (1:150) 〉

(1) 辛卯四月九日造安興寺凡草 銘 암키와

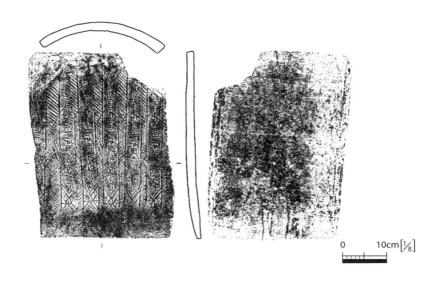

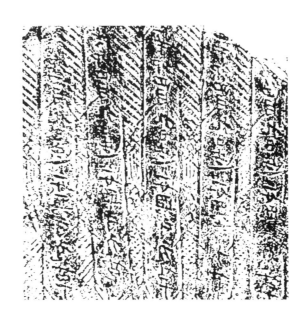

명문	간지명	간지명 년도	추정연대
辛卯四月九日造安興寺凡草	辛卯	931, 991, 1051, 1111, 1171, 1231, 1261, 1321, 1381	931, 991

종류	태토	소성도	색조	제원		
				길이	폭	두께
암키와	사립이 포함된 정선된 점토	연질	회갈색	39.7	27.4	2.2

문양 및 제작속성		
외면	내면	측면
수지문+사격자문, 하단 물손질	포목흔, 하단 물손질 조정	와도흔 내측 1/3

(2) 辛卯四月 銘 암키와

0   10cm[⅕]

명문	간지명	간지명 년도			추정연대	
辛卯四月	辛卯	931, 991, 1051, 1111, 1171, 1231, 1261, 1321, 1381			931, 991	
종류	태토	소성도	색조	제원		
				길이	폭	두께
암키와	사립이 포함된 정선된 점토	경질	회청색	37.9	26.4	2
문양 및 제작속성						
외면		내면		측면		
수지문+사격자문, 하단 물손질		포목흔, 점토합흔		와도흔 내측 1/4		

(3) 四月 銘 암키와

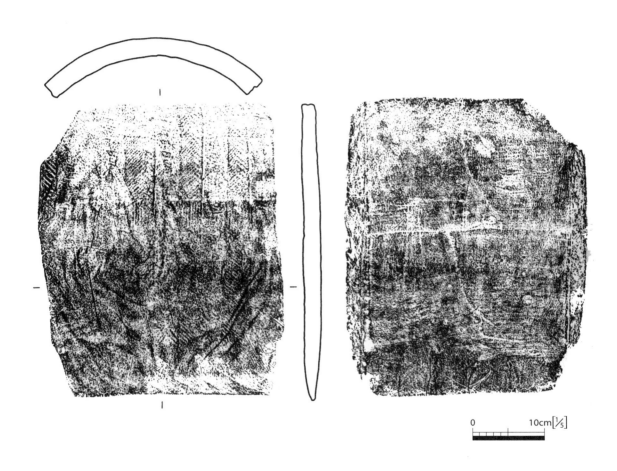

명문	간지명	간지명 년도		추정연대
四月	辛卯	931, 991, 1051, 1111, 1171, 1231, 1261, 1321, 1381		931, 991

종류	태토	소성도	색조	제원		
				길이	폭	두께
암키와	정선된 점토	경질	회갈색, 회흑색	39	29.2	2.9

문양 및 제작속성		
외면	내면	측면
수지문+사격자문	포목흔, 하단 물손질 조정	와도흔 내측 1/4

(4) 辛卯四月九日 銘 암키와

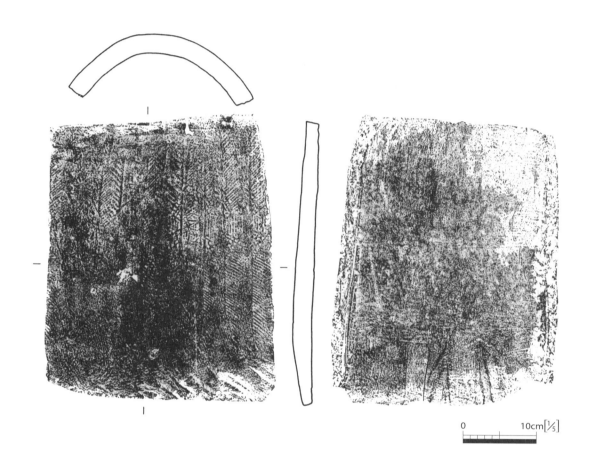

명문	간지명	간지명 년도			추정연대
辛卯四月九日	辛卯	931, 991, 1051, 1111, 1171, 1231, 1261, 1321, 1381			931, 991

종류	태토	소성도	색조	제원		
				길이	폭	두께
암키와	비교적 정선된 점토	경질	회청색	37.6	26.2	2.5

문양 및 제작속성		
외면	내면	측면
수지문+사격자문	포목흔, 하단 물손질 조정	와도흔 내측 1/4~1/2

(5) 辛卯 銘 암키와

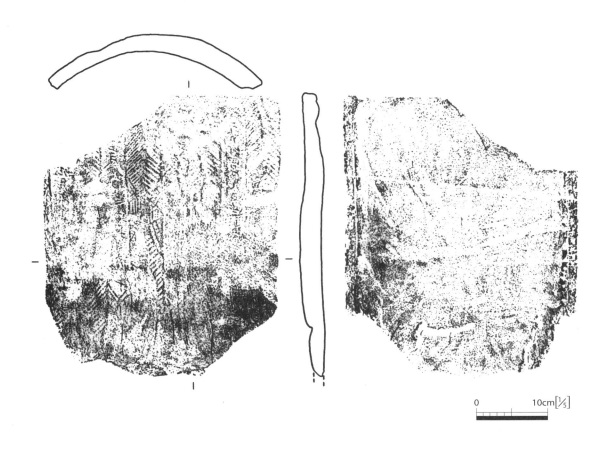

명문	간지명	간지명 년도	추정연대
辛卯	辛卯	931, 991, 1051, 1111, 1171, 1231, 1261, 1321, 1381	931, 991

종류	태토	소성도	색조	제원		
				길이	폭	두께
암키와	정선된 점토	경질	회갈색, 회흑색	37.4	29	2.1
문양 및 제작속성						
외면		내면		측면		
수지문+사격자문		포목흔, 하단 물손질 조정		와도흔 내측 1/3		

⑹ 辛卯四月九日造安興寺 銘 암키와

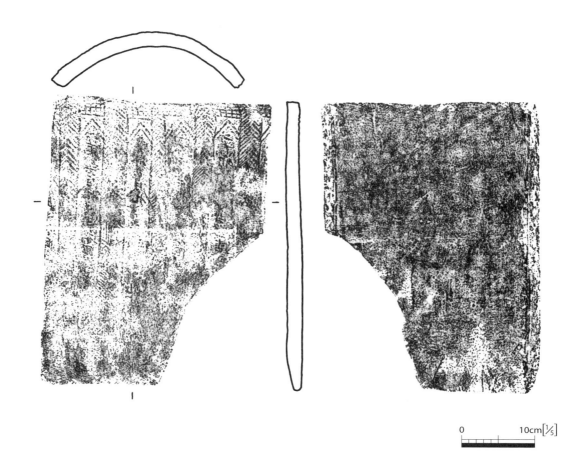

0   10cm[⅕]

명문	간지명	간지명 년도	추정연대
辛卯四月九日造安興寺	辛卯	931, 991, 1051, 1111, 1171, 1231, 1261, 1321, 1381	931, 991

종류	태토	소성도	색조	제원		
				길이	폭	두께
암키와	정선된 점토	경질	회갈색, 회흑색	37.7	26	2.1

문양 및 제작속성		
외면	내면	측면
수지문+사격자문	포목흔	와도흔 내측 1/2

(7) 安興寺 銘 암키와

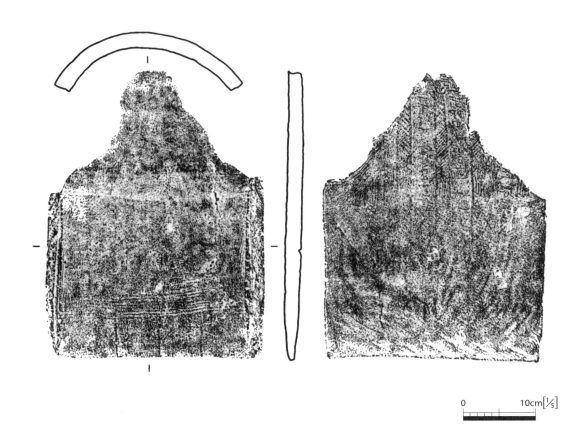

0   10cm[⅕]

명문	간지명	간지명 년도		추정연대
安興寺	辛卯	931, 991, 1051, 1111, 1171, 1231, 1261, 1321, 1381		931, 991

종류	태토	소성도	색조	제원		
				길이	폭	두께
암키와	정선된 점토	경질	회청색	28.2	25.5	2.3

문양 및 제작속성		
외면	내면	측면
수지문+사격자문	포목흔, 점토합흔, 하단 물손질 조정	와도흔 내측 1/3

(8) 辛卯四月九日造安興寺 銘 암키와

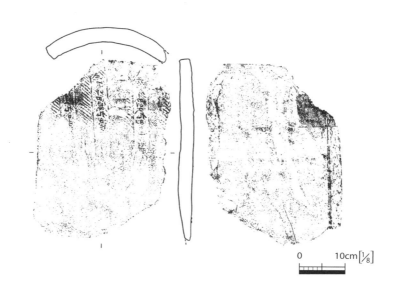

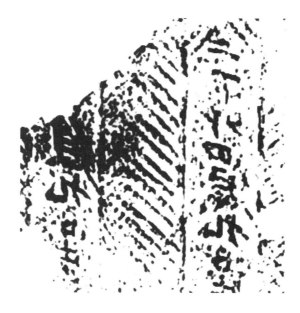

명문	간지명	간지명 년도	추정연대
辛卯四月九日造安興寺	辛卯	931, 991, 1051, 1111, 1171, 1231, 1261, 1321, 1381	931, 991

종류	태토	소성도	색조	제원		
				길이	폭	두께
암키와	사립이 포함된 정선된 점토	경질	회갈색	38.6	26.2	2.8

문양 및 제작속성		
외면	내면	측면
수지문+사격자문	포목흔, 하단 물손질 조정	와도흔 내측 1/3

⑼ 辛卯四月九日造 銘 암키와

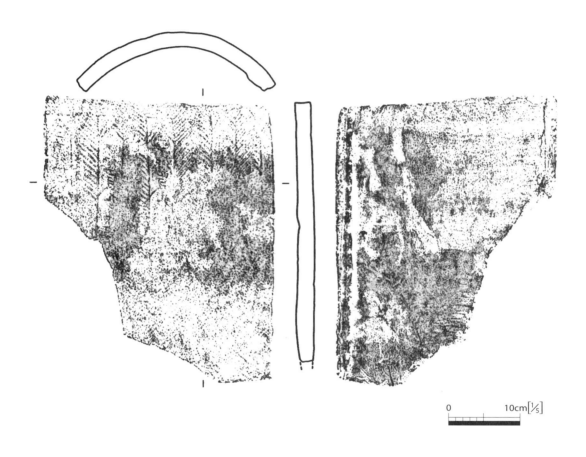

0   10cm[⅕]

명문	간지명	간지명 년도		추정연대
辛卯四月九日造	辛卯	931, 991, 1051, 1111, 1171, 1231, 1261, 1321, 1381		931, 991
종류	태토	소성도	색조	제원
				길이	폭	두께
암키와	정선된 점토	경질	회청색	36.2	26.8	2
문양 및 제작속성				
외면		내면	측면	
수지문+사격자문		포목흔, 하단 물손질 조정	와도흔 내측 1/2	

(10) 辛卯四月 銘 암키와

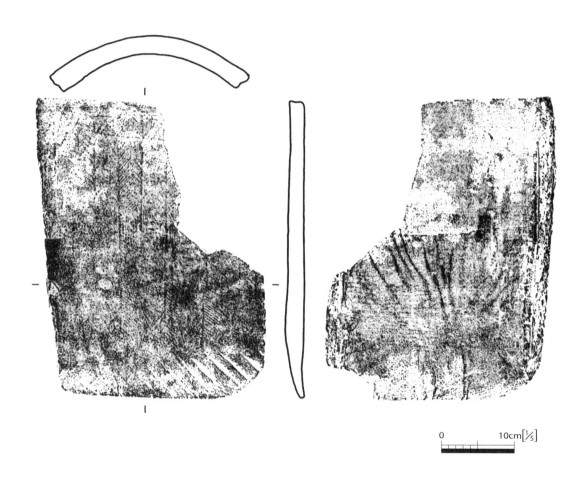

0   10cm[⅕]

명문	간지명	간지명 년도			추정연대		
辛卯四月	辛卯	931, 991, 1051, 1111, 1171, 1231, 1261, 1321, 1381			931, 991		
종류	태토	소성도	색조		제원		
					길이	폭	두께
암키와	정선된 점토	경질	회갈색		39.1	27.1	2.6
문양 및 제작속성							
외면		내면			측면		
수지문+사격자문		포목흔, 점토합흔, 하단 물손질 조정			와도흔 내측 1/2		

(11) 月九日 銘 암키와

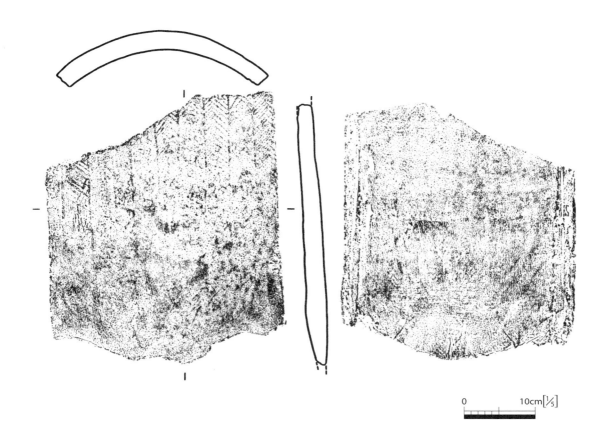

0   10cm[⅕]

명문	간지명	간지명 년도	추정연대
月九日	辛卯	931, 991, 1051, 1111, 1171, 1231, 1261, 1321, 1381	931, 991

종류	태토	소성도	색조	제원		
				길이	폭	두께
암키와	정선된 점토	경질	회갈색	(33.9)	28.8	2.6

문양 및 제작속성		
외면	내면	측면
수지문+사격자문	포목흔, 하단 물손질 조정	와도흔 내측 1/2

(12) 辛卯四月九日造安興寺 銘 암키와

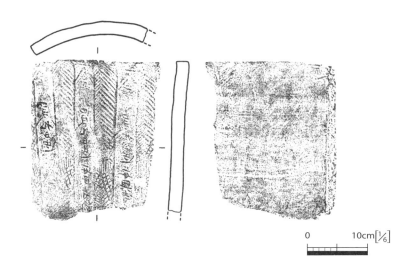

명문	간지명	간지명 년도			추정연대		
辛卯四月九日造安興寺	辛卯	931, 991, 1051, 1111, 1171, 1231, 1261, 1321, 1381			931, 991		
종류	태토	소성도	색조		제원		
					길이	폭	두께
암키와	정선된 점토	연질	회갈색		(25.1)	(20.4)	2.3
문양 및 제작속성							
외면		내면		측면			
수지문+사격자문		포목흔		와도흔 내측 1/3			

(13) 辛卯四月九日造安興寺凡草 銘 암키와

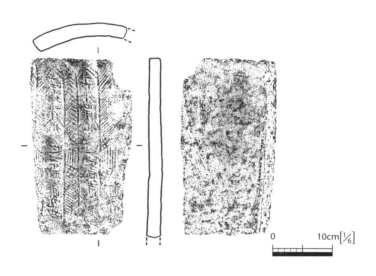

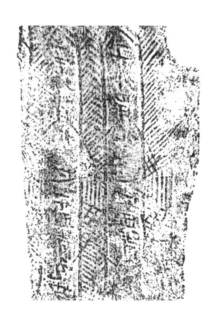

명문	간지명	간지명 년도			추정연대
辛卯四月九日造安興寺凡草	辛卯	931, 991, 1051, 1111, 1171, 1231, 1261, 1321, 1381			931, 991

종류	태토	소성도	색조	제원		
				길이	폭	두께
암키와	사립이 포함된 정선된 점토	경질	회갈색	(28.4)	(15.6)	2.2

문양 및 제작속성		
외면	내면	측면
수지문+사격자문	포목흔	와도흔 내측 1/3

(14) 辛卯四月九日造安興寺 銘 암키와

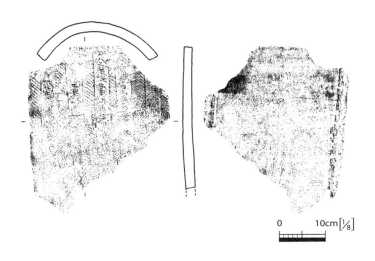

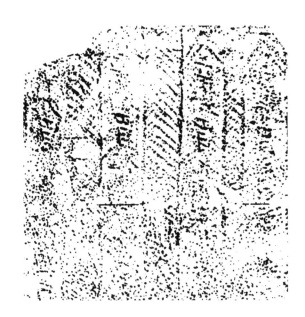

명문	간지명	간지명 년도	추정연대
辛卯四月九日造安興寺	辛卯	931, 991, 1051, 1111, 1171, 1231, 1261, 1321, 1381	931, 991

종류	태토	소성도	색조	제원		
				길이	폭	두께
암키와	정선된 점토	경질	회갈색	(31.1)	26.4	2.6

문양 및 제작속성		
외면	내면	측면
수지문+사격자문	포목흔, 하단 물손질 조정	와도흔 내측 1/2

(15) 辛卯四月九日造安興寺凡草 銘 암키와

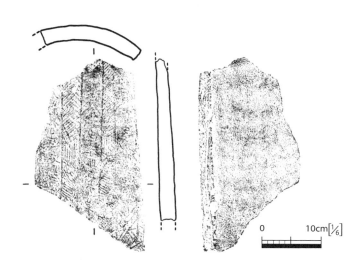

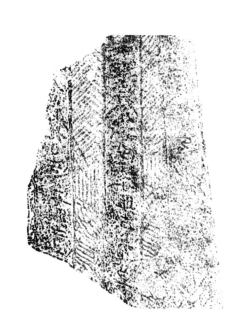

명문	간지명	간지명 년도	추정연대
辛卯四月九日造安興寺凡草	辛卯	931, 991, 1051, 1111, 1171, 1231, 1261, 1321, 1381	931, 991

종류	태토	소성도	색조	제원		
				길이	폭	두께
암키와	정선된 점토	연질	회갈색	(29.2)	(16.4)	2.3
문양 및 제작속성						
외면		내면		측면		
수지문+사격자문		포목흔		와도흔 내측 1/3~2/3		

(16) 辛卯四月九日造 銘 암키와

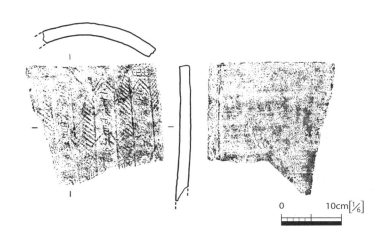

명문	간지명	간지명 년도			추정연대	
辛卯四月九日造	辛卯	931, 991, 1051, 1111, 1171, 1231, 1261, 1321, 1381			931, 991	
종류	태토	소성도	색조	제원		
				길이	폭	두께
암키와	사립이 포함된 정선된 점토	경질	회갈색, 회흑색	(21.4)	(20.4)	1.7
문양 및 제작속성						
외면		내면		측면		
수지문+사격자문		포목흔		와도흔 내측 1/2		

(17) 四月九日造安興寺 銘 암키와

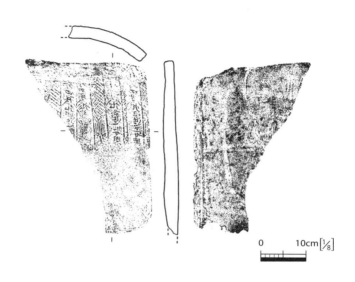

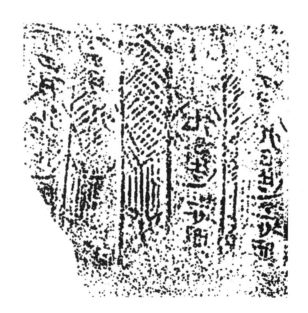

명문	간지명	간지명 년도		추정연대
四月九日造安興寺	辛卯	931, 991, 1051, 1111, 1171, 1231, 1261, 1321, 1381		931, 991

종류	태토	소성도	색조	제원		
				길이	폭	두께
암키와	정선된 점토	경질	회갈색, 회흑색	36.8	(23)	2.3

문양 및 제작속성		
외면	내면	측면
수지문+사격자문	포목흔	와도흔 내측 1/3

(18) 辛卯四月九日造安 銘 암키와

명문	간지명	간지명 년도		추정연대
辛卯四月九日造安	辛卯	931, 991, 1051, 1111, 1171, 1231, 1261, 1321, 1381		931, 991

종류	태토	소성도	색조	제원		
				길이	폭	두께
암키와	사립이 포함된 정선된 점토	경질	회청색	38	(13.6)	1.9

문양 및 제작속성		
외면	내면	측면
수지문+사격자문	포목흔, 하단 물손질 조정	와도흔 내측 1/3

(19) 辛卯四月九日造安 銘 암키와

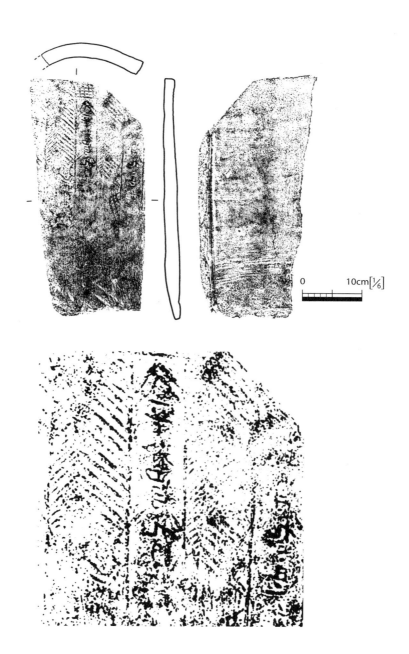

명문	간지명	간지명 년도		추정연대
辛卯四月九日造安	辛卯	931, 991, 1051, 1111, 1171, 1231, 1261, 1321, 1381		931, 991

종류	태토	소성도	색조	제원		
				길이	폭	두께
암키와	정선된 점토	경질	회갈색, 회흑색	37.9	28.2	2

문양 및 제작속성		
외면	내면	측면
수지문+사격자문	포목흔, 하단 물손질 조정	와도흔 내측 1/3

(20) 辛卯四月九日造 銘 암키와

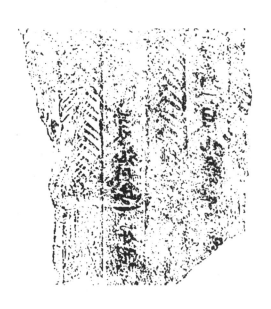

명문	간지명	간지명 년도				추정연대	
辛卯四月九日造	辛卯	931, 991, 1051, 1111, 1171, 1231, 1261, 1321, 1381				931, 991	
종류	태토	소성도	색조	제원			
				길이	폭	두께	
암키와	사립이 포함된 정선된 점토	경질	회청색	38.1	(16.3)	2.1	
문양 및 제작속성							
외면		내면		측면			
수지문+사격자문		포목흔, 하단 물손질 조정		와도흔 내측 1/3			

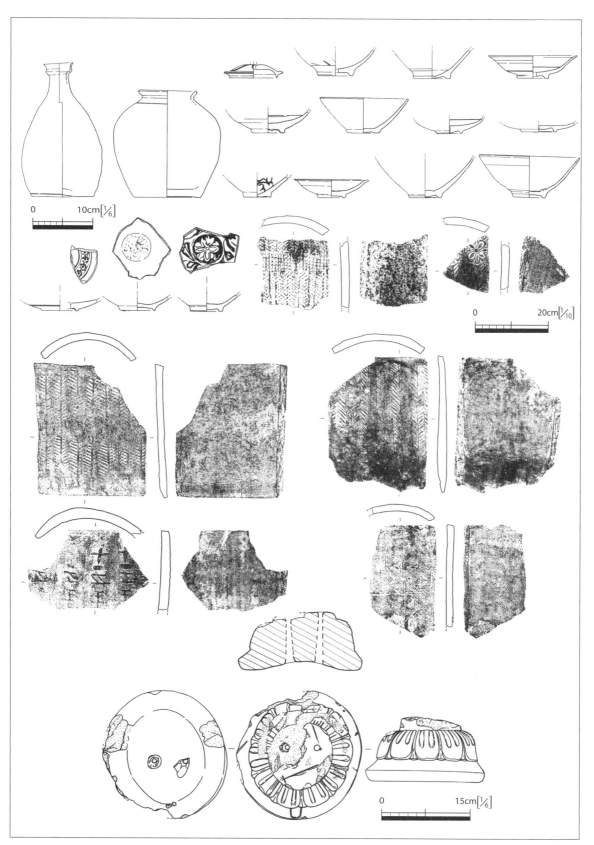

〈 13~14호 건물지 공반출토유물 〉

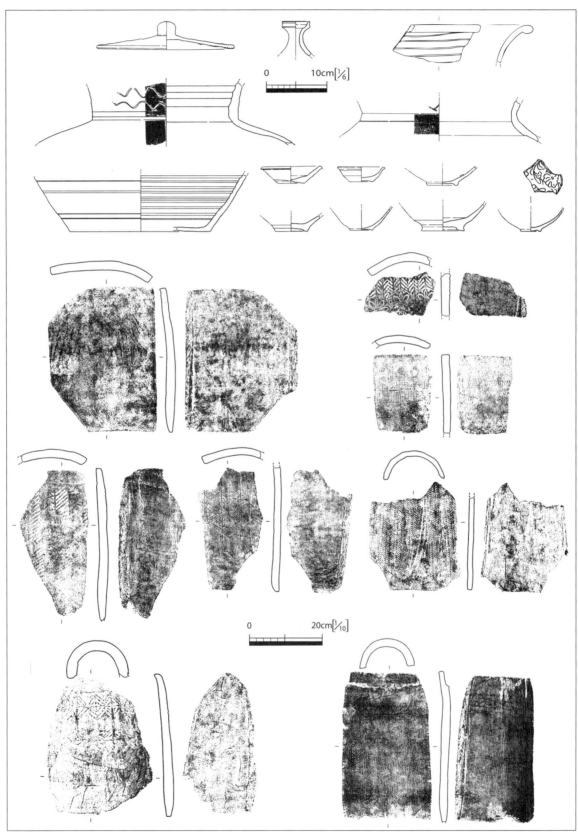

〈 15호 건물지 공반출토유물 〉

13) 파주 혜음원지 (坡州 惠蔭院址)

경기도

유적위치	경기도 파주시 광탄면 용미리 234-1번지 일원
조사사유	혜음원지에 대한 규모, 구조, 성격 등을 밝히기 위한 학술발굴조사.
조사연혁	발굴조사 : 2001.08.27 ~ 2001.12.22 (1차-단국대학교매장문화재연구소) 2002.03.20 ~ 2002.06.20 (2차-단국대학교매장문화재연구소) 2003.05.01 ~ 2003.08.14 (3차-단국대학교매장문화재연구소) 2004.09.09 ~ 2004.12.28 (4차-단국대학교매장문화재연구소) 2007.11.05 ~ 2008.08.05 (5차-한백문화재연구원)
유적입지	혜음원지는 우암산 비호봉(해발 328.6m)의 서남쪽 산줄기의 고갯마루인 혜음령에서 북쪽으로 약 1.2㎞ 떨어진 지점에 위치하고 있다. 우암산에서 동쪽으로 뻗어 내려온 능선의 남쪽부분에 의지하여 터를 잡았기 때문에 북쪽과 동·서쪽은 산줄기로 막혀있고, 남쪽은 개방되어 있다. 혜음원지의 북쪽과 서쪽은 군부대 사격장을 비롯한 군사시설이 조성되어 있으며, 남동쪽은 서서울컨트리클럽 골프장이 위치하고 있다. 4차까지 조사된 9단 건물지 남쪽으로는 논이 조성되어있으며, 그 아래로 청룡사라는 사찰이 있다.
유구현황	고려시대 5차 발굴조사 기준 - 건물지(6), 배수로(3), 담장 등
주요유물	일휘문 암·수막새, 명문 평기와(기년명 등), 용두편, 치미편, 고려청자, 고려백자, 중국자기, 명문칠기(「惠蔭」銘), 각종 토기 등
시기·성격	기록에 의하면 혜음원지에 행궁지가 조성된 시기는 원지가 완공된 1122년 2월부터 김부식이 기문을 작성한 1144년 사이이다. 이 기간에 대한 「혜음사신창기」의 기록을 나누어 보면 ①1122년 2월 1차 완공(원지+사지) ②국왕의 남경행차를 대비하여 행궁을 조성하고 인종 즉위 후 혜음사라는 명칭 하사 ③재정난으로 기능 약화 ④왕실의 재정 지원을 바탕으로 재건 등으로 구분할 수 있다. 혜음원지는 원지와 사지, 그리고 행궁지의 구역으로 나눌 수 있다. 지금까지 혜음원지에서 조사된 지역은 모두 행궁지와 관련된 구역으로 확인되었다. 5차에 걸친 발굴로 9단 건물지 및 행궁지를 확인하였으나 혜음원지의 전체모습이 확인된 것은 아니다. 사지와 원지의 위치가 확인되지 않았기 때문이다. 이와 관련하여 5차 발굴조사지역 남쪽 경계지점에 위치한 트렌치 일부에서 석렬 유구가 확인되었다. 또한 그 남쪽 경작지와 혜음원지의 동쪽과 서쪽 능선에서도 기와편 및 자기편 등의 유물이 지표에서 다수 확인되고 있다. 따라서 앞으로 이번 조사지역 주변에 대한 조사가 진행된다면 원지와 사지를 포함한 혜음원지의 원래 모습을 확인할 수 있을 것으로 판단된다.
참고문헌	한백문화재연구원, 2010, 『파주 혜음원지- 5차 발굴조사보고서』, 제22책.

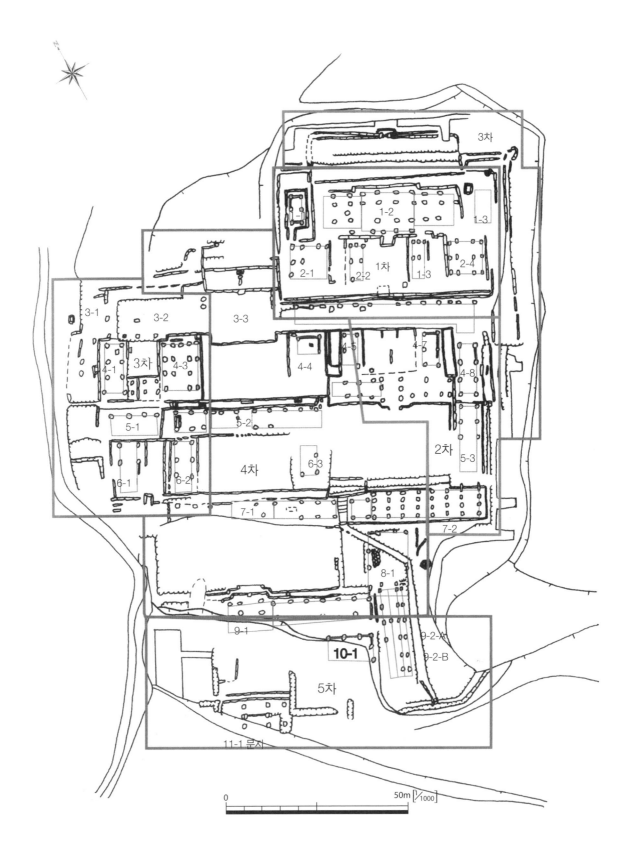

〈 조사지역 유구배치도 (1:1,000) 〉

13)-1 파주 혜음원지 10-1건물지

유구성격	9-1건물지 동쪽 부속건물의 남쪽에 인접해 있는 이 건물지의 부토층 및 암갈색 점토층 하부에서 와적층이 확인되었다. 와적층 두께는 약 20~30㎝이다. 와적층을 걷어내자 10-1건물지의 북쪽 초석열과 외부로 박석 유구가 확인되었다. 조사 결과 이 건물지는 북쪽 초석열 일부와 동쪽 초석 및 적심열 일부만 잔존하고 나머지 부분은 모두 경작지 조성과정에서 유실된 것으로 보인다. 잔존하는 건물지는 동서 3칸 × 남북 3칸으로 동서 약 1,080㎝, 남북 약 800㎝이다. 주향은 남서 30°이다. 초석 및 적심 간의 중심 간격은 동서로 1열과 2열, 2열과 3열 간은 약 380㎝이고, 3열과 4열의 간격은 약 280㎝이다. 남북은 210~220㎝로 동일하다. 초석과 초석 사이에는 장대석을 놓아 건물의 기단으로 활용하였다. 　한편 잔존하는 10-1건물지 북쪽과 동쪽 기단과 접하여 바닥에 박석시설이 조성되어 있다. 북쪽은 10-1 건물지 기단부터 9-1건물지 남쪽 기단 사이에, 동쪽은 10-1건물지 쪽 기단부터 9-2B 건물지 서쪽 기단 사이에 촘촘하게 깔았다. 박석은 부정형의 할석과 거칠게 치석한 화강암질의 석재를 사용하였으며 북동쪽에서 서쪽, 남쪽으로 갈수록 완만한 경사를 이루며 내려오고 있다. 박석의 크기는 다양하다. 　10-1건물지는 북쪽과 동쪽 일부를 제외한 대부분이 유실되어 정확한 규모를 파악하기 어려운 상태이다. 다만 잔존하는 초석 간의 중심 간격과 주변에 잔존하는 박석유구의 규모, 남쪽 담장과의 사이 공간 등을 고려하면 잔존하는 건물지 서쪽과 남쪽으로 2칸의 건물지가 더 있었을 것으로 추정된다. 종합하면 10-1건물지의 원래 동서 5칸, 남북 5칸의 건물지로 규모는 동서 1,660㎝, 남북 1,240㎝ 정도로 추정된다. 또한 초석과 기단 배치 그리고 건물지 주변에 조성된 박석 등을 고려할 때 이 건물지는 정자와 같은 건물지일 가능성이 높은 것으로 판단된다.
시 기	고려시대

기년유물	「庚申」銘 암키와(1점)				
	연번	보고서 유물번호	기와 종류	명문내용	연대
	1	도면 70	암키와	庚申	1040 ?
공반유물	명문와(기년명 등), 막새, 용두, 취두, 전, 중국자기, 청자류, 고려 백자류, 분청자 및 백자, 토기 철정 등				

〈 10-1호 건물지 평·단면도 (1:200) 〉

(1) 庚申 銘 암키와

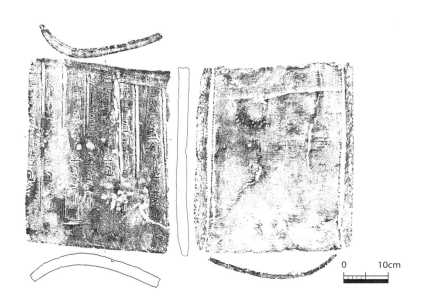

명문			간지명	간지명 년도		추정연대
庚申二月三十日惠陰寺造近孝明			庚申	960, 1020, 1080, 1140, 1200, 1260, 1320, 1380		1140
종류	태토	소성도	색조			제원		
			내	외	속심	길이	폭	두께
암키와						40	28.7~29	1.3~1.7
문양 및 제작속성								
외면		내면				측면		
압흔, 상단 정면, 하단 건장치기		포목흔, 사절흔, 눈테흔, 와통을 묶었던 끈의 흔				와도흔 내측		

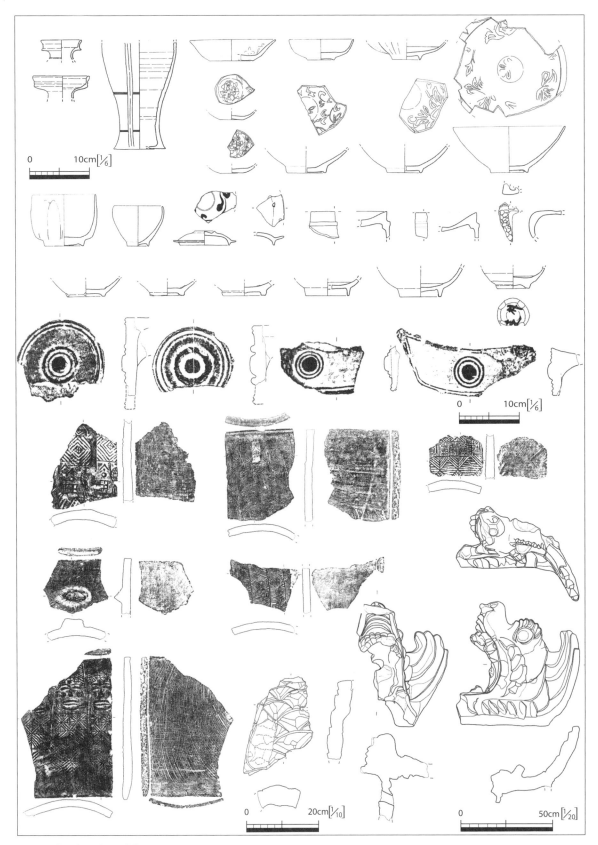

〈 10-1호 건물지 공반출토유물 〉

14) 평택 비파산성 (平澤 琵琶山城)

경기도

유적위치	경기도 평택시 안중읍 용성리 산6-1번지 외 24필지
조사사유	학술 연구자료와 유적 보존정비 기초자료 수집을 위한 정밀 지표조사
조사연혁	지표조사 : 1998.09 ~ 1999.02 (경기도박물관)
유적입지	평택시 안중면 용성3리 설창마을과 덕우 1리 원덕우마을의 경계에 있는 비파산(해발 102.2m)의 북쪽 정상부와 남동쪽 하단부의 용성리 뒷골을 포함하여 축조된 포곡식의 토성으로서 평산성(平山城)에 해당한다. 지리적 좌표는 동경 126° 56′ 1″ ~23″, 북위 37° 00′, 30″ ~ 34″ 이다.

유구현황	통일신라시대~조선시대	산성-성벽, 문지(5), 치성(4), 건물지(14), 음료(飮料)유구(5) 등

주요유물	평기와(명문, 사선문, 어골문, 복합문, 무문 등), 토기류, 자기류

기년유물	「乾德三年」銘 암키와(1점) - 정확한 출토 위치를 알 수 없음.				
	연번	보고서 유물번호	기와 종류	명문내용	연대
	1	탑본 30-1	암키와	乾德三年	965

특징	비파산성의 평면은 삼태기모양이며, 단면상으로는 북고남저·서고동저의 지형으로 되어 있다. 서벽과 북벽은 비파산의 주능선을 따라 진행되고, 남벽과 동벽의 일부는 얕은 능선이 감싸며 돌아가고 있다. 이 양 능선사이의 계곡을 막아 동벽을 축조하였다. 　비파산성의 남북길이는 375m, 동서길이는 499m로 남북길이와 동서길이의 비율은 1:1.3이다. 남북 중심축의 방향은 N-45°-W 이다. 각 성벽의 길이는 남벽 339m, 서벽 430m, 북벽 520m, 동벽 333m로 전체 1,622m 이고 면적은 138,800㎡이다. 　토루 축조는 크게 3부분으로 나뉜다. 토루 중앙부를 사이에 두고 각 부분마다 50° 정도의 경사를 유지하며 판축하였으며 10~12층 정도의 판축층이 나타난다. 또한 기저부 석렬의 중앙부에는 수직의 판축구분선이 남아있어 성내외 축조방법의 차이를 보여준다. 그리고 석렬의 밖으로 두께 30㎝, 길이 70㎝ 정도의 와적층을 쌓아 토루의 기저부를 보강하고 이 와적층 위를 적갈색 점질토로 다짐하였다.
시기·성격	비파산성에서는 「乾德三年」銘 기와가 채집되었다. 「乾德三年」銘 기와는 北宋 太祖의 연호로 高麗 光宗 7년(965)의 절대 연대를 보인다. 한편 동벽절개부 판축층 내부에서는 무문의 기와편이 1점 채집되었다. 이 기와의 경우 와도를 내면에서 등면을 향해 넣고 측면을 완전 분할한 것은 고려시기의 수법이 적용된 것인데 이는 「乾德三年」銘 기와와 함께 성벽의 축조시기를 알려주는 좋은 자료로 평가된다. 사선문 기와는 제작기법이 통일신라시기로 올라가는 양식을 보여주고 있지만 채집된 기와들의 대부분은 어골문과 어골복합문이 시문되고 있어 「乾德三年」銘 기와의 제작연대와 대체적으로 일치한다. 이 당시 비파산성은 용성현(龍城縣)의 치소(治所)로 추정된다.
참고문헌	경기도박물관, 1999,『平澤 關防遺蹟(Ⅰ)情密地表調査報告書』, 遺蹟調査報告 第33册.

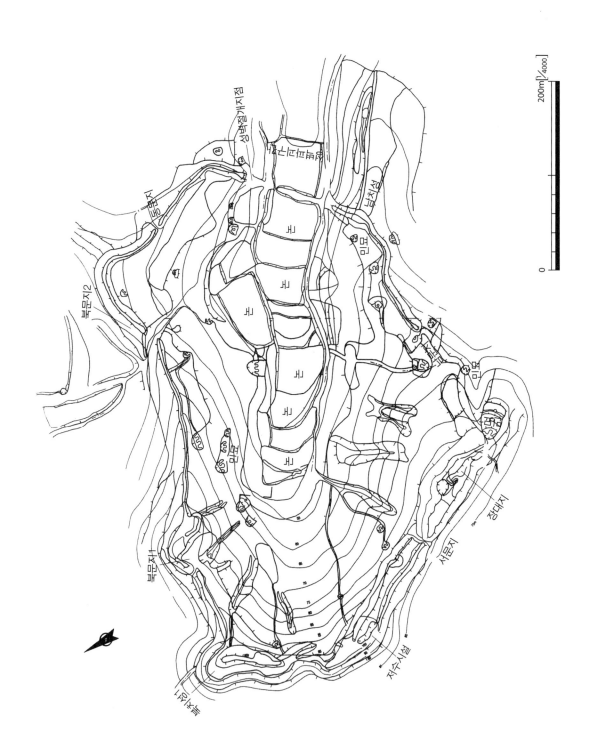

〈 조사지역 유구배치도 (1:4,000) 〉

(1) 乾德 銘 암키와

0   5cm [⅓]

명문	연호	연호명 년도	국명(왕)		고려	절대연대
乾德三年	乾德	963~968	北宋 (太祖 3年)		光宗 7年	965

종류	태토	소성도	색조			제원		
			내	외	속심	길이	폭	두께
암키와	작은 석영알갱이가 포함된 점토	연질		적갈색/회청색		(12.5)	(13)	2.3~2.7

문양 및 제작속성		
외면	내면	측면
방곽내 명문+사격자문+어골문, 물손질		와도흔 내측 1/7

15) 하남 교산동 건물지 (河南 校山洞 建物址)

경기도

유적위치	경기도 하남시 교산동 78-3번지 일대
조사사유	지표조사 시 확인된 건물지의 규모 및 성격 확인을 위한 학술조사
조사연혁	지표조사 : 1998.05 - 1년간 (세종대학교박물관) 시굴조사 : 1999.08.23 ~ 2000.02.29 (기전문화재연구원) 발굴조사 : 2000.07 ~ 2000.12 (2차-기전문화재연구원) 　　　　　 2001.07 ~ 2001.12 (3차-기전문화재연구원) 　　　　　 2002.10.01 ~ 2003.01.31 (4차-기전문화재연구원)
유적입지	하남시는 한강의 남쪽 연안에 위치한 충적지와 그 주변의 표고 150~300m 정도의 야산으로 이루어져 있다. 교산동 건물지는 남쪽의 객산 자락이 북으로 뻗어 내린 구릉상의 끝단 평탄지에 위치하며 북쪽 정면에는 이성산성을 마주하고 있다.
유구현황	고려시대~조선시대　｜　건물지(3), 외곽석렬(2) 이외에도 통일신라시대~조선시대의 파괴된 건물지, 조선시대의 연못지, 소성유구 등이 확인됨.
주요유물	청자, 백자, 도기, 기와 등
시기・성격	이 유적은 근소한 레벨상에서 유구와 유물들이 상당히 인접해서 뒤섞여 나타남에 따라 건물지별로 시기를 명확히 구분하여 전체 배치변화를 명쾌하게 나누기는 어렵다. 동서길이 40m, 남북길이 45m의 마당을 둘러싸고 있는 이 유적은 여러 차례 중첩된 동・서・남쪽의 세장방형 대형건물지와 담장지로 구성되었음이 밝혀졌다. 이러한 점에서 고려시대 이래로 중요한 행정구역이었던 광주의 위상에 맞게 그 면모를 갖추었던 관영건축물 중 하나였을 것으로 추정된다. 　광주 고읍과 관련된 여러 문헌기록과 관영 건축물에 대한 선행 연구 및 타유적을 교산동 발굴조사 결과와 비교 검토해 본 결과, 유적은 객사일 가능성이 가장 높은 것으로 보고 있다. 실제로 고려시대에 창건된 이후 1502년에 중창된 광주 고읍 객사에 관한 기록인『虛白堂集』卷五 淸風樓記의 "大廳-軒宇-上下廊廡-東樓"로 표현된 객사의 모습은 교산동 건물지의 전체 배치나 평면에 상응함을 알 수 있다. 다만 본 유적이 광주 고읍으로 비정되는 지역의 일부를 조사한 것이기 때문에 그 결과를 놓고 확언할 수는 없지만, 거의 자료가 남아있지 않은 고려시대의 중요한 객사 유지의 하나로 평가받기에 충분하리라 생각된다.
참고문헌	世宗大學校博物館, 1999,『河南市의 歷史와 文化遺蹟』, 世宗大學校博物館 學術調査叢書 第8冊. 畿甸文化財硏究院, 2000,『河南 校山洞 建物址 發掘調査 中間 報告書』, 學術調査報告 第2冊. 畿甸文化財硏究院, 2001,『河南 校山洞 建物址 發掘調査 中間 報告書』, 學術調査報告 第20冊. 畿甸文化財硏究院, 2002,『河南 校山洞 建物址 發掘調査 中間 報告書』, 學術調査報告 第33冊. 畿甸文化財硏究院, 2002,『河南 校山洞 建物址 發掘調査 綜合 報告書』, 學術調査報告 第48冊.

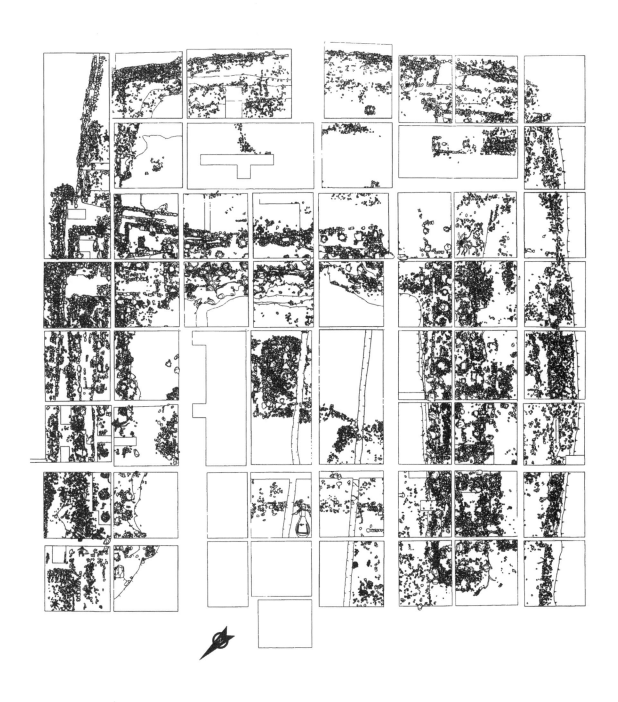

〈 조사구역 전체유구배치도 (스케일 보고서 미기재) 〉

15)-1 하남 교산동 건물지 평탄지 북쪽 건물지

유구성격	평탄지의 서북쪽에 위치하며 서쪽 건물지와 인접해 있다. 2차 발굴조사에서 크기가 작은 천석들로 구성된 적심 일부가 확인되었으나 대부분 유실되어 전체 건물지의 규모는 확인할 수 없었다. 다만 적심석 주변에서 통일신라시대로 추정되는 선조문 기와편과 「所日」銘 명문와가 출토되어 통일신라시대에 조성된 유구일 가능성은 높다. 3차 발굴조사는 2차 발굴조사에서 확인된 유구의 연장부가 북편으로 연장되는지를 확인하기 위하여 실시하였다. 조사결과 2차 발굴조사에서 확인되었던 천석의 적심은 더 이상 확인되지 않았고 정형화된 건물지도 노출되지 않았다. 그리고 하층유구의 유무를 확인하기 위한 탐색트렌치에서 약 1.2m 깊이의 교란층이 확인되었으며 교란층 아래에는 매우 단단하게 다져진 흑갈색의 부식토층이 확인되었다. 이 흑갈색 부식토층 상부에는 동서방향으로 N5E1그리드에서 N5W1그리드에 걸쳐 깊이 10~20㎝, 폭 약 70~80㎝의 구가 길게 형성되어 있었다. 이 구의 조성시기는 상부에서 콘크리트 부산물이 확인된 점으로 미루어 근대의 정지시기와 동일한 것으로 생각된다. 이 밖에 그리드 일부지역에서 적심과 초석으로 추정되는 대형석재가 불규칙하게 확인되었으나 하부구조에 적심 등의 시설들이 확인되지 않은 점, 석재 주변에서 콘크리트 기초가 확인되는 점 등으로 미루어 최근에 이동해 온 것으로 추정된다. 유물은 원 지반층을 확인하기 위해 설치한 N5W1그리드 서벽면 탐색트렌치 하층에서 기와류가 수십 점 출토되었으며 기타 자기 및 토기유물은 거의 확인되지 않았다. 한편 시굴조사 시에 수습한 통일신라시대 유물은 주변에서 유입된 것으로 판단되며, 천석의 초석과 연결되는 유물은 아닌 것으로 판단된다.
시기	통일신라시대~조선시대
기년유물	「戊戌年」銘 암키와(1점)

연번	보고서 유물번호	기와 종류	명문내용	연대
1	도면 62-3	암키와	戊戌年	998, 1118 ?

비고	기년유물의 보고서번호는 중간보고서Ⅲ(2002)를 따름. 전체 그리드의 북쪽에 위치하며 별도로 첨부된 도면 없음.
공반유물	명문와(戊戌年, 所日), 토기류, 자기류, 주름무늬 토기편 등.

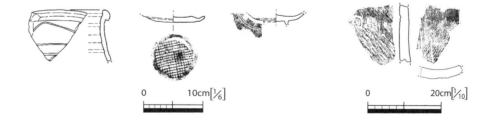

0   10cm[⅙]   0   20cm[⅒]

〈 북쪽 평탄 건물지 공반출토유물 〉

(1) 戊戌年 銘 암키와

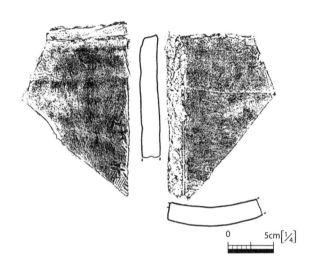

명문	간지명	간지명 년도					추정연대	
戊戌年	戊戌	938, 998, 1058, 1118, 1178, 1238, 1298, 1358					998, 1118	
종류	태토	소성도	색조			제원		
			내	외	속심	길이	폭	두께
암키와		경질		회청색		(15)	31.2	1.8
문양 및 제작속성								
외면		내면			측면			
명문		빗질정면흔, 포목접합흔			와도흔 0.2~0.6cm			

15)-2 하남 교산동 건물지 남쪽 건물지

유구성격	전체 배치 중 남쪽에 위치한 건물지이다. 시굴조사 시 확장트렌치 상에서 측면 2칸 정면 11칸의 건물지가 확인되었고, 경사면상에는 중복된 건물지의 초석들로 보이는 석재들과 와편들이 다량 노출되어 있었다. 　남쪽 건물지는 시굴조사에서 확인된 건물지 외에 상부와 하부에서 선·후대의 건물지가 확인되었다. 이 중 하부유구로는 줄을 이룬 할석들 가운데에 초석을 설치한 규모 측면 2칸, 정면 6칸의 건물지가 노출되었다. 　시굴조사 시 일부 확인되었던 건물지를 확장하여 조사하는 과정에서 S2E2트렌치의 건물지 하층에서 상층 건물지와 대각선방향으로 교차하는 초석열이 확인되었다. 초석은 폭 1m 가량의 소토가 포함된 할석열 속에서 일정한 간격으로 나타났으며, S2E3 그리드에서는 기단열과 함께 동쪽 담장지 아래까지 연장되고 있다. 초석열은 S2E1피트에서 기존건물지에 의해 파괴되어 정확한 양상은 알 수 없으나 S2W1 트렌치에서 S2E2에서 확인된 석렬과 같은 축 방향을 가지는 할석열이 소성토와 함께 나타나고 있어 동일한 건물지로 판단된다. 건물의 축과 관련해서 남단에 위치한 초석열과 중앙부의 초석열 일부만이 잔존하고 있다. 기단열은 S2E3트렌치에서 동단부를 이루며 동쪽 건물지 쪽으로 향하고 있는데 인접한 동쪽건물지에서는 초석열 일부만이 남벽 하단부에서 확인될 뿐 기단열은 확인되지 않는다. 남쪽 건물지 기단열의 서단부는 확인되지 않고 있는데, 서쪽 건물지로 인해 파괴된 것인지는 확인되지 않았다. 　1건물지는 S3E1그리드에서 2건물지에 의해 파괴되어 정확한 규모는 확인할 수 없으나 초석간의 거리에 따라 추정할 때 측면 2칸 정면 17칸이다. 정면의 주칸 거리는 대략 2m이고, 측면 주칸 거리는 3.3m이다. 서쪽 건물지 제3건물지의 주칸 거리가 약 4m, 3·4건물지의 초석간 거리가 2.1~2.3m인 점으로 미루어 남쪽 건물지와 서로 유사한 주칸 거리를 보이고 있다. 따라서 남쪽건물지의 하층 건물지와 서쪽건물지의 3·4건물지는 동일시기에 축조된 건물지일 가능성이 높다.
시기	고려시대~ 조선시대

기년유물	「戊戌年」銘 암키와(1점)

연번	보고서 유물번호	기와 종류	명문내용	연대
2	도면 62-2	암키와	戊戌年	998, 1118 ?
3	도면 62-4	〃	〃	〃
4	도면 62-6	〃	〃	〃
5	도면 62-7	〃	〃	〃

비고	기년유물의 보고서번호는 중간보고서Ⅲ(2002)를 따름.
공반유물	토기편(파상집섭문, 주름무늬 동체부편), 청자 저부편, 고려백자편 및 인화분청사기, 죽절굽·오목굽백자, 청화백자, 명문기와(廣, 廣州客舍) 등.

〈 남쪽 건물지 평 · 단면도 (1:300) 〉

0   15m[¹⁄₃₀₀]

(2) 戊戌年 銘 암키와

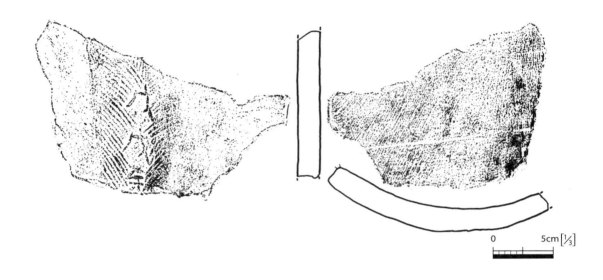

명문	간지명	간지명 년도				추정연대		
戊戌年	戊戌	938, 998, 1058, 1118, 1178, 1238, 1298, 1358				998, 1118		
종류	태토	소성도	색조			제원		
			내	외	속심	길이	폭	두께
암키와		경질		회청색		(17.4)	30.4(와통 직경)	1.8
문양 및 제작속성								
외면		내면			측면			
창해파구획문		빗질정면흔, 포목접합흔						

(3) 戊戌年 銘 암키와

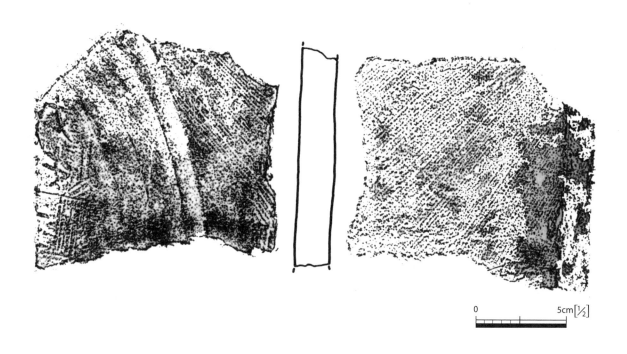

0   5cm[½]

명문	간지명	간지명 년도					추정연대	
戊戌年	戊戌	938, 998, 1058, 1118, 1178, 1238, 1298, 1358					998, 1118	

종류	태토	소성도	색조			제원		
			내	외	속심	길이	폭	두께
암키와		경질		회흑색		(11.7)	35.6(와통 직경)	2.1

문양 및 제작속성		
외면	내면	측면
창해파구획문	빗질정면흔, 포목접합흔	

(4) 戊戌年 銘 암키와

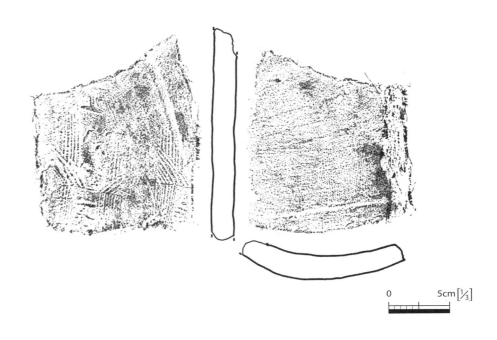

0 ⊢⊢⊢⊢⊢⊢ 5cm [⅓]

명문	간지명	간지명 년도					추정연대	
戊戌年	戊戌	938, 998, 1058, 1118, 1178, 1238, 1298, 1358					998, 1118	
종류	태토	소성도	색조			제원		
			내	외	속심	길이	폭	두께
암키와		경질		회청색		(18.3)	30.2(와통 직경)	2.2
문양 및 제작속성								
외면		내면			측면			
창해파구획문		빗질정면흔, 포목접합흔						

(5) 戊戌年 銘 암키와

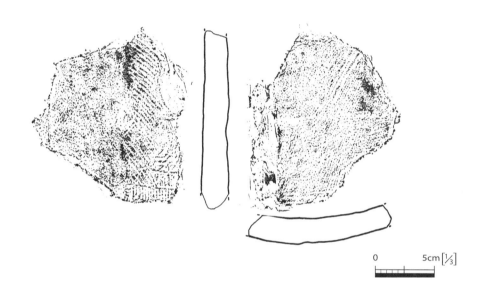

0　5cm [⅓]

명문	간지명	간지명 년도					추정연대	
戊戌年	戊戌	938, 998, 1058, 1118, 1178, 1238, 1298, 1358					998, 1118	
종류	태토	소성도	색조			제원		
			내	외	속심	길이	폭	두께
암키와		경질		회청색		(10.5)	39.6(와통 직경)	2
문양 및 제작속성								
외면		내면				측면		
		빗질정면흔, 포목접합흔						

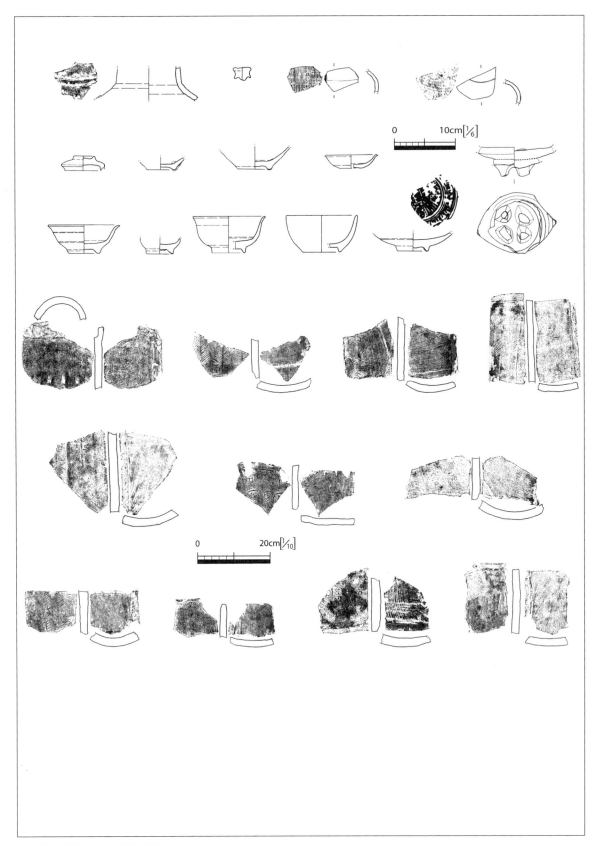

〈 남쪽 건물지 공반출토유물 〉

15)-3 하남 교산동 건물지 남쪽 담장지

유구성격	조사지역의 최남단에 위치하며 건물지를 감싸고 있는 외곽 담장지의 남쪽부분이다. 시굴조사시 절개된 남쪽 담장지 중앙부의 단면토층을 확인한 결과 원 지반층은 주변지형에 비해 30~70㎝ 가량 높이 융기해 있고 황갈색의 점성이 강한 점토층으로 되어 있었다. 상부는 흑갈색 부식토층이 1.5m 가량의 두께로 각종 와편 및 할석들과 함께 단일 성토된 것이 확인되었다. 　담장지는 내측의 경사가 외측의 경사보다 완만하여 외측에는 서로 다른 방법으로 축조된 석축이 확인되었으며 그 외의 경사면은 할석들로 보강되어 있다. 석축은 총 4단이 확인되는데 아래 부분에 계단식으로 2단이 축조되어 있고 약간의 간격을 두고 위에 수직으로 2단이 축조되어 있다. 석축사이는 점토로 채워 유실을 방지하였다. 상층의 2단과 하층의 2단은 축조방식이 다르고 상하층간에 점토층 및 기와포함층이 존재하는 것으로 보아 축조시기가 다른 것으로 판단된다. 　남쪽담장지 외면은 정상부와 내측 경사면에서 담장지의 진행방향과 일치하는 2개의 석렬이 확인되었는데, 이는 성토된 토사가 내측 경사면을 따라 유실되는 것을 방지하기 위한 보강 석렬로 판단된다. 급경사인 외측에 석축을 시설하여 토사가 밀리는 것을 방지하고 내측으로는 완만한 경사면에 할석으로 보강하여 토사유실을 최소화하고자 한 것으로 미루어 토석 혼축의 축조방식이 사용되었던 것으로 추정된다.
시 기	고려시대

기년유물	「戊戌年」銘 암키와(1점)				
	연번	보고서 유물번호	기와 종류	명문내용	연대
	6	도면 62-1	암키와	戊戌年	998, 1118 ?

비고	기년유물의 보고서번호는 중간보고서Ⅲ(2002)를 따름.
공반유물	청자 및 백자편, 파상문 토기편, 명문와(成達, 成達伯, 戊戌年, 官, 剖)

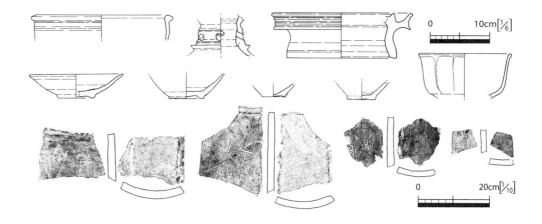

〈 남쪽담장지 공반출토유물 〉

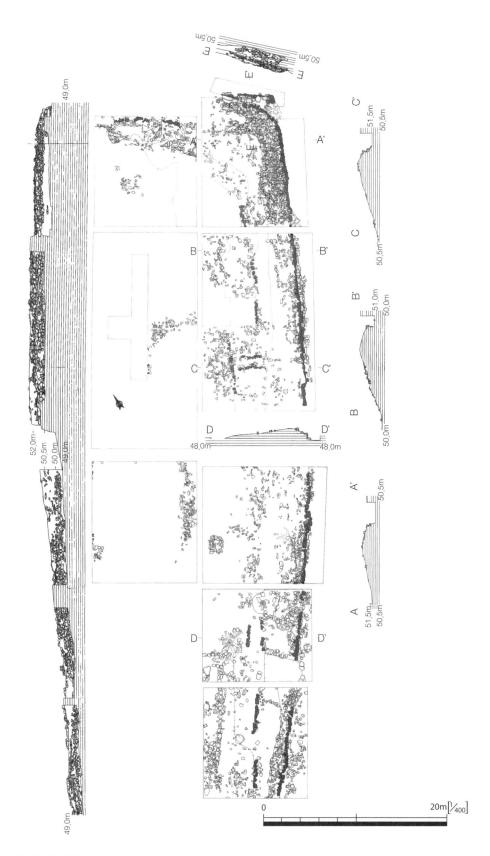

〈 남쪽 담장지 평·단면도 (1:400) 〉

⑹ 戊戌年 銘 암키와

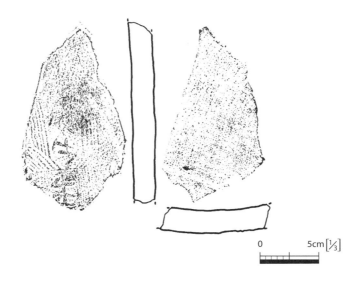

명문	간지명	간지명 년도					추정연대		
戊戌年	戊戌	938, 998, 1058, 1118, 1178, 1238, 1298, 1358					998, 1118		
종류	태토	소성도	색조			제원			
			내	외	속심	길이	폭	두께
암키와		경질		회청색		(14.3)	40.4(와통 직경)	2.8
문양 및 제작속성									
외면		내면				측면			
방격구획문		빗질정면흔, 포목접합흔							

Ⅲ. 지역별 역연대 기와

3. 강원도

1) 양양 진전사지 (襄陽 陳田寺址)

강원도

유적위치	강원도 양양군 강현면 둔전리 일원				
조사사유	석탑(石塔)과 부도(浮屠)의 복원을 계기로 조사				
조사연혁	발굴조사 : 1974년 ~ 1979년 (1~6차-단국대학교박물관) 2001.11.01 ~ 2002.02 (강원문화재연구소) 2002.04.20 ~ 2002.05.20 (강원문화재연구소)				
유적입지	양양 진전사지는 설악산 동쪽 끝 계곡 해발 360m 정도의 높은 지대에 위치하고 있다. 즉 설악산 대청봉에서 동쪽으로 뻗은 화채봉을 따라가다 보면 송암산이 보이는데, 이곳에서 다시 남동쪽으로 뻗어 내린 능선을 타고 내려오다 넓게 형성된 대지에 사지가 자리 잡고 있다.				
유구현황	고려시대~조선시대		건물지, 석탑지		
주요유물	막새류(일휘문 암막새, 연화문 수막새), 명문 평기와 등				
기년유물	「天慶三年」銘 수키와 2점, 「(大)德三年」銘 암키와 1점				
	연번	보고서 유물번호	기와 종류	명문내용	연대
	1	1713	수키와	○○造管 天慶三年癸巳 ○○○尤○	1113
	2	1714	〃	年癸巳四月日尤造	〃
	3	1733	암키와	(大)德三年	1299
시기·성격	발굴조사를 통해 진전사는 남향단탑가람으로 밝혀졌다. 법당지는 석탑 북쪽 18m 지점에 정면 5칸, 측면 4칸 규모로 남향해 있고, 석탑 서쪽의 요사(寮舍)로 가는 중간과 법당 사이에는 돌(川石이 주됨)로 포장된 통로가 있다. 또 석탑남쪽 4m 지점에서는 석등지가 확인되었고 북쪽 5m 지점에서는 연화대석이 확인되었다. 그리고 법당지 서쪽에서는 신라시대 소작의 원형주좌초석이 노출되어 통일신라시대의 舊基위에 고려시대에 또다시 중건하였음을 알 수 있었다. 조사에서 문자가 쓰여있는 기와가 많이 출토되었으며, 명문은 모두 양각으로 해서한 것이었다. 즉 「陳田」 「陳陳田田」 등의 명문와는 곧 이곳이 「陳田寺址」임을 입증해 주는데 이러한 陳田銘瓦가 30점 가까이 출토되어 그렇게 바라던 寺名瓦의 수집에서는 소기의 목적을 달성한 셈이다. 이 밖에 명문와 중 특히 주목되는 것은 연호가 있는 것들이다. 「天慶」·「大德」·「成化三年」 등으로 天慶年間은 1111년~1145년, 大德年間은 1297~1306년, 成化三年은 1467년에 해당한다. 그러므로 우선 이 세가지 명문와로만 볼 때에 天慶年間에 사찰이 창건되었고 이후 약 150년이 지난 大德年間에 이르러 또 한번 중창이 있었으며 이후 또 160여년이 지난 成化3年에 이르러 다시 중창하였음을 알 수 있다.				
참고문헌	檀國大學校中央博物館, 1989, 『陳田寺址 發掘報告』. 江原文化財研究所, 2004, 『陳田 發掘調査 報告書』, 學術叢書 20册.				

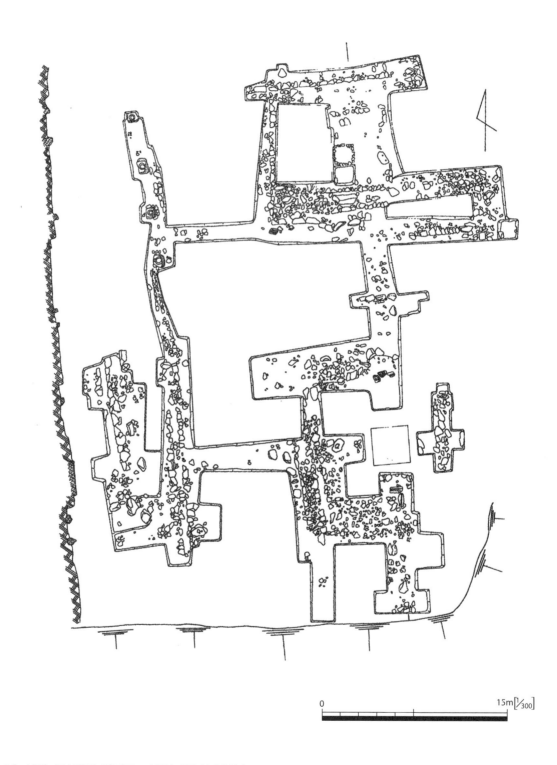

0   15m[1/300]

〈 3층 석탑지의 발굴 평면도 - 1974년도 (1:300) 〉

(1) ○○造管 天慶三年癸巳 ○○○尤○ 銘 수키와

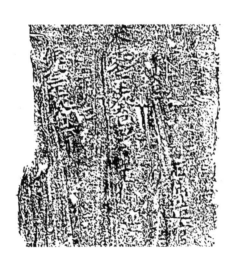

명문	연호	연호명 년도	국명(왕)		고려	절대연대
○○造管 天慶三年癸巳 ○○尤○	天慶	1111~1120	遼 (天祚帝 13年)		睿宗 8年	1113

종류	태토	소성도	색조			제원		
			내	외	속심	길이	폭	두께
수키와	석립이 섞인 점토	경질		회청색		(30)	(19.5)	2.1

문양 및 제작속성		
외면	내면	측면
		와도흔 내측 1/2

(2) 年癸巳四月日尤造 銘 수키와

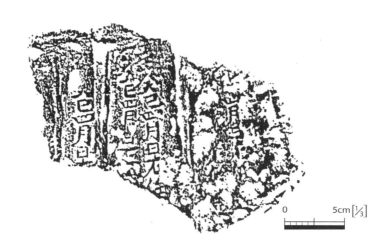

명문	연호	연호명 년도	국명(왕)	고려	절대연대
年癸巳四月日尤造	天慶	1111~1120	遼 (天祚帝 13年)	睿宗 8年	1113

종류	태토	소성도	색조			제원		
			내	외	속심	길이	폭	두께
수키와	고운 점토	연질		암갈색		(16.4)	(13.5)	2.1

문양 및 제작속성		
외면	내면	측면
		와도흔 측면 1/2

⑶ (大)德三年 銘 암키와

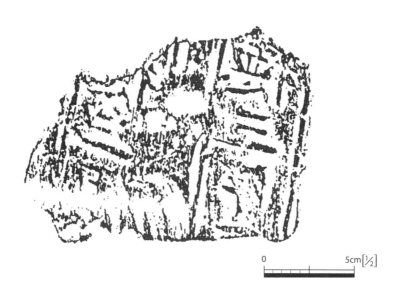

0   5cm[½]

명문	연호	연호명 년도	국명(왕)	고려	절대연대
(大)德三年	大德	1297~1306	元 (成宗 5年)	忠烈王 25年	1299

종류	태토	소성도	색조			제원		
			내	외	속심	길이	폭	두께
암키와	가는 모래가 섞인 점토	경질		회청색		(11.3)	(14.8)	3

문양 및 제작속성		
외면	내면	측면

2) 양양 양양읍성 (襄陽 襄陽邑城)

유적위치	강원도 양양군 양양읍 성내리·군행리 일원
조사사유	도로개설구간에 대한 매장문화재의 존재 여부 확인 및 확인된 유구에 대한 구제발굴조사
조사연혁	시굴조사 : 2010.04.26 ~ (예맥문화재연구원) 발굴조사 : 2011.05.03 ~ (한백문화재연구원)
유적입지	조사지역이 위치한 양양군은 강원도 영동지역의 중북부에 위치한다. 북쪽으로는 속초시 도문동·설악동, 서쪽으로 인제군 인제읍·북면·기린면, 홍천군 내면, 남쪽으로는 강릉시의 주문집읍·연곡면과 연접하고, 동쪽으로는 동해와 접하고 있다. 이 지역의 지세는 설악산(雪嶽山- 1,256m)·점봉산(點鳳山-1,424m)·낙수산(落水山-1,306m)·응복산(鷹伏山-1,360m) 등 해발 1,000m 이상의 높은 산들이 솟아 있어 동해로 급경사면을 이루고 있고, 해안산맥이 곳곳으로 뻗어 있어서 암석해안이 많으며 그 사이에 모래밭이 펼쳐져있다.

유구현황	고려시대	기와열(1)
	고려시대~조선시대	양양읍성(성벽 및 외황)
	조선시대	건물지(3), 주거지(2), 축대(2)

주요유물	기와, 토기, 자기 등
시기·성격	조사를 통해 확인된 성벽의 변화과정과 성 외곽에 조성된 민가의 흔적을 통해 양양읍성의 운용 시기를 정리하자면 다음과 같다. 확인된 1차 성벽은 1007년의 초축성벽으로 판단된다. 그러나 2~4차 성벽은 부분적으로 확인되었기 때문에 전체적인 개축인지, 부분적인 보수인지는 명확하지 않다. 그리고 성벽 지근거리에 조성된 축대, 건물지 등의 민가는 15세기 이후 성이 퇴락하였다는 문헌기록 사실을 잘 반영하고 있다. 이 시기에 성으로서의 기능, 적어도 북문으로서의 기능을 점차적으로 상실한 것으로 보인다.
참고문헌	예맥문화재연구원, 2006, 「양양교 가설 및 도로확포장공사 사업부지 문화유적 지표조사 보고서」. 예맥문화재연구원, 2012, 『江陵 草堂洞遺蹟 V - 부록: 양양군도 3호선(양양도서관-국도44호선간) 연결도로개설 사업부지 내 유적 시굴조사 보고서』. 한백문화재연구원, 2013, 『양양읍성 -추정 북문지 주변 발굴조사 보고서-』, 학술총서 제41책.

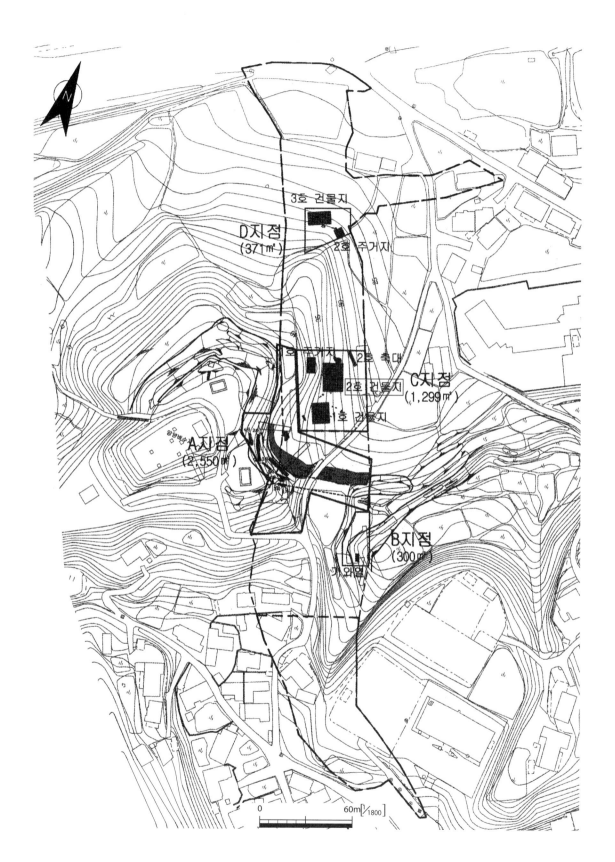

〈 조사지역 지형도 및 현황도 (1:1,800) 〉

2)-1 양양 양양읍성 성벽 외황

유구성격	외황은 내부 퇴적상황 및 외벽을 통해 1 · 2차로 시기를 구분할 수 있다. 1차는 체성 외벽 기저부에서 부터 암반과 구 지표를 'U' 자형으로 굴토하였고, 2차는 1차 외황의 내부퇴적토 상부를 정리하여 재사용한 것으로 나타났다. 전체적인 진행방향은 체성과 동일하며, 조사된 규모는 길이 61m 이다.				
시 기	고려시대~조선시대				
기년유물	「(天慶)三年癸巳」銘 암키와(2점), 「O丁末勻貢」銘 암키와(2점)				
	연번	보고서 유물번호	기와 종류	명문내용	연대
	1	도면 68	암키와	O三年癸巳	1113
	2	도면 69	〃	年癸巳四月	〃
	3	도면 67	〃	O丁末勻貢	947, 1007, 1067, 1127, 1187, 1247, 1307, 1367
	4	도면 73	〃	O月O末	〃
공반유물	명문기와, 토기 등				

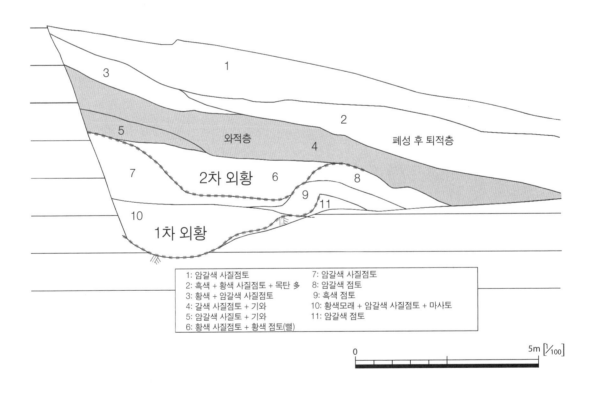

〈 외황 토층도 (1:100) 〉

(1) ○三年癸巳 銘 암키와

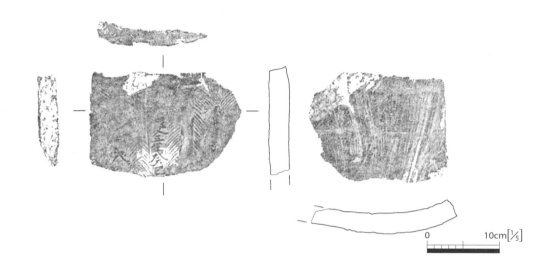

명문	연호	연호명 년도	국명(왕)	고려	절대연대
○三年癸巳	天慶	1111~1120	遼 (天祚帝 13年)	睿宗 8年	1113

종류	태토	소성도	색조			제원		
			내	외	속심	길이	폭	두께
암키와	석립이 혼입된 점토	경질		회청색		(14.2)	(20.4)	2~2.8

문양 및 제작속성		
외면	내면	측면
어골문+명문, 물손질	포목흔, 사절흔, 물손질	

(2) 年癸巳四月 銘 암키와

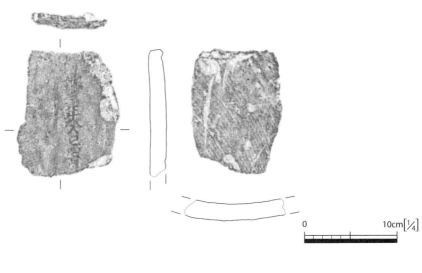

명문	연호	연호명 년도	국명(왕)	고려	절대연대
○三年癸巳	天慶	1111~1120	遼 (天祚帝 13年)	睿宗 8年	1113

종류	태토	소성도	색조			제원		
			내	외	속심	길이	폭	두께
암키와	석립과 사립이 혼입된 점토	연질		암회색		(13.8)	(10.9)	1.2~1.8

문양 및 제작속성		
외면	내면	측면
물손질	포목흔, 사절흔, 물손질	

⑶ ○丁未勻貢 銘 암키와

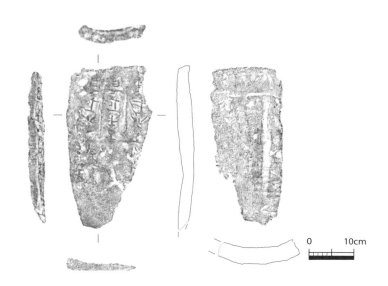

명문	간지명	간지명 년도						추정연대
○丁未勻貢	丁未	947, 1007, 1067, 1127, 1187, 1247, 1307, 1367						

종류	태토	소성도	색조			제원		
			내	외	속심	길이	폭	두께
암키와	석립과 사립이 혼입된 점토	연질		회흑색	회갈색	(34.2)	(17.5)	1.8~3.3

문양 및 제작속성		
외면	내면	측면
타날폭 5.2㎝, 물손질	포목흔, 합철흔, 윤철흔, 물손질, 하단 건장치기	와도흔 내측 1/2~ 2/3

(4) ○月○末 銘 암키와

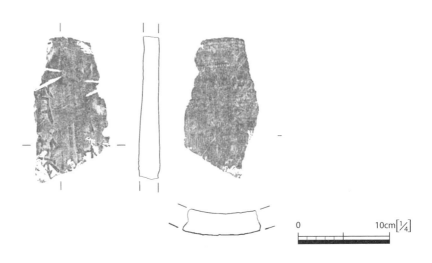

0   10cm[¼]

명문	간지명	간지명 년도					추정연대
○月○末	丁末	947, 1007, 1067, 1127, 1187, 1247, 1307, 1367					

종류	태토	소성도	색조			제원		
			내	외	속심	길이	폭	두께
암키와	석립이 혼입된 점토	경질		흑갈색	회갈색	(14.8)	(8.1)	1.6~2.2

문양 및 제작속성		
외면	내면	측면
타날 후 상단에 X자 침선	포목흔, 물손질	

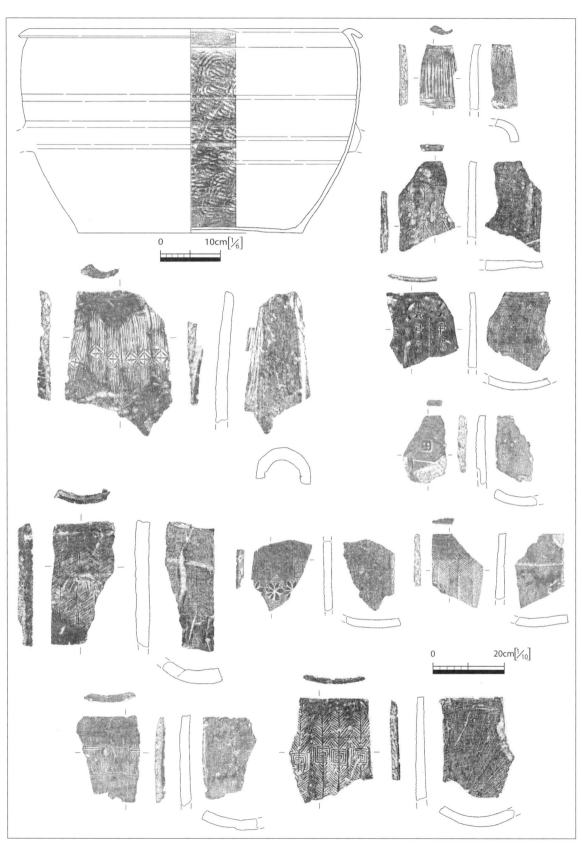

〈 외황층 공반출토유물 〉

3)-2 양양 양양읍성 2호 건물지

유구성격	동쪽 부분은 모두 유실되어 전체 규모를 파악할 수 없다. 잔존하는 규모는 길이(북-남) 10.5m, 너비(동-서) 1.4m이다. 적심은 서쪽편의 1열에서 3기가 확인되었다. 장축방향은 북-남 방향이며 좌향은 동향이다. 적심 1과 2의 주간거리는 2.3m, 적심 2와 3의 주간거리는 7.2m로 사이의 2기 적심이 유실된 것으로 판단된다. 적심열 동쪽으로는 소토부 4기가 확인되며, 그 중 북쪽에서는 추정아궁이가 확인되지만 정확한 규모나 형태를 확인할 수 없었다. 건물지의 동쪽편인 경사면 하부는 교란으로 모두 유실되었다. 축대는 건물지에서 서쪽으로 2~4m 떨어진 경사면에서 확인된다. 규모는 전체 길이 11.3m, 너비 110~390㎝, 높이 70~100㎝이다. 강자갈과 할석재를 함께 사용 하였으며 너비 110~150㎝의 일정한 규모로 경사면을 따라 자연스럽게 곡선을 띠며 돌아나가고 있다.

시 기	고려시대~조선시대 (보고서에서는 조선시대로 표시됨)

기년유물	「大德三年」銘 암키와(1점), 수키와(1점). 이 중 연번 1번 암키와는 시굴조사 시 G2구역 1Tr에서 출토되었으며, 발굴조사 결과 2호 건물지 위치에 해당하여 이곳에 포함시켰다.

연번	보고서 유물번호	기와 종류	명문내용	연대
1	도면 7	암키와	○三年	1299
2	도면 167	수키와	大德三年	〃

공반유물	기와, 토기, 청자상감연판문접시, 백자 등

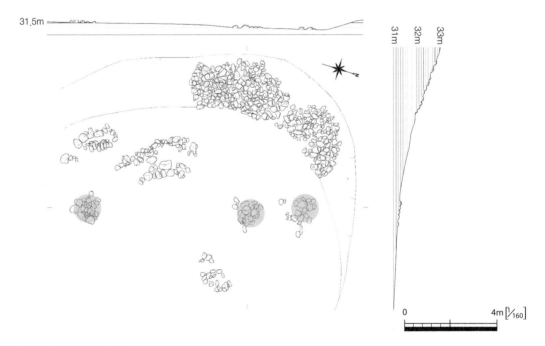

〈 2호 건물지 평 · 단면도 (1:160) 〉

⑸ (大德)三年 銘 암키와

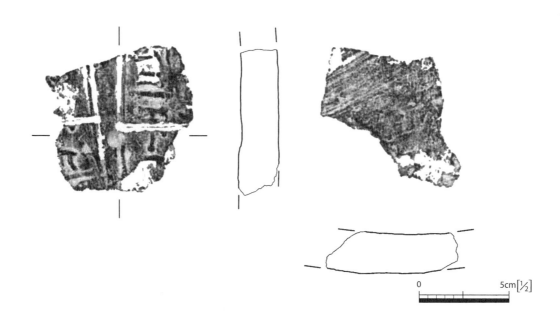

명문	연호	연호명 년도	국명(왕)	고려	절대연대
(大德)三年	大德	1297~1306	元 (成宗 5年)	忠烈王 25年	1299

종류	태토	소성도	색조			제원		
			내	외	속심	길이	폭	두께
암키와	석립이 혼입된 점토	경질		회갈색		(10.1)	(9.8)	2.6~2.9
문양 및 제작속성								
외면		내면			측면			
방곽 내 명문, 물손질		포목흔, 사절흔, 물손질						

⑹ 大德三年 銘 수키와

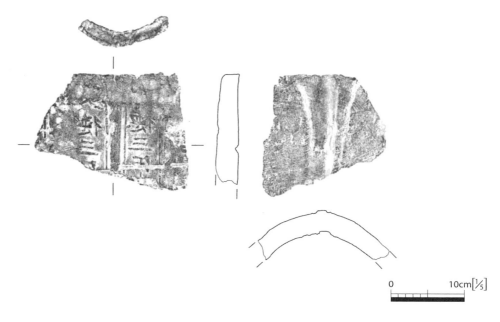

명문	연호		연호명 년도	국명(왕)		고려		절대연대
大德三年	大德		1297~1306	元 (成宗 5年)		忠烈王 25年		1299
종류	태토	소성도	색조			제원		
			내	외	속심	길이	폭	두께
수키와	석립이 혼입된 점토	경질		회갈색		(16.5)	(18.1)	1.8~2.6
문양 및 제작속성								
외면			내면			측면		
방곽 내 명문			포목흔, 합철흔, 사절흔, 물손질					

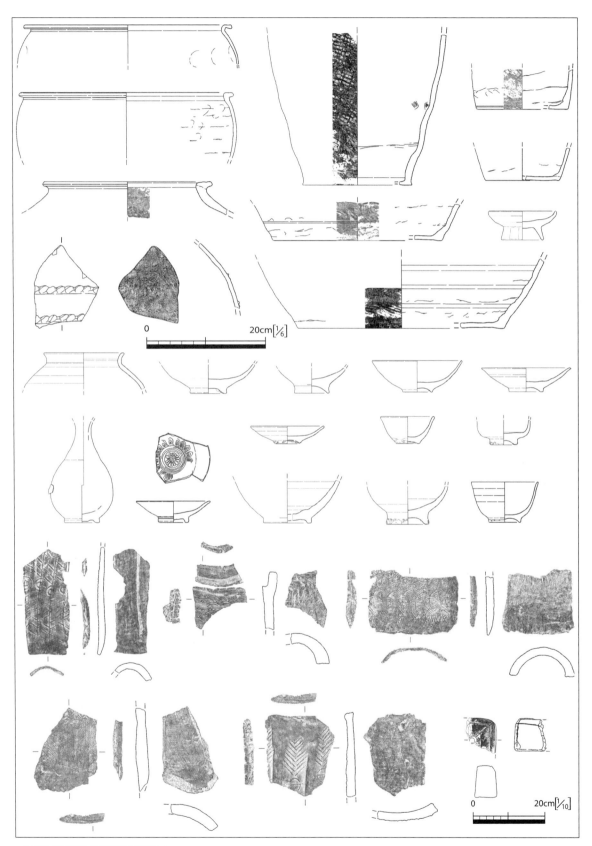

0   20cm[⅙]

0   20cm[1/10]

〈 2호 건물지 공반출토유물 〉

3) 영월 흥녕선원 (寧越 興寧禪院)

강원도

유적위치	강원도 영월군 수주면 법흥2리(현 법흥사 및 산 385, 386, 400-404번지)
조사사유	흥녕선원 정비·복원에 앞선 학술조사
조사연혁	지표조사 : 2001 (강원문화재연구소) 시굴조사 : 2002.09.03 ~ 2002.10.12 (강원문화재연구소) 　　　　　2003.12.10 ~ 2003.12.15 (강원문화재연구소) 　　　　　2004.03.16 ~ 2004.05.08 (강원문화재연구소)
유적입지	영월군 내에서 산세가 험준한 곳으로 유명한 사자산(해발 1,160m) 남서쪽 기슭에는 법흥천이 발원하여 남류하면서 소규모의 침식분지를 발달시켜 법흥리가 형성되었고, 이 지역의 산사면 아래에 흥녕선원지가 위치하고 있다. 법흥천은 섬안이강과 합류하여 주천강으로 흘러 남한강으로 연결된다.

유구현황	통일신라~고려시대	건물지(9), 계단지(1), 석축(4), 보도(4)
주요유물	명문기와(기년명), 기와류, 자기류 등	

기년유물	지표조사 유물 : 「大安五年」銘 암키와(2점), 「甲子」銘 암키와(1점)				
	연번	보고서 유물번호	기와 종류	명문내용	연대
	1	도면 62-2	암키와	大安五年下…大O…	1080
	2	도면 63-1	〃	大安五…	〃
	3	도면 63-2	〃	大安	1080 ?
	4	도면 64-1	〃	…甲子O朴O…	1084 ?

시기·성격	종래에 흥녕선원은 통일신라시대에 개창되고 조선시대 법흥사로 개칭되었던 것으로 알려져 왔다. 1차 시굴조사에서는 나말여초부터 조선시대까지의 연대 폭을 갖는 유구와 유물이 확인되었다. 2차 시굴조사구역에서는 징효대사가 900년 입적한 후 흥녕선원의 중창시기와 관련성 있는 유구가 확인되었는데, 시기적인 차이가 없는 짧은 기간에 유구가 존속했던 것을 통해 미루어 짐작할 수 있다. 유물 역시 흥녕선원의 창건 이후 고려 초 동일시기 유구와 유물이 확인되었기 때문에 동 시기로 비정이 가능하다. 또한 1차 시굴조사 및 정밀지표조사의 결과를 종합해 보면 오랜 기간 여러 곳에서 건물의 중·개축이 거듭되었는데 그 중심시기는 역시 고려시대로 보인다. 　건물지의 축조시기는 명문기와가 출토되어 가늠해볼 수 있다. 명문기와 중 하나는 「四僧/大安五年下甲子/大匠僧朴氏」이다. 대안은 西夏(1076~1085), 遼(1085~1094), 金(1209~1211) 대에 각각 사용된 연호이다. 그런데 이들 중 갑자년에 해당하는 연대는 1084(西夏 大安9年)에 해당한다. 따라서 명문와에 기록된 대안 5년과는 연대차가 있으며 이에 대한 재검토가 요구된다. 　명문와가 확인된 곳은 A구역으로 법흥사 주지의 요사와 연못, 경작지로 사용되던 지역이다. 주지의 요사를 기준으로 남쪽에는 방형초석 10개가 노출되어 있다. 주변은 경작지로 활용되고 있으며 석종형부도 1기와 추정 불대좌가 위치하고 있다.

참고문헌	江原文化財研究所, 2002, 『師子山 興寧禪院 地表調査 報告書』. 江原文化財研究所, 2008, 『寧越 興寧禪院 1,2次 試掘調査 報告書』.

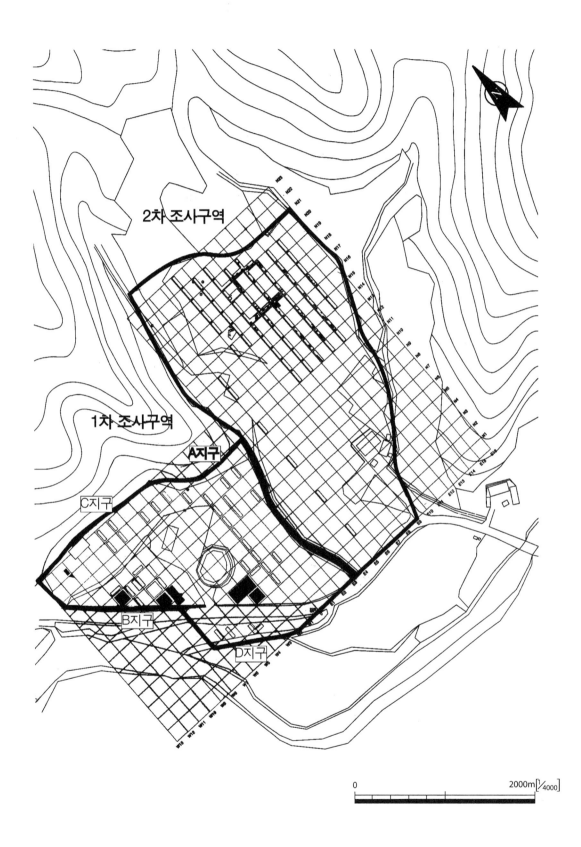

〈 조사지역 현황도 (1:4,000) 〉

(1) 大安五年 銘 암키와

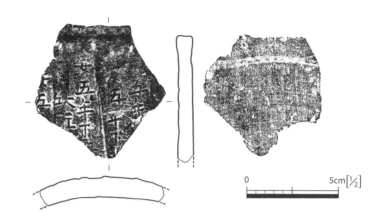

명문		연호	연호명 년도	국명(왕)		고려	절대연대
大安五年下…大○…		大安	1076~1085	西夏 (惠宗 12年)		文宗 34年	1080

종류	태토	소성도	색조			제원		
			내	외	속심	길이	폭	두께
암키와	가는 석립이 섞인 정선토	경질		적갈색		(16.8)	(18.0)	2.2

문양 및 제작속성		
외면	내면	측면
폭 6.8㎝의 사각시문구, 횡방향 타날	포목흔, 물손질, 띠매듭흔	

(2) 大安 銘 암키와

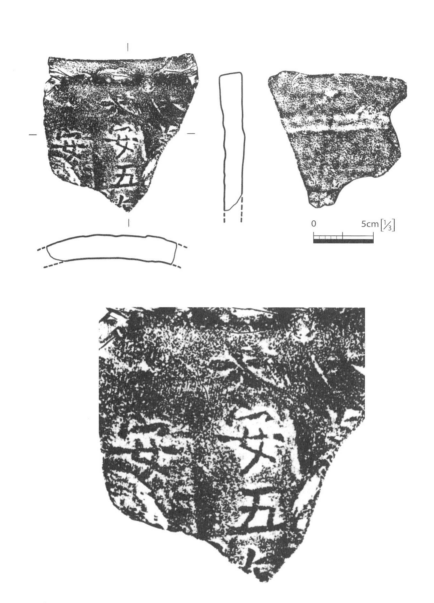

명문	연호	연호명 년도	국명(왕)		고려	절대연대
大安五…	大安	1076~1085	西夏 (惠宗 12年)		文宗 34年	1080

종류	태토	소성도	색조			제원		
			내	외	속심	길이	폭	두께
암키와	가는 석립이 섞인 정선토	경질		회백색		(10.8)	(12.3)	1.8

문양 및 제작속성		
외면	내면	측면
폭 6.8㎝의 사각시문구, 횡방향타날	물손질, 띠 매듭흔	

(3) 大安 銘 암키와

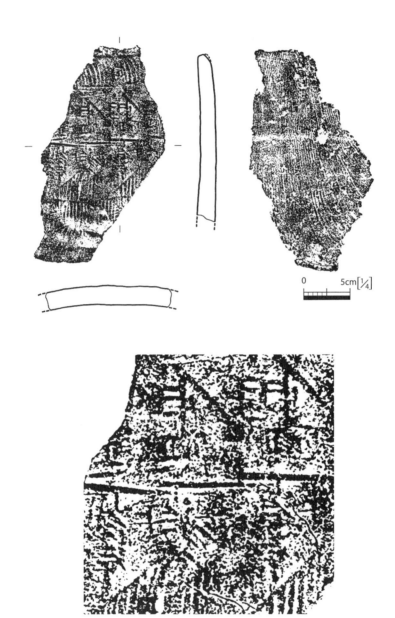

0   5cm[¼]

명문		연호		연호명 년도	국명(왕)		고려	추정연대
大安		大安		1076~1085	西夏 (惠宗 12年)		文宗 34年	1080

종류	태토	소성	색조			제원		
			내	외	속심	길이	폭	두께
암키와						(6.3)	(5)	

문양 및 제작속성		
외면	내면	측면

⑷ 甲子 銘 암키와

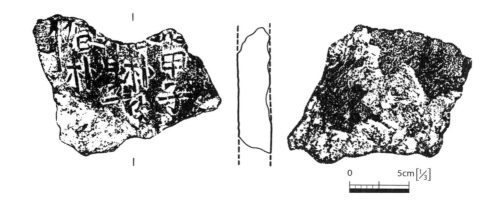

명문	간지명	간지명 년도						추정연대
…甲子〇朴〇…	甲子	964, 1024, 1084, 1144, 1204, 1264, 1324, 1384						1084
종류	태토	소성도	색조			제원		
			내	외	속심	길이	폭	두께
암키와	가는 석립이 섞인 정선토	경질		회갈색		(10.6)	(12.8)	2.5
문양 및 제작속성								
외면		내면				측면		
폭 6cm의 시문구, 횡방향 타날		물손질						

3)-3 영월 홍녕선원 A지구 Grid

유구성격	지표조사 당시 강원문화재연구소 A구역으로 명명되었던 홍녕선원의 중심사역으로서 남동쪽의 시굴조사 당시 재 구획한 A지구에 해당된다. 대체로 평탄지형으로 되어 있으나 북-남 방향으로 완만하게 경사를 이룬다. 석축과 계단시설, 박석, 건물지 등이 조사되었는데, 석축과 계단지가 형성된 이후에도 같은 위치에 초석 및 적심을 옮겨가며 중, 개축이 거듭되었음이 확인되었다.				
시 기	고려시대				
기년유물	시굴조사 유물 :「甲子」銘 암키와(2점)				
	연번	보고서 유물번호	기와 종류	명문내용	연대
	1	도면10-1	암키와	年O元甲子…/…大匠僧朴	1084 ?
	2	도면10-2	〃	〃	〃
공반유물	명문와(代辛(?) 銘), 전, 막새편, 도기편, 자기편				

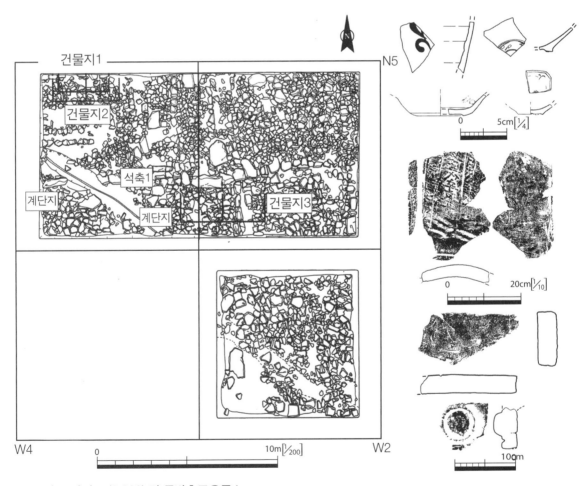

〈 A그리드 평면도 (1:200) 및 공반출토유물 〉

(5) 甲子 銘 암키와

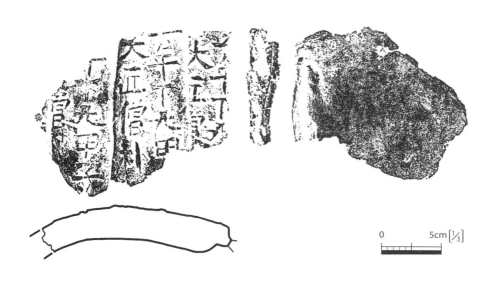

명문	간지명	간지명 년도					추정연대	
…年O元甲子…/… 大匠僧朴…	甲子	964, 1024, 1084, 1144, 1204, 1264, 1324, 1384					1084	

종류	태토	소성도	색조			제원		
			내	외	속심	길이	폭	두께
암키와	사질 점토에 굵은 석립 혼입	경질		회청색		(12.0)	(15.2)	3.2

문양 및 제작속성		
외면	내면	측면
폭 6cm의 시문구, 중첩타날	분리흔, 포흔 물손질정면	와도흔 내측 0.5~0.6cm

(6) 甲子 銘 암키와

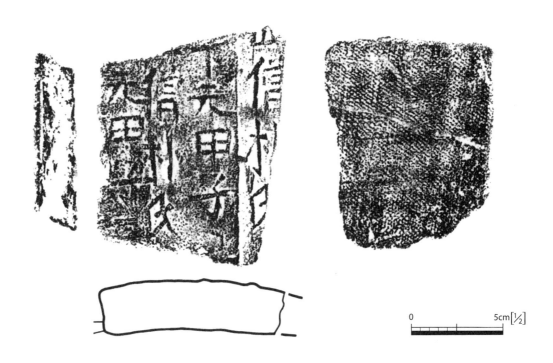

명문	간지명	간지명 년도						추정연대
甲子○朴○…	甲子	964, 1024, 1084, 1144, 1204, 1264, 1324, 1384						1084
종류	태토	소성도	색조			제원		
			내	외	속심	길이	폭	두께
암키와	사질 점토에 굵은 석립 혼입			연갈색		(12.7)	(10.2)	2.8
문양 및 제작속성								
외면		내면			측면			
폭 6cm의 시문구, 중첩타날		포흔			와도흔 내측 0.2cm			

4) 인제 한계산성 (隣提 寒溪山城)

유적위치	강원도 인제군 북면 한계리 안산(해발 1,430.4m)	
조사사유	한계산성 학술조사 및 종합정비 기본계획 수립 학술용역	
조사연혁	지표조사 : 2011.10.04 ~ 2012.06.29 (강원대학교 중앙박물관)	
유적입지	인제군 북면 한계리 안산(해발 1,430.4m)의 남동쪽 자락에 위치하고 있다. 홍천으로부터 인제를 거쳐 오는 44번 국도는 한계리의 한계교를 건너면서 삼거리가 되고 여기서 북쪽으로 연결되는 46번 국도는 북면 용대리를 거쳐 미시령, 진부령으로 연결된다. 한계 삼거리에서 동쪽으로 이어지는 44번 국도는 한계산성 남쪽을 지나 한계령을 넘어 양양군 서면 오색리로 이어지게 된다. 산성은 한계리 옥녀1교의 북쪽에 '옥녀탕' 이라 불리는 곳의 안쪽 골짜기와 주변의 암벽지대에 위치하고 있다. 이 골짜기 안에서 가장 높은 산인 안산을 중심으로 동남쪽과 서남쪽으로 흘러내린 자연적인 암벽지대와 부분적인 구간의 성벽 구축을 통하여 그 내부의 골짜기를 성내 공간으로 사용하였는데, 본래 하성을 축조하기 전에 사용하였던 것으로 추정되는 상성은 안산 동남쪽 능선부의 절벽 위에 위치하고 있다.	
유구현황	고려시대~조선시대	대궐터(1), 건물지(3), 천제단(1), 문지(3)
주요유물	명문기와(기년명), 도기, 자기, 철솥 등	
시기·성격	한계산성에 대해서는 마의태자와 관련된 전설이 전해져 오고 있으나 이에 대한 문헌적, 고고학적 차원의 학술적 근거는 없다. 지표상에서 발견되는 유물은 대부분 고려시대 이후의 것이다. 특히 하성 계곡부 서측의 건물지에서 수습되는 기와는 문양이 없는 기와들이지만, 근처에서 수습된 백자, 도기편 등의 유물을 고려하면 조선시대에도 일시적으로 사용되었을 가능성이 농후하다. 한계산성의 연대관에 근접하게 접근할 수 있는 결정적인 자료가 「至正十八年」銘 평기와의 존재이다. 지정은 원 순제의 연호로 1358년인 고려 공민왕 7년에 대응된다. 다른 하나는 「庚申三月」이다. 그러나 지표에서 수습되었기 때문에 근사연대를 특정하기는 어렵다.	
참고문헌	강원대학교 중앙박물관·인제군, 2012,『인제 한계산성 학술조사보고서』.	

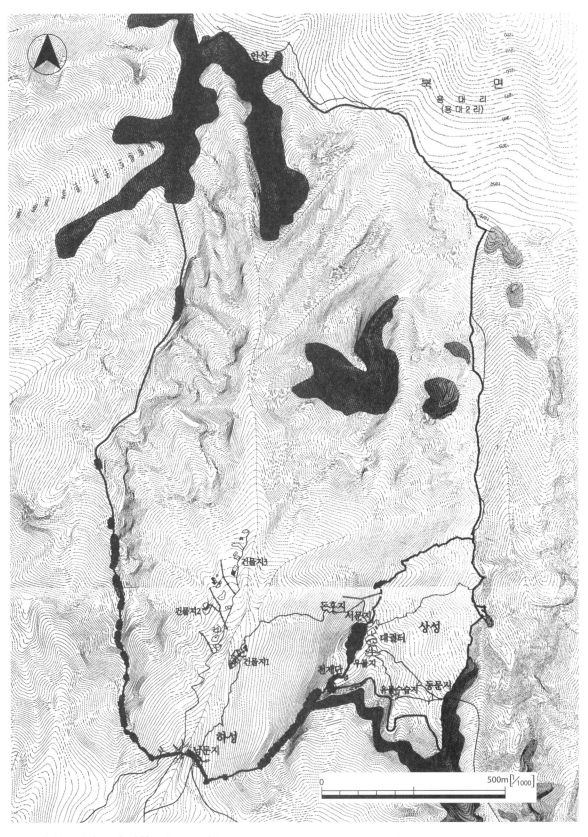

〈 조사지역 지형도 및 현황도 (1:1,000) 〉

3)-4 인제 한계산성 하성 제1건물지

유구성격	지표수습				
시 기	고려시대				
기년유물	「至正十八年」銘 암키와(13점), 「庚申崇造」銘 암키와(2점)				
	연번	보고서 유물번호	기와 종류	명문내용	연대
	1	10-ㅎ_ㅎㅅ3	암키와	至正十八年	1358
	2	10-ㅎ_ㅎㅅ4	〃	〃	〃
	3	10-ㅎ_ㅎㅅ7	〃	〃	〃
	4	10-ㅎ_ㅎㅅ8	〃	〃	〃
	5	10-ㅎ_ㅎㅅ10	〃	〃	〃
	6	10-ㅎ_ㅎㅅ11	〃	〃	〃
	7	10-ㅎ_ㅎㅅ12	〃	〃	〃
	8	10-ㅎ_ㅎㅅ13	〃	〃	〃
	9	10-ㅎ_ㅎㅅ15	〃	〃	〃
	10	10-ㅎ_ㅎㅅ16	〃	〃	〃
	11	10-ㅎ_ㅎㅅ17	〃	〃	〃
	12	10-ㅎ_ㅎㅅ18	〃	〃	〃
	13	10-ㅎ_ㅎㅅ19	〃	〃	〃
	14	10-ㅎ_ㅎㅅ26	〃	庚申三月	960 ?
	15	10-ㅎ_ㅎㅅ27	〃	〃	〃
공반유물	도기편, 기와편 등				

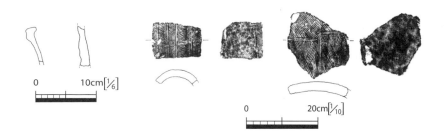

〈 하성 제1건물지 공반출토유물 〉

(1) 至正十八年 銘 암키와

0   5cm [⅓]

명문	연호	연호명 년도	국명(왕)		고려	절대연대
至正十八年	至正	1341~1367	元 (順帝 18年)		恭愍王 7年	1358

종류	태토	소성도	색조			제원		
			내	외	속심	길이	폭	두께
암키와	가는 모래 혼입	경질		황갈색		(14.4)	(7.9)	1.7

문양 및 제작속성		
외면	내면	측면
종선문	포흔, 접합흔, 빗질흔	와도흔 내측 0.6㎝

⑵ 至正十八年 銘 암키와

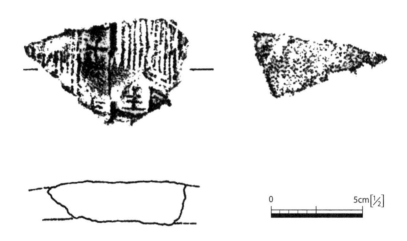

명문	연호	연호명 년도	국명(왕)	고려	절대연대
至正十八年	至正	1341~1367	元 (順帝 18年)	恭愍王 7年	1358

종류	태토	소성도	색조			제원		
			내	외	속심	길이	폭	두께
암키와	가는 모래 혼입	경질		황갈색		(8.2)	(13.6)	2.3
문양 및 제작속성								
외면		내면			측면			
복합선문		포흔, 접합흔, 빗질흔						

(3) 至正十八年 銘 암키와

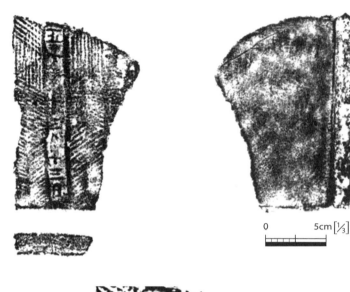

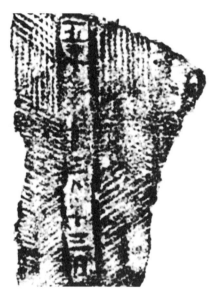

명문	연호	연호명 년도	국명(왕)	고려	절대연대
至正十八年	至正	1341~1367	元 (順帝 18年)	恭愍王 7年	1358

종류	태토	소성도	색조			제원		
			내	외	속심	길이	폭	두께
암키와	가는 모래 혼입	경질		암회색		(14.0)	(10.2)	1.7

문양 및 제작속성		
외면	내면	측면
집선문	포흔, 접합흔, 빗질흔	와도흔 내측 0.4㎝

(4) 至正十八年 銘 암키와

명문	연호	연호명 년도	국명(왕)	고려	절대연대
至正十八年	至正	1341~1367	元 (順帝 18年)	恭愍王 7年	1358

종류	태토	소성도	색조			제원		
			내	외	속심	길이	폭	두께
암키와	가는 모래 혼입	경질		연회색		(5.4)	(8.4)	2.1
문양 및 제작속성								
외면		내면			측면			
		포흔, 접합흔, 빗질흔						

(5) 至正十八年 銘 암키와

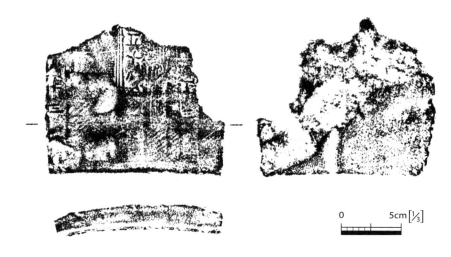

0   5cm[⅓]

명문	연호	연호명 년도	국명(왕)	고려	절대연대
至正十八年	至正	1341~1367	元 (順帝 18年)	恭愍王 7年	1358

종류	태토	소성도	색조			제원		
			내	외	속심	길이	폭	두께
암키와	가는 모래 혼입	경질		연회색		(10.7)	(15.4)	1.8

문양 및 제작속성		
외면	내면	측면
선문	포흔, 접합흔, 빗질흔	

⑹ 至正十八年 銘 암키와

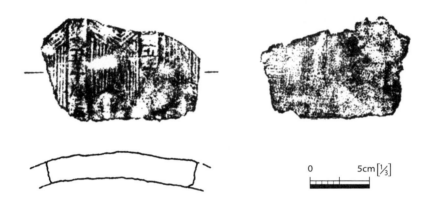

<table>
<tr><th colspan="2">명문</th><th>연호</th><th>연호명 년도</th><th>국명(왕)</th><th>고려</th><th>절대연대</th></tr>
<tr><td colspan="2">至正十八年</td><td>至正</td><td>1341~1367</td><td>元 (順帝 18年)</td><td>恭愍王 7年</td><td>1358</td></tr>
<tr><th>종류</th><th>태토</th><th rowspan="2">소성도</th><th colspan="3">색조</th><th colspan="3"></th></tr>
</table>

종류	태토	소성도	색조			제원		
			내	외	속심	길이	폭	두께
암키와	가는 모래 혼입	경질		회색		(17.6)	(14.3)	2.0

문양 및 제작속성		
외면	내면	측면
집선문	포흔, 접합흔, 빗질흔	

(7) 至正十八年 銘 암키와

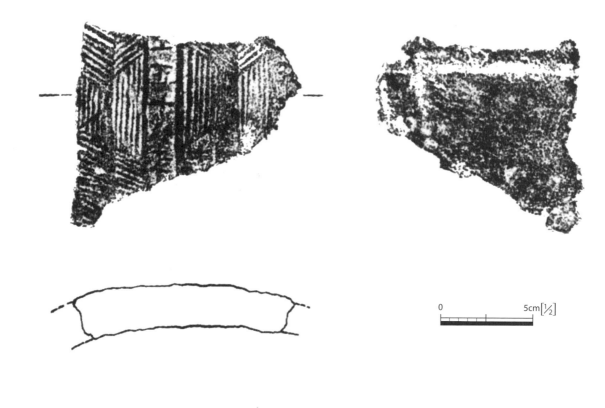

명문	연호	연호명 년도	국명(왕)	고려	절대연대
至正十八年	至正	1341~1367	元 (順帝 18年)	恭愍王 7年	1358

종류	태토	소성도	색조			제원		
			내	외	속심	길이	폭	두께
암키와	가는 모래 혼입	경질		회색		(8.4)	(12.3)	1.9

문양 및 제작속성		
외면	내면	측면
집선문	포흔, 접합흔, 빗질흔	내측에서 0.4cm

(8) 至正十八年 銘 암키와

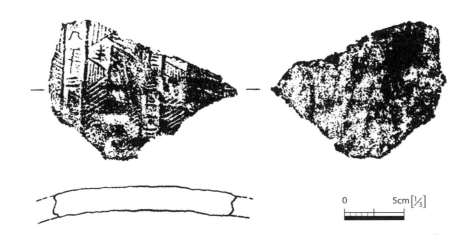

명문	연호	연호명 년도	국명(왕)	고려	절대연대
至正十八年	至正	1341~1367	元 (順帝 18年)	恭愍王 7年	1358

종류	태토	소성도	색조			제원		
			내	외	속심	길이	폭	두께
암키와	가는 모래 혼입	경질		회색		(8.2)	(12.6)	1.9

문양 및 제작속성		
외면	내면	측면
집선문	포흔, 접합흔, 빗질흔	

(9) 至正十八年 銘 암키와

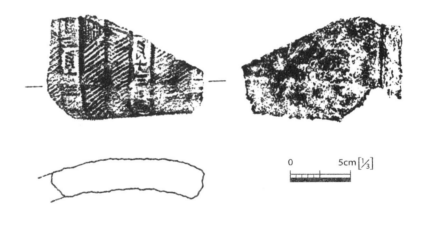

명문	연호	연호명 년도	국명(왕)	고려	절대연대
至正十八年	至正	1341~1367	元 (順帝 18年)	恭愍王 7年	1358

종류	태토	소성도	색조			제원		
			내	외	속심	길이	폭	두께
암키와	가는 모래 혼입	경질		회색		(18.2)	(18.9)	2.0

문양 및 제작속성		
외면	내면	측면
집선문	포흔, 접합흔, 빗질흔	와도흔 내측 0.7cm

(10) 至正十八年 銘 암키와

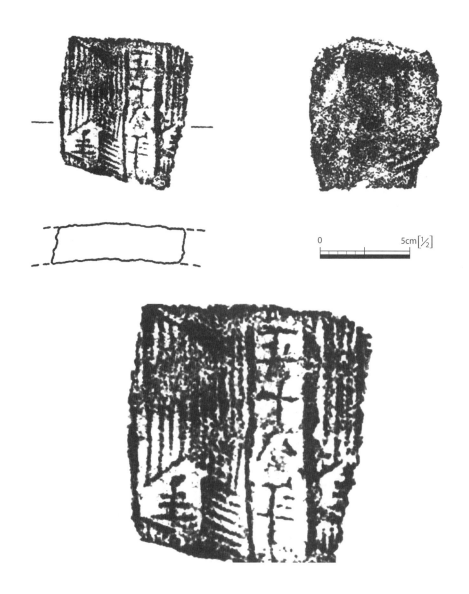

명문	연호	연호명 년도	국명(왕)	고려	절대연대
至正十八年	至正	1341~1367	元 (順帝 18年)	恭愍王 7年	1358

종류	태토	소성도	색조			제원		
			내	외	속심	길이	폭	두께
암키와	가는 모래 혼입	경질		회색		(12.8)	(14.8)	2.0
문양 및 제작속성								
외면		내면			측면			
종선문		포흔, 접합흔, 빗질흔						

(11) 至正十八年 銘 암키와

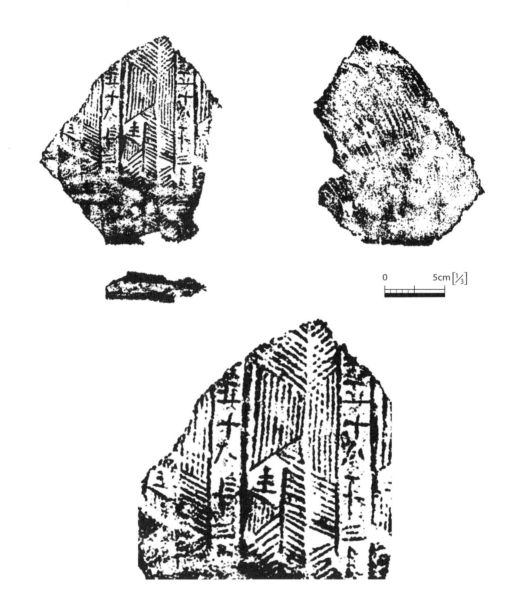

명문	연호	연호명 년도	국명(왕)		고려	절대연대
至正十八年	至正	1341~1367	元 (順帝 18年)		恭愍王 7年	1358

종류	태토	소성도	색조			제원		
			내	외	속심	길이	폭	두께
암키와	가는 모래 혼입	경질		회색		(15.1)	(8.3)	2.0

문양 및 제작속성		
외면	내면	측면
집선문, 종선문	포흔, 접합흔, 빗질흔	와도흔 내측 0.4cm

(12) 至正十八年 銘 암키와

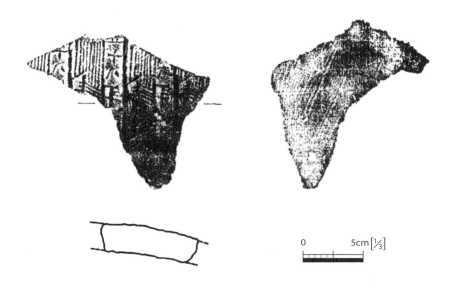

0　　　　　5cm [⅓]

명문	연호	연호명 년도	국명(왕)	고려	절대연대
至正十八年	至正	1341~1367	元 (順帝 18年)	恭愍王 7年	1358

종류	태토	소성도	색조			제원		
			내	외	속심	길이	폭	두께
암키와	가는 모래 혼입	연질		회색		(8.3)	(7.7)	1.6

문양 및 제작속성		
외면	내면	측면
종선문	포흔, 접합흔, 빗질흔	

(13) 至正十八年銘 암키와

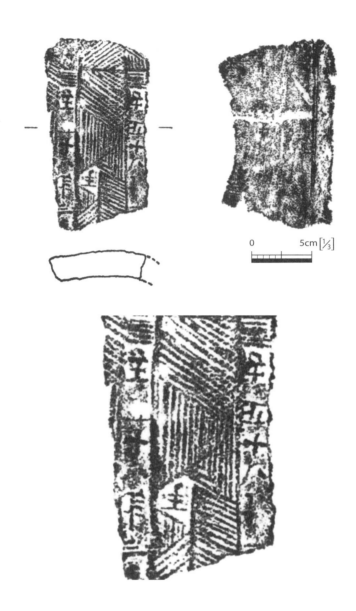

명문	연호	연호명 년도	국명(왕)	고려	절대연대
至正十八年	至正	1341~1367	元 (順帝 18年)	恭愍王 7年	1358

종류	태토	소성도	색조			제원		
			내	외	속심	길이	폭	두께
암키와	가는 모래 혼입	경질		회색		(11.5)	(14.9)	2.1

문양 및 제작속성		
외면	내면	측면
집선문, 종선문	포흔, 접합흔, 빗질흔	

(14) 庚申 銘 암키와

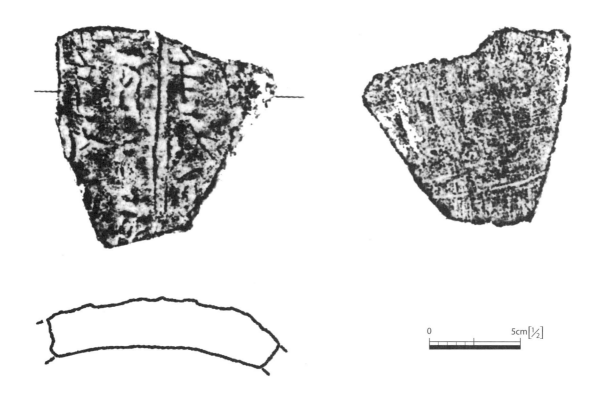

명문	간지명	간지명 년도					추정연대	
庚申三月	庚申	960, 1020, 1080, 1140, 1200, 1260, 1320, 1380					960	
종류	태토	소성도	색조			제원		
			내	외	속심	길이	폭	두께
암키와	가는 모래 혼입	경질		암회색		(11.6)	(11.6)	2.1
문양 및 제작속성								
외면		내면			측면			
5.6㎝의 칸을 구획하여 각서		포목흔			와도흔 내측 0.4㎝			

(15) 庚申 銘 암키와

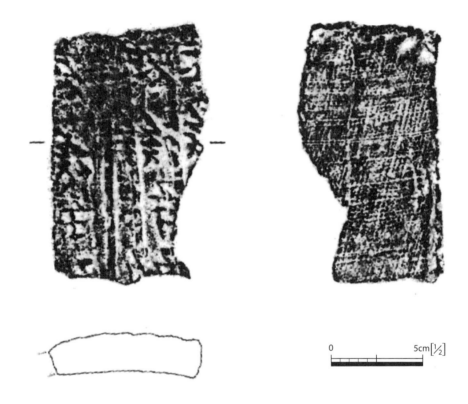

명문	간지명	간지명 년도		추정연대
庚申三月	庚申	960, 1020, 1080, 1140, 1200, 1260, 1320, 1380		960

종류	태토	소성도	색조			제원		
			내	외	속심	길이	폭	두께
암키와	가는 모래 혼입	연질		연회색		(13.9)	(8.4)	1.9

문양 및 제작속성		
외면	내면	측면
5.6㎝의 칸을 구획하여 각서	포목흔	

Ⅲ. 지역별 역연대 기와

4. 충청도

1) 당진 안국사지 (唐津 安國寺址)

유적위치	충청남도 당진군 정미면 수당리 산102-1				
조사사유	안국사지 유적 정비 사업을 위한 학술발굴조사				
조사연혁	발굴조사 : 2004.05.31 ~ 2004.09.30 (충청남도역사문화원)				
유적입지	당진읍에서 남서쪽으로 약 10㎞ 지점의 정미면 수당리에 위치한다. 안국사지는 원당골이라 불리는 마을의 서편 안자락 안국 마을에 위치하며, 유적의 동편으로 약 3㎞ 떨어져 소하천인 대호들천이 북으로 흐르고 있으며 하천의 주변에는 경작지가 펼쳐져 있다. 주변은 남쪽의 은봉산, 서쪽과 북쪽의 봉화산으로 둘러싸여 있다.				
유구현황	고려시대~조선시대		불상(3), 석탑(1), 건물지(2)		
주요유물	막새, 명문와, 잡상 등				
기년유물	「太平」銘 암키와(3점) - 정확한 출토 위치를 알 수 없음.				
	연번	보고서 유물번호	기와 종류	명문내용	연대
	1	탁본 31-4	암키와	太平	1030
	2	탁본 32-4	암키와	太平〇〇九〇	〃
	3	탁본 32-5	암키와	太平十	〃
시기 · 성격	고려시대부터 조선시대 후기까지 안국사라는 이름으로 존속되었다. 특히, 명문기와 중에서 「安國寺金堂」이라는 명문을 통해 삼존불을 중심으로 기단시설 내부에 존재했던 건물이 금당이었을 가능성이 높을 것으로 생각된다. 고려시대 유구와 유물의 출토 상황이나 막새의 표현 방식을 통해 볼 때 11세기에서 12세기 중반 사이에 사용되었을 것으로 추정된다. 「太平」의 명문은 遼 成宗의 연호로 1021~1030년의 시기를 말해준다.				
참고문헌	忠淸南道歷史文化院, 2006, 『唐津 安國寺址』, 제27책.				

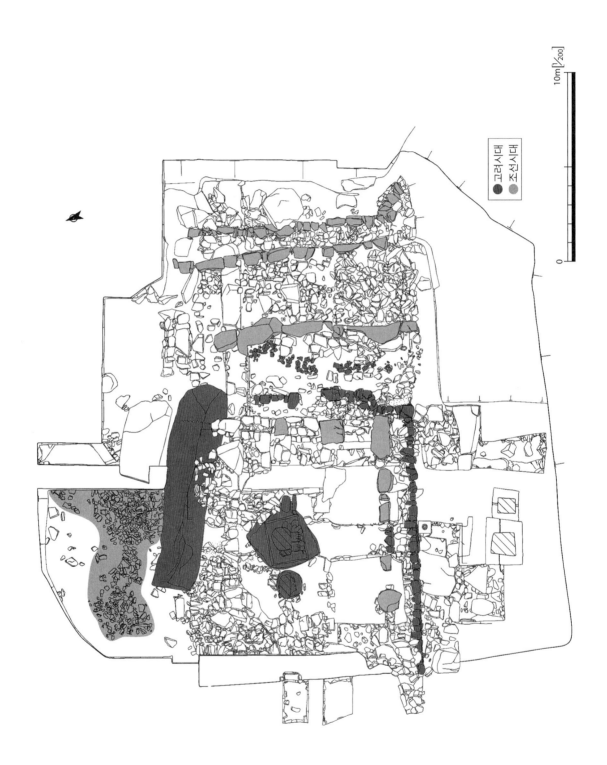

〈 조사지역 유구배치도 (1:200) 〉

(1) 太平 銘 암키와

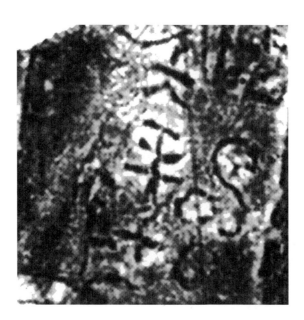

명문		연호	연호명 년도	국명(왕)		고려	절대연대
太平		太平	1021~1030	遼 (成宗 10年)		顯宗 21年	1030

종류	태토	소성도	색조			제원		
			내	외	속심	길이	폭	두께
암키와	소량의 사립		회청색	회청색		(17.6)	(12.1)	3.0

문양 및 제작속성		
외면	내면	측면
+문, 초화문	포목흔, 빗질흔	

(2) 太平○○九○ 銘 암키와

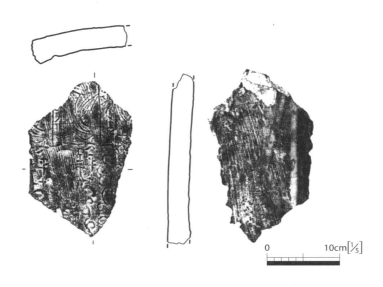

명문		연호	연호명 년도	국명(왕)		고려	절대연대
太平○○九○		太平	1021~1030	遼 (成宗 10年)		顯宗 21年	1030
종류	태토	소성도	색조			제원		
			내	외	속심	길이	폭	두께
암키와	석립, 사립 포함	경질	회청색	회청색		(21.1)	(12.3)	2.7
문양 및 제작속성								
외면		내면			측면			
+문, 당초문		포목흔, 와통흔, 빗질흔						

(3) 太平十 銘 암키와

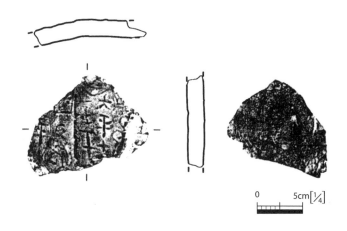

명문		연호	연호명 년도	국명(왕)		고려	절대연대
太平十		太平	1021~1030	遼 (成宗 10年)		顯宗 21年	1030

종류	태토	소성도	색조			제원		
			내	외	속심	길이	폭	두께
암키와	소량의 사립		황갈색	암갈색	회청색	(14.7)	(16.8)	1.8

문양 및 제작속성		
외면	내면	측면
당초문	포목흔, 빗질흔	

2) 대전 상대동 유적 (大田 上垈洞 遺蹟)

유적위치	대전광역시 유성구 상대동 65-9번지 일원
조사사유	대전 서남부지구 택지개발사업
조사연혁	지표조사 : 2002년 (중앙문화재연구원) 시굴조사 : 2006년 ~ 2008년 (중앙문화재연구원) 발굴조사 : 2008.1.22 ~ 2009.4.10 (백제문화재연구원)
유적입지	조사지역은 대전광역시 유성구 상대동 65-9번지 일원으로, 고지명상으로 중동골과 양촌지역에 해당한다. 유적은 해발 200m 가량의 박산에서 남동쪽으로 뻗어 내린 능선의 말단부에 위치하고 있다. 유적의 북쪽으로는 공주시 반포면 온천리의 갑하산(해발 469m)에서 발원하여 동쪽으로 흐르는 유성천이 서북쪽에서 흘러 들어오는 지족천과 만나 동쪽으로 2㎞ 정도 흐른 뒤 갑천으로 합류되고 있다. 유적의 남쪽으로는 공주시 반포면의 도덕봉(해발 534m)과 그 남쪽의 금포봉에서 발원한 건천이 동쪽으로 흐르다가 유성 만년교 남쪽 500m 지점에서 갑천과 합류된다. 이처럼 상대동 유적의 주변으로 갑천 및 기타의 소하천으로 인해 발달한 충적대지가 형성되어 있어 선사시대 이래로 인간이 거주하기에 적합한 환경을 가지고 있었던 것으로 판단된다.
유구현황	<table><tr><td>청동기시대</td><td>장방형주거지(12), 송국리형주거지(13), 소성유구(2), 석관묘(13), 석개토광묘(5), 옹관묘(1)</td></tr><tr><td>원삼국시대</td><td>주거지(14), 탄요(1), 주구토광묘(1), 구상유구(1)</td></tr><tr><td>백제시대</td><td>횡혈식석실분(4), 석곽묘(46), 수혈유구(1)</td></tr><tr><td>고려시대</td><td>SD건물(2), 건물지(28), 주거지(21), 기와가마(4), 수혈유구(7), 수로(1), 연못(1), 우물(9), 도로(6), 구상유구(1), 매납유구(3), 소성유구(1), 폐기장(1), 석곽묘(1), 토광묘(2)</td></tr><tr><td>조선시대</td><td>건물지(1), 주거지(16), 수혈유구(2), 매납유구(5), 소성유구(3), 구상유구(3), 미상유구(17), 토광묘(46), 회곽묘(13)</td></tr></table>
주요유물	청자, 기와, 토기 등
시기·성격	상대동유적은 고지명상으로 원골과 중동골, 양촌지역으로 나누어진다. 이러한 지명은 지형적 여건과도 맥락을 같이하고 있다. 상대동유적 북쪽에서부터 원골, 중동골, 양촌에 해당하며 각 지역은 동서방향으로 진행되는 구릉이 북쪽에 입지하고 남쪽으로는 곡간부가 형성된 지형이다. 중동골은 서쪽 구릉과 동쪽 구릉이 북쪽에 위치하고, 구릉 남단에는 곡간부가 형성되어 있다. 중동골 곡간부의 남쪽은 양촌 서쪽 구릉과 동쪽 구릉에 해당한다. 상대동 유적에서는 청동기시대~조선시대에 걸친 생활, 생산, 분묘유구가 조사되었다.
참고문헌	백제문화재연구원, 2011,『대전 상대동(중동골, 양촌)유적』Ⅰ·Ⅱ·Ⅲ, 調査報告 第20輯.

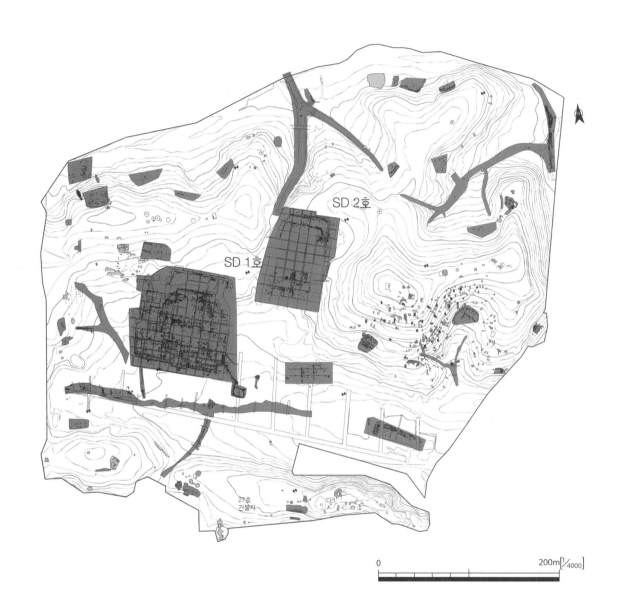

〈 조사지역 유구배치도 (1:4,000) 〉

4)-2 대전 상대동 유적 SD1호 건물지

유구성격	SD1호에서 가장 북쪽에 위치하는 담장으로 등고선 방향과 대체로 평행하게 조성되었다. 담장곽의 폭은 2m로 일정하고 총길이는 96m인데, 서쪽에서 동쪽으로 37m 가량 직선으로 이어진 후 북쪽으로 직각으로 꺾여 15m 가량 진행되고 다시 직각을 이루며 꺾여져 59m 가량 동쪽으로 연결된다.				
시 기	고려시대				
기년유물	「甲戌九月十一日元作○」銘 암키와 (4점)				
	연번	보고서 유물번호	기와 종류	명문내용	연대
	1	515	암키와	甲戌九月十一日元作○	974, 1034, 1094, 1154, 1214, 1274, 1334
	2	516	〃	〃	〃
	3	517	〃	〃	〃
	4	1444	〃	〃	〃
공반유물	기와, 막새 등				

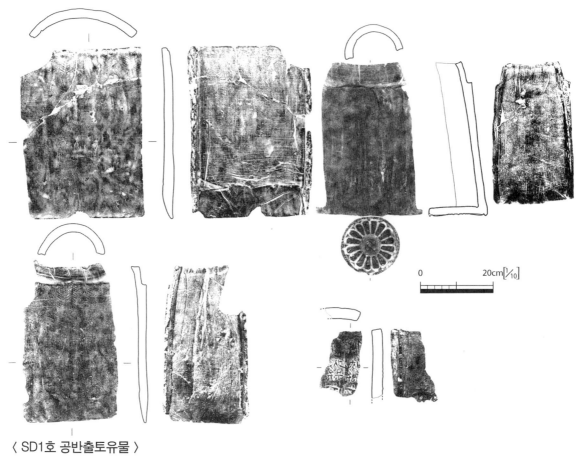

〈 SD1호 공반출토유물 〉

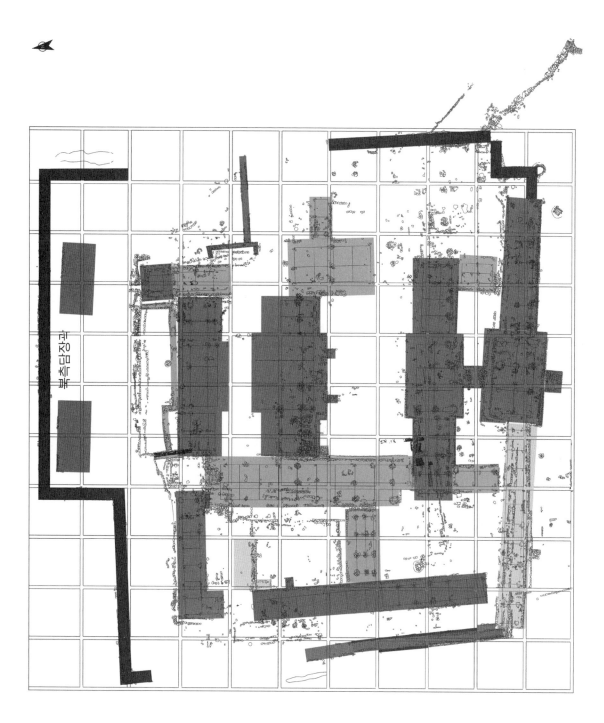

북측담장지

0   40m[$\frac{1}{800}$]

〈 SD1호 현황도 (1:800) 〉

(1) 甲戌 銘 암키와

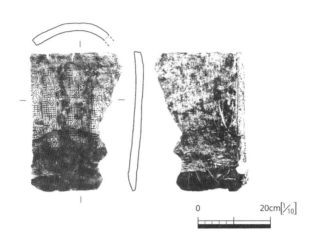

명문	간지명	간지명 년도					추정연대
甲戌九月十一日元作。	甲戌	974, 1034, 1094, 1154, 1214, 1274, 1334					
종류	태토	소성도	색조			제원	
			내	외	속심	길이	폭	두께
암키와		경질	회색	회색	회색	(35.2)		2.0
문양 및 제작속성							
외면		내면			측면		
격자문, 능형문					와도흔		

(2) 甲戌 銘 암키와

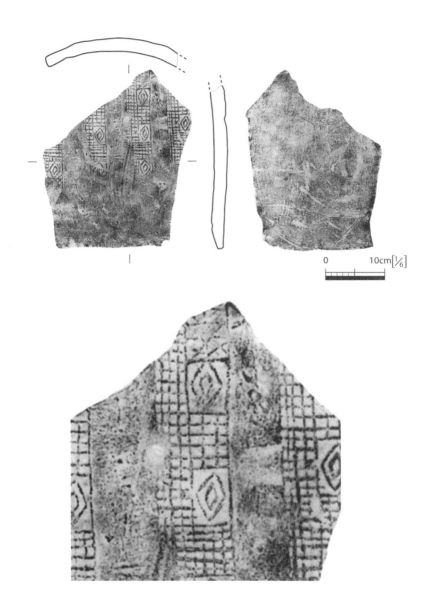

명문	간지명	간지명 년도					추정연대
甲戌九月十一日元作ㅇ	甲戌	974, 1034, 1094, 1154, 1214, 1274, 1334					

종류	태토	소성도	색조			제원		
			내	외	속심	길이	폭	두께
암키와		연질	갈색	갈색	갈색	(27.0)		0.9

문양 및 제작속성		
외면	내면	측면
격자문, 능형문	하부 내면조정	

(3) 甲戌 銘 암키와

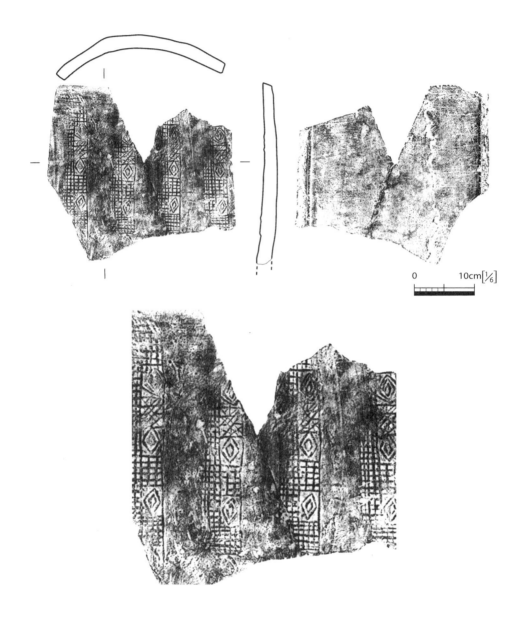

명문	간지명	간지명 년도						추정연대
甲戌九月十一日元作。	甲戌	974, 1034, 1094, 1154, 1214, 1274, 1334						
종류	태토	소성도	색조			제원		
			내	외	속심	길이	폭	두께
암키와		연질	갈색	갈색	갈색	(27.6)		2.0
문양 및 제작속성								
외면			내면			측면		
격자문, 능형문						와도흔		

⑷ 甲戌 銘 암키와

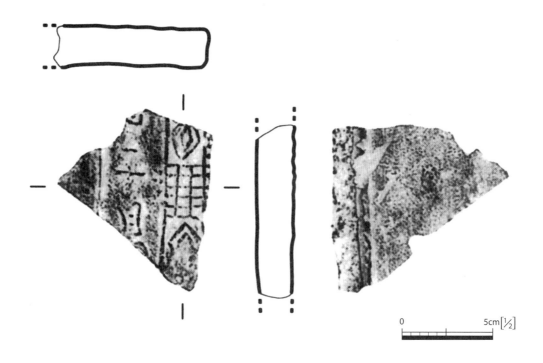

명문	간지명	간지명 년도					추정연대
甲戌九月十一日元作o	甲戌	974, 1034, 1094, 1154, 1214, 1274, 1334					
종류	태토	소성도	색조			제원	
			내	외	속심	길이	폭	두께
암키와		경질	회색	회색	회색	(8.2)		2.1
문양 및 제작속성							
외면		내면			측면		
격자					와도흔		

4)-2 대전 상대동 유적 27호 건물지

유구성격	사면의 상단부를 L자형으로 깎아 대지를 조성하였으며, 건물지 동쪽과 남쪽은 후대 교란 및 삭평으로 남아있지 않다. 건물 뒤쪽인 북쪽에서 일부와 초석과 적심석이 확인되었다. 기단렬은 7m 정도 남아 있었으며 초석 3기와 적심석 1기가 잔존해 있다. 초석의 규모는 최대 0.7m, 적심의 규모는 직경 0.9m이며 적심석과 초석의 주칸 간격은 3.2m이다. 기단과 초석간의 간격은 0.4m이다. 남아있는 초석과 적심석으로 보아 정면 3칸 이상의 구조로 파악되나 측면은 알 수 없다. 초석 남쪽으로 5.4m 떨어져 주공 3기가 확인되었으며 주공의 규모는 직경 0.5m 내외이다. 남쪽의 주공들은 초석 진행방향과 틀어져 있으며 건물지 초석 이전에 형성된 구와 관련된 별도의 건물지일 가능성이 높다.

시 기	고려시대

기년유물	「甲戌九月十一日元作ㅇ」銘 수키와 (1점)

	연번	보고서 유물번호	기와 종류	명문내용	연대
	5	2064	수키와	甲戌九月十一日元作ㅇ	974, 1034, 1094, 1154, 1214, 1274, 1334

공반유물	청자완, 기와, 막새 등

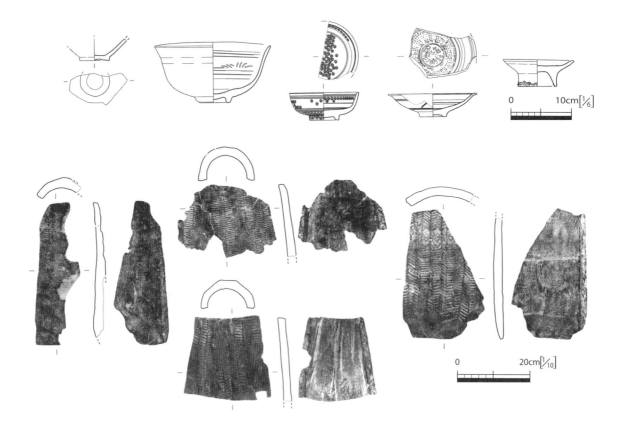

〈 27호 건물지 공반출토유물 〉

〈 27호 건물지 유구 평 · 단면도 (1:120) 〉

(5) 甲戌 銘 암키와

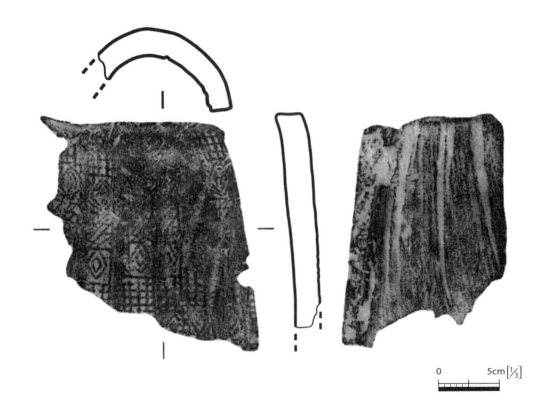

명문	간지명	간지명 년도						추정연대
甲戌九月十一日元作。	甲戌	974, 1034, 1094, 1154, 1214, 1274, 1334						
종류	태토	소성도	색조			제원		
			내	외	속심	길이	폭	두께
수키와		연질	회색	회색	회색	(18.0)		2.0
문양 및 제작속성								
외면			내면			측면		
격자문						와도흔		

3) 부여 무량사지 (扶餘 無量寺址)

유적위치	충청남도 부여군 외산면 만수리 96-1번지 일대
조사사유	무량사 경내 주변 정리사업
조사연혁	시굴조사 : 2000.07.01 ~ 2000.07.30 (충청매장문화재연구원) 발굴조사 : 2003.07.01 ~ 2003.09.21. (1차-충청남도역사문화원) 　　　　　 2007.10.16 ~ 2007.12.04. (2차-충청남도역사문화연구원)
유적입지	부여군청에서 서북방면으로 27㎞ 떨어진 지점에 있으며 서남편으로는 보령시 마산면, 북편으로는 청양군 남양면과 접하고 있다. 무량사는 부여군의 서북쪽 경계에 위치한 만수산(575.4m)의 남쪽자락에 해당한다. 만수산 일대는 기복과 경사가 심한 산지지형을 이루고 있다. 금북정맥이 내려오면서 점차 낮아지다가 서해에 이르기 직전에 다시 높아져 험한 산지를 이룬 곳이다. 만수산 일대에는 내륙에서 해안으로 통하는 교통의 요지인데, 그러한 지리적 조건을 배경으로 무량사가 입지해 있다.

유구현황	고려시대	건물지(5), 도로, 배수시설

주요유물	수막새, 암막새, 평기와, 토기, 토제마, 명문기와(기년명), 자기 등

기년유물	「乾德九年」銘 암키와(6점), 「重熙十四年」銘 암키와(8점) - 트렌치 내 출토 (보고서 Ⅱ)

연번	보고서 유물번호	기와 종류	명문내용	연 대
1	탁본42-5	암키와	乾德九年辛未四月十日无量寺	971
2	탁본43-1	〃	乾德九年辛未※ 无量o	〃
3	탁본43-2	〃	乾德九年辛未四月十日无量寺	〃
4	탁본45-2	〃	〃	〃
5	탁본46-1	〃	〃	〃
6	탁본46-2	〃	〃	〃
7	탁본47-1	〃	重熙十四年乙酉五月日記凡鳳	1045
8	탁본47-2	〃	〃	〃
9	탁본48-1	〃	〃	〃
10	탁본48-2	〃	〃	〃
11	탁본49-1	〃	重熙十四年乙酉凡鳳	〃
12	탁본49-2	〃	重熙十四年乙酉三月卍草	〃
13	탁본50-1	〃	〃	〃
14	탁본66-2	〃	金面同未 運主土木主 重熙十四年	〃

시기·성격	「乾德九年辛未四月十日无量寺」銘과 「青寧丙申正月日作」 명문기와는 제작시기 및 건물의 수축시기를 말해준다. 乾德은 송 태조가 963~967년에 사용한 연호로 고려 광종대에 해당하며 青寧은 중국 요의 도종이 1055~1064년까지 사용한 연호로 青寧丙申은 고려 문종 10년 즉, 1056년이라는 정확한 연대를 보여주고 있다. 그 외에 귀목문 막새와 어골문 기와, 해무리굽 청자 등 고려시대를 대표하는 유물이 주를 이루고 있다. 또한 조사과정에서 수습된 토제마, 철제마 등은 주로 제사유적에서 출토되는 유물로서 이를 통해 무량사 일대에서 제사행위가 이루어졌음을 알 수 있다.

참고문헌	忠清南道歷史文化院, 2005, 『扶餘 無量寺 舊址 Ⅰ』, 제16책. 忠清南道歷史文化研究院, 2009, 『扶餘 無量寺 舊址 Ⅱ』, 제64책.

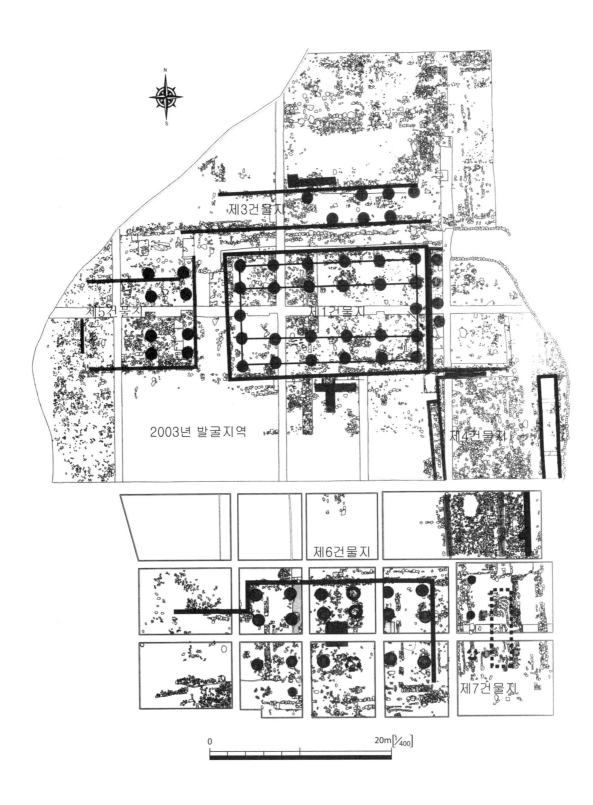

제3건물지

제5건물지

제1건물지

2003년 발굴지역

제4건물지

제6건물지

제7건물지

0   20m [1/400]

〈 조사지역 유구배치도 (1:400) 〉

(1) 乾德九年辛未四月十日无量寺 銘 암키와

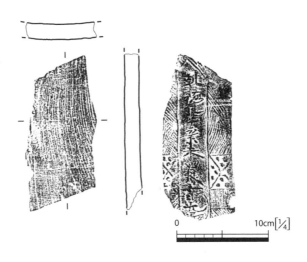

명문	연호	연호명 년도	국명(왕)	고려	절대연대
乾德九年辛未四月十日无量寺	乾德	963~967	宋 (太祖 9年)	光宗 22年	971

종류	태토	소성도	색조			제원		
			내	외	속심	길이	폭	두께
암키와	정선된 점토	연질	회색	회색	회색	(17.5)	(8.4)	1.6

문양 및 제작속성		
외면	내면	측면
집선문+※+종선문+교차집선문	포목흔	와도(1/4)

(2) 乾德九年辛未※ 无量○ 銘 암키와

명문		연호	연호명 년도	국명(왕)		고려	절대연대
乾德九年辛未※ 无量○		乾德	963~967	宋 (太祖 9年)		光宗 22年	971

종류	태토	소성도	색조			제원		
			내	외	속심	길이	폭	두께
수키와	정선된 점토	연질	회백색	흑회색	연회색	(18.8)	(12.5)	1.6

문양 및 제작속성		
외면	내면	측면
집선문+※+종선문+교차집선문	포목흔, 빗질흔	전면와도

(3) 乾德九年辛未四月十日无量寺 銘 암키와

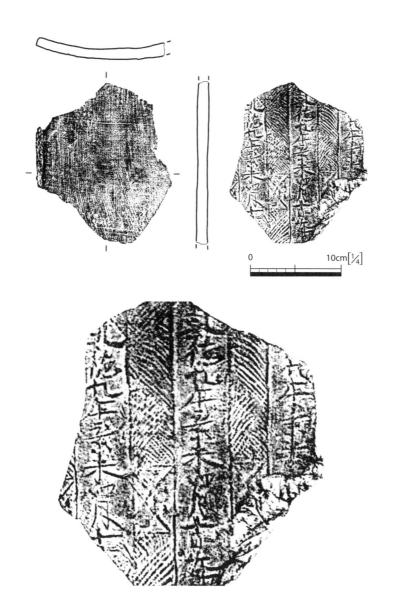

명문		연호	연호명 년도	국명(왕)		고려	절대연대
乾德九年辛未四月十日无量寺		乾德	963~967	宋 (太祖 9年)		光宗 22年	971
종류	태토	소성도	색조			제원		
			내	외	속심	길이	폭	두께
암키와	정선된 점토	연질	회갈색	회갈색	회갈색	(17.6)	(14.9)	1.0
문양 및 제작속성								
외면			내면			측면		
교차집선문+종선문+교차집선문			포목흔			와도흔		

(4) 乾德九年辛未四月十日无量寺 銘 암키와

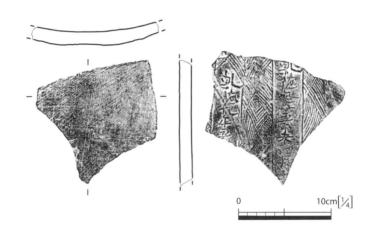

명문	연호	연호명 년도	국명(왕)	고려	절대연대
乾德九年辛未四月十日无量寺	乾德	963~967	宋 (太祖 9年)	光宗 22年	971

종류	태토	소성도	색조			제원		
			내	외	속심	길이	폭	두께
암키와	정선된 점토	연질	회청색	회청색	회청색	(14.1)	(14.4)	1.3

문양 및 제작속성		
외면	내면	측면
교차집선문	포목흔	

⑸ 乾德九年辛未四月十日无量寺 銘 암키와

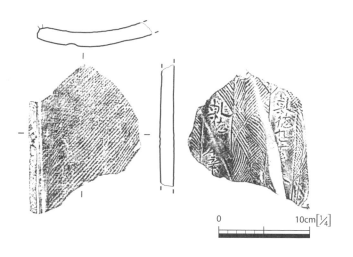

명문	연호	연호명 년도	국명(왕)	고려	절대연대
乾德九年辛未四月十日无量寺	乾德	963~967	宋 (太祖 9年)	光宗 22年	971

종류	태토	소성도	색조			제원		
			내	외	속심	길이	폭	두께
암키와	다량의 세사립	경질	회청색	회청색	회청색	(15.8)	(12.5)	1.5

문양 및 제작속성		
외면	내면	측면
교차집선문	포목흔, 분할표식흔	와도(1/4)

⑹ 乾德九年辛未四月十日无量寺 銘 암키와

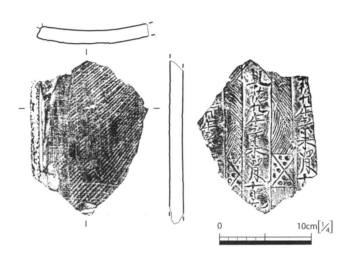

명문			연호	연호명 년도	국명(왕)		고려	절대연대
乾德九年辛未四月十日无量寺			乾德	963~967	宋 (太祖 9年)		光宗 22年	971

종류	태토	소성도	색조			제원		
			내	외	속심	길이	폭	두께
암키와	다량의 세사립	연질	연회청색	연회청색	연회청색	(17.3)	(12.4)	1.4

문양 및 제작속성		
외면	내면	측면
집선문+※+종선문+교차집선문	포목흔, 끈이음식 분할대흔	와도흔(1/4)

(7) 重熙十四年乙酉五月日記凡鳳 銘 암키와

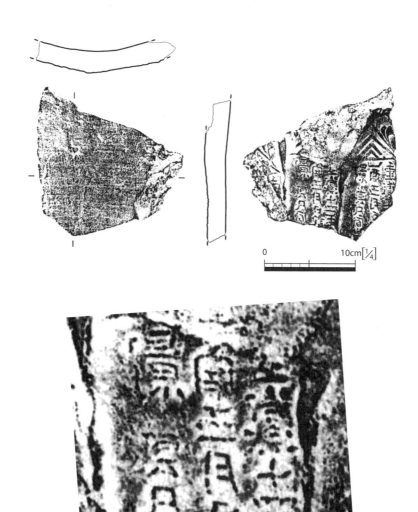

명문			연호	연호명 년도	국명(왕)	고려	절대연대
重熙十四年乙酉五月日記凡鳳			重熙	1032~1054	遼 (興宗 15年)	靖宗 11年	1045

종류	태토	소성도	색조			제원		
			내	외	속심	길이	폭	두께
암키와	정선된 점토	연질	회청색	회청색	회청색	(16.7)	(16.2)	2.1

문양 및 제작속성		
외면	내면	측면
종선문	포목흔	

(8) 重熙十四年乙酉五月日記凡鳳 銘 암키와

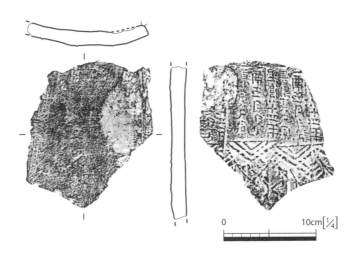

명문		연호	연호명 년도	국명(왕)	고려	절대연대
重熙十四年乙酉五月日記凡鳳		重熙	1032~1054	遼 (興宗 15年)	靖宗 11年	1045

종류	태토	소성도	색조			제원		
			내	외	속심	길이	폭	두께
암키와	다량의 세사립	연질	흑청색	흑청색	흑청색	(16.3)	(13.2)	1.3

문양 및 제작속성		
외면	내면	측면
횡선문, 교차집선문	포목흔(박리)	와도흔(1/5)

⑼ 重熙十四年乙酉五月日記凡鳳 銘 암키와

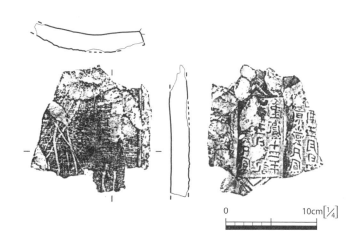

명문		연호	연호명 년도	국명(왕)	고려	절대연대
重熙十四年乙酉五月日記凡鳳		重熙	1032~1054	遼 (興宗 15年)	靖宗 11年	1045

종류	태토	소성도	색조			제원		
			내	외	속심	길이	폭	두께
암키와	정선된 점토	연질	회갈색	회갈색	회갈색	(14.1)	(12.3)	1.9

문양 및 제작속성		
외면	내면	측면
종선문	포목흔(박리심함)	와도흔(1/3)

(10) 重熙十四年乙酉五月日記凡鳳 銘 암키와

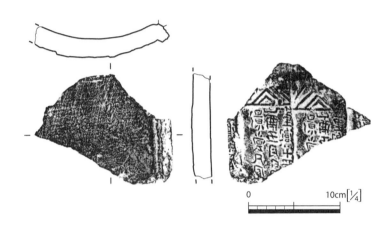

명문	연호	연호명 년도	국명(왕)	고려	절대연대
重熙十四年乙酉五月日記凡鳳	重熙	1032~1054	遼 (興宗 15年)	靖宗 11年	1045

종류	태토	소성도	색조			제원		
			내	외	속심	길이	폭	두께
암키와	정선된 점토	연질	회청색	회청색	회청색	(12.8)	(15.0)	2.0

문양 및 제작속성		
외면	내면	측면
꺾임 선문, 음각선, 횡선	포목흔, 끈이음식 분할대흔	와도흔(1/3)

(11) 重熙十四年乙酉凡鳳 銘 암키와

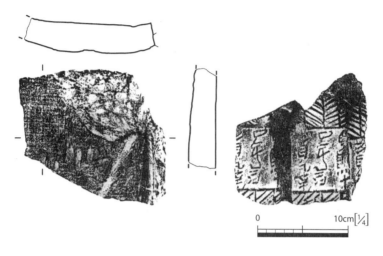

명문		연호	연호명 년도	국명(왕)	고려	절대연대
重熙十四年乙酉凡鳳		重熙	1032~1054	遼 (興宗 15年)	靖宗 11年	1045

종류	태토	소성도	색조			제원		
			내	외	속심	길이	폭	두께
암키와	정선된 점토	연질	회청색	회청색	회청색	(14.1)	(15.2)	2.9

문양 및 제작속성		
외면	내면	측면
어골문, 집선문	포목흔	와도흔(1/2)

(12) 重熙十四年乙酉三月卍草 銘 암키와

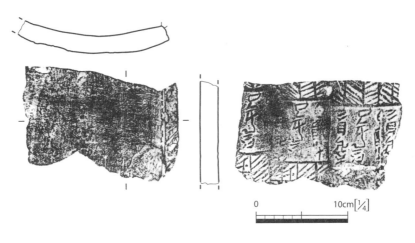

0   10cm[¼]

명문		연호	연호명 년도	국명(왕)	고려	절대연대
重熙十四年乙酉三月卍草		重熙	1032~1054	遼 (興宗 15年)	靖宗 11年	1045

종류	태토	소성도	색조			제원		
			내	외	속심	길이	폭	두께
암키와	소량의 석영립	연질	연회청색	연회청색	연회청색	(11.8)	(17.5)	2.0

문양 및 제작속성		
외면	내면	측면
집선문	포목흔	와도흔(1/4)

(13) 重熙十四年乙酉三月卍草 銘 암키와

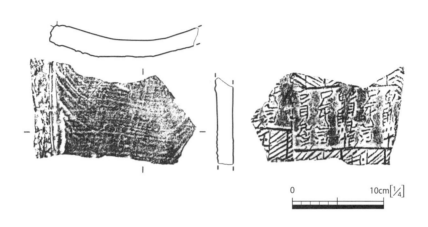

명문	연호	연호명 년도	국명(왕)		고려	절대연대
重熙十四年乙酉三月卍草	重熙	1032~1054	遼 (興宗 15年)		靖宗 11年	1045

종류	태토	소성도	색조			제원		
			내	외	속심	길이	폭	두께
암키와	소량의 돌멩이	경질	적갈색	적갈색	적갈색	(12.0)	(16.3)	1.7

문양 및 제작속성		
외면	내면	측면
종선, 집선문	끈이음식 분할대흔, 포흔	와도흔(1/3)

(14) 金面同未 運主土木主 重熙十四年 銘 암키와

명문	연호	연호명 년도	국명(왕)	고려	절대연대
金面同未運主土木主 重熙十四年	重熙	1032~1054	遼 (興宗 15年)	靖宗 11年	1045

종류	태토	소성도	색조			제원		
			내	외	속심	길이	폭	두께
암키와	정선된 점토	연질	회색	회색	회색	(30.6)	(21.0)	2.6

문양 및 제작속성		
외면	내면	측면
어골문, 일부 도구로 긁힌흔적	포목흔, 점토판접합흔, 하단단부조정	와도흔(1/3)

4)-3 부여 무량사지 제1건물지

유구성격	제 1건물지는 조사지역의 중앙부에 자리하고 있으며 네면의 기단석렬이 남아있는데, 특히 남쪽의 기단석렬이 상태가 양호하다. 초석 및 적심을 통해 실측한 건물의 크기는 전후면 2.1m, 좌우측면 1.1m이며 바닥면적은 약 70평 정도로 추정된다. 기단은 할석을 이용하여 쌓은 단층기단으로, 축석방법은 최하단에 판석형 할석을 1줄 깔아 지대석으로 삼고 그 위에 0.1m 정도 들여 쌓았다.				
시 기	고려시대				
기년유물	「乾德九年」銘 암키와(3점), 「靑寧丙申」銘 암키와(2점), 「丙子年」銘 암키와(2점)				
	연번	보고서 유물번호	기와 종류	명문내용	연대
	15	도면13-1	수키와	乾德九年辛未四月十日无量寺	971
	16	도면13-2	암키와	乾德九	〃
	17	도면14-2	〃	德九年辛未	〃
	18	도면14-4	〃	靑寧丙申正月日作	1056
	19	도면14-5	〃	丙申正月日作	〃
	20	도면15-1	〃	丙子年四月日O磴寺	1036, 1096
	21	도면15-2	〃	月日O磴寺	〃
공반유물	평기와, 도기, 명문기와(기년명), 자기 등				

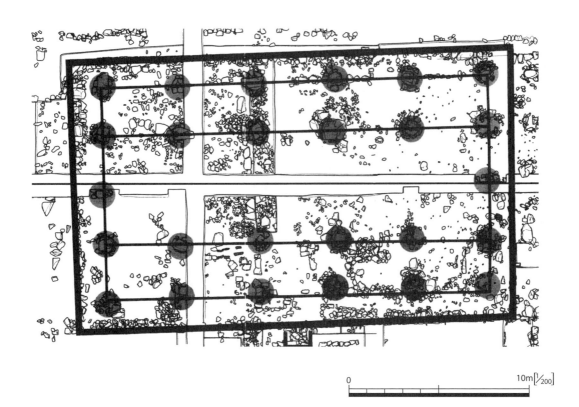

0   10m[1/200]

〈 제1건물지 평면도 (1:200) 〉

(15) 乾德九年辛未四月十日无量寺 銘 수키와

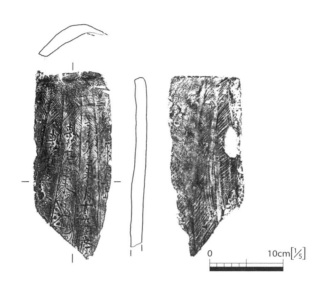

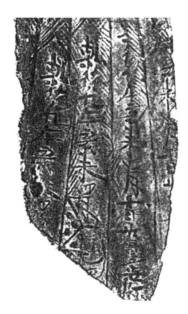

명문	연호	연호명 년도	국명(왕)	고려	절대연대
乾德九年辛未四月十日无量寺	乾德	963~967	宋 (太祖 9年)	光宗 22年	971

종류	태토	소성도	색조			제원		
			내	외	속심	길이	폭	두께
수키와	사립 포함 점토	연질	밝은회색	밝은회색	밝은회색	(22.8)	(9.7)	1.8
문양 및 제작속성								
외면			내면			측면		
종선문+교차집선문+※			포목흔, 빗질흔			와도흔		

(16) 乾德九 銘 암키와

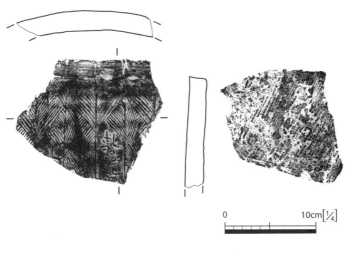

명문			연호	연호명 년도	국명(왕)	고려	절대연대
乾德九年辛未四月十日无量寺			乾德	963~967	宋 (太祖 9年)	光宗 22年	971
종류	태토	소성도	색조			제원		

종류	태토	소성도	내	외	속심	길이	폭	두께
암키와	사립 포함 점토	연질	회흑색	회흑색	회흑색	(11.9)	(14.5)	2.1

문양 및 제작속성		
외면	내면	측면
명문+종선문+삼각집선문	포목흔, 빗질흔, 도구흔	

(17) 德九年辛未 銘 암키와

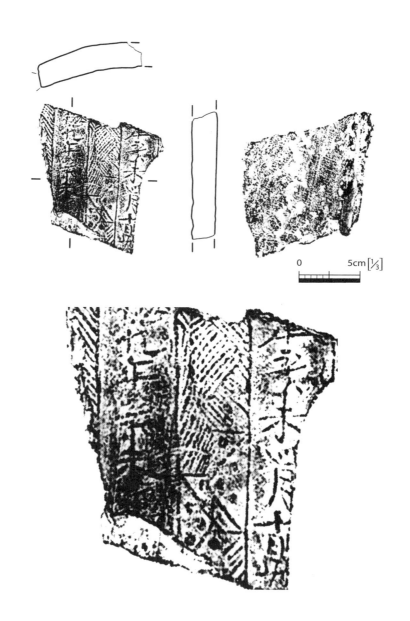

명문	연호	연호명 년도	국명(왕)	고려	절대연대
乾德九年辛未四月十日无量寺	乾德	963~967	宋 (太祖 9年)	光宗 22年	971

종류	태토	소성도	색조			제원		
			내	외	속심	길이	폭	두께
암키와	사립 포함 점토	연질	흑회색	흑회색	흑회색	(10.5)	(8.6)	1.8

문양 및 제작속성		
외면	내면	측면
명문+종선문+삼각집선문+※	포목흔, 점토접합흔	와도흔(1/3)

(18) 靑寧丙申正月日作 銘 암키와

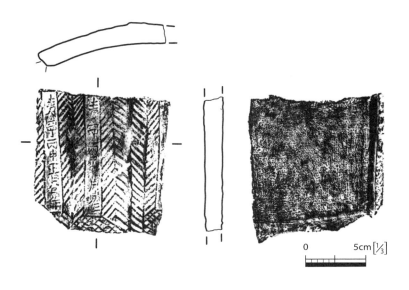

명문	연호	연호명 년도	국명(왕)		고려	절대연대
靑寧丙申正月日作	靑寧	1055~1064	遼 (道宗 9年)		文宗 10年	1056

종류	태토	소성도	색조			제원		
			내	외	속심	길이	폭	두께
암키와	사립 포함 점토	연질	회흑색	회흑색	회흑색	(11.0)	(10.6)	1.7

문양 및 제작속성		
외면	내면	측면
명문+어골문+사격자	포목흔을 떼어내며 변형된 모습	와도흔(1/2)

(19) 丙申正月日作 銘 암키와

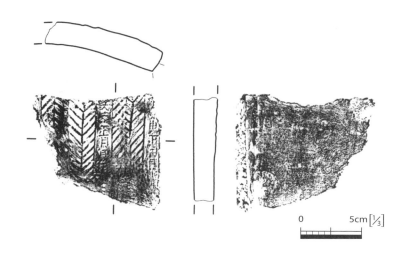

명문	연호	연호명 년도	국명(왕)	고려	절대연대
青寧丙申正月日作	青寧	1055~1064	遼 (道宗 9年)	文宗 10年	1056

종류	태토	소성도	색조			제원		
			내	외	속심	길이	폭	두께
암키와	사립 포함 점토	연질	회색	회색	회색	(8.5)	(9.8)	2.0

문양 및 제작속성		
외면	내면	측면
명문+어골문	포목흔	와도흔(1/2)

(20) 丙子年四月日O磴寺 銘 암키와

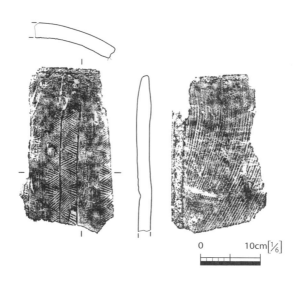

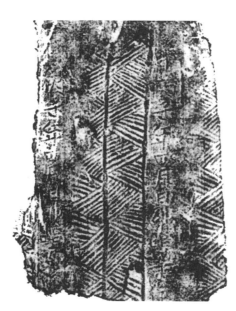

명문	간지명	간지명 년도					추정연대	
丙子年四月日O磴寺	丙子	976, 1036, 1096, 1056, 1156, 1216, 1276, 1336					1036, 1096	
종류	태토	소성도	색조			제원		
			내	외	속심	길이	폭	두께
암키와	사립 포함	연질	회색	회색	회색	(25.0)	(13.7)	2.4
문양 및 제작속성								
외면		내면				측면		
명문+횡선문+삼각집선문		포목흔, 연철흔, 빗질흔						

(21) 月日○礎寺 銘 암키와

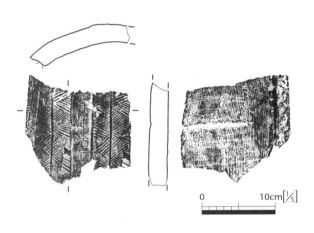

명문	간지명	간지명 년도				추정연대	
丙子年四月日○礎寺	丙子	976, 1036, 1096, 1056, 1156, 1216, 1276, 1336				1036, 1096	
종류	태토	소성도	색조			제원		
			내	외	속심	길이	폭	두께
암키와	사립 다수 혼입	연질	회흑색	회흑색	회흑색	(13.8)	(13.5)	2.6
문양 및 제작속성							
외면		내면			측면		
명문+종선문+삼각집선문		포목흔, 연철흔, 빗질흔			와도흔(2/5)		

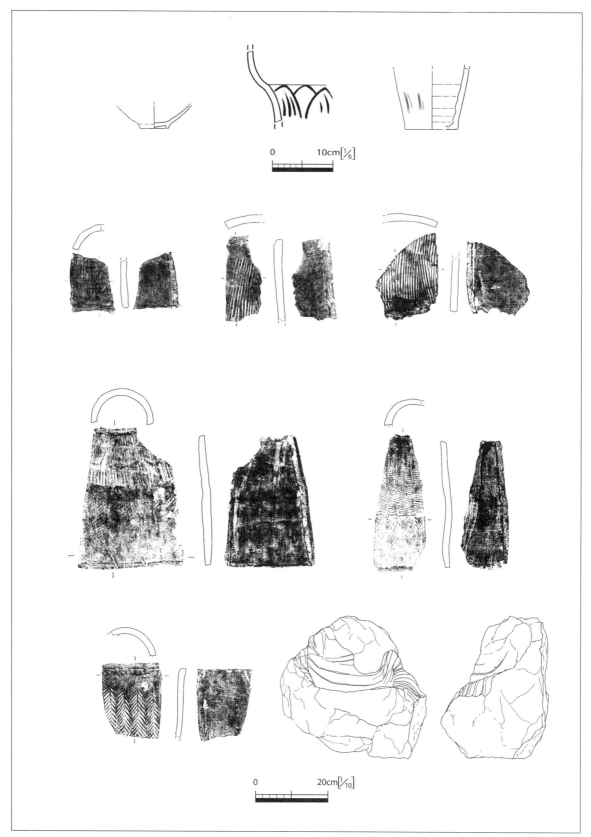

0   10cm[⅙]

0   20cm[⅒]

〈 제1건물지 공반출토유물 〉

4) 부여 부소산성 (扶餘 扶蘇山城)

유적위치	충청남도 부여군 부여읍 관북리 63-1				
조사사유	학술발굴조사				
조사연혁	1992년 ~ 1995년 (국립부여문화재연구소)				
유구현황	삼국시대~조선시대	주거지, 건물지, 석축유구, 성벽			
주요유물	기와류, 토기류, 자기류 등				
기념유물	「…年戊辰定…藏當草」銘 암키와(2점) - '마' 지구 지표출토				
	연번	보고서 유물번호	기와 종류	명문내용	연 대
	1	탑본 30-②	암키와	…年戊辰定…藏當草	1028
	2	탑본 30-③	〃	〃	〃
시기 · 성격	부소산성은 백제~조선 전반 경 까지 초축과 보축작업이 꾸준하게 시행하면서 경영되어온 성으로서 군창터를 중심으로 한 주변의 성벽 중 부소산성내의 가장자리에 위치한 포곡형산성은 삼국시대에 초축되었다. 군창터를 가장 가까이에서 에워싼 테뫼형 산성은 통일신라시대에 초축되었고 군창터의 바로 서편으로 약 40m 지점에 자리한 길이 196m의 남북향 토성은 조선 전반기경에 초축되었다. 이 명문와는 1979~1980년도에 걸쳐 조사된 부여 정림사터에서 출토된 바 있는데, 출토된 기와에 의하면 「太平八年戊辰定林寺大藏當草」로 확인되었다.				
참고문헌	國立扶餘文化財研究所, 1997, 『扶蘇山城 發掘調査 中間報告 II』, 學術研究叢書 第14輯.				

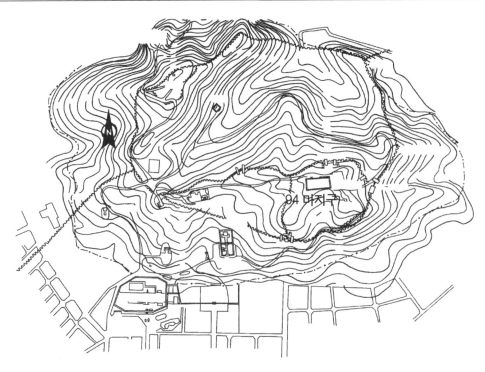

〈 조사지역 평면도 (스케일 보고서 미기재) 〉

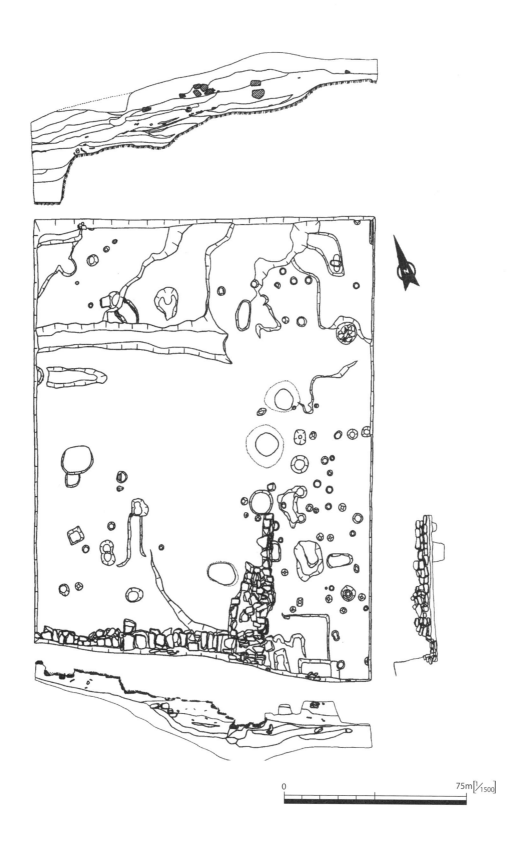

0   75m$[\frac{1}{1500}]$

〈 '마' 지구 평·단면도 (1:1,500) 〉

(1) …年戊辰定…藏當草 銘 암키와

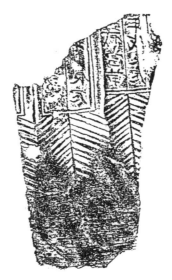

명문	연호	연호명 년도	국명(왕)	고려	절대연대
…年戊辰定…藏當草	太平	1021~1030	遼 (聖宗)	顯宗 19年	1028

종류	태토	소성도	색조			제원		
			내	외	속심	길이	폭	두께
암키와	고운 태토	연질				(22)	(14)	1.9

문양 및 제작속성		
외면	내면	측면
어골문, 명문		

⑵ …年戊辰定…藏當草 銘 암키와

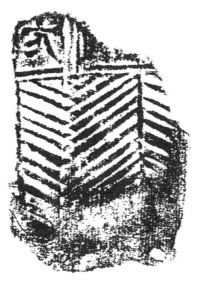

명문		연호	연호명 년도	국명(왕)		고려	절대연대
…年戊辰定…藏當草		太平	1021~1030	遼 (聖宗)		顯宗 19年	1028

종류	태토	소성도	색조			제원		
			내	외	속심	길이	폭	두께
암키와	고운 태토	연질				(12.5)	(7.3)	1.9

문양 및 제작속성		
외면	내면	측면
어골문, 명문		

5) 부여 정림사지 (扶餘 定林寺址)

유적위치	충청남도 부여군 부여읍 동남리 254번지 일대	
조사사유	유적의 복원 및 정비에 따른 발굴조사	
조사연혁	발굴조사 : 2008년 ~ 2010년	
유적입지	유적이 위치한 부여읍은 백마강 굴곡부에 扶蘇山이 솟아있고, 그 남측은 평탄면과 구릉성 지형으로 되어 있다. 본 사지는 왕궁터 중심에서 남쪽으로 뻗은 주작대로상의 동측에 위치한다. 토층을 볼 때 이곳은 원래 저습지였으며 그 위에 복토를 하고 사찰을 조영하였던 것으로 보인다.	
유구현황	백제시대(사비기) ~ 고려시대	강당지, 승방지, 중문지, 금당지, 회랑지, 와열유구 등
주요유물	기와류, 토기류, 완류, 등잔, 기타 토제품 등	
시기·성격	정림사지에는 오층석탑과 석불좌상이 원위치를 지키고 있다. 오층석탑의 1층 탑신부에는 660년 8월 15일 당나라 장군 소정방의 승전기공기인 「大唐平百濟國碑」 명문이 새겨져있고, 통일신라시대~고려시대의 양식인 석불좌상은 백제시대 강당지 자리에 안치되어 숭배의 대상으로 예불되어 왔다. 유적은 조선후기인 18세기~19세기 고지도 [『輿地圖書』「扶餘縣 古蹟條」(1759년), 『忠淸道地圖』「扶餘縣地圖 古蹟條」(1872년)]와 읍지 [『忠南都邑誌』「扶餘縣邑誌 古蹟條」(1845년), 『忠淸南道邑誌』「扶餘郡邑誌 古蹟條」(1899년)]에 오층석탑이 평제탑(平濟塔)으로 표시되어 있어 그 위치와 존재가 알려져 왔다. 　이 일대에서는 청동기시대의 무문토기와 석기가 일부 출토되어 일정기간 동안 청동기시대 문화층이 형성되었던 것을 알 수 있다. 이후 삼국시대의 사비시기에는 정림사가 창건되기 이전, 낮은 저지대를 중심으로 소성유구 등 공방 관련 시설이 조성되어 있었던 것으로 보이는데, 원형노지의 고지자기 측정에서는 7세기 전반에 해당하는 편년자료를 획득하였다. 삼국시대의 정림사지는 서회랑·서승방·동승방·강당지·북승방지, 공방 관련 유구 등이 확인되어 백제 사비시기의 가람배치를 파악할 수 있었다. 　고려시대의 정림사와 관련하여서는 중문지, 금당지, 동회랑지, 동북구 일대의 적심석군 등이 확인되었다. 한편 1028년에 중건 된 이후 동회랑지 부분에서 재건된 흔적이 파악되기도 하였다. 또한 사역 서편에 가마를 조성하여 작업하였는데 내부에서는 다량의 토기편이 일괄로 출토되었다. 이를 통해 중건 이전 시기에 사찰에서 있었던 토기의 생산과 공급양상에 대해서도 알게 되었다.	
참고문헌	국립부여문화재연구소, 2011,『扶餘 定林寺址』, 學術研究叢書 第61輯.	

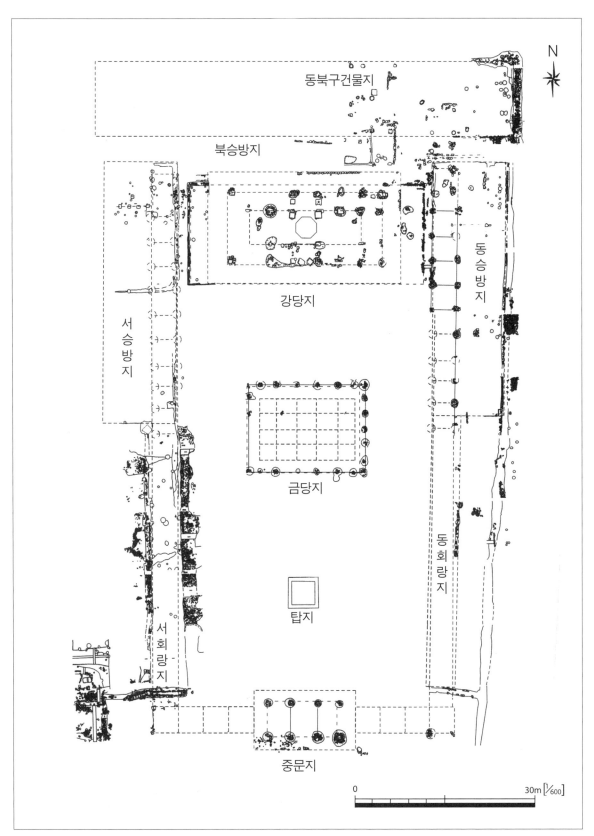

〈 조사지역 유구배치도 (1:600) 〉

5)-1 부여 정림사지 강당지

유구성격	강당지는 석탑의 중심으로부터 북으로 약 57.5m 떨어져 있으며, 고려시대 금당지의 북측열 적심석에서 약 15m 북쪽에 위치한다. 확인된 강당지의 기단 규모는 동서 너비 39.1m, 남북 길이 17.9m보다 세장하게 조성된 것으로 드러났다. 사비시기에 조성된 강당지로 판명되었으며 「太平八年」銘 기와는 고려시대층에서 출토되었다.			
시 기	고려시대			
기년유물	「太平八年」銘 암키와(1점)				

연번	보고서 유물번호	기와 종류	명문내용	연 대
1	94	암키와	太平八年戊辰定林寺大藏當草	1028
2	98	〃	〃	〃
3	100	미구기와	〃	〃

공반유물	무문수키와, 전면직선문수키와, 어골문수키와, 어골문암키와, 어골격자회자문암키와, 완

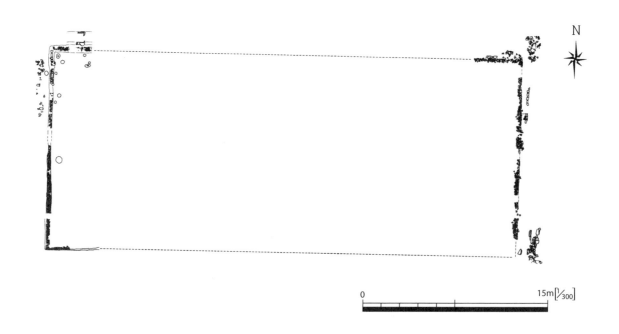

〈 강당지 평면도 (1:300) 〉

(1) 太平八年戊辰定林寺大藏當草 銘 암키와

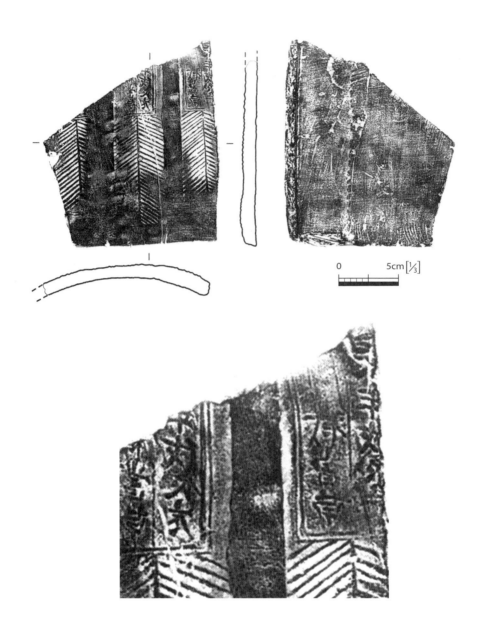

명문	연호	연호명 년도	국명(왕)	고려		절대연대
太平八年戊辰定林寺大藏當草	太平	1021~1030	遼 (聖宗)	顯宗 19年		1028

종류	태토	소성도	색조			제원		
			내	외	속심	길이	폭	두께
암키와	점토에 가는 사립이 혼입됨	경질	회색	회청색	회색	(24.1)	(22.2)	1.8

문양 및 제작속성		
외면	내면	측면
어골문, 명문	포흔	와도흔 내측 약 0.2㎝

(2) 太平八年戊辰定林寺大藏當草 銘 암키와

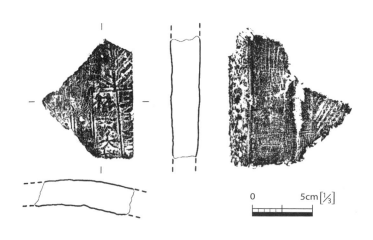

명문	연호	연호명 년도	국명(왕)		고려	절대연대
太平八年戊辰定林寺大藏當草	太平	1021~1030	遼 (聖宗)		顯宗 19年	1028

종류	태토	소성도	색조			제원		
			내	외	속심	길이	폭	두께
암키와	점토에 가는 사립이 혼입됨	경질	흑회색	흑회색	흑회색	(6.5)	(8.2)	2.8

문양 및 제작속성		
외면	내면	측면
어골문, 명문	포흔, 쓸림흔	와도흔 내측 0.3㎝

⑶ 太平八年戊辰定林寺大藏當草 銘 암키와

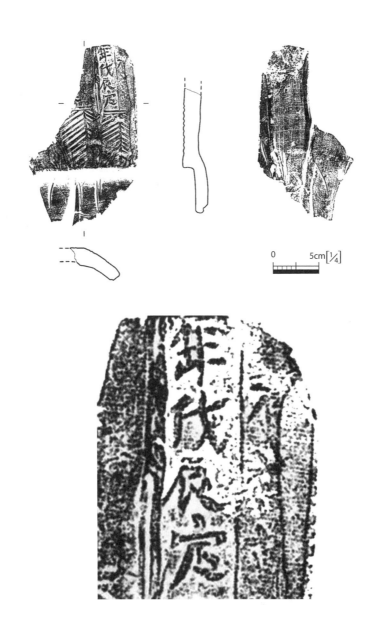

명문	연호	연호명 년도	국명(왕)	고려	절대연대
太平八年戊辰定林寺大藏當草	太平	1021~1030	遼 (聖宗)	顯宗 19年	1028

종류	태토	소성도	색조			제원		
			내	외	속심	길이	폭	두께
암키와	점토에 가는 사립이 혼입됨	경질	회색	회색	회색	(13.2)	(5.4)	1.8

문양 및 제작속성		
외면	내면	측면
어골문, 명문	포흔	전면 와도흔 두께 약 1.0㎝

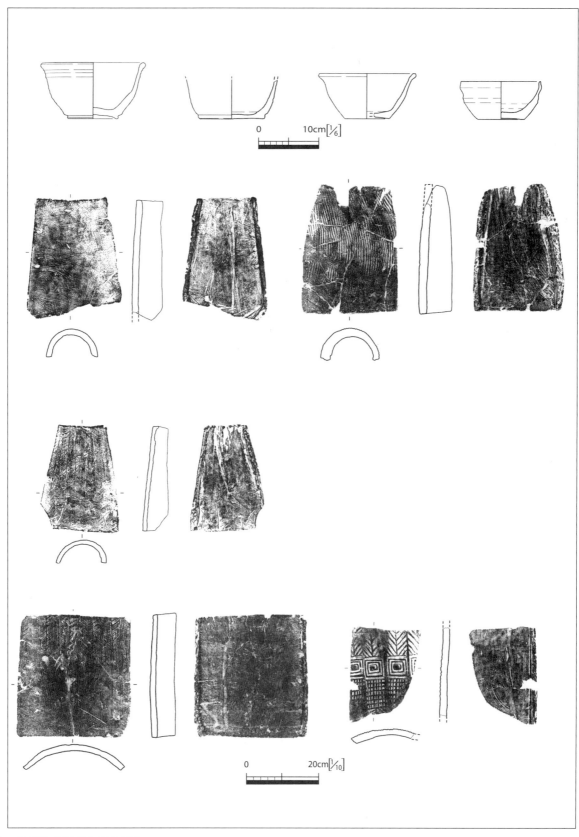

〈 강당지 공반출토유물 〉

5)-2 부여 정림사지 동승방지

유구성격	동승방지는 강당지 동측기단에서 동편으로 약 1.2m 간격을 두고 이격되어 있다. 건물의 남단은 금당지의 중심지점에 이르러 동회랑과 연결된 것으로 보이며, 북단은 강당지의 북측기단보다 3.2m 더 연장되어 있다. 　최근의 조사에서 처음 확인된 유구로, 고려시대 재건 성토층과 사비시기 퇴적토 하부에서 와적기단 건물지도 발견되었다. 동측기단열 대부분과 남·북측 기단열 일부가 비교적 양호하게 남아 있어 건물의 규모를 추정할 수 있었다. 확인된 동승방지의 규모는 남북길이 39.3m, 동서너비 12.1m의 세장방형이다.				
시 기	고려시대				
기년유물	「太平八年」銘 암키와(1점)				
	연번	보고서 유물번호	기와 종류	명문내용	연 대
	4	95	암키와	太平八年戊辰定林寺大藏當草	1028
	5	96	〃	〃	〃
	6	97	〃	〃	〃
공반유물	수막새편, 암막새편, 수키와, 미구기와, 암키와, 청자편, 청동접시				

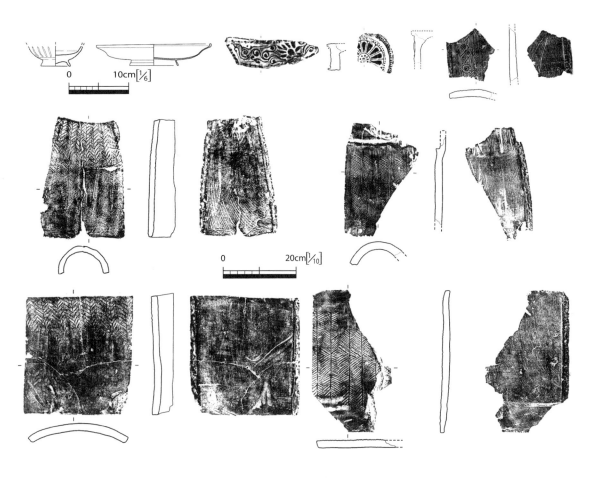

〈 동승방지 공반출토유물 〉

추정계단지

강당지

동승방지

탐색Tr

탐색Tr

탐색Tr

N4E3

N3E3

N2E3

N1E3

0   5m [1/250]

〈 동승방지 평면도 (1:250) 〉

(4) 太平八年戊辰定林寺大藏當草 銘 암키와

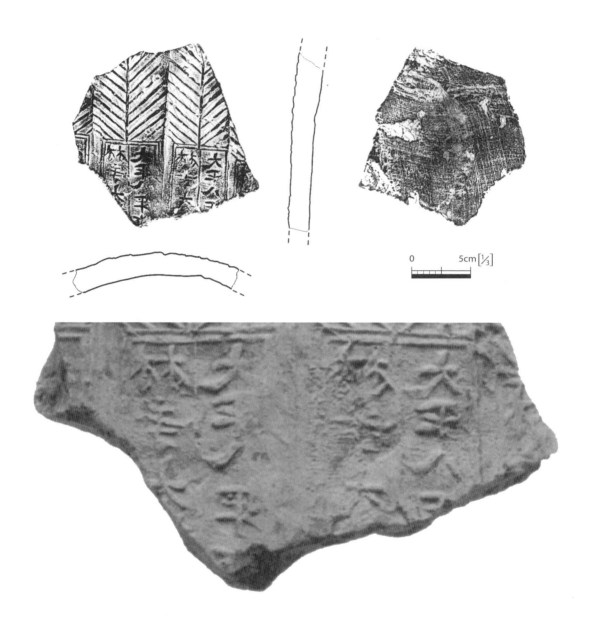

명문	연호	연호명 년도	국명(왕)	고려	절대연대
太平八年戊辰定林寺大藏當草	太平	1021~1030	遼 (聖宗)	顯宗 19年	1028

종류	태토	소성도	색조			제원		
			내	외	속심	길이	폭	두께
암키와	점토에 가는 사립이 혼입됨	경질	회청색	회색	회청색	(14.3)	(13.6)	1.7

문양 및 제작속성		
외면	내면	측면
어골문, 명문	포흔	결실로 알 수 없음

⑸ 太平八年戊辰定林寺大藏當草 銘 암키와

명문			연호	연호명 년도	국명(왕)	고려	절대연대
太平八年戊辰定林寺大藏當草			太平	1021~1030	遼 (聖宗)	顯宗 19年	1028

종류	태토	소성도	색조			제원		
			내	외	속심	길이	폭	두께
암키와	점토에 가는 사립이 혼입됨	경질	회청색	회청색	회청색 속에 적갈색을 띰	(24.0)	(15.5)	1.9

문양 및 제작속성		
외면	내면	측면
어골문, 명문	단부내면 조정(약 5.0㎝) 포흔, 쓸림흔	와도흔 내측(약 0.2㎝)

⑹ 太平八年戊辰定林寺大藏當草 銘 암키와

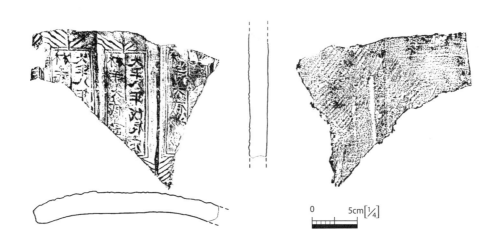

명문		연호	연호명 년도	국명(왕)	고려	절대연대
太平八年戊辰定林寺大藏當草		太平	1021~1030	遼 (聖宗)	顯宗 19年	1028

종류	태토	소성도	색조			제원		
			내	외	속심	길이	폭	두께
암키와	점토에 가는 사립과 소량의 작은 석립이 혼입됨	경질	회청색	회청색	회청색	(13.2)	(20.2)	2.1

문양 및 제작속성		
외면	내면	측면
어골문, 명문	포흔, 쓸림흔	와도흔 내측(약 0.3cm)

5)-3 부여 정림사지 북승방지

유구성격	북승방지는 강당지의 북측기단에서 약 7m, 동승방지의 북측기단에서 약 4m 이격되어 위치한다. 강당지 보호각 중심에서 서북편 일대는 일제강점기에 현 지표에서 약 0.8m 깊이까지 대지 평탄화를 위한 성토가 이루어져 삼국시대~고려시대 유구는 모두 절토되어 남아있지 않았다. 다만 강당지 보호각 뒤편으로는 최근에 조성된 서남향하는 도랑과 주변에 시설된 기둥자리들이 일부 발견되고 있다. 한편, 동북편 일대에서는 사비시기 정림사의 북승방지, 고려시대 정림사의 적심석군이 표토 바로 아래에서 확인되었다.
시 기	고려시대
기년유물	「太平八年」銘 암키와(1점)

연번	보고서 유물번호	기와 종류	명문내용	연대
7	93	암키와	太平八年戊辰定林寺大藏當草	1028

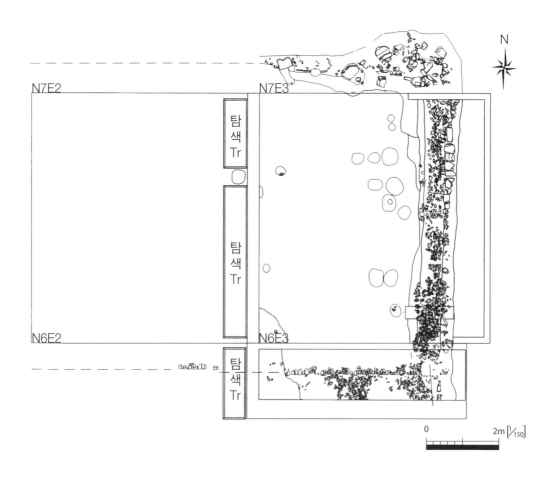

〈 북승방지 평면도 (1:150) 〉

(7) 太平八年戊辰定林寺大藏當草 銘 암키와

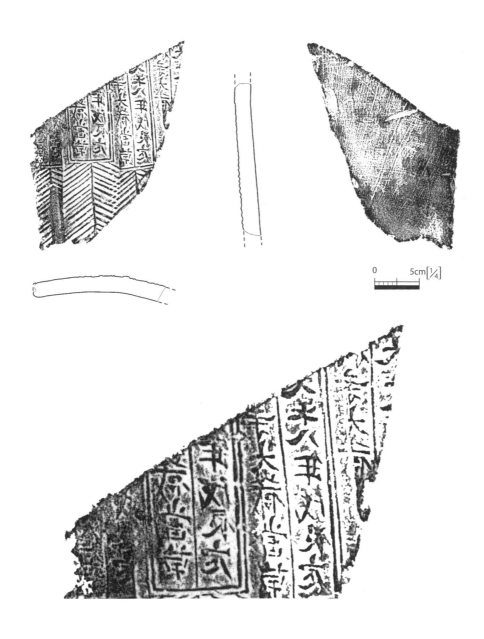

0   5cm[¼]

명문		연호	연호명 년도	국명(왕)	고려	절대연대
太平八年戊辰定林寺大藏當草		太平	1021~1030	遼 (聖宗)	顯宗 19年	1028
종류	태토	소성도	색조			제원		
			내	외	속심	길이	폭	두께
암키와	짐토에 가는 사립이 혼입됨	경질	회색	회색	회색	(15.8)	(14.0)	1.6
문양 및 제작속성								
외면		내면			측면			
어골문, 명문		포흔, 쓸림흔			결실로 알 수 없음			

6) 보령 성주사지(保寧 聖住寺址)

유적위치	충청남도 보령시 성주면 성주리 72번지 일원 성주사지 사역 내
조사사유	보령 성주사지 사역 정비를 위한 학술 발굴
조사연혁	실측조사 : 1968년, 1972년 (동국대학교 박물관) 발굴조사 : 1991.07.23 ~ 1991.09.03 (1차-충남대학교 박물관) 　　　　　 1991.09.03 ~ 1991.11.08 (2차-충남대학교 박물관) 　　　　　 1992.08.01 ~ 1992.10.31 (3차-충남대학교 박물관) 　　　　　 1993.08.10 ~ 1993.12.07 (4차-충남대학교 박물관) 　　　　　 1994.07.08 ~ 1994.11.14 (5차-충남대학교 박물관) 　　　　　 1996.03.01 ~ 1996.05.26 (6차-충남대학교 박물관) 　　　　　 2009.06.05 ~ 2009.12.08 (7차-백제문화재연구원) 　　　　　 2010.03.22 ~ 2010.08.27 (8차-백제문화재연구원)
유적입지	보령군 성주면 성주리 일원은 보령지역의 남포층군 퇴적암 지역의 중심부로 험한 산지를 이루고 있다. 북쪽은 성주산~문봉산으로 이어지는 산지로서 청라면과 경계하고, 서쪽은 성주산, 양각산으로 이어지는 산줄기로 부여군 외산면과 경계한다. 성주산 왕자봉 동쪽 기슭에 형성된 완사면과 성주천이 만나는 곳에 형성된 좁은 평지에 성주사지와 마을이 들어 서 있다.
유구현황	고려시대　건물지(14), 남회랑(1) 조선시대　건물지(7)
주요유물	암막새, 수막새, 자기류, 토기류, 금속류, 명문기와 등
시기 · 성격	기와류, 청자, 백자류, 토기류 등의 양상을 종합해 보면 성주사 창건기 부터 통일신라~조선시대에 걸쳐 불교문화가 왕성했던 것으로 보인다. 특히 고려시대의 것으로 편년되는 유물들이 다종다양한 형태로 확인되어 주목된다. 조선시대로 편년되는 유물은 사역 중심과 가까운 조사지역 동쪽의 조선시대 건물지에서 대부분 확인되었다. 그 유물들은 15~16세기로 편년할 수 있고, 그 이후시기의 유물은 거의 확인되지 않음에 따라 16세기 이후부터는 성주사의 명맥이 차츰 약해졌을 것으로 보인다.
참고문헌	百濟文化財研究院, 2011,『聖住寺址 - 7次 發掘調査 報告書 -』, 第27輯. 百濟文化財研究院, 2012,『聖住寺址 - 8次 · 8次 연장 發掘調査 報告書 -』, 第35輯.

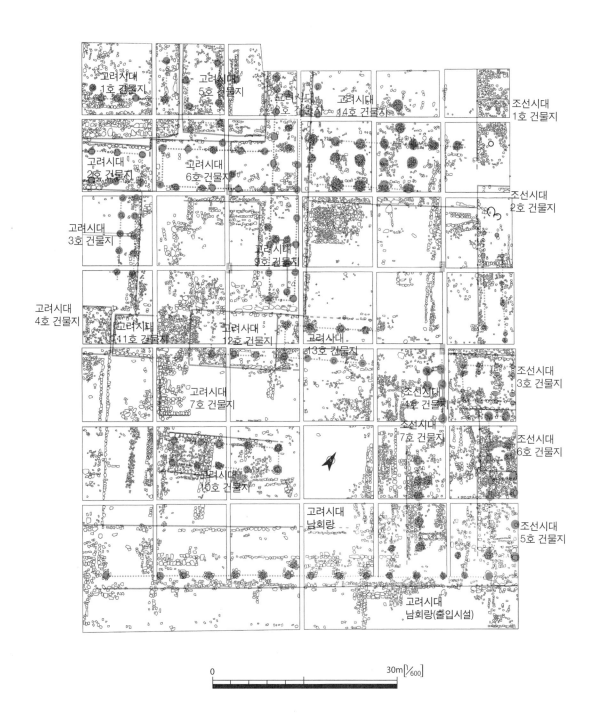

고려시대
1호 건물지

고려시대
5호 건물지

고려시대
6호 건물지

고려시대
14호 건물지

조선시대
1호 건물지

고려시대
2호 건물지

고려시대
6호 건물지

조선시대
2호 건물지

고려시대
3호 건물지

고려시대
9호 건물지

고려시대
4호 건물지

고려시대
11호 건물지

고려시대
12호 건물지

고려시대
13호 건물지

조선시대
3호 건물지

고려시대
7호 건물지

조선시대
4호 건물지

조선시대
7호 건물지

조선시대
6호 건물지

고려시대
10호 건물지

고려시대
남회랑

조선시대
5호 건물지

고려시대
남회랑(출입시설)

0   30m[1/600]

〈 조사지역 전체유구배치도(1:600) 〉

6)-1 보령 성주사지 남회랑

유구성격	남회랑은 1~6차 발굴조사 시 확인된 것으로 8차 조사지역 까지 연장되어 잔존하고 있음을 확인하였다. 남회랑 내부에는 담장으로 추정되는 동-서방향의 석렬이 회랑의 기단토와 내부적심을 파괴하고 중복되어 있으며, 남쪽기단에 인접해 적심열이 위치한다. 회랑 남쪽에서는 동쪽으로 약간 치우쳐 3단을 이루는 계단식 출입시설이 확인되었다. 계단시설 전면에 조성되어 있는 부석시설과 남회랑 기단토 내부에서 「咸雍」銘 암키와와 元符通寶가 확인됨에 따라 회랑과 출입시설의 축조 연대가 11세기 말을 전후한 시점임을 알 수 있다.				
시 기	고려시대				
기년유물	「聖咸雍」銘 암키와(2점), 「咸雍六年」銘 암키와(2점)				
	연번	보고서 유물번호	기와 종류	명문내용	연대
	1	782	암키와	聖咸雍	1070
	2	783	〃	〃	〃
	3	805	〃	聖住寺 咸雍六年	〃
	4	806	〃	聖住寺 咸雍六年造	〃
공반유물	자기, 토기, 평기와, 명문기와, 석재 등				

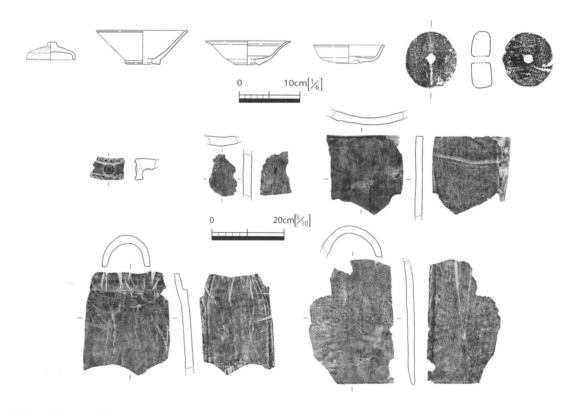

〈 남회랑 공반출토유물 〉

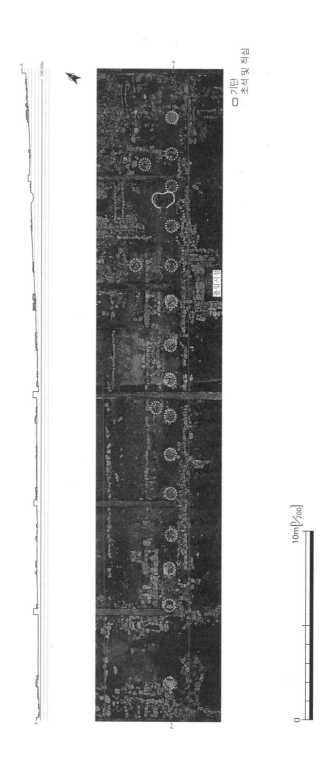

150.50m

□ 기단
□ 초석 및 적심

줄입시설

10m [1/200]
0

〈 남회랑 평 · 단면도 (1:200) 〉

(1) 聖咸雍 銘 암키와

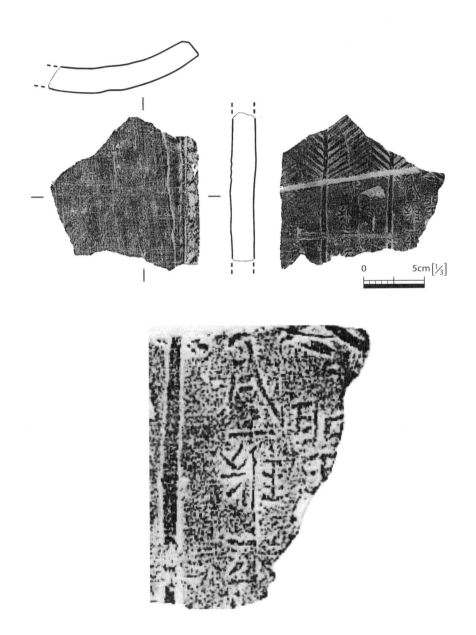

명문	연호	연호명 년도	국명(왕)		고려		절대연대
聖咸雍	咸雍	1065~1074	遼 (道宗 16年)		文宗 24年		1070

종류	태토	소성도	색조			제원		
			내	외	속심	길이	폭	두께
암키와	소량의 세사립	경질	회색	회색	회색	(12.0)	(12.5)	1.9

문양 및 제작속성		
외면	내면	측면
방곽문+어골문, 띠흔적	포목흔, 점토합흔	와도흔

(2) 聖咸雍 銘 암키와

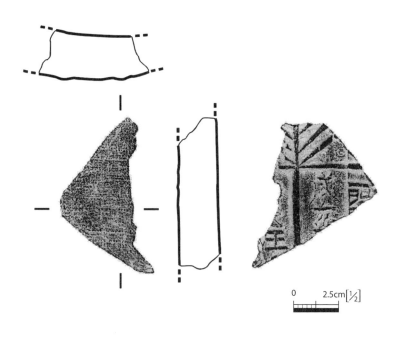

0　2.5cm[½]

명문		연호	연호명 년도	국명(왕)		고려	절대연대
聖咸雍		咸雍	1065~1074	遼 (道宗 16年)		文宗 24年	1070
종류	태토	소성도	색조			제원		
			내	외	속심	길이	폭	두께
암키와	소량의 세사립	경질	회색	회색	회색	(8.4)	(8.1)	2.1
문양 및 제작속성								
외면			내면			측면		
방곽문+어골문			포목흔					

(3) 聖住寺 咸雍六年 銘 암키와

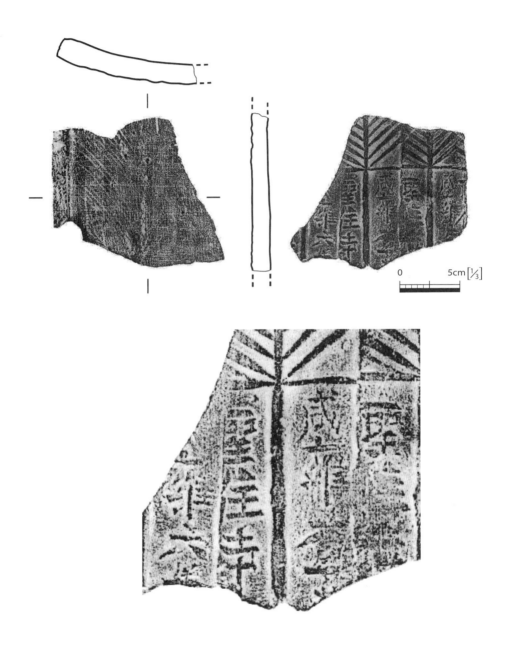

명문	연호	연호명 년도	국명(왕)	고려	절대연대
聖住寺 咸雍六年	咸雍	1065~1074	遼 (道宗 16年)	文宗 24年	1070

종류	태토	소성도	색조			제원		
			내	외	속심	길이	폭	두께
암키와	소량의 세사립, 석립	경질	회백색	회백색	회백색	(12.5)	(11.6)	1.5

문양 및 제작속성		
외면	내면	측면
어골문+방곽문	포목흔, 사절흔, 분할계선, 점토합흔	와도흔

(4) 聖住寺 咸雍六年造 銘 암키와

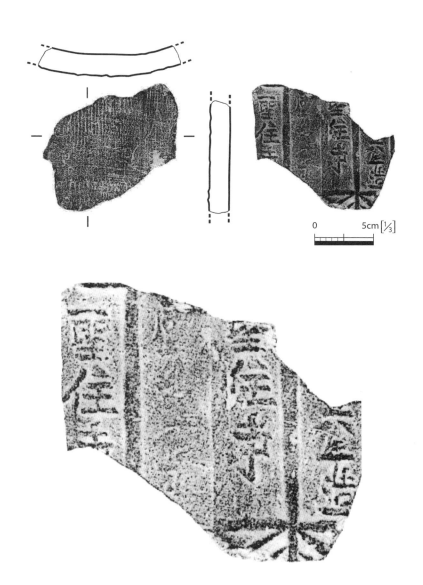

명문	연호	연호명 년도	국명(왕)		고려	절대연대
聖住寺 咸雍六年造	咸雍	1065~1074	遼 (道宗 16年)		文宗 24年	1070

종류	태토	소성도	색조			제원		
			내	외	속심	길이	폭	두께
암키와	소량의 세사립	경질	흑회색	적갈색	적갈색	(9.0)	(11.9)	1.6

문양 및 제작속성		
외면	내면	측면
어골문+방곽문	포목흔	

7) 서산 보원사지 (瑞山 普願寺址)

유적위치	충청남도 서산시 운산면 용현리 105번지 일대
조사사유	서산 보원사지 종합정비계획의 일환으로 서산시의 유적 학술조사 의뢰
조사연혁	발굴조사 : 2006.03 ~ 2006.12 (1차-국립부여문화재연구소) 　　　　　2007.03 ~ 2007.12 (2차-국립부여문화재연구소) 　　　　　2008.03 ~ 2008.12 (3차-국립부여문화재연구소) 　　　　　2009.04 ~ 2009.12 (4차-국립부여문화재연구소)
유적입지	보원사지가 위치한 서산시는 한반도의 중서부인 충청남도 북서부의 태안반도 근처에 위치해 있다. 이 일대는 지형적으로 가야산, 팔봉산, 백화산 등의 큰 산들과 구릉성 산지가 펼쳐져 있어 이른바 '내포지방'에 속하며 예로부터 충남의 차령산맥 동남부지역과 구별되는 하나의 문화권을 형성해 왔다. 내포문화권은 포구를 끼고 있어 중국의 선진 문물을 수용하기 유리한 위치를 가진 관문이기도 하다. 또한 해안과 평야를 끼고 있어 경제적인 안정을 구축하여 독특한 문화권을 형성하였다.
유구현황	고려시대~조선시대　│　건물지 42기, 축대 4기, 담장지 14기, 배수시설 8기 등
주요유물	연화문수막새, 당초문암막새, 분청사기접시, 묵서명백자, 주름문도기병, 상감청자잔탁, 해무리굽 청자, 청자화분, 어골문기와, 분청사기, 등

기년유물	「丙子三月日文沬阼扞苗」銘 암키와(1점), - 금당지와 축대사이에서 출토 「大德」銘 암키와(1점) - 금당지 북서편에서 출토

연번	보고서 유물번호	기와 종류	명문내용	연대
1	90 (보고서 II)	수키와	大德	1297~1306
2	123 (보고서 I)	암키와	丙子三月日文沬阼扞苗	976, 1036, 1096, 1156, 1216, 1276, 1336

시기·성격	보원사지 중심영역에서 확인, 조사된 건물지 유구는 그 존속시기가 2기로 구분 가능하다. 제1기는 고려시대(12~14세기 추정)로 건물지1과 건물지3이 이에 속한다. 다만 건물지 3이 남동방향으로 약 2.8° 틀어져 있어 건물지1과 건물의 주축방향을 달리한다는 점에서 이 두 건물지가 시기차를 두고 축조되었을 가능성이 있는 것으로 추정되며 폐기시기 또한 금당지의 축조 이전이라는 점 이외에는 별다른 단서를 확인할 수 없었다. 　제2기는 조선시대(15~19세기)로 금당지, 건물지2, 건물지4, 건물지5 및 추정 문지가 이에 속한다. 금당지, 건물지4, 건물지5는 오층석탑을 중심으로 한 기본 청사진에 입각하여 배치된 정형성을 보여 거의 동시기에 축조된 것으로 생각되는 반면, 건물지2의 경우는 앞의 조선시대 보원사의 가람배치 청사진의 주축을 이루는 위치관계에 있지 못하고 부수적으로 추가된 듯한 배치상태를 보이고 있다. 비록 건물지2가 건물지4·5와 유사한 기단 조성방식을 취하기는 하나 주초석을 비롯한 하층구조 조성방식이 차이를 보이고 있어 약간의 시기차를 두고 후에 축조되었을 가능성이 있다. 다만 그 시기차는 유물(특히 도자기)의 출토내용으로 볼 때 그리 크지 않은 것으로 추정된다.

참고문헌	국립부여문화재연구소, 2010, 『瑞山 普願寺址 I』, 學術研究叢書 第57輯. 국립부여문화재연구소, 2012, 『瑞山 普願寺址 II』, 學術研究叢書 第68輯.

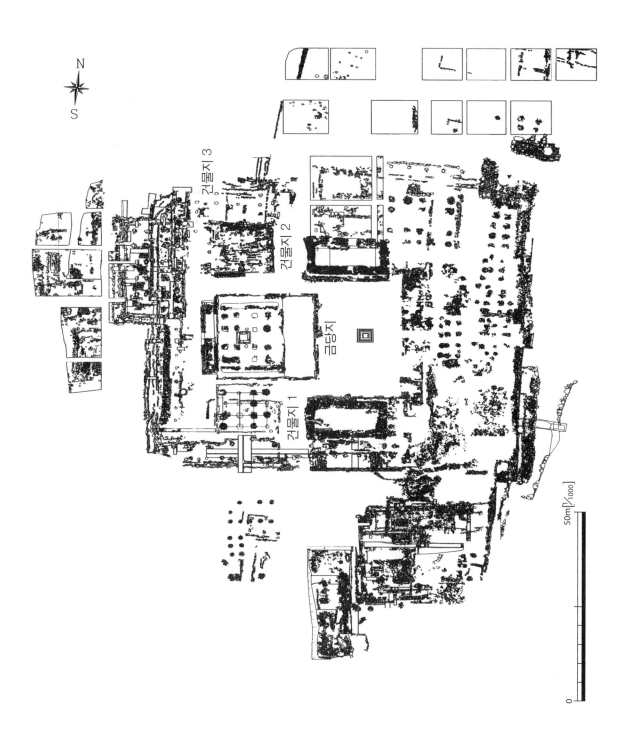

건물지 3

건물지 2

금당지

건물지 1

〈 조사지역 전체유구배치도 (1:1,000) 〉

(1) 大德… 銘 암키와

명문	연호	연호명 년도	국명(왕)	고려	추정연대
大德…	大德	1297~1306	元 (成宗)	高麗 忠烈王	1297~1306

종류	태토	소성도	색조			제원		
			내	외	속심	길이	폭	두께
수키와	가는 사립이 혼입됨	경질	회색	회색	회색	(8.3)	(6.6)	2.6

문양 및 제작속성		
외면	내면	측면
무문, 명문이 종방향 음각으로 새겨짐	포흔, 눈테흔	내면에서 등면으로 와도 분할흔

(2) 丙子三月日文沫阩扦苗 銘 암키와

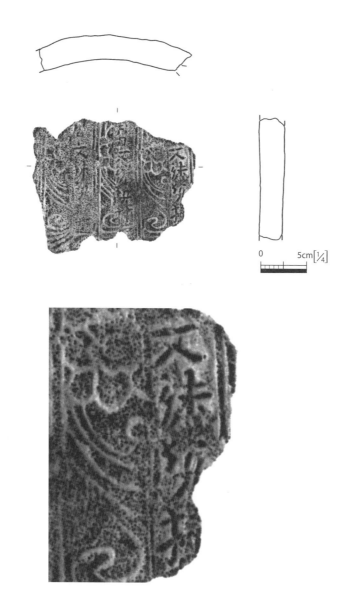

명문	간지명	간지명 년도				추정연대	
丙子三月日文沫阩扦苗	丙子	976, 1036, 1096, 1156, 1216, 1276, 1336					
종류	태토	소성도	색조			제원	
			내	외	속심	길이	폭	두께
암키와	세사립이 섞인 사질점토	경질	진회색	진회색		(13.3)	(15.5)	2.7
문양 및 제작속성							
외면		내면			측면		
초화문		포목흔					

7)-1 서산 보원사지 건물지 1

유구성격	건물지 1은 동쪽의 건물지 5와는 6.7m 정도 떨어져 있고 북편으로는 금당지와 바로 인접한(인접 기단열 간의 거리:0.8~0.9m 내외) 상태로 발견되었다. 건물지 1의 바닥부분은 각기 0.1m 정도 두께로 대부분 평기와를 다량 포함한 토사층인 와적층과 자갈층을 번갈아 깔고 그 위에 황갈색사질토를 덮어 성토하였다. 여기에 주초석이 들어설 자리에 지름 0.9~1.0m, 깊이 0.4~0.5m 정도의 구덩이를 파고 그 안에 적심석을 채운 뒤 주초석을 올려놓았는데 일부는 초석이 유실되고 적심만 남아 있다. 주초석으로는 상면이 비교적 편평한 냇돌 등의 자연석을 주로 사용하였지만 지름 1.0m, 두께 약 0.3m의 원반 형태로 치석된 석부재도 1개소에 사용되었다. 기단은 길이 0.4~0.7m 내외의 자연석을 사용하였는데 기단의 측면과 상면이 될 부분에 편평한 강돌 등을 골라 조성하였다.				
시 기	고려시대~조선시대				
기년유물	「丙子文沫阠扞苗」銘 암키와(1점)				
	연번	보고서 유물번호	기와 종류	명문내용	연대
	3	120 (보고서 Ⅰ)	암키와	丙子三月日文沫阠扞苗	976, 1036, 1096, 1156, 1216, 1276, 1336
공반유물	수막새, 암막새, 암키와, 수키와, 보상화문전, 치미, 청자접시, 녹청자 잔, 청자 잔, 청자 연봉, 분청사기 접시, 분청사기 잔, 분청사기 병, 백자 접시, 백자 접시, 백자 발, 백자 뚜껑, 백자 도지미				

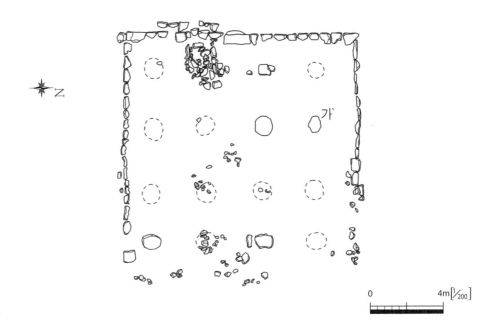

〈 건물지 1 평면도 (1:200) 〉

(3) 丙子三月日文沬阼扡苗 銘 암키와

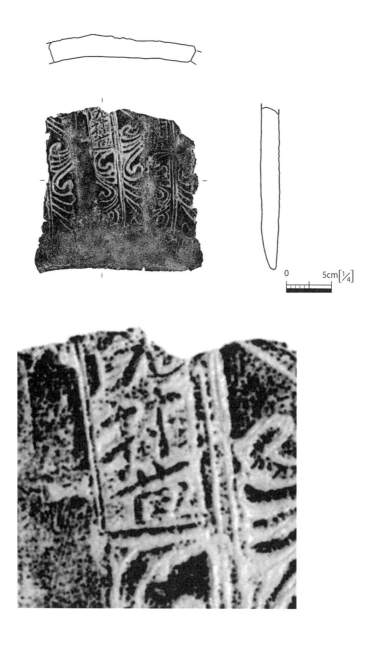

명문	간지명	간지명 년도				추정연대	
丙子三月日文沬阼扡苗	丙子	976, 1036, 1096, 1156, 1216, 1276, 1336					
종류	태토	소성도	색조			제원	
			내	외	속심	길이	폭	두께
암키와	세사립이 섞인 사질점토	경질	진회색	진회색		(17.7)	(17.4)	2.0
문양 및 제작속성							
외면			내면			측면	
초화문, 명문은 대부분 결실되어 「扡苗」자만 확인됨							

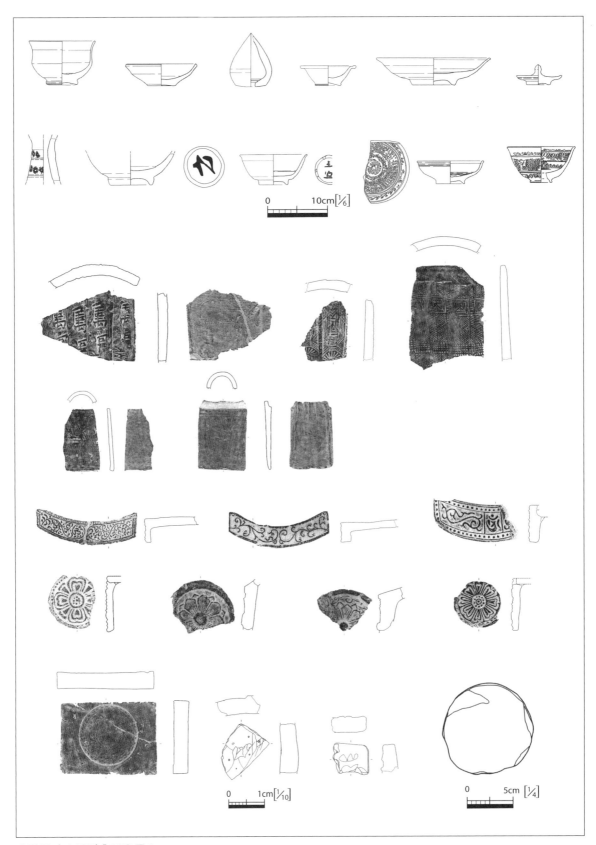

〈 건물지 1 공반출토유물 〉

7)-2 서산 보원사지 건물지 3

유구성격	건물지 3은 기단열이 확인되지 않아 정확한 건물의 규모를 논하기 어려우나 동서방향 초석렬의 양단 간 거리가 약 11m, 남북방향 초석렬의 양단 간 거리가 약 15m로 정면보다 측면이 긴 평면형태를 보인다. 정면 4칸(주칸 거리 2.5~2.6m), 측면 3칸(주칸 거리 4.5~4.9m)이며 건물 내부의 중심축 부분에는 초석을 두지 않았다. 초석으로는 대형 냇돌(지름 또는 한변의 길이가 0.5~0.8m 내외)과 같은 자연석을 주로 사용하였는데 후대 교란으로 6기가 결실되었다. 특이한 점은 보원사지 중심영역의 건물지들이 정면축을 모두 정동향을 중심축으로 하는데 건물지 3만 방향축을 달리하여 동남편으로 약 2.8° 틀어져 있다.				
시 기	고려시대~조선시대				
기년유물	「丙子文沐阼扜苗」銘 암키와(1점)				
	연번	보고서 유물번호	기와 종류	명문내용	연대
	4	121 (보고서 Ⅰ)	암키와	丙子三月日文沐阼扜苗	976, 1036, 1096, 1156, 1216, 1276, 1336
	5	122 (보고서 Ⅰ)	〃	〃	〃
공반유물	수막새, 암막새, 명문암키와, 치미, 소형벼루, 청자접시, 청자 종지, 청자 발, 분청사기 대접, 백자 발				

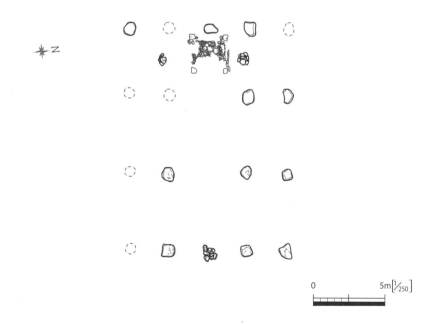

〈 건물지 3 평면도 (1:250) 〉

(4) 丙子三月日文沬阩扝苗 銘 암키와

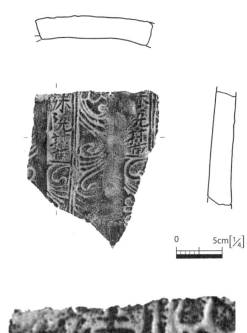

명문		간지명	간지명 년도				추정연대	
丙子三月日文沬阩扝苗		丙子	976, 1036, 1096, 1156, 1216, 1276, 1336					
종류	태토	소성도	색조			제원		
			내	외	속심	길이	폭	두께
암키와	세사립이 섞인 사질점토	경질	회색	회색		(16.3)	(13.3)	2.3
문양 및 제작속성								
외면			내면			측면		
초화문								

(5) 丙子三月日文沫阩扦苗 銘 암키와

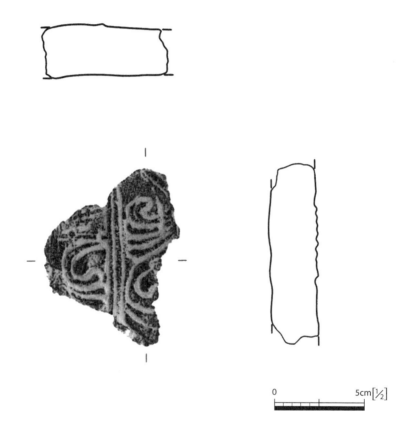

명문	간지명	간지명 년도				추정연대		
丙子三月日文沫阩扦苗	丙子	976, 1036, 1096, 1156, 1216, 1276, 1336						
종류	태토	소성도	색조			제원		
			내	외	속심	길이	폭	두께
암키와	세사립이 섞인 사질점토	경질	진회색	진회색		(10)	(7.4)	2.9
문양 및 제작속성								
외면			내면			측면		
초화문								

〈 건물지 3 공반출토유물 〉

8) 서천 남산성 (舒川 南山城)

유적위치	충청남도 서천군 서천읍 남산리 산 22-1번지 일원				
조사사유	서천 남산성 정비·복원을 위한 발굴조사				
조사연혁	발굴조사 : 2001.6.28 ~ 2001.09.10 (1차-충청문화재연구원) 2004.9.13 ~ 2001.12.01 (2차-충청문화재연구원)				
유적입지	남산 정상부의 남산성은 서천읍 南山里와 馬西面 鳳南里의 경계지점에 위치한다. 충청남도의 서남단의 서천군은 서해안의 중앙부에 위치하는 지역이다. 남산 산록은 소하천을 경계로 서천읍 남쪽에 위치하는데 대체로 남-북 방향으로 발달한 서천군 북쪽 산악지대와 동-서로 분포하는 남쪽 구릉의 중간에 해당되며, 이러한 지형적 여건하에 서천군의 전반적인 지형이 한눈에 조망되기는 점이 남산성의 입지와 밀접하게 관련되어 있다.				
유구현황	통일신라시대~조선시대		城壁, 西門址, 竪穴住居址, 建物址		
주요유물	인화문토기, 자기류, 기와류, 금속류, 토제품 및 석제품				
기년유물	「丁丑」銘 암키와(1점) - 지표수습				
	연번	보고서 유물번호	기와 종류	명문내용	연대
	1	7	암키와	丁丑	977, 1037, 1097, 1157, 1217, 1277, 1337
시기·성격	남산성은 정상부의 지형조건을 이용하여 테뫼식으로 축조되었다. 전체적인 평면형태는 '山字形'으로, 동-서로 긴 타원형에 가까우나 남쪽 성벽은 거의 직선적이며, 북쪽 성벽은 능선과 골짜기의 형태를 따라 굴곡진 형태이다. 　성벽이 축조된 높이는 성벽 윗면을 기준으로 할 때 해발고도 116m~137m 정도로, 21m 정도의 고저차를 보인다. 고저차가 가장 큰 곳은 정상부 고지대와 북쪽 골짜기의 집수지로 고저차는 29.57m 정도이다. 성벽의 길이는 평면상의 길이가 632.61m로 계측되었다. 　城內部 施設物은 2個所의 門址가 확인되는데 서문지는 남산성 서쪽 회절부에 위치하고 있으며 동문지는 산성 동남쪽의 봉남리로 이어지는 능선 사면에 축조되었다. 서문지 일대는 남산 정상부에서 서쪽의 雲銀山으로 이어지는 야산 능선이 완만하게 이어진 곳으로 성내부로 진입하는데 가장 용이한 지점이기도 하나, 반면에 방어상 가장 취약한 지점에 축조되어 있다. 동문지는 서문지의 전반적인 입지적 특징과는 반대로 방어에는 유리할 수 있으나, 현재 지형조건을 고려하면 성내외부로 통하는 교통로 입지로는 매우 불편한 여건으로 판단된다. 　산성 중심부에는 정상부 암반지대를 기초로 축조된 높고 평탄한 高臺가 있고, 성벽과 고대지 사이의 내부 평탄지 곳곳에는 建物址가 조성된 것으로 확인되었다. 특히 고대지에는 현재 방송용 송신탑이 건설되어 있는데 주변부에 많은 석재가 잔존하여 고대의 관련 시설이 잔존하였을 것으로 추정된다.				
참고문헌	忠淸文化財研究院, 2006, 『舒川 南山城 西門址 1·2次 發掘調査』, 文化遺蹟 發掘調査報告 第55輯.				

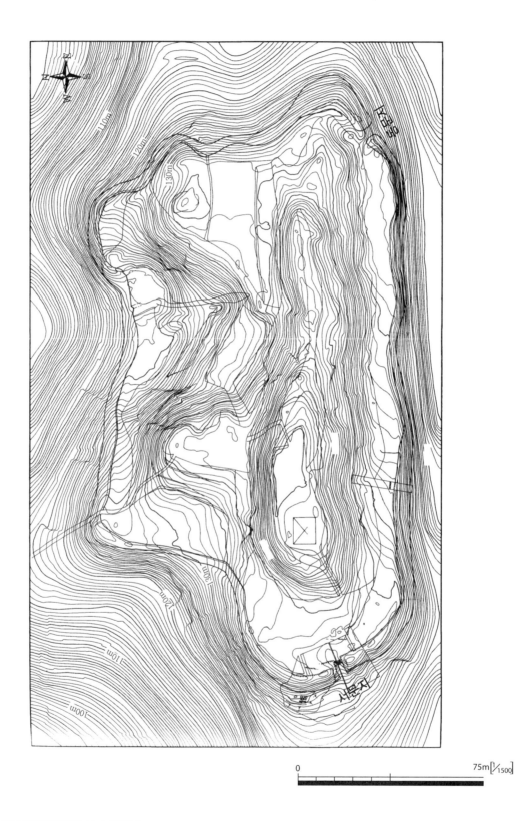

〈 조사지역 전체평면도 (1:1,500) 〉

(1) 丁丑 銘 암키와

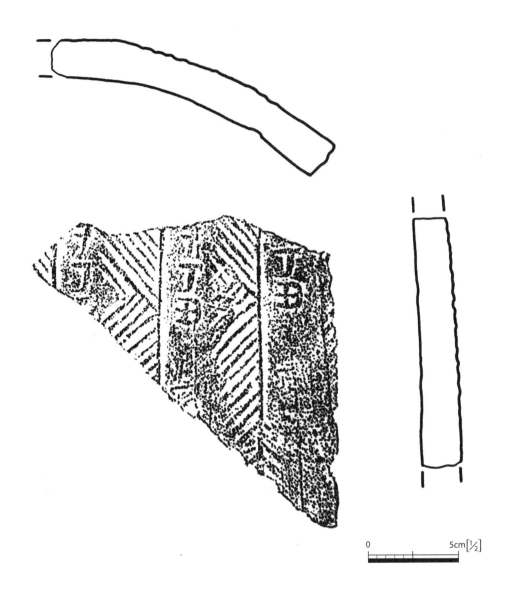

0   5cm[½]

명문	간지명	간지명 년도					추정연대
丁丑	丁丑	977, 1037, 1097, 1157, 1217, 1277, 1337					

종류	태토	소성도	색조			제원		
			내	외	속심	길이	폭	두께
암키와		경질	회청색					2.1

문양 및 제작속성		
외면	내면	측면
어골 능형문, '丁丑」銘	포연결흔, 포흔	

9) 영동 계산리 유적 (永同 稽山里 遺蹟)

유적위치	충청북도 영동군 영동읍 계산리 일대				
조사사유	경부고속도로 건설로 인한 구제발굴				
조사연혁	발굴조사 : 1999.04.22 ~ 1999.07.30 (충남대학교 백제연구소)				
유적입지	현재의 영동군 관내 지역은 금강본류, 영동천, 그리고 초강 등 3개의 하천 수계망으로 구성되어 있으며, 인문지리적으로도 대체로 이들 하천 수계망별로 각 면읍이 형성되어 있다. 금강 본류유역에는 옛 양산현에 속했던 양산면, 계산면, 그리고 무주의 남대천이 있다. 영동천유역은 영동읍 및 양강면이 있는데, 이들은 옛 영동군 관내에 해당된다. 그리고 초강유역에는 용산면, 황간면, 추풍령면, 매곡면, 상촌면 등이 있는데, 이들은 대부분 옛 황간현에 소속되었던 것이다.				
유구현황	고려시대~조선시대	建物地(12), 瓦窯地(2), 우물지(1), 폐와무지(4)			
주요유물	기와류, 銘文瓦, 자기류 등				
기년유물	「太平興國七年…竹州…」銘 (4점), - 표토제거 과정에서 하층 제1건물지 주변에서 수습				
	연번	보고서 유물번호	기와 종류	명문내용	연대
	1	탁본 1	암키와	太平興國七年…竹州…	982
	2	탁본 1-1	〃	〃	〃
	3	탁본 1-2	〃	〃	〃
	4	탁본 1-3	〃	〃	〃
시기·성격	이 유적에서 확인된 유구들은 크게 나말여초 시기의 것과 조선시대의 것으로 구분된다. 나말여초 시기의 유구로는 건물지 6동, 폐와무지 2기, 폐기면 2기, 와요지 2기 등이 있으며, 조선시대의 것으로는 건물지 6동, 우물지 1기, 폐와무지 등이 있다. 전자는 대체로 유적 전체에 넓게 형성되어 있는 반면, 후자는 남측 사면 상부쪽의 한정된 범위에서만 확인되고 있다. 나말여초 시기의 유구 가운데 가장 남측에 위치하고 있는 배수로 및 와요지는 조선시대 유구들과 명확히 층위를 달리하여 상하 중복관계에 있음이 확인되었으며, 각 층위에서 확인되는 유물의 시기에 있어서도 명확한 차이를 보인다.				
참고문헌	忠南大學校百濟研究所, 2002, 『永同 稽山里遺蹟』, 學術研究叢書 第5輯.				

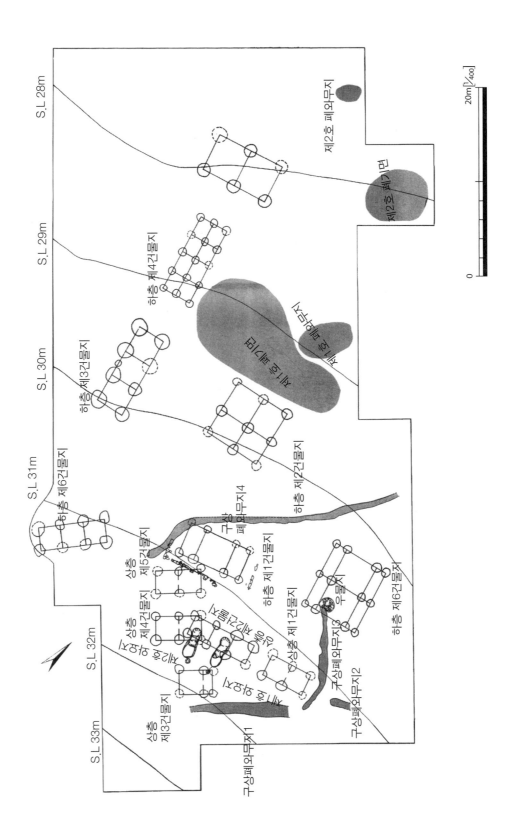

〈 조사지역 유구배치도 (1:400) 〉

(1) 太平興國七年…竹州… 銘 암키와

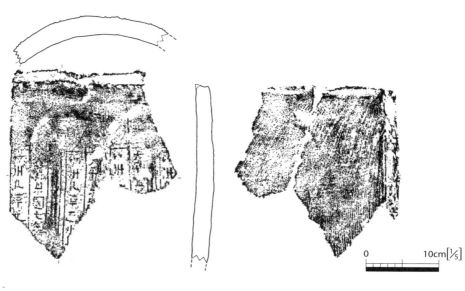

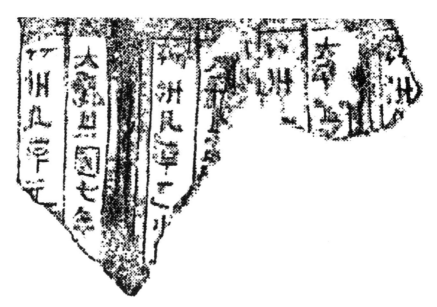

명문	연호	연호명 년도	국명(왕)	고려	절대연대
太平興國七年…竹州…	太平興國	976~983	宋 (太宗)	成宗 元年	982

종류	태토	소성도	색조			제원		
			내	외	속심	길이	폭	두께
암키와	니암, 석영, 장석립 등이 포함된 거친 태토	中火度	갈색계, 회색계	갈색계, 회색계	갈색계, 회색계			

문양 및 제작속성		
외면	내면	측면
장방형의 구획선	포목흔, 빗질흔	와도흔 내측 1/3

(2) 太平興國七年…竹州… 銘 암키와

0   5cm [1/3]

명문	연호	연호명 년도	국명(왕)	고려	절대연대
太平興國七年…竹州…	太平興國	976~983	宋 (太宗)	成宗 元年	982

종류	태토	소성도	색조			제원		
			내	외	속심	길이	폭	두께
암키와	니암, 석영, 장석립 등이 포함된 거친 태토	中火度	갈색계, 회색계	갈색계, 회색계	갈색계, 회색계			

문양 및 제작속성		
외면	내면	측면
장방형의 구획선	포목흔, 빗질흔	와도흔 내측 1/3

(3) 太平興國七年…竹州… 銘 암키와

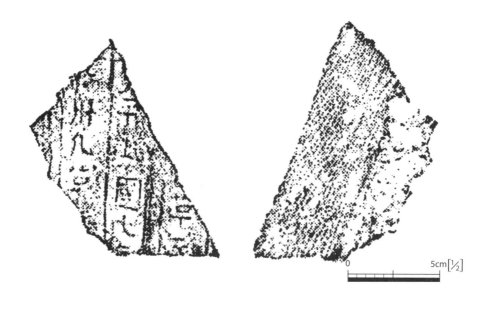

명문	연호	연호명 년도	국명(왕)	고려	절대연대
太平興國七年…竹州…	太平興國	976~983	宋 (太宗)	成宗 元年	982

종류	태토	소성도	색조			제원		
			내	외	속심	길이	폭	두께
암키와	니암, 석영, 장석립 등이 포함된 거친 태토	中火度	갈색계, 회색계	갈색계, 회색계	갈색계, 회색계			

문양 및 제작속성		
외면	내면	측면
장방형의 구획선	포목흔, 빗질흔	와도흔 내측 1/3

(4) 太平興國七年…竹州…銘 암키와

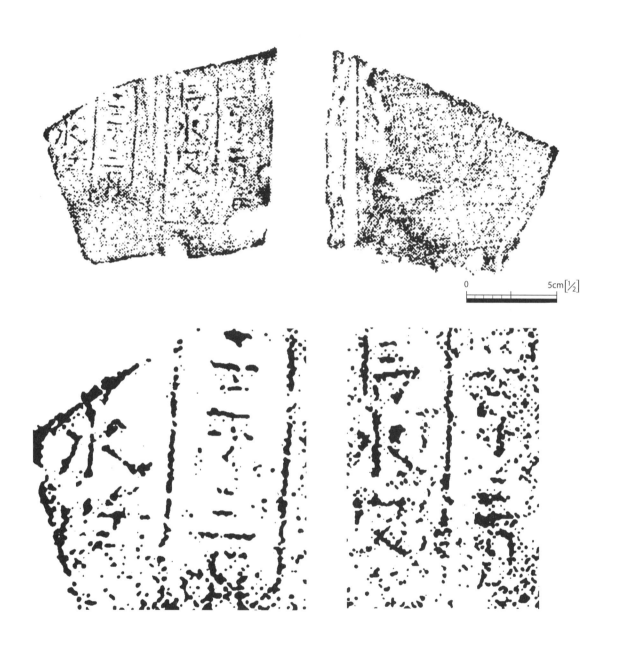

0   5cm[½]

명문	연호	연호명 년도	국명(왕)	고려	절대연대
太平興國七年…竹州…	太平興國	976~983	宋 (太宗)	成宗 元年	982

종류	태토	소성도	색조			제원		
			내	외	속심	길이	폭	두께
암키와	니암, 석영, 장석립 등이 포함된 거친 태토	中火度	갈색계, 회색계	갈색계, 회색계	갈색계, 회색계			

문양 및 제작속성		
외면	내면	측면
장방형의 구획선	포목흔, 빗질흔	와도흔 내측 1/3

10) 영동 부용리 · 양정리 유적 (永同 芙蓉里 · 楊亭里 遺蹟)

유적위치	충청북도 영동군 영동읍 부용리, 양강면 양정리 일원	
조사사유	육군종합행정학교 조성에 따른 구제발굴조사	
조사연혁	지표조사 : 2007.08.20 ~ 2007.09.18 (중원문화재연구원) 시굴조사 : 2009.05.28 ~ 2009.09.25 (중원문화재연구원) 발굴조사 : 2009.09.26 ~ 2010.03.26 (중원문화재연구원)	
유적입지	영동군은 충청북도의 최남단에 자리하고 있으며 소백산맥을 경계로 동쪽은 경북 상주시 모동면, 공성면, 김천시 어모면, 봉산면, 대항면, 구성면과 접해있고 서쪽은 충남의 금산군 부리면, 제원면, 충북 옥천군 이원면과 접해 있다. 또한 남쪽은 경북 김천시 부항면, 전북 무주군의 무주읍과 설천면이, 북쪽은 충북 옥천군 동이면, 청성면, 경북 상주시의 모서면과 접하고 있다. 대부분 높은 산지로 둘러싸여 있으며 산 사이마다 작은 분지가 형성되어 있다. 영동읍이 자리하고 있는 분지를 제외한 외곽으로는 소백산맥의 비교적 높은 산지가 형성되어 있다. 동쪽으로는 추풍령 등의 고산준령이 이어지고 있다. 영동군은 금강이 관통하고 있으나 대부분 높은 산지가 차지하고 있어 넓은 평야는 발달하지 않았다. 다만 하천변을 중심으로 충적평야와 곡간사이의 작은 평야지대가 발달해 있다.	
유구현황	고려시대	기와가마(3), 가마(3), 소성유구(4), 추정도로(1), 수혈군(4)
	조선시대	수혈주거지(1), 회곽묘(3)
	고려~조선시대	수혈(33), 구(2), 우물(2), 토광묘(45)
주요유물	금동불상, 청동탁, 명문기와(기년명), 자기 등	
시기·성격	생산유구 중에서 기와 가마는 고려시대 중기~말, 조선시대 초기의 것으로 판단된다. 특히 4지구 우물과 수혈에서 출토된 명문와는 파편상태여서 전체 명문은 알 수 없다. 다만 영동 계산리유적의 출토 명문와를 참고하면 상호 연결 복원하여 명문 전체 내용을 추정할 수 있다. 4지구에서 확인된 우물과 일부 수혈은, 우물 내부에서 백자편 등의 조선시대 유물이 한 점도 출토되지 않았고, 명문의 내용과 기와편의 시기적 특성으로 보아 그 시기가 10세기 말에서 11세기 전반으로 판단된다. 분묘유적 중 고려시대 토광묘는 토기 병의 형태와 청동 거울에 새겨진 불상의 형태를 고려한다면 13세기 말이나 14세기 초의 것으로 생각되며 조선시대 토광묘는 백자 발, 백자 접시 등의 형태적인 특징으로 보아 15세기 후반에서 16세기 초에 조성된 것으로 볼 수 있다. 이를 종합해 보면 영동 부용리·양정리 유적은 고려시대 중기부터 조선 초기까지 조성되었던 유적으로 영동지역의 기와생산, 분묘매장방식을 연구하는데 중요한 자료가 되고 있다.	
참고문헌	中原文化財研究院, 2012,『永同 芙蓉里 · 楊亭里 遺蹟』, 調査報告叢書 第126册.	

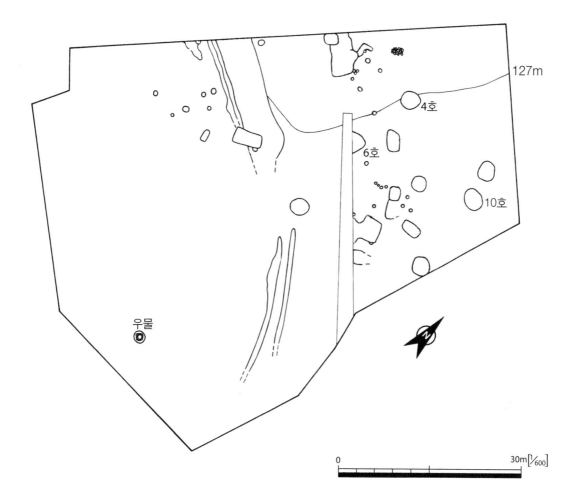

127m

4호

6호

10호

우물

0　　　　　　　　　　　　　30m[1/600]

〈 조사지역 유구배치도 (1:600) 〉

10)-1 영동 부용리 · 양정리 유적 4지구 우물

유구성격	조사지역 남쪽으로 치우쳐 해발 126.2m 지점에 위치하는데 다른 유구와 일정거리 이상 떨어져 있다. 우물의 바닥면에는 특별한 시설을 하지 않은 것으로 보이는데, 바닥면의 자갈돌이 포함된 층을 그대로 사용하였다. 주변에서 특별한 시설은 확인되지 않고 있으나, 우물의 북벽 상단 일부가 아래로 무너진 형태로 돌이 놓여 있으며, 흙으로 채워진 부분이 많고 단을 형성한 것과 같은 양상이다.				
시 기	고려시대				
기년유물	「竹州, 太平興國」銘 암키와(1점)				
	연번	보고서 유물번호	기와 종류	명문내용	연대
	1	270	암키와	竹州, 太平興國	982

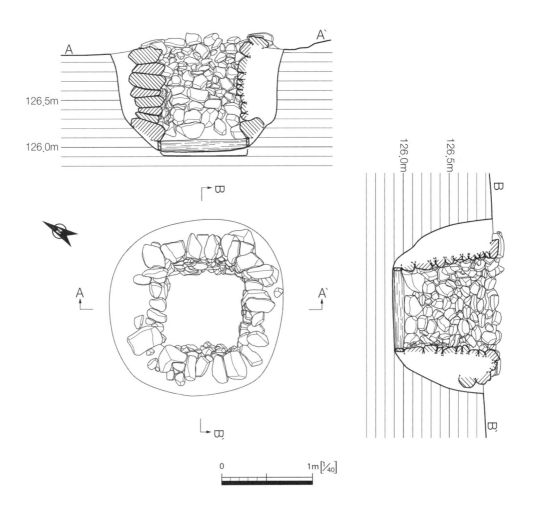

〈 4지구 우물 평 · 단면도 (1:40) 〉

(1) 竹州, 太平興國 銘 암키와

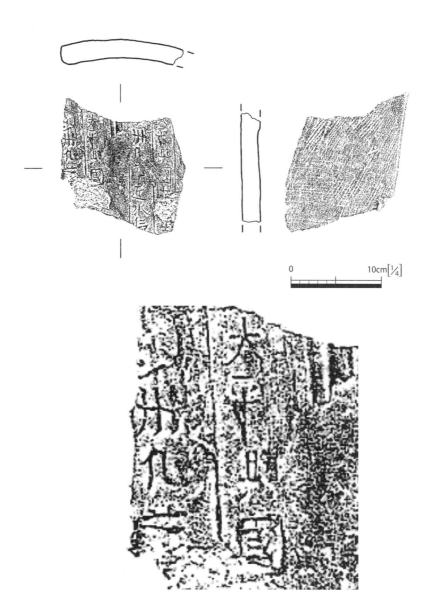

명문	연호	연호명 년도	국명(왕)		고려	절대연대
竹州, 太平興國	太平興國	976~983	北宋 (太祖 7年)		成宗 元年	982

종류	태토	소성도	색조			제원		
			내	외	속심	길이	폭	두께
암키와	세사립, 사립혼입	경질	회갈색	회갈색	회갈색	(17.1)	(13.7)	2.1

문양 및 제작속성		
외면	내면	측면
	포목흔, 빗질흔	와도흔

10)-2 영동 부용리 · 양정리 유적 4지구 4호 수혈

유구성격	조사지역 북쪽 경계부분 127m에 걸쳐 위치한다. 수혈의 서쪽으로 약 4m 떨어져 2호 주혈군과 부석유구, 남으로 4m 정도 떨어져 5호 수혈이 각각 자리하고 있다. 수혈은 기반토를 굴착하여 조성되었고 평면형태는 타원형에 가깝다. 장축은 등고선과 직교한다. 내부에는 회색 점토와 회적색 점토(소량의 산화망간 포함)가 채워져 있었고, 바닥면은 기반토를 그대로 사용하였으며 특별한 흔적은 확인되지 않았다.				
시 기	고려시대				
기년유물	「七年」銘 암키와(점)				
	연번	보고서 유물번호	기와 종류	명문내용	연대
	2	281	암키와	七年	982
공반유물	청자저부편, 청자발, 기와편				

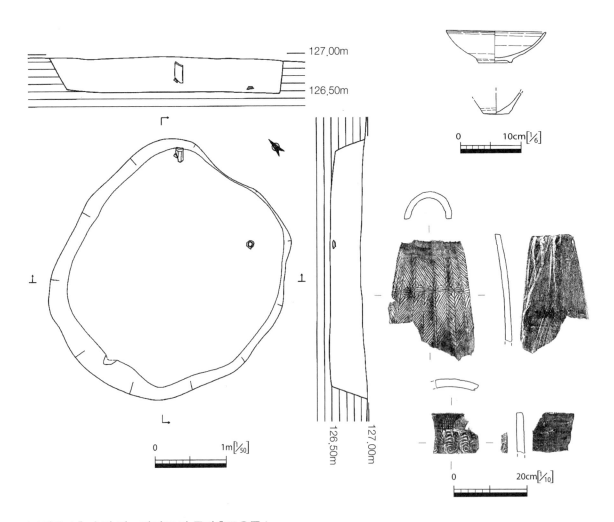

〈 4지구 4호 수혈 평 · 단면도 및 공반출토유물 〉

2) 七年 銘 암키와

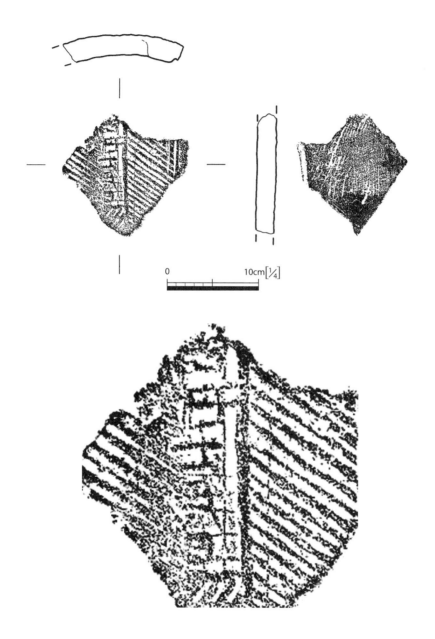

명문	연호	연호명 년도	국명(왕)	고려	절대연대
七年	太平興國	976~983	北宋 (太祖 7年)	成宗 元年	982

종류	태토	소성도	색조			제원		
			내	외	속심	길이	폭	두께
암키와	세사립, 사립 혼입	연질	명회색	명회색	명회색	(12.7)	(12.9)	2.1
문양 및 제작속성								
외면			내면			측면		
종방향의 어골문			포목흔			와도흔		

10)-3 영동 부용리 · 양정리 유적 4지구 6호 수혈

유구성격	조사지역 중앙에서 약간 북동쪽으로 치우쳐 위치한다. 수혈의 북동쪽 약 5m 지점에 5호 수혈이, 동쪽으로 약 3m 지점에 4호 주혈군이 각각 자리하고 있다. 수혈은 기반토를 굴착하여 조성하였고 평면형태는 타원형에 가깝다. 장축은 등고선과 평행한다. 내부에는 회색 점토가 채워져 있었고 다량의 석재와 기와편이 산재하고 있으나 정형성은 없다. 바닥면은 기반토를 그대로 사용했으며 특별한 흔적은 확인되지 않았다.				
시 기	고려시대				
기년유물	「太平興國 七年○○」銘 암키와(1점)				
	연번	보고서 유물번호	기와 종류	명문내용	연대
	3	294	암키와	太平興國 七年○○	982
공반유물	토기 구연부편, 토기 저부편, 암키와편				

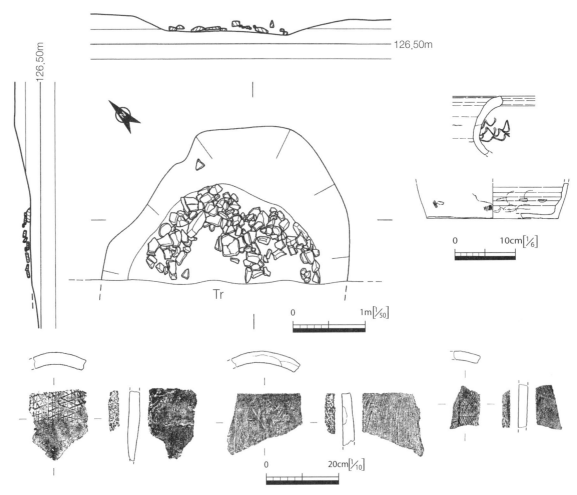

〈 4지구 10호 수혈 유구 평 · 단면도(1:50) 및 공반출토유물 〉

(3) 太平興國 七年○○ 銘 암키와

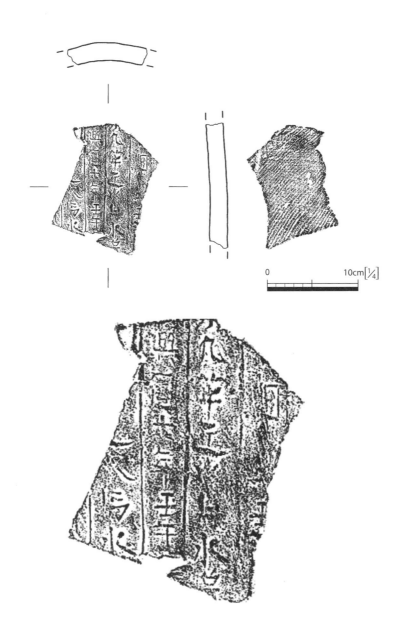

명문	연호	연호명 년도	국명(왕)	고려	절대연대
太平興國 七年○○	太平興國	976~983	北宋 (太祖 7年)	成宗 元年	982

종류	태토	소성도	색조			제원		
			내	외	속심	길이	폭	두께
암키와	세사립, 사립 혼입	연질	명적갈색	명적갈색	명적갈색	(13.2)	(8.6)	2.0

문양 및 제작속성		
외면	내면	측면
종선문	포목흔, 빗질흔	

10)-4 영동 부용리 · 양정리 유적 4지구 10호 수혈

유구성격	조사지역 중앙에서 북동쪽 경계부분에 치우쳐 해발 126.5m 정도에 위치한다. 북쪽으로 2m 정도에 23호 수혈이 자리하고 있다. 수혈은 기반토를 굴착하여 조성되었고 평면형태는 타원형에 가깝다. 장축방향은 등고선과 직교한다. 내부에는 소량의 소토와 숯이 포함된 암갈색 사질점토가 채워져 있었고, 북서쪽 모서리 부분에 소수의 석재와 다량의 기와편이 놓여 있는데, 정형성은 없다.				
시 기	고려시대				
기년유물	「太平」銘 암키와(1점)				
	연번	보고서 유물번호	기와 종류	명문내용	연대
	4	328	암키와	太平	982
공반유물	도기편, 기와편				

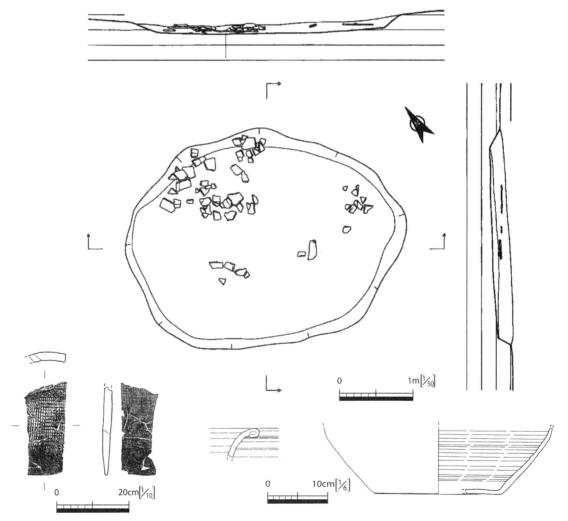

〈 4지구 10호 수혈 유구 평 · 단면도(1:50) 및 공반출토유물 〉

(4) 太平 銘 암키와

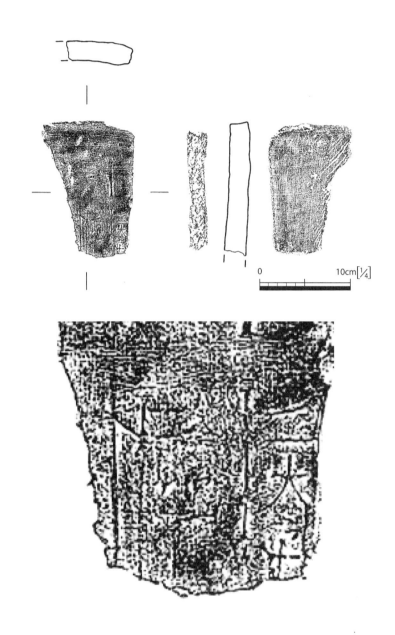

명문	연호	연호명 년도	국명(왕)		고려	절대연대
太平	太平興國	976~983	北宋 (太祖 7年)		成宗 元年	982

종류	태토	소성도	색조			제원		
			내	외	속심	길이	폭	두께
암키와	세사립, 사립 혼입	경질	암회청색	암회청색	암회청색	(14.8)	(10.3)	2.3
문양 및 제작속성								
외면			내면			측면		
종방향의 선문			포목흔			와도흔		

11) 천안 봉선 홍경사지 (天安 奉先 弘慶寺址)

유적위치	충청남도 천안시 성환읍 대홍리 319번지 일원				
조사사유	복원 정비를 위한 학술조사				
조사연혁	지표조사 : 1996 (단국대학교 역사학과) 시굴조사 : 2008.12.02 ~ 2008.12.31 (1차-충청남도역사문화연구원) 　　　　　　2009.01.23 ~ 2009.02.22 (2차-충청남도역사문화연구원)				
유적입지	천안IC에서 성환 방면으로 개설된 1번 국도를 따라 약 15㎞진행하면 봉선홍경사 갈기비(碣記碑)에 이르게 된다. 홍경사의 舊址는 이곳의 동측 일대에 위치하며 유적 주변으로는 대개 낮은 구릉들이 형성되어 있는데 대부분 목야지이거나 개간지로 되어 있다. 하천은 북동쪽 양령리를 가로질러 흐르는 입장천과 읍의 경계 중앙을 남북으로 흐르는 안성천이 합류하여 아산만으로 흘러든다.				
유구현황	고려시대	추정초석(1), 적심(13), 석렬(4)			
주요유물	평기와, 막새, 자기 등				
기년유물	「中祥符十年丁巳」銘 암키와(7점) - 시굴조사트렌치 출토품				
	연번	보고서 유물번호	기와 종류	명문내용	연대
	1	도면 54-2	암키와	中祥符十年丁巳	1017
	2	도면 55-4	〃	中祥符十年丁巳…	〃
	3	도면 57-1	〃	…年丁巳奉先弘慶…	〃
	4	도면 57-2	〃	中祥符十年丁巳…	〃
	5	도면 57-5	〃	O祥符十年丁巳…	〃
	6	도면 60-3	〃	祥符十年丁巳…	〃
	7	도면 61-1	〃	…祥符十年丁巳…	〃
시기 · 성격	봉선 홍경사는 고려 현종12년(1021)에 유행자의 보호와 편의를 위해 창건하였는데, 수행을 위한 사찰과 원(院)의 성격을 함께 가졌다. 우왕 9년(1383)에 한수가 이 사찰에서 축원하였다는 기사를 본다면 명종 7년 이후 중수되어 폐허화되는 조선 초기까지 사력을 유지하였던 것으로 판단된다. 특히 창건기 문화층인 하층의 문화층 상면 와적층에서 「大中祥符十年丁巳」명문 기와가 출토되는데, 송 진종의 연호로 1008~1016년 까지 사용된 「大中祥符」명을 통해 기록에 전하는 홍경사의 창건과 실제 유적의 창건이 일치하고 있음을 알 수 있다.				
참고문헌	忠淸南道歷史文化硏究院, 2011, 『天安 奉先弘慶寺址 시굴조사 보고서』, 제75책.				

0   2m $\left[\frac{1}{60}\right]$

〈 기년명 유물 출토 Tr 평 · 단면도 (1:60) 〉

(1) 中祥符十年丁巳 銘 암키와

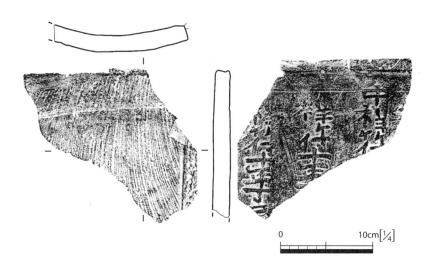

0   10cm[¼]

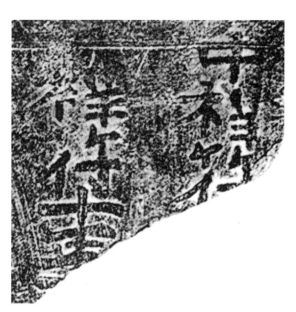

명문	연호	연호명 년도	국명(왕)	고려	절대연대
中祥符十年丁巳	大中祥符	1008~1016	北宋 (眞宗 21年)	顯宗 8年	1017

종류	태토	소성도	색조			제원		
			내	외	속심	길이	폭	두께
암키와	정선된 점토	경질	회색	회색	회청색	(16.9)	(18.7)	1.9

문양 및 제작속성		
외면	내면	측면
	마포흔, 사선형의 사절흔, 윤철흔	와도흔

(2) 中祥符十年丁巳… 銘 암키와

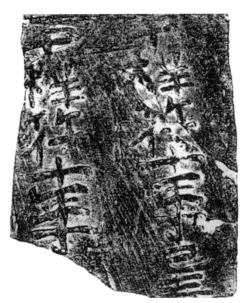

명문	연호	연호명 년도	국명(왕)		고려	절대연대
中祥符十年丁巳…	大中祥符	1008~1016	北宋(真宗 21年)		顯宗 8年	1017

종류	태토	소성도	색조			제원		
			내	외	속심	길이	폭	두께
암키와	정선된 점토	경질	회색	회색	회색	(16.8)	(12.8)	1.4
문양 및 제작속성								
외면			내면			측면		
횡방향의 물손질정면			마포흔, 사절흔, 분할눈테흔(측단면)			와도흔		

(3) …年丁巳奉先弘慶… 銘 암키와

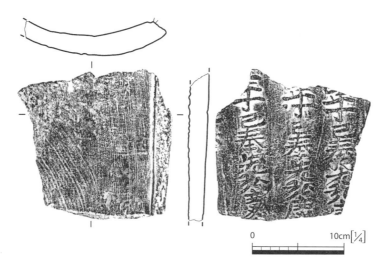

명문	연호	연호명 년도	국명(왕)		고려	절대연대
…年丁巳奉先弘慶…	大中祥符	1008~1016	北宋(眞宗 21年)		顯宗 8年	1017

종류	태토	소성도	색조			제원		
			내	외	속심	길이	폭	두께
암키와	정선된 점토	경질	회색	흑색	회색	(16.8)	(16.4)	2.0

문양 및 제작속성		
외면	내면	측면
	마포흔, 사절흔	와도흔

(4) 中祥符十年丁巳… 銘 암키와

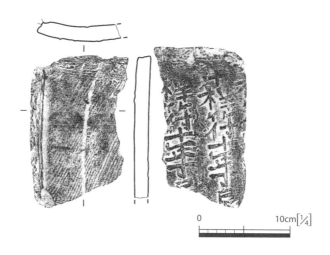

명문		연호	연호명 년도	국명(왕)	고려	절대연대
中祥符十年丁巳…		大中祥符	1008~1016	北宋(眞宗 21年)	顯宗 8年	1017
종류	태토	소성도	색조			제원		
			내	외	속심	길이	폭	두께
암키와	정선된 점토	경질	회색	회색	회색	(16.1)	(9.9)	1.5
문양 및 제작속성								
외면			내면			측면		
			마포흔, 사절흔, 물손질정면			와도흔		

(5) ○祥符十年丁巳… 銘 암키와

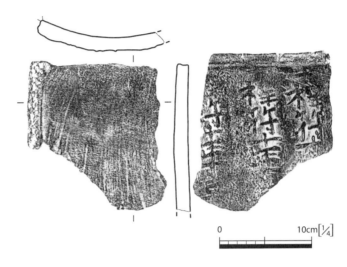

0   10cm[¼]

명문	연호	연호명 년도	국명(왕)	고려	절대연대
○祥符十年丁巳…	大中祥符	1008~1016	北宋(眞宗 21年)	顯宗 8年	1017

종류	태토	소성도	색조		속심	제원		두께
			내	외		길이	폭	
암키와	세사립 포함	연질	흑회색	흑회색	적갈색	(16.0)	(14.9)	1.4

문양 및 제작속성		
외면	내면	측면
	마포흔	와도흔

⑹ 祥符十年丁巳… 銘 암키와

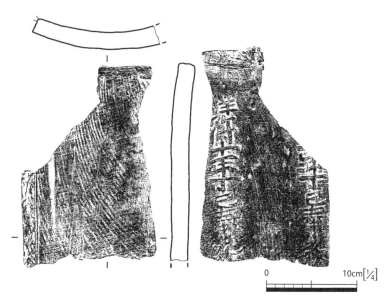

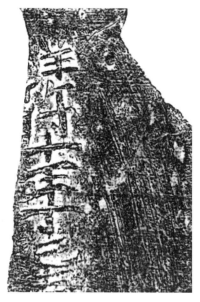

명문		연호	연호명 년도	국명(왕)		고려	절대연대
祥符十年丁巳…		大中祥符	1008~1016	北宋(眞宗 21年)		顯宗 8年	1017
종류	태토	소성도	색조			제원	
			내	외	속심	길이	폭	두께
암키와	정선된 점토	경질	갈색	회청색	갈색	(22.0)	(14.1)	1.8
문양 및 제작속성							
외면		내면			측면		
단부 횡방향물손질		마포흔, 곡사선형의 사절흔			와도흔		

(7) …祥符十年丁巳… 銘 암키와

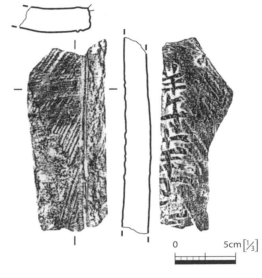

0　　　　5cm [⅓]

명문	연호	연호명 년도	국명(왕)	고려	절대연대
…祥符十年丁巳…	大中祥符	1008~1016	北宋(真宗 21年)	顯宗 8年	1017

종류	태토	소성도	색조			제원		
			내	외	속심	길이	폭	두께
암키와	정선된 점토	경질	회청색	회청색	회청색	(16.0)	(6.3)	1.8

문양 및 제작속성		
외면	내면	측면
	사선형의 사절흔, 횡방향물손질	와도흔

12) 청주 서문동 성안 유적 (淸州 西門洞 성안 遺蹟)

유적위치	충북 청주시 상당구 서문동 29-2, 32-1번지 일원	
조사사유	복합상영관 신축공사로 인한 구제발굴조사	
조사연혁	지표조사 : 2004.08 　　　　　　(청주대학교박물관) 시굴조사 : 2006.06.09 ~ 2006.07.28 (중원문화재연구원) 발굴조사 : 2006.07.29 ~ 2006.09.18 (중원문화재연구원)	
유적입지	발굴조사 대상지역은 청주시 상당구 서문동 29-2번지 일원에 위치하고 있으며 성안동 일대에는 둘레 약 1,700m 규모의 옛 청주읍 성터가 도로 구획선에 의하여 그 윤곽을 알려주고 있다. 청주읍성은 청주시의 중심부를 가로지르는 無心川을 끼고 그 동쪽 평지에 조성되었으며, 읍성 배후의 산 위에 위치한 상당산성이 읍성의 방어기능을 보완하는 관방체제를 갖추고 있었다. 　발굴조사 대상지역은 구 청주읍성의 서북쪽에 해당하는 곳으로 읍성 관련시설 및 읍성 내의 각종 관아시설이 자리하고 있을 가능성이 매우 높은 것으로 파악된 곳이다. 이곳은 지표조사 보고서에서도 '군기고나 향청 등의 관아 관련시설이 자리하고 있을 가능성이 높은 곳'으로 추정한 바와 같다. 또한 주변에는 동쪽의 동헌, 서쪽의 서문지 표지석, 동북쪽의 망선루 표지석 및 남쪽의 병영영문과 압각수가 각각 위치하고 있다. 그리고 현존 고지도 중 청주읍성 성안의 시설물이 가장 잘 표현된 청주읍성도에서도 조사지역에 다수의 관아공해 시설이 있었음을 보여주고 있다.	
유구현황	고려시대	建物地(1), 추정도로시설-석렬(3)
	조선시대	建物地(5), 담장로(6)
주요유물	청자 접시, 분청 화형접시, 해무리굽완, 명문기와 등	
시기·성격	발굴조사를 통하여 확인된 유구는 건물지와 관련된 담장지, 적심, 초석으로 보이는 석렬시설이 대부분을 차지하고 있다. 　이 가운데 고려시대 유구는 시기적인 차가 있는 것으로 조사되었다. 이른 시기의 유구로는 최하층에서 관찰된 도로시설로 추정되는 석렬유구 1호이다. 그리고 석렬유구 1호의 상부 약 100㎝ 지점에서 서쪽 120㎝ 거리에 석렬유구 3호가 위치하고 있으며, 서쪽 360㎝ 거리에 석렬유구 3호가 2호와 마주하고 있다. 2기의 석렬유구는 내측과 외측으로 조사되었으며, 「大平」 및 「城」 등의 명문이 새겨진 기와가 출토되었다. 　건물지 1호는 출토 유물 중 자기는 고려시대 말기의 청자가 중심을 이루고 있는데, 건물지 기단 내부에서 관찰되는 적심은 조성기법, 형태, 크기 등이 큰 차이를 나타내는 것으로 보아 여러 번에 걸쳐 시기를 달리하여 증축 또는 개축된 것으로 보인다.	
참고문헌	中原文化財硏究院, 2008, 『청주 서문동 마야복합상영관부지내 淸州 西門洞 성안遺跡』, 제61冊.	

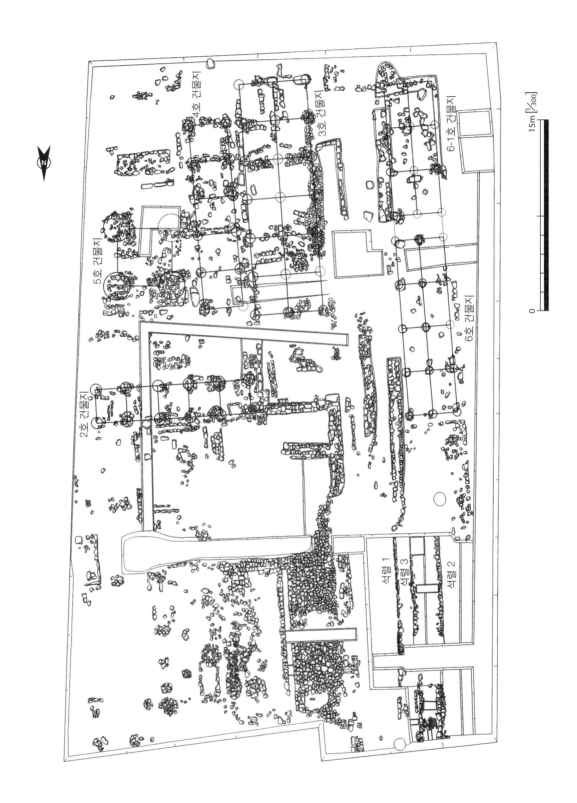

〈 조사지역 유구배치도 (1:300) 〉

12)-1 청주 서문동 성안유적 2호 석렬유구

유구성격	석렬 2호는 3호의 서쪽 아래에 위치하고 있다. 유구의 내측 축대는 3호보다 아래쪽 10~20㎝에서 관찰되었다. 또한 3호의 내측에서 서쪽으로 약간 나간 것으로 관찰되었다. 외측 축대는 내측 축대에서 서쪽으로 210㎝되는 선상에서 관찰되었다. 축조기법은 하천의 자연석을 이용하여 막돌 쌓기를 하였다.				
시 기	고려시대				
기년유물	「大平」銘 암키와(2점)				
	연번	보고서 유물번호	기와 종류	명문내용	연대
	1	94	암키와	大平	1021~1030
	2	95	〃	大?(平)	〃

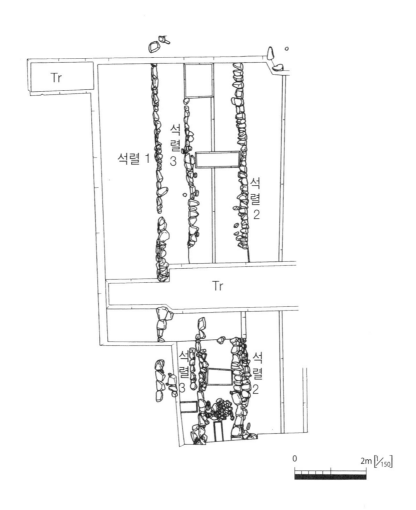

〈 2호 석렬 평면도 (1:150) 〉

(1) 大平 銘 암키와

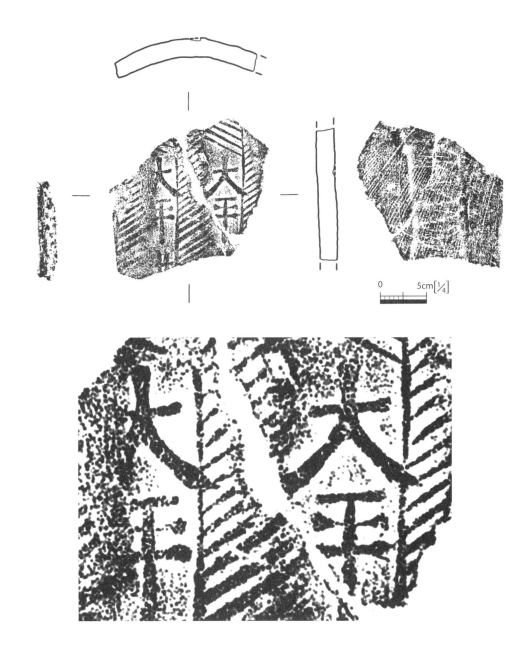

명문	연호		연호명 년도	국명(왕)		고려		추정연대		
大平	大平(太平)		1021~1030	遼 (聖宗)		高麗 顯宗		1021~1030		
종류	태토		소성도	색조				제원		
				내	외	속심	길이	폭		두께
암키와	사립과 석립이 혼입된 정선된 점토		경질	회갈색	회갈색	회갈색	18.1	16.6		1.8~2.0
문양 및 제작속성										
외면		내면			측면					
어골문		포목흔, 빗질흔, 합철흔			안에서 밖으로 그은 0.5㎝ 와도흔						

(2) 大平 銘 암키와

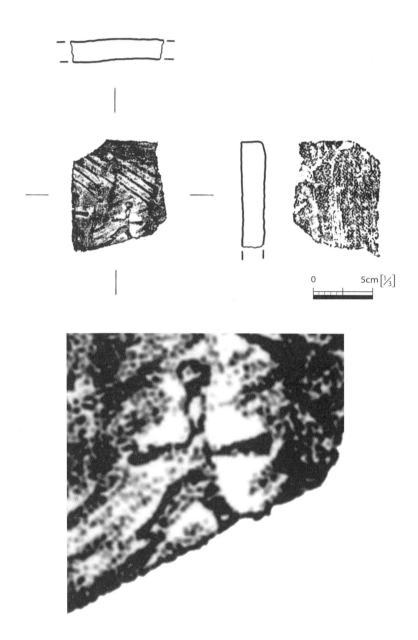

0   5cm [⅓]

명문	연호	연호명 년도	국명(왕)	고려	추정연대		
大平	大平(太平)	1021~1030	遼 (聖宗)	高麗 顯宗	1021~1030		
종류	태토		소성도	색조			제원

종류	태토	소성도	색조			제원		
			내	외	속심	길이	폭	두께
암키와	모래와 사질이 다량 포함된 비교적 정선된 점토	경질	밝은 청회색	밝은 청회색	밝은 청회색	(13.2)	(8.5)	(1.8)
문양 및 제작속성								
외면	내면							측면
어골문, 사선문	울이 엉성한 포목흔, 상단에 물손질 및 마무리 조정을 한 흔적							

13) 충주 숭선사지 (忠州 崇善寺址)

유적위치	충청북도 충주시 신니면 문숭리 862번지 일대				
조사사유	충주 숭선사지의 역사적 성격을 규명하기 위한 학술조사 발굴				
조사연혁	발굴조사 : 2000년~2001년 (1차-충청대학박물관) 　　　　　 2001년 (2차-충청대학박물관) 　　　　　 2002년~2003년 (3차-충청대학박물관) 　　　　　 2004년 (4차-충청대학박물관) 　　　　　 2008.12.01 ~ 2009.06.14 (5차-충청대학박물관)				
유적입지	문숭리 숭선마을에 위치하며, 마을 서쪽 수레이산 정상에서 동쪽으로 뻗은 산줄기의 남쪽 골짜기 사면에 조성된 산지 가람터이다. 숭선사지 입구의 길은 예부터 경상북도 문경-충주-음성-경기도 이천시 장호원을 거쳐 서울로 통하는 교통로 역할을 하였던 점으로 볼 때 숭선사가 지정학적 요충지에 창건되었음을 알 수 있다.				
유구현황	고려시대~조선시대		建物址		
주요유물	명문 · 막새기와, 이형 기와류, 금동보살상, 연봉형 와정, 토기류, 청자 · 백자편 등				
기년유물	「大定二十二年壬寅」銘 암키와(10점) - IV지구 지표수습, 나 확-2 · 3, 라 확-3, 마 확-2 · 4, 바 확-4 트렌치 등에서 출토 테이블				

연번	보고서 유물번호	기와 종류	명문내용	연대
1	탑본 1-④ (5차 보고서)	암키와	大師性林大匠…日	1182
2	탑본 5-⑤ (1~4차 보고서)	〃	寺上院□監役副都監大師性林大匠暢交/ 大定二十二年壬寅四月日	〃
3	탑본 6-① (1~4차 보고서)	〃	〃	〃
4	탑본 6-② (1~4차 보고서)	〃	〃	〃
5	탑본 6-③ (1~4차 보고서)	〃	〃	〃
6	탑본 7-① (1~4차 보고서)	〃	〃	〃
7	탑본 7-② (1~4차 보고서)	〃	〃	〃
8	탑본 7-③ (1~4차 보고서)	〃	〃	〃
9	탑본 7-④ (1~4차 보고서)	〃	〃	〃
10	탑본 7-⑤ (1~4차 보고서)	〃	〃	〃

시기 · 성격	숭선사지는 「崇善寺三寶」銘 기와를 포함한 우수한 유물과 건축 유구를 통해 光宗의 母后인 神明順聖王后의 명복을 빌기 위해 창건한 고려 왕실사찰임이 밝혀졌다. 4차 조사까지 확인된 주요 유구로는 금당지, 추정 영당지, 회랑지, 탑지, 중문지, 금당지, 서쪽 건물지를 비롯한 부속 건물지, 축대, 배수시설, 담장지 등이 있다. 　모든 시설물들은 왕실사찰이라는 성격에 맞게 광대한 규모에 정교하게 치석된 석재들을 이용해 화려하게 조성되었다. 5차 발굴조사에서는 중심사역 동쪽 배수시설이 확인되었으며, 이는 고려시대 토목기술의 우수성을 보여주는 매우 중요한 학술적 자료이다.
참고문헌	충청대학박물관, 2006, 『충주 숭선사지(시굴 및 1~4차 발굴조사보고서)』, 學術研究叢書 第20册. 충청대학박물관, 2011, 『충주 숭선사지 5차 발굴조사 보고서』, 學術研究叢書 第39册.

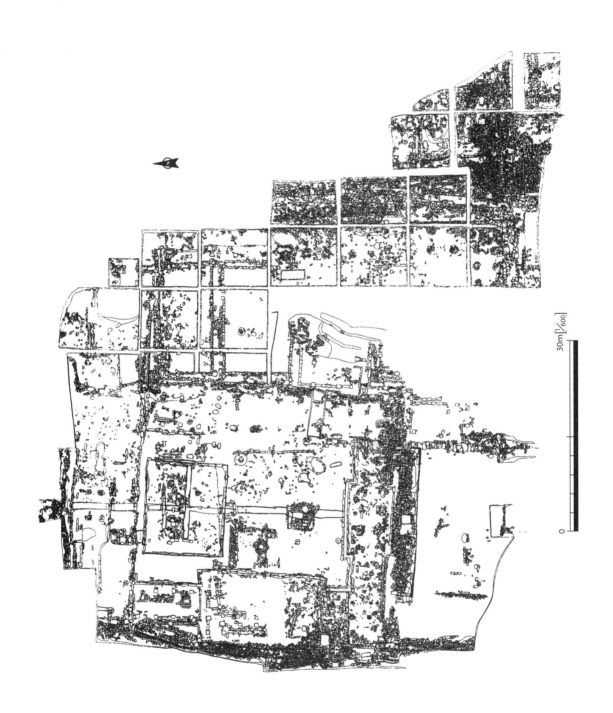

〈 조사지역 유구배치도 (1:600) 〉

(1) 大定二十二年壬寅 銘 암키와

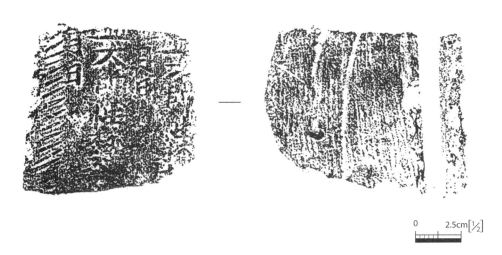

0　2.5cm[½]

명문		연호	연호명 년도	국명(왕)	고려	절대연대
寺上院 □ 監役副都監大師性林大匠暢交/ 大定二十二年壬寅四月日		大定	1161~1187	金 (世宗 22年)	明宗 12年	1182

종류	태토	소성도	색조			제원		
			내	외	속심	길이	폭	두께
암키와	사립이 많이 섞인 점토	경질		회색		(9.6)	(9.7)	1.9

문양 및 제작속성		
외면	내면	측면
어골문	포목흔, 사절흔	내측 와도흔

⑵ 大定二十二年壬寅 銘 암키와

0   10cm[⅙]

명문		연호	연호명 년도	국명(왕)	고려	절대연대
寺上院ㅁ監役副都監大師性林大匠暢交/ 大定二十二年壬寅四月日		大定	1161~1187	金 (世宗 22年)	明宗 12年	1182

종류	태토	소성도	색조			제원		
			내	외	속심	길이	폭	두께
암키와	사립이 섞인 점토	경질		회색· 황갈색				1.6~3.5

문양 및 제작속성		
외면	내면	측면
상하단부·상단면 물손질, 하단면에는 부착된 모래	포목흔, 사절흔, 연철흔	내측 와도흔

⑶ 大定二十二年壬寅 銘 암키와

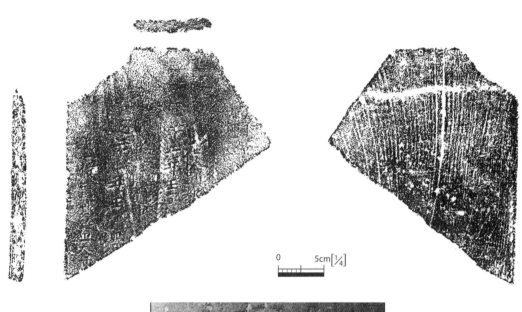

0   5cm[¼]

명문			연호	연호명 년도	국명(왕)	고려	절대연대
寺上院□監役副都監大師性林大匠暢交/ 大定二十二年壬寅四月日			大定	1161~1187	金 (世宗 22年)	明宗 12年	1182

종류	태토	소성도	색조			제원		
			내	외	속심	길이	폭	두께
암키와	사립이 섞인 점토	경질		회색· 황갈색				1.6~3.5

문양 및 제작속성		
외면	내면	측면
상하단부·상단면 물손질, 하단면에는 부착된 모래	포목흔, 사절흔, 연철흔	내측 와도흔

(4) 大定二十二年壬寅 銘 암키와

명문		연호	연호명 년도	국명(왕)		고려	절대연대
寺上院口監役副都監大師性林大匠暢交/ 大定二十二年壬寅四月日		大定	1161~1187	金 (世宗 22年)		明宗 12年	1182

종류	태토	소성도	색조			제원		
			내	외	속심	길이	폭	두께
암키와	사립이 섞인 점토	경질		회색·황갈색				1.6~3.5

문양 및 제작속성		
외면	**내면**	**측면**
상하단부·상단면 물손질, 하단면에는 부착된 모래	포목흔, 사절흔, 연철흔	내측 와도흔

(5) 大定二十二年壬寅 銘 암키와

0   5cm[¼]

명문		연호	연호명 년도	국명(왕)	고려	절대연대
寺上院口監役副都監大師性林大匠暢交/ 大定二十二年壬寅四月日		大定	1161~1187	金 (世宗 22年)	明宗 12年	1182

종류	태토	소성도	색조			제원		
			내	외	속심	길이	폭	두께
암키와	사립이 섞인 점토	경질		회색 · 황갈색				1.6~3.5

문양 및 제작속성		
외면	내면	측면
상하단부 · 상단면 물손질, 하단면에는 부착된 모래	포목흔, 사절흔, 연철흔	내측 와도흔

⑹ 大定二十二年壬寅 銘 암키와

명문	연호	연호명 년도	국명(왕)	고려	절대연대
寺上院ㅁ監役副都監大師性林大匠暢交/ 大定二十二年壬寅四月日	大定	1161~1187	金 (世宗 22年)	明宗 12年	1182

종류	태토	소성도	색조			제원		
			내	외	속심	길이	폭	두께
암키와	사립이 섞인 점토	경질		회색 · 황갈색				1.6~3.5

문양 및 제작속성		
외면	내면	측면
상하단부 · 상단면 물손질, 하단면에는 부착된 모래	포목흔, 사절흔, 연철흔	내측 와도흔

(7) 大定二十二年壬寅 銘 암키와

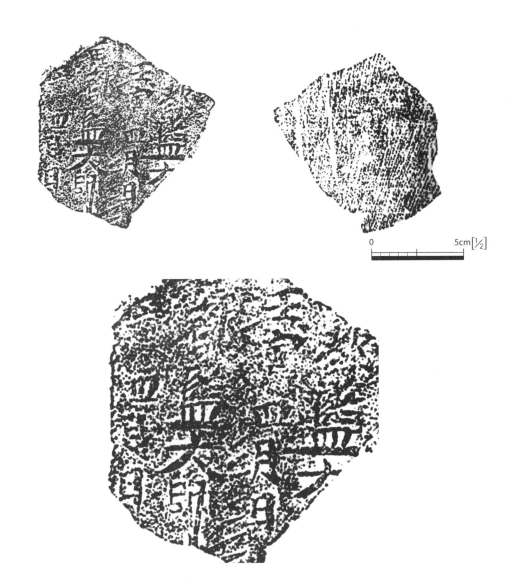

명문		연호	연호명 년도	국명(왕)	고려	절대연대
寺上院□監役副都監大師性林大匠暢交/ 大定二十二年壬寅四月日		大定	1161~1187	金 (世宗 22年)	明宗 12年	1182
종류	태토	소성도	색조			제원		
			내	외	속심	길이	폭	두께
암키와	사립이 섞인 점토	경질		회색 ·황갈색				1.6~3.5
문양 및 제작속성								
외면			내면			측면		
상하단부·상단면 물손질, 하단면에는 부착된 모래			포목흔, 사절흔, 연철흔			내측 와도흔		

⑻ 大定二十二年壬寅 銘 암키와

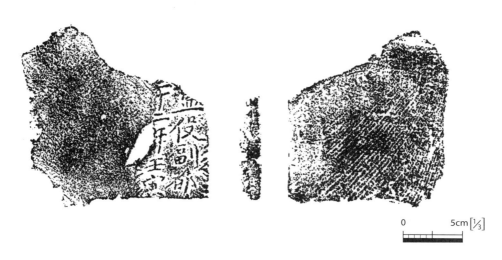

명문			연호	연호명 년도	국명(왕)		고려	절대연대
寺上院□監役副都監大師性林大匠暢交/ 大定二十二年壬寅四月日			大定	1161~1187	金 (世宗 22年)		明宗 12年	1182

종류	태토	소성도	색조			제원		
			내	외	속심	길이	폭	두께
암키와	사립이 섞인 점토	경질		회색 ·황갈색				1.6~3.5

문양 및 제작속성		
외면	내면	측면
상하단부·상단면 물손질, 하단면에는 부착된 모래	포목흔, 사절흔, 연철흔	내측 와도흔

(9) 大定二十二年壬寅 銘 암키와

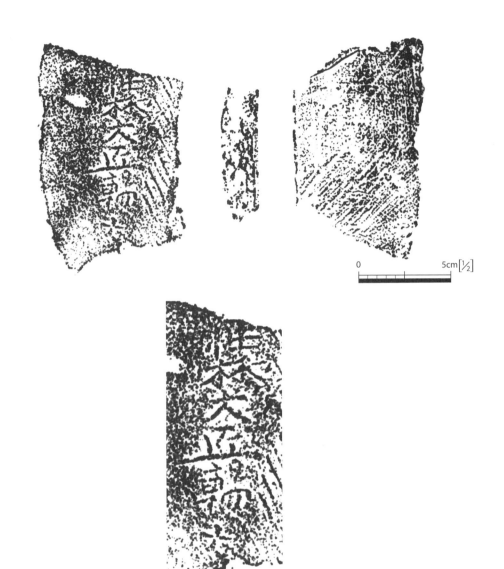

명문		연호	연호명 년도	국명(왕)	고려	절대연대
寺上院囗監役副都監大師性林大匠暢交/ 大定二十二年壬寅四月日		大定	1161~1187	金 (世宗 22年)	明宗 12年	1182

종류	태토	소성도	색조			제원		
			내	외	속심	길이	폭	두께
암키와	사립이 섞인 점토	경질		회색 ·황갈색				1.6~3.5

문양 및 제작속성		
외면	내면	측면
상하단부·상단면 물손질, 하단면에는 부착된 모래	포목흔, 사절흔, 연철흔	내측 와도흔

(10) 大定二十二年壬寅 銘 암키와

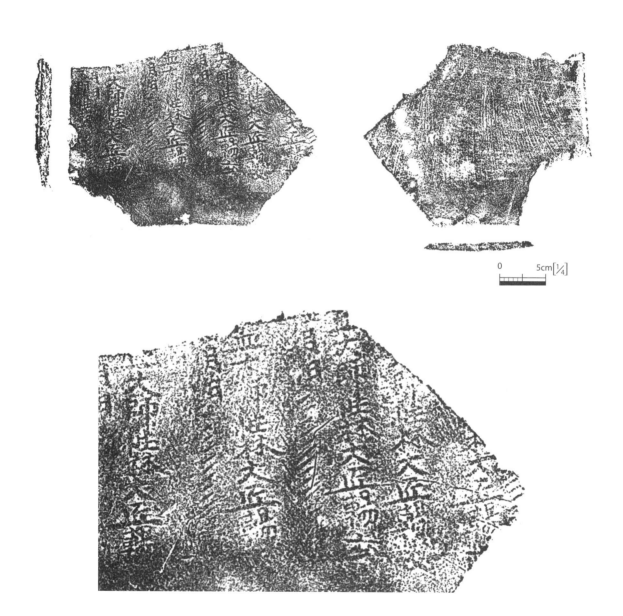

명문		연호	연호명 년도	국명(왕)	고려	절대연대
寺上院囗監役副都監大師性林大匠暢交/ 大定二十二年壬寅四月日		大定	1161~1187	金 (世宗 22年)	明宗 12年	1182

종류	태토	소성도	색조			제원		
			내	외	속심	길이	폭	두께
암키와	사립이 섞인 점토	경질		회색 ·황갈색				1.6~3.5

문양 및 제작속성		
외면	내면	측면
상하단부·상단면 물손질, 하단면에는 부착된 모래	포목흔, 사절흔, 연철흔	내측 와도흔

Ⅲ. 지역별 역연대 기와

5. 전라도 (제주도 포함)

1) 고창 선운사 동불암 (高敞 禪雲寺 東佛菴)

유적위치	전라북도 고창군 아산면 삼인리 618번지 일대				
조사사유	역사적 성격 규명 및 학술연구자료 또는 유적보존에 관한 기초자료 제공				
조사연혁	발굴조사 : 1994.03.22 ~ 1994.05.31 (부여문화재연구소)				
유적입지	조사가 실시된 지점은 고창 선운사 도솔암의 서편 50m에 위치한 마애불의 전면공터이다. 고도상으로는 선운산 남쪽 능선계곡 해발 250m 지점이다. 행로를 보면 선운사 입구매표소의 왼편으로 나있는 완만한 등산로를 따라 2.5㎞쯤 가면 도솔암에 이르게 되고 이 도솔암의 서쪽 왼편으로 오르는 약 50m 지점에 마애불이 정남향한 바위면에 새겨져 있다. 이 바위는 칠송대라 불리는데 현 단애부 높이는 약 30m이며 마애불은 그 정중앙에 높이 약 15m 정도 크기로 새겨져 있다.				
유구현황	고려시대	건물지(1), 장방형 석렬유구(1)			
	조선시대	배수로(1), 건물지(1)			
주요유물	통일신라시대 연화문 막새, 백제 평기와, 연봉형 못가리개, 조선 평기와류, 대형항아리, 상감청자, 조선시대 백자편 등				
기년유물	「至正」銘 수막새(1점), 「金石龍, 二十二十」銘 수막새(1점) 「至正二十三年/癸卯/韓天石/金石龍/崔尙書/金O派」銘 수막새(1점)				
	연번	보고서 유물번호	기와 종류	명문내용	연대
	1	도면 5-5	수막새	至正	1363
	2	도면 5-6	〃	金石龍, 二十二十	〃
시기 · 성격	선운사는 사적기에 이르는 바와 같이 백제 위덕왕때 고승 검단에 의하여 처음 조성된 사찰로 알려져 있다. 이러한 기록은 모두 검증할 수는 없으나, 동불암 주변의 제한적 조사를 통하여 삼국시대 백제에 의해 초창되었음을 확인할 수 있었다. 전해져 오는 전설로는 동불암 마애불을 삼국시대에 조성했다고 하나, 발굴조사 내용으로는 조성시기를 백제로 볼 수 있는 근거를 발견할 수 없었다. 지금까지 마애불의 조성 시기는 고려말경으로 알려져 있었는데, 이는 주로 마애불의 양식이나 조각기법 등을 토대로 하여 판단한 결과로 이해된다.				
참고문헌	夫餘文化財研究所, 1995, 『禪雲寺 東佛菴 발굴 및 마애불 실측조사 보고서』, 第12冊.				

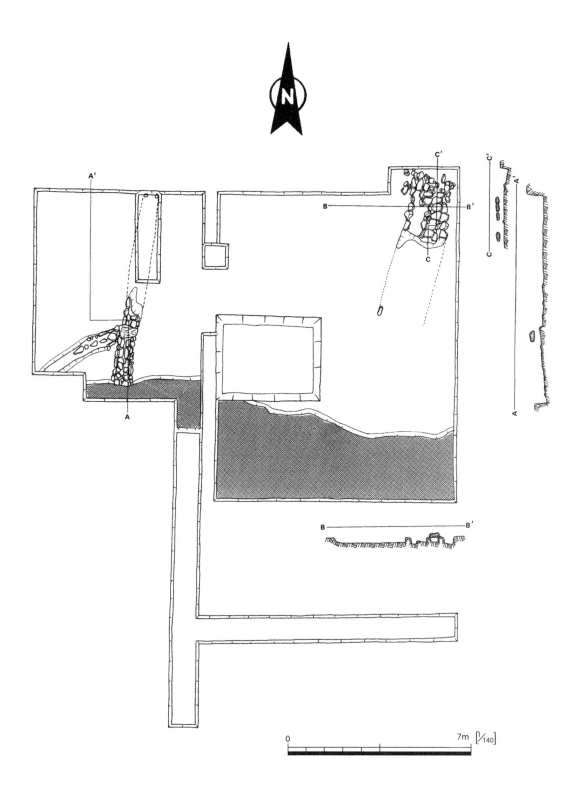

〈 상층유구 평 · 단면도 (1:140) 〉

(1) 至正 二十三年/癸卯/韓天石/金石龍/崔尙書/金○派 銘 수막새

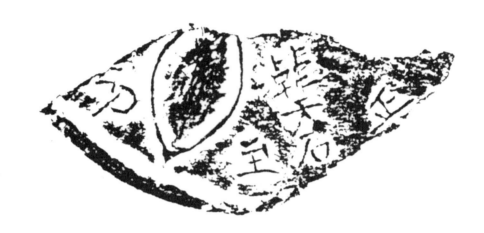

명문	연호	연호명 년도	국명(왕)	고려	절대연대
至正 韓天石	至正	1341~1367	元 (順帝 31年)	恭愍王 12年	1363

종류	태토	소성도	색조			제원		
			내	외	속심	길이	폭	두께
수막새	사립이 소량 혼입된 사질토	경질		드림부 녹유		(13.2)	주연폭 0.5	

문양 및 제작속성		
외면	내면	측면
연화문, 연잎 중앙 1㎝가량 돌기됨. 연단에 명문 시문.		

(2) 金石龍, 二十二十 銘 수막새

명문	연호	연호명 년도	국명(왕)	고려	절대연대
金石龍, 二十二十	至正	1341~1367	元 (順帝 31年)	恭愍王 12年	1363

종류	태토	소성도	색조			제원		
			내	외	속심	길이	폭	두께
수막새	백색사립이 혼입된 고운 점토	경질		회흑색		(11)	주연폭 0.6	자방지름 4
문양 및 제작속성								
외면			내면			측면		
2엽 장식.(4엽 추정) 1조의 원권, 안에 1.9㎝ 높이 연자 장식.								

2) 광주 광주읍성 (光州 光州邑城)

유적위치	광주광역시 동구 광산동 13번지 일원				
조사사유	국립아시아문화전당 건립에 따른 구제발굴				
조사연혁	지표조사 : 2004.09.30 ~ 2005.02.28 (전남문화재연구원) 시굴조사 : 2006.06.23 ~ 2006.07.23 (전남문화재연구원) 발굴조사 : 2006.10.22 ~ 2007.05.29 (1차-전남문화재연구원) 　　　　　 2007.08.10 ~ 2008.03.10 (2차-전남문화재연구원)				
유적입지	광주광역시의 지형은 동부 산악지대와 서부 평야지대의 점이지대라고 할 수 있다. 산지형은 노년기에 속하며, 대체로 준평원화된 구릉성 지대라고 할 수 있다. 광주읍성은 행정구역상으로 광주광역시 동구 광산동에 속하며 舊 전남도청을 중심으로 많은 관공서, 언론사, 금융가 등이 집중 분포하고 있어 광주의 중심을 이루고 있는 지역이다.				

유구현황	1차 발굴조사	통일신라시대 ~근대	읍성(1), 건물지(6), 고려시대 담장지(5), 근대 시대 배수로(4), 우물(2), 근대시대 석열(3)
	2차 발굴조사	통일신라시대 ~근대	읍성(1), 건물지(수기 이상), 담장(3), 통일신라시대 주거지(2), 조선시대 삼가마(2), 수혈(23), 미상 배수로(수기 이상), 우물(18), 이형유구(4), 석축(2)

주요유물	1차 발굴조사	일휘문·연화문 수막새, 격자문·어골문 암키와, 막새류, 기와류, 자기류, 도·토기류, 단경호, 경우원보, 함평원보, 동곳 등
	2차 발굴조사	일휘문·연화문수막새, 편병, 기와류, 도·토기류, 점열문병편, 옹기, 포대화상, 발형토기, 자기, 희령원보, 원사통보, 금제장신구 등

기년유물	1구역 : 「戊午光州」銘 암키와(1점), 「戊午.光州」銘 암키와(1점)				
	연번	보고서 유물번호	기와 종류	명문내용	연대
	1	12	암키와	戊午光州	960, 1020, 1080, 1140, 1200, 1260, 1320, 1380
	2	18	〃	〃	〃
	2구역 : 「光州戊午」銘 암키와(1점)				
	연번	보고서 유물번호	기와 종류	명문내용	연대
	3	306	암키와	光州戊午	960, 1020, 1080, 1140, 1200, 1260, 1320, 1380

시기·성격	기존의 조사결과에 덧붙여 舊 전남도청 뒷담을 조사하여 읍성의 형태가 모서리가 둥근 방형의 평지성이라는 것을 확인할 수 있었다. 또한 광주읍성의 축조방법과 구조를 확인하여 내벽과 기단부의 남아 있는 양상을 통해 협축형식을 취한 內托城으로 추정할 수 있었다. 읍성 외에 층위적으로 통일신라와 고려시대로 추정되는 (방형)건물지 2채와 적심석, 담장지 등을 통해 읍성 이전부터 생활공간으로 활용되었음을 알 수 있었다. 성벽에서 출토된 기와 등의 유물을 통해 볼 때 초축 시기는 지금까지 알려진 조선시대보다 시기가 올라가는 고려 말일 가능성이 높다. 또한 통일신라시대의 주거지와 통일신라시대~조선시대 이후까지의 생활유적이 확인되어 이 지역이 장기간 동안 생활공간으로 활용되었음을 알 수 있다. 또 전남지역에서는 최초로 확인된 삼가마의 존재를 통해 당시 이 지역에서 이루어졌던 생산활동을 추정할 수 있다.
참고문헌	全南文化財研究院, 2008, 『光州邑城 Ⅰ』, 第37册. 全南文化財研究院, 2008, 『光州邑城 Ⅱ』, 第38册.

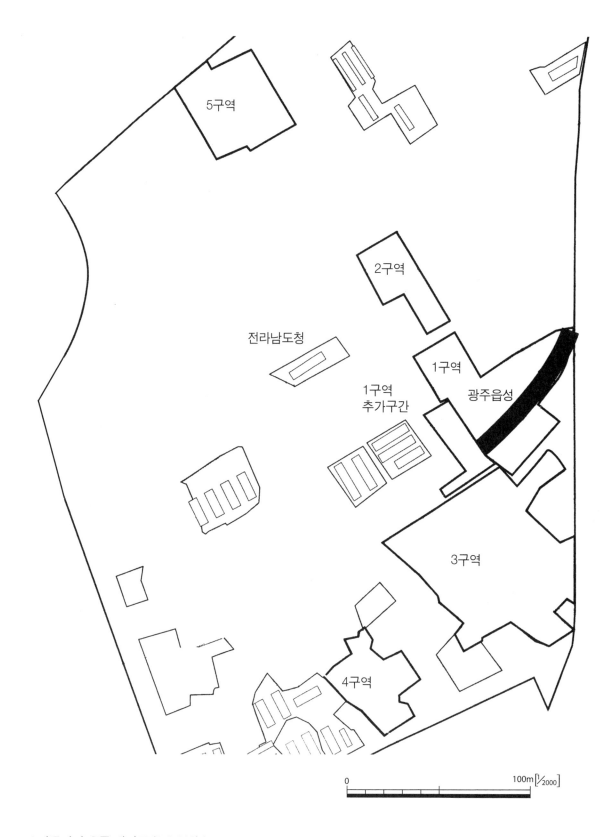

〈 발굴지역 유구 배치도 (1:2,000) 〉

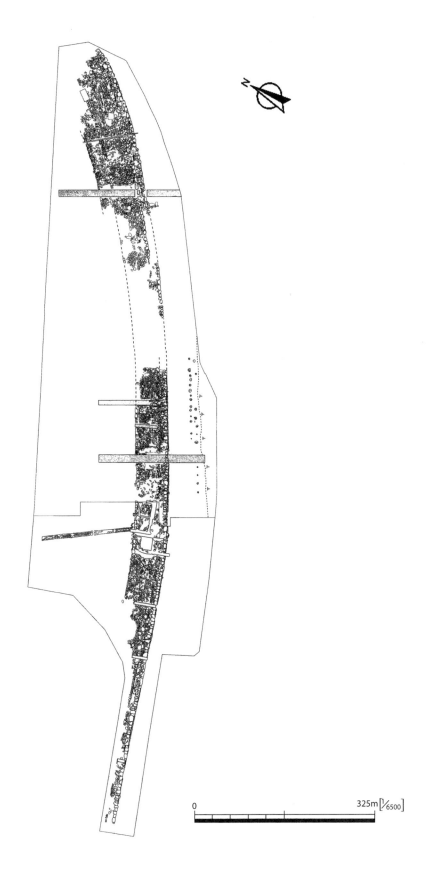

325m $\left[\frac{1}{6500}\right]$

〈 1구역 배치도 (1:6,500) 〉

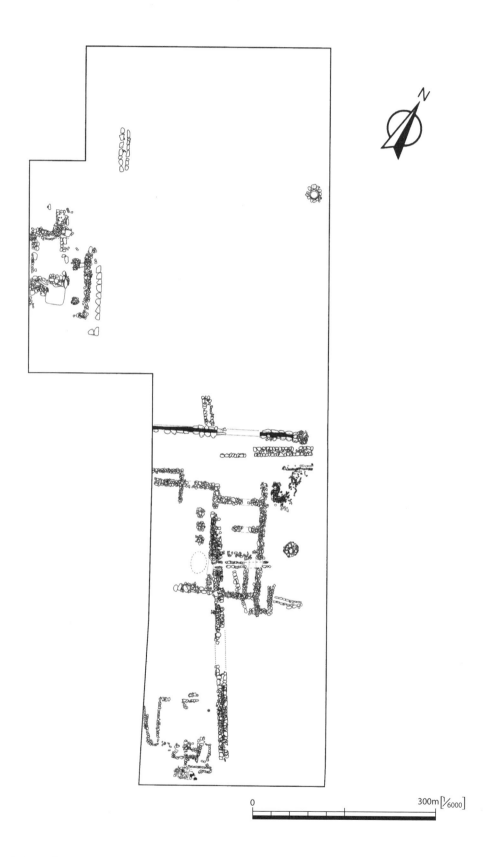

〈 2구역 배치도 (1:6,000) 〉

(1) 戊午光州 銘 암키와

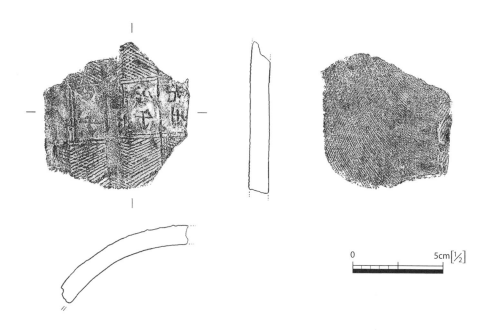

명문	간지명	간지명 년도						추정연대
戊午光州	戊午	960, 1020, 1080, 1140, 1200, 1260, 1320, 1380						

종류	태토	소성도	색조			제원		
			내	외	속심	길이	폭	두께
암키와	점토에 사립과 석립이 다량 혼입	경질	회색			(15)	(13.7)	2.1

문양 및 제작속성		
외면	내면	측면
복합어골문(Ⅲx9형)+방곽내명문	포목흔, 빗질흔	와도흔

(2) 戊午, 光州 銘 암키와

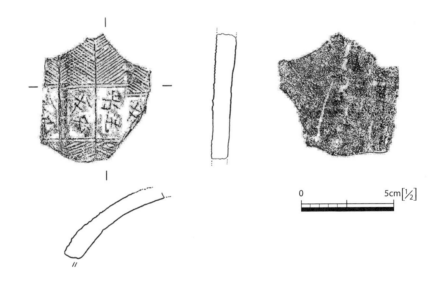

명문	간지명	간지명 년도					추정연대	
戊午, 光州	戊午	960, 1020, 1080, 1140, 1200, 1260, 1320, 1380						
종류	태토	소성도	색조			제원		
			내	외	속심	길이	폭	두께
암키와	점토에 사립과 석립이 다량 혼입	경질	회색			(13.7)	(10.4)	2.1
문양 및 제작속성								
외면			내면			측면		
복합어골문(Ⅲx9형)+방곽내명문			포목흔			와도흔		

(3) 光州戊午 銘 암키와

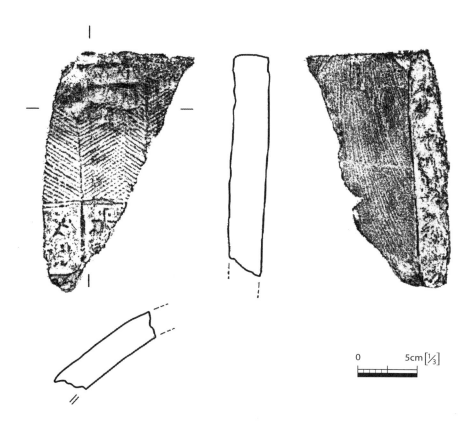

명문	간지명	간지명 년도						추정연대
光州戊午	戊午	960, 1020, 1080, 1140, 1200, 1260, 1320, 1380						
종류	태토	소성도	색조			제원		
			내	외	속심	길이	폭	두께
암키와	소량의 활석 혼입	강한 경질	회청색 or 회색	회청색 or 회색		(15.8)	(7.8)	2.9
문양 및 제작속성								
외면		내면				측면		
변형 어골문, 물손질		포목흔, 윤철흔, 물손질						

3) 담양 읍내리 유적 (潭陽 邑內里 遺蹟)

전라도

유적위치	담양군 담양읍 남산리 247-1, 256-1번지 일대			
조사사유	보촌-담양간 도로 확·포장공사			
조사연혁	시굴조사 : 1999.06.21 ~ 1999.07.12 (전남대학교박물관) 발굴조사 : 2000.05.15 ~ 2000.10.15 (호남문화재연구원)			
유적입지	이 유적 일원은 영산강 상류지역에 형성된 평야지대로서 순창방면으로 향하는 국도 24호선과 88고속도로 사이에 위치한다. 주변은 모두 논으로 개간되어 있으며, 동쪽으로는 남산(234.0m)이 솟아 있고, 서쪽은 담양 읍내와 접하고 있다. 유적의 북쪽에는 보물 제505호인 석당간과 보물 제506호인 오층석탑이 있다.			
유구현황	통일신라 말~조선시대	건물지(6)		
주요유물	막새, 명문기와, 평기와, 편병, 청자, 분청사기, 백자			

	연번	보고서 유물번호	기와종류	명문내용	연대
기년유물	1	153	암키와	乾德六年○○○	968
	2	154	〃	六年戊○○	〃
	3	155	〃	戊辰九月日	〃
	4	156	〃	乙未年	935, 995, 1055, 1115, 1175, 1235, 1295, 1355
	5	157	〃	〃	〃

시기·성격	담양 읍내리 유적은 보물로 지정된 석당간과 오층석탑이 인접하고 있어 이와 관련한 사지가 있을 것으로 추정된 곳이다. 그러나 실제 조사 결과 사찰과 직접적으로 연관된 것으로 보이는 유구와 유물은 확인되지 않았다. 읍내리 유적의 시기나 성격은 출토된 유물을 통해 추정이 가능한데 가장 이른 시기에 해당하는 유물이 통일신라시대 것으로 보아 읍내리 유적이 늦어도 통일기 후반에 들어선 것으로 추정된다. 그리고 18세기초의 오목형 굽이 출토됨에 따라 18세기경까지 존속했던 것으로 볼 수 있다. 읍내리 유적은 담양군의 옛 명칭이 새겨진 명문기와와 관용의 기와를 통하여 고려 초기를 전후로 한 시기의 지방관아와 관련이 있는 건물터로 추정된다. 　「乾德六年○○○」銘 암키와와 「六年戊○○」銘 암키와, 「戊辰九月日」銘 암키와는 조합을 이룬다.
참고문헌	湖南文化財硏究院, 『潭陽 邑內里遺蹟』, 第8冊.

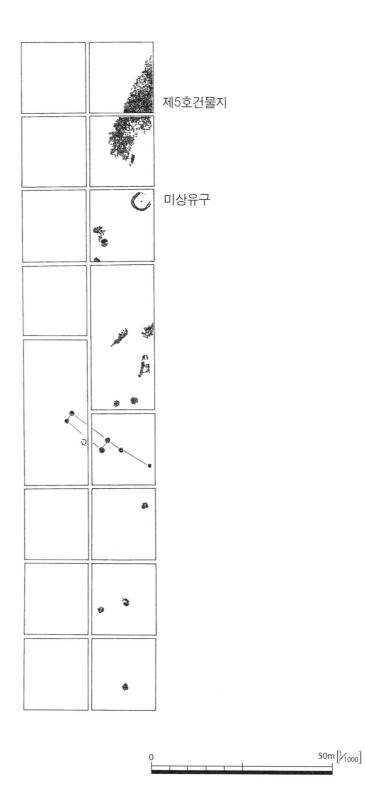

〈 조사지역 전체 유구배치도 (1:1,000) 〉

(1) 乾德六年○○○ 銘 암키와

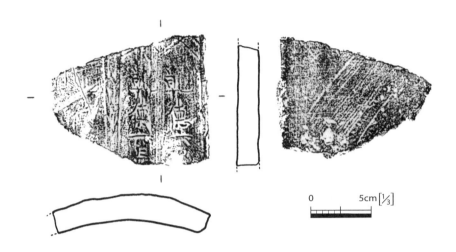

명문	연호	연호명 년도	국명(왕)		고려	절대연대
乾德六年○○○	乾德	963~968	北宋 (太祖 9年)		光宗 19年	968

종류	태토	소성도	색조			제원		
			내	외	속심	길이	폭	두께
암키와		연질	회색	회색		10.6	12.7	1.9

문양 및 제작속성		
외면	내면	측면
무문	포목흔	

(2) 六年戊○○ 銘 암키와

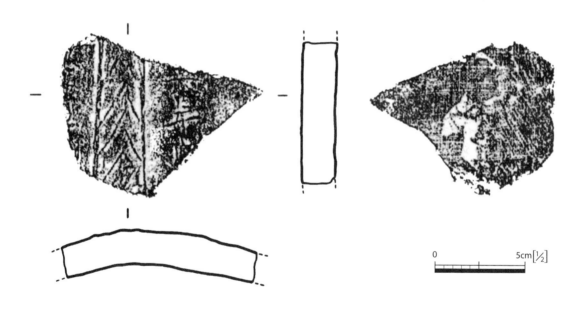

명문	간지명	간지명 년도				추정연대	
六年戊○○	戊辰	968, 1028, 1088, 1148, 1208, 1268, 1328, 1388				968	
종류	태토	소성도	색조			제원	
			내	외	속심	길이	폭	두께
암키와		연질	연회색	연회색		8.2	10.7	1.8
문양 및 제작속성							
외면		내면		측면			
우상문		포목흔					

(3) 戊辰九月日 銘 암키와

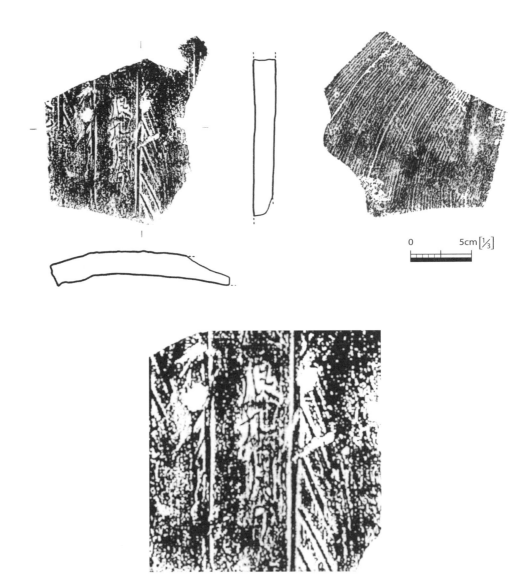

명문	간지명	간지명 년도					추정연대
戊辰九月日	戊辰	968, 1028, 1088, 1148, 1208, 1268, 1328, 1388					968

종류	태토	소성도	색조			제원		
			내	외	속심	길이	폭	두께
암키와		연질	회색	회색		15.6	16.5	1.8

문양 및 제작속성		
외면	내면	측면
우상문	포목흔	내측-와도흔

⑷ 乙未年 銘 암키와

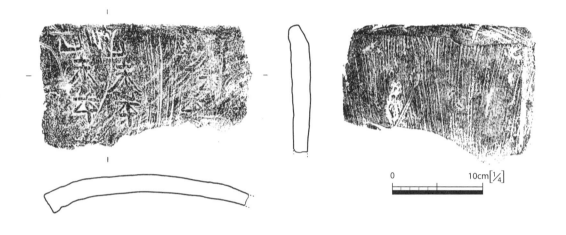

명문	간지명	간지명 년도					추정연대	
乙未年	乙未	935, 995, 1055, 1105, 1165, 1225, 1285, 1345						
종류	태토	소성도	색조			제원		
			내	외	속심	길이	폭	두께
암키와	모래섞임	경질	흑갈색	흑갈색		14.8	22	2
문양 및 제작속성								
외면		내면			측면			
무문		포목흔			하단조정-깎기, 내측-와도흔			

(5) 乙未年 銘 암키와

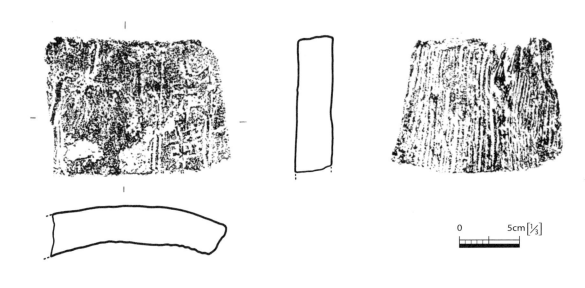

명문	간지명	간지명 년도						추정연대
乙未年	乙未	935, 995, 1055, 1105, 1165, 1225, 1285, 1345						
종류	태토	소성도	색조			제원		
			내	외	속심	길이	폭	두께
암키와	모래섞임	경질	회흑색	회흑색		10.5	13.5	3
문양 및 제작속성								
외면		내면			측면			
무문		포목흔			내측-와도흔			

4) 영광 남천리 유적 (靈光 南川里 遺蹟)

유적위치	전남 영광군 영광읍 남천리 우산공원 일원	
조사사유	영광 우산근린공원 조성공사	
조사연혁	지표조사 : 2009.02 (동북아지석묘연구소)	
	시굴조사 : 2010.03.16 ~ 2010.06.30 (동북아지석묘연구소)	
	발굴조사 : 2010.08.05 ~ 2011.01.31 (동북아지석묘연구소)	
유적입지	이 유적은 영광읍의 중심지에 위치하고 있으며 유적의 북서쪽으로는 넓은 평야가 펼쳐져 있다. 전체적인 지형은 동고서저형으로 구릉정상부를 중심으로 경사가 급한 서남사면을 제외하고는 대부분 계단식 경작지로 활용되고 있고, 주변의 완사면에는 주택가가 자리하고 있다.	
유구현황	고려시대~조선시대	건물지(16), 수혈(8), 조선시대 토광묘(3) 미상유구(5), 우물(2)
주요유물	명문기와(靈光ㅇ, 大寺, ㅇ永樂ㅇ 등), 암키와 류, 수키와 류, 수막새 등	
시기·성격	이 유적에서는 고려 말~조선에 이르는 건물지 16동, 수혈 8기, 우물 1기, 토광묘 3기, 미상유구 5기 및 현대유물 1기가 조사되었다. 해발 82~83m에서 1호 건물지, 해발 75~77m에서 2호 건물지, 해발 63~67m에서는 3호, 4호, 5호 건물지가 확인되었다. 2차 발굴조사는 조사지역의 서편으로 구릉의 사면부에 해당된다. 유적은 대체로 해발 60~65m 사이에서 위치하는데, 건물지는 2차 조사지역 서편 전체에 걸쳐 확인되었다. 수혈은 2차 조사지역의 북서쪽에서, 토광묘는 북동쪽에서 각각 확인되었다. 또한 『輿地圖書』의 객관 신숙주의 기문을 볼 때 남천리에서 확인된 건물지는 조선 초인 문종까지 사용되었던 것으로 추정된다.	
참고문헌	東北亞支石墓研究所, 2013, 『靈光 南川里遺跡』, 第18册.	

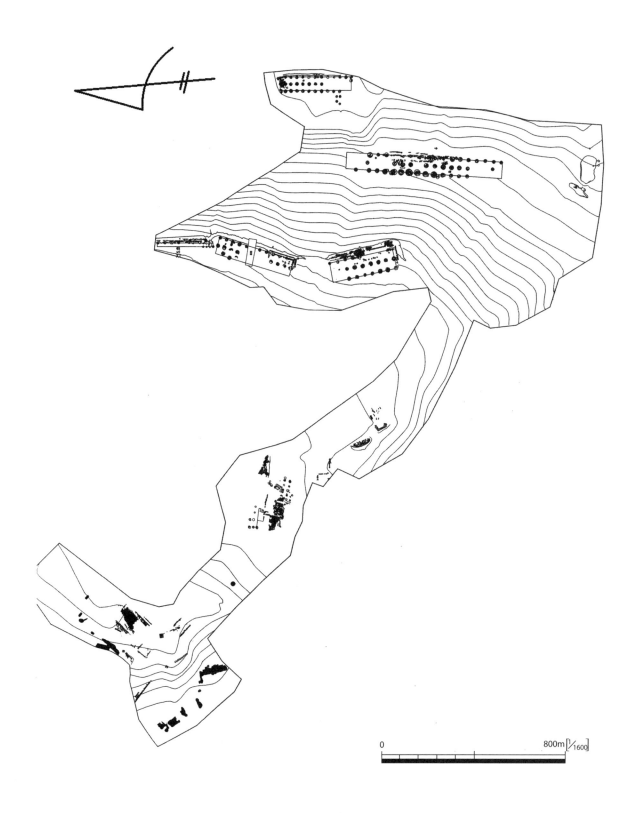

0   800m ¹/₁,₆₀₀

〈 남천리유적 발굴조사 트렌치 (1:1,600) 〉

4)-1 영광 남천리 유적 수혈 8호

유구성격	조사지역의 서쪽에 위치하며 1호 수혈에서 북동쪽으로 20㎝ 정도 떨어져 있다. 표토를 15~20㎝ 정도 제토하자 갈색사질토가 부정형 형태로 확인되었다. 조사결과 유구의 평면형태는 부정형에 가까운 장타원형이며 축조순서는 우선 바닥층을 굴광한 후 그 내부에 할석 및 소량의 기와를 쌓은 것으로 보인다. 할석은 유구의 남서쪽에 치중되어 있는데 일부 무너져있으나 원래는 1열에 가까운 형태였을 것으로 여겨진다. 또한 유구의 내부에는 용도를 알 수 없는 수혈들이 잔존하고 있으며 그 북서쪽으로 직경 60㎝ 정도의 주혈이 있으나 다른 시설 등이 확인되지 않기 때문에 정확한 용도를 알기 어렵다.			
시 기	고려시대			
기년유물	「至正, 十一年」銘 암키와(1점), 「辛卯」銘 수키와(1점)			
	연번	보고서 유물번호	기와 종류	명문내용	연대
	1	도면106-5	암키와	至正, 十一年	1351
	2	도면107-6	수키와	辛卯	〃
공반유물	「月大匠, 四月, 卯」銘 명문기와, 암키와, 수키와			

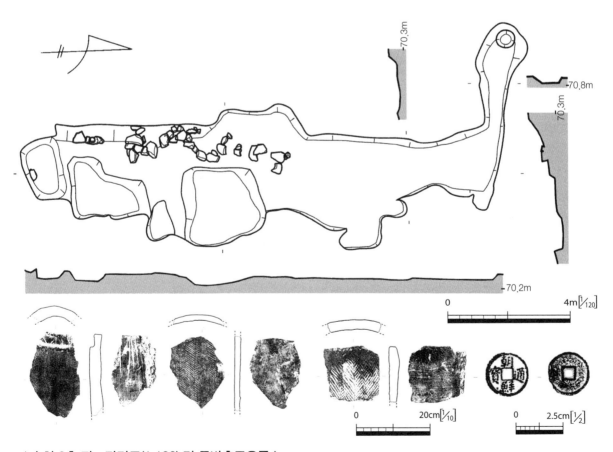

〈 수혈 8호 평 · 단면도(1:120) 및 공반출토유물 〉

(1) 至正, 十一年 銘 암키와

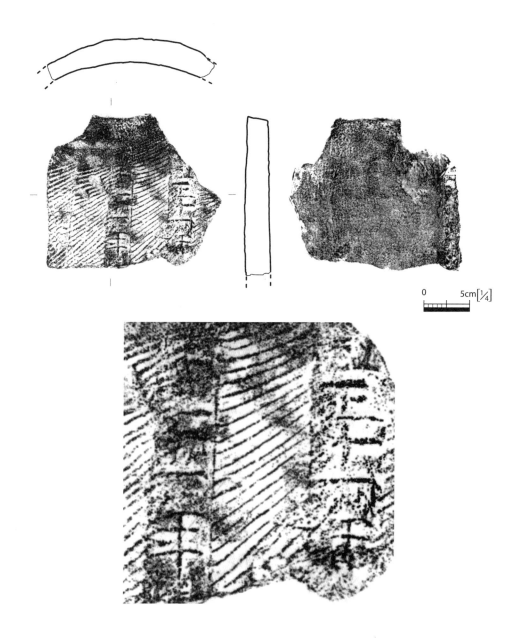

명문	연호	연호명 년도	국명(왕)	고려	절대연대
至正, 十一年	至正	1341~1367	元 (順帝 19年)	忠定王 3年	1351

종류	태토	소성도	색조			제원		
			내	외	속심	길이	폭	두께
암키와			회청색			(17.1)	(18)	2.7

문양 및 제작속성		
외면	내면	측면
수지문	포목흔	와도흔

(2) 辛卯 銘 수키와

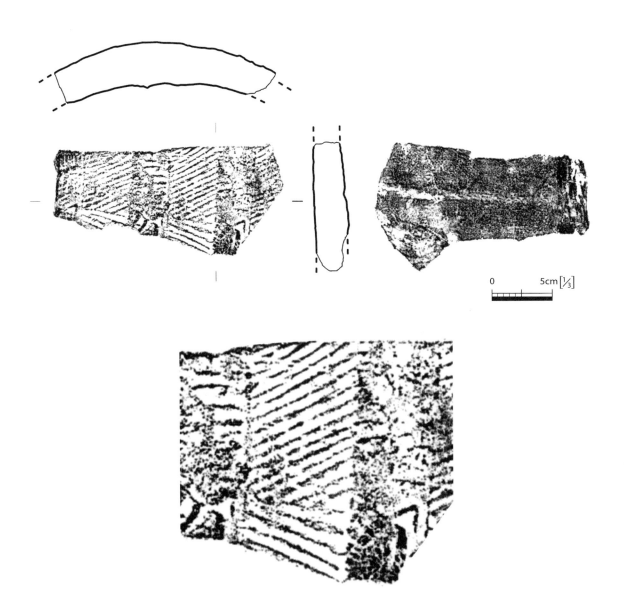

명문	간지명	간지명 년도						추정연대
辛卯	辛卯	931, 991, 1051, 1111, 1171, 1231, 1291, 1351						1351

종류	태토	소성도	색조			제원		
			내	외	속심	길이	폭	두께
수키와			회청색			(10.2)	(17)	2.5

문양 및 제작속성		
외면	내면	측면
수지문	포목흔, 연철흔	

5) 영광 불갑사 (靈光 佛甲寺)

유적위치	전라남도 영광군 불갑면 모악리 8번지 불갑사				
조사사유	영광 불갑사 명경전 복원건립에 따른 구제발굴				
조사연혁	발굴조사 : 2011.10.12 ~ 2011.11.03 (전남문화재연구원)				
유적입지	전라남도 영광군 불갑면 불갑사로 450번지 일원에 자리하고 있으며, 불갑산(516m)과 모악산(348m) 사이의 북쪽 기슭에 위치하고 있다.				
유구현황	고려시대~조선시대	건물지(2), 석열유구(4), 축대(1), 계단시설(1)			
주요유물	자기류, 명문 평기와, 막새류, 기와류, 청동기류				
기년유물	「己丑三月日 寺道人木」銘 암키와(1점)				
	연번	보고서 유물번호	기와 종류	명문내용	연대
	1	61	암키와	己丑三月日 寺道人木	929, 989, 1049, 1109, 1169, 1229, 1289, 1349
시기·성격	영광 불갑사 명경전 복원건립 부지와 낭요 건립부지는 총 3구역으로 나누어 조사되었는데, 1구역에서는 건물지 1동, 2구역에서는 석렬유구, 축대, 계단시설, 3구역에서는 건물지 1동, 석렬유구 3기 등이 확인되었으며, 유물은 과형매병도기, 청자·분청자·백자 등의 자기류, 다양한 명문이 쓰인 평기와·막새 등의 기와류 및 청동기류 등이 출토되었다. 『불갑사고적기』(1741)에 따르면 불갑사(佛甲寺)는 삼국시대 백제에 불교를 처음 전래한 인도승 마라난타존가가 남중국 동진에서 백제 침류왕 1년에 영광 법성포로 들어와 모악산에 최초로 사찰을 세우고, '이 절이 불사의 으뜸이 된다(佛寺之所宗)'라고 하여 불갑사(佛甲寺)라고 이름지었다고 전해진다. '불갑사'라는 寺名에 대한 최초 문헌기록은 1530년에 작성된『新增東國興地勝覽』에 '佛甲寺'라고 기록되어 있고 그 이후 대부분의 문헌자료에는 '佛甲寺'로 기록되어 있다. 그런데 이번 조사 중 3구역에서 「仏岬」이라는 명문이 좌서된 고려시대 복합문 암키와가 확인되었으며, 이는 가장 오래된 문헌기록인 『신증동국여지승람』보다 앞선 실증적인 유물에 기록된 명문으로 원래 '불갑사'의 사찰명이 '佛甲'이 아니라 '佛岬'이였을 가능성이 높다.				
참고문헌	全南文化財研究院, 2013, 『靈光 佛甲寺』, 學術叢書 第67册.				

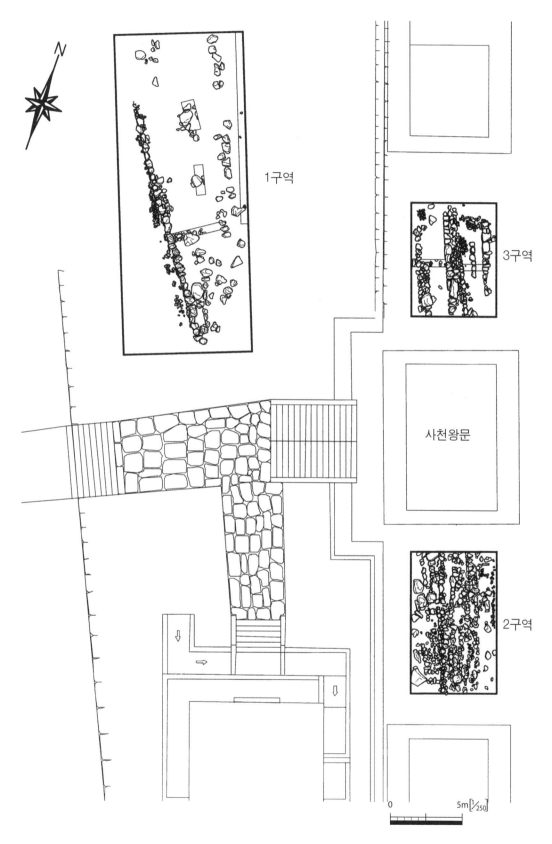

1구역

3구역

사천왕문

2구역

0　　　　　　5m $\frac{1}{250}$

〈 불갑사 조사구역 현황도 (1:250) 〉

(1) 己丑三月日 寺道人木 銘 암키와

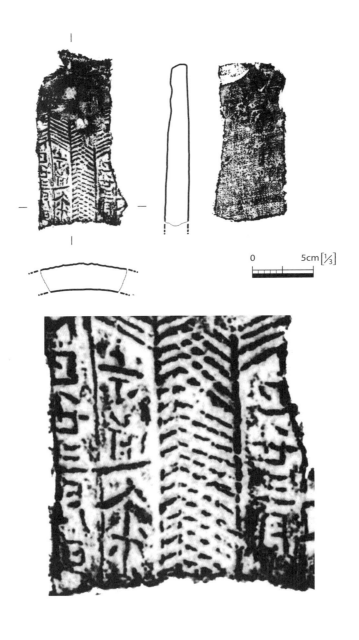

명문	간지명	간지명 년도						추정연대
己丑三月日寺道人木	己丑	929, 989, 1049, 1109, 1169, 1229, 1289, 1349						
종류	태토	소성도	색조			제원		
			내	외	속심	길이	폭	두께
암키와	소량의 가는 사립이 혼입됨	경질		회색		(14.3)	(7.9)	2.2
문양 및 제작속성								
외면		내면				측면		
수지문+명문		포목흔						

6) 영암 천황사 (靈巖 天皇寺)

유적위치	전남 영암군 영암읍 개신리 449-1 외		
조사사유	유구의 성격을 밝히고 옛 사역과 성격을 파악, 복원을 위한 학술조사		
조사연혁	발굴조사 : 1995.12.04 ~ 1996.01.12 (1차- 순천대학교박물관) 　　　　　2000.07.31 ~ 2000.09.23 (2차- 순천대학교박물관) 　　　　　2001.11.26 ~ 2002.01.19 (3차- 순천대학교박물관)		
유적입지	천황사는 영암군 영암읍 개신리 월출산 사자봉 아래에 위치하고 있다. 월출산은 선사시대 이래 발달된 해로와 비옥한 영산강주변의 농경지를 배경으로 하는 이 지역의 문화와 역사를 상징하고 있다. 월출산은 골산이기 때문에 많은 골짜기들이 있으며, 불교유적과 유물이 곳곳에 산재해 있다.		
유구현황	1차 발굴조사	통일신라시대~고려시대	목탑지(1), 건물지(1)
	2차·3차 발굴조사	고려시대~조선시대	건물지(4)
주요유물	1차 발굴조사	「師子寺」銘의 와편 등 막새 기와류, 자기류	
	2차·3차 발굴조사	회청색경질토기, 기와류, 자기류, 철도자, 철청	
시기·성격	1차 조사에서는 「師子寺」銘의 와편이 출토되어 寺名이 天皇寺가 아니라 師子寺임이 밝혀졌다. 이 사찰의 최하층 와편들이 통일신라시대의 것으로 확인되어 통일신라시대부터 이곳에 사찰이 조영되었음을 알 수 있었다. 현재의 목탑유구는 기단과 초석들이 거의 완전하게 남아 있다. 현 기단부 밑의 판축토에 통일신라 시기의 와편과 고려 초기의 와편들이 깔려 있는 것으로 보아 현 목탑 유구는 고려 전기에 조영되었음이 밝혀졌다. 아래층에는 청자 해무리굽편들이 출토된 점도 이를 입증하고 있다. 목탑지 각 초석 간의 거리 즉 주칸(柱間)은 약 170㎝이며, 양 모서리 초석간의 거리는 약 5.2m로 역시 정사각형을 이룬다. 정면과 측면에 초석들이 각각 4개씩 있으므로 이 목탑은 3층으로 추정된다. 가람배치는 목탑과 법당지가 거의 동서방향으로 일직선상에 놓여 있어 一塔一金堂式이다. 　2차·3차 조사에서 확인된 건물지의 주 사용시기는 고려시대이고 Ⅱ-1·2건물지가 조선시대까지 사용된 것으로 보인다. 즉 師子寺는 고려전기에 대각국사 의천이 사찰을 찾아갈 정도로 사세가 있었음을 알 수 있다. 따라서 師子寺는 통일신라시대에 창건되어 고려시대에 전성기를 맞이한 것으로 볼 수 있으며, 조선시대에는 사찰의 명맥만 겨우 유지한 것으로 판단된다.		
참고문헌	順天大博物館, 2005, 『靈巖 天皇寺Ⅰ』, 學術資料叢書 第54冊. 順天大博物館, 2005, 『靈巖 天皇寺Ⅱ』, 學術資料叢書 第55冊.		

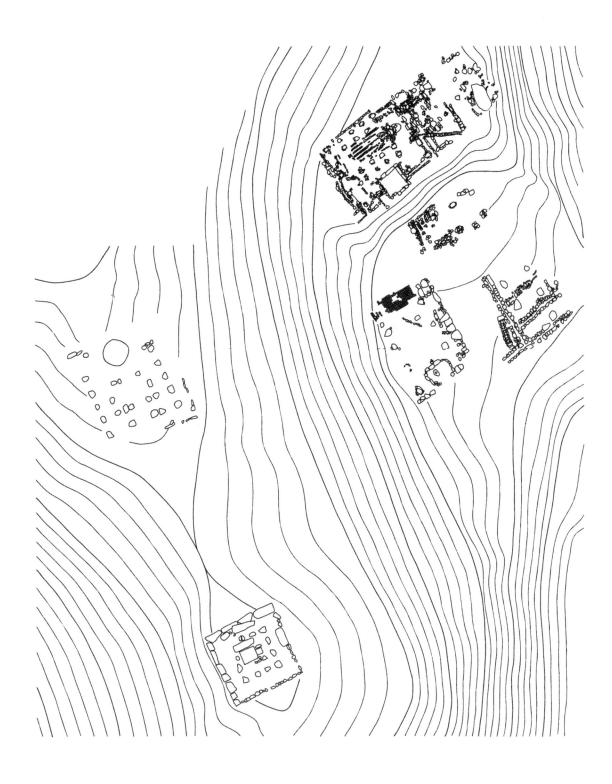

〈 영암 천황사 유구배치도 (스케일, 방위표 보고서 미기재) 〉

6)-1 영암 천황사 법당지

유구성격	건물의 초석은 정면 4개, 측면 5개가 유실된 것 없이 노출되었다. 각 초석간의 거리는 정면 3.5m, 측면 2~2.3m이며, 건물 정면 양 모서리 기둥 사이는 10.5m, 측면은 8.5m이다. 그러므로 이 건물은 정면 3칸, 측면 4칸으로 측면의 칸 수가 많으나 정면의 길이가 더 길다. 기단은 동·북쪽에 약간 보이는데 초석에서 1.5~2.0m 떨어져 있다. 계단은 동쪽에만 있으나 많이 유실되었다. 동쪽은 목탑지에 말안장처럼 낮은 곳을 지나 경사진 곳을 올라온 곳이므로 여기에 축대를 만들고 그 위에 석조계단을 설치하였다. 건물지 내부에 무문塼이 일부 깔려 있는 것으로 보아 바닥은 전체적으로 塼을 깔았던 것으로 추정된다.				
시 기	통일신라시대~고려시대				
기년유물	「庚戌(?)二月十四日」銘 평기와(1점), 「丁卯上只寺成」銘 평기와(1점)				
	연번	보고서 유물번호	기와 종류	명문내용	연대
	1	84	평기와	庚戌(?)二月十四日	950, 1010, 1070, 1130, 1190, 1250, 1310, 1370
	2	90	〃	丁卯上只寺成	967, 1027, 1087, 1147, 1207, 1267, 1327, 1387
공반유물	기와류, 자기류				

〈 법당지 평·단면도 (1:200) 〉

(1) 庚戌(?)二月十四日 銘 평기와

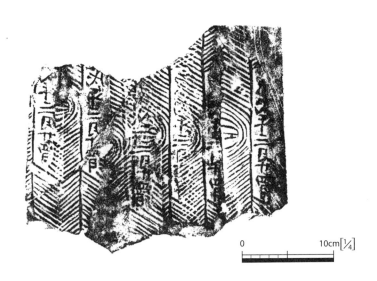

명문	간지명	간지명 년도						추정연대
庚戌(?)二月十四日	庚戌	950, 1010, 1070, 1130, 1190, 1250, 1310, 1370						

종류	태토	소성도	색조			제원		
			내	외	속심	길이	폭	두께
평기와	사립과 석립이 섞인 비교적 정질의 점토	보통		회백색				1.9

문양 및 제작속성		
외면	내면	측면
수지문을 중심으로 명문 양각(좌서)	포목흔, 물손질	와도흔

(2) 丁卯上只寺成 銘 평기와

5cm[½]

명문	간지명	간지명 년도						추정연대
丁卯上只寺成	丁卯	967, 1027, 1087, 1147, 1207, 1267, 1327, 1387						
종류	태토	소성도	색조			제원		
			내	외	속심	길이	폭	두께
평기와	가는 사립이 일부 섞임 점토	강함		회청색				1.5
문양 및 제작속성								
외면		내면			측면			
수지문을 중심으로 명문 배치		포목흔						

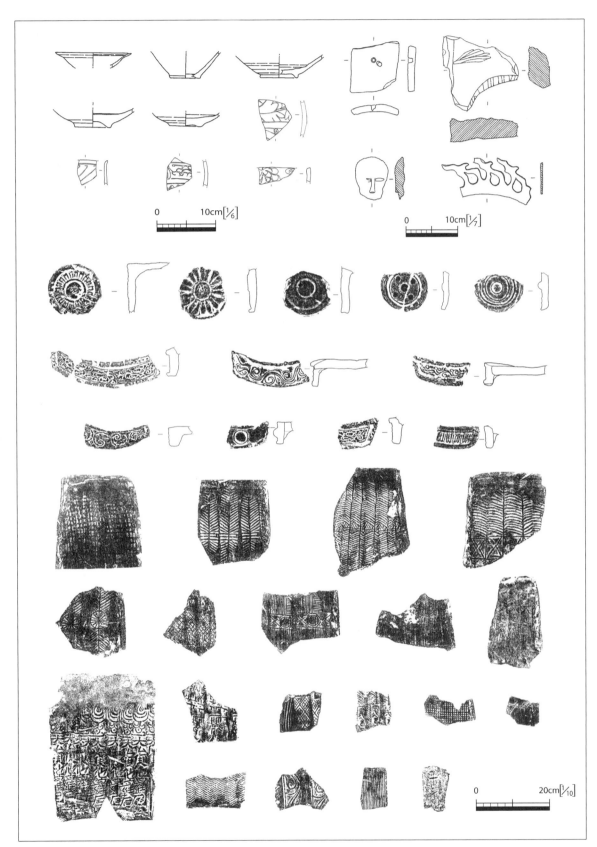

〈 법당지 공반출토유물 〉

7) 완도 법화사지 (莞島 法華寺址)

전라도

유적위치	전라남도 완도군 완도읍 장좌리 961번지 일원
조사사유	완도 청해진유적 정비 복원사업의 일환
조사연혁	발굴조사 : 1990.01.30 ~ 1990.04.14 (1차-문화재연구소 유적조사연구실) 1990.09.10 ~ 1990.11.10 (2차-문화재연구소 유적조사연구실)
유적입지	법화사지는 완도읍에서 13번 국도를 따라 북으로 약 6㎞ 정도 가면 장좌리가 나오고, 마을 어귀 국도변에 있는 청해초등학교의 좌측(서편)에 상왕봉 올라가는 비포장도로가 있는데 이 도로를 따라 700m 쯤 가면 도달하는 길 우측 숲속에 위치한다. 이곳은 완도에서 가장 높은 산인 상왕봉(해발 644m)에서 급격한 경사를 이루는 정동방향의 큰 능선 산자락 끝에 위치한다. 그 면적은 1,881m² 정도이다.
유구현황	고려시대~조선시대 / 건물지(7), 계단지(5), 수구(4), 석축(1)
주요유물	명문기와, 주름무늬 병, 청자, 백자, 동종편, 국자, 숟가락, 집모양 토제품 등

<table>
<tr><td colspan="5">「癸卯三月大匠惠印」銘 암키와(5점), 「O統三年癸O」銘 기와(1점)</td></tr>
<tr><td rowspan="7">기년유물</td><td>연번</td><td>보고서 유물번호</td><td>기와 종류</td><td>명문내용</td><td>연대</td></tr>
<tr><td>1</td><td>도면 3</td><td>암키와</td><td>癸卯三月大匠惠印</td><td>1123, 1183, 1243</td></tr>
<tr><td>2</td><td>도면 4</td><td>〃</td><td>〃</td><td>〃</td></tr>
<tr><td>3</td><td>도면 5</td><td>〃</td><td>〃</td><td>〃</td></tr>
<tr><td>4</td><td>도면 6</td><td>〃</td><td>〃</td><td>〃</td></tr>
<tr><td>5</td><td>도면 7</td><td>〃</td><td>〃</td><td>〃</td></tr>
<tr><td>6</td><td>도면 21</td><td>기와</td><td>O統三年癸O</td><td>(乾)統三年癸(未)로 추정</td></tr>
</table>

시기·성격	장보고 대사에 의해 청해진이 설치된 후 법화사가 창건되었으나 851년 청해진혁파로 1차 폐사가 된다. 그 후 12세기 초에 중창되고 13세기 무렵에 백련사와 연계되어 크게 발전하지만 삼별초의 진도 항몽전과 연계되어 항몽 후 13세기 후반에 2차 폐사가 된다. 2차 폐사 후 잦은 왜구의 침략으로 16세기 무렵까지 주민의 도서이주가 규제받음으로써 재건의 여건이 주어지지 않았다. 임란 이후 17~18세기 무렵에 도서지역에 대한 이주인구가 많아지면서 재건 불사가 이루어진다. 그러나 임란 후의 시대변화가 정리되면서 도서지역 주민에 대한 관과 지주계층의 혹독한 이중수탈의 폐단으로 19세기 대를 전후하여 인구가 격감한다. 이에 따라 법화사도 이때를 전후한 시기에 폐사되어 오늘에 이르고 있다고 정리할 수 있다. 이곳 조사의 가장 큰 성과는 13세기의 법화사 관련 문헌과 이곳 출토 유구·유물이 서로 일치되어 이곳이 법화사지임을 밝힌 데 있다고 하겠다. 또한 이곳 법화사가 백련사와의 관계 등으로 보아 법화사상을 중심으로 한 천태종 사찰이었음이 밝혀져 적산 법화원과의 밀접한 관련성을 유추하게 하는 단서가 마련되었다. 「癸卯三月大匠惠印」銘 암키와 5점은 주변 출토 「乾統 3年 癸未」 명문와와 청자의 편년과 비슷한 1123, 1183, 1243년으로 추정된다.
참고문헌	國立文化財研究所, 1992, 『莞島 法華寺址』.

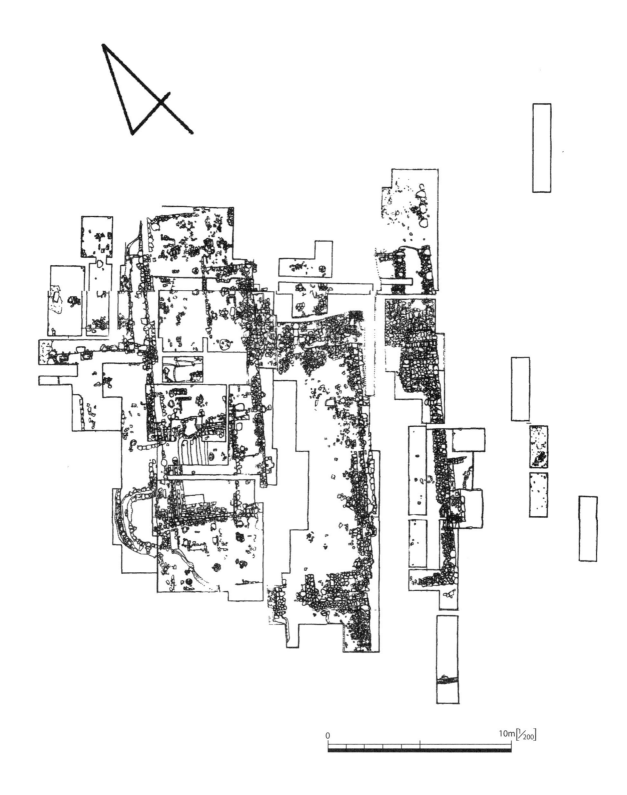

〈 완도 법화사지 전체유구 평면도 (1:200) 〉

(1) 癸卯三月大匠惠印 銘 암키와

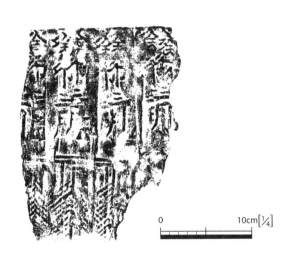

0   10cm[¼]

명문	간지명	간지명 년도				추정연대	
癸卯三月大匠惠印	癸卯	943, 1003, 1063, 1123, 1183, 1243, 1303, 1363				1123, 1183, 1243	
종류	태토	소성도	색조			제원	
			내	외	속심	길이	폭	두께
암키와	정선된 태토	경질		회색 · 회백색		(29)	(15)	1.2
문양 및 제작속성							
외면		내면			측면		
어골문+1조의 음각 횡대		포목흔					

(2) 癸卯三月大匠惠印 銘 암키와

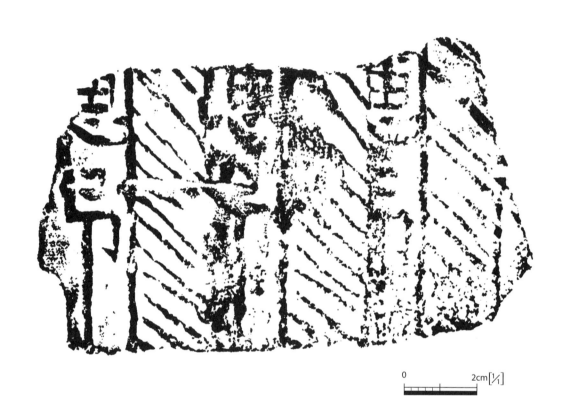

0   2cm[⅟₁]

명문	간지명	간지명 년도					추정연대	
癸卯三月大匠惠印	癸卯	943, 1003, 1063, 1123, 1183, 1243, 1303, 1363					1123, 1183, 1243	
종류	태토	소성도	색조			제원		
			내	외	속심	길이	폭	두께
						(29)	(15)	1.2
문양 및 제작속성								
외면		내면				측면		

(3) 癸卯三月大匠惠印 銘 암키와

0 2cm[1/1]

명문	간지명	간지명 년도					추정연대	
癸卯三月大匠惠印	癸卯	943, 1003, 1063, 1123, 1183, 1243, 1303, 1363					1123, 1183, 1243	
종류	태토	소성도	색조			제원		
			내	외	속심	길이	폭	두께
						(29)	(15)	1.2
문양 및 제작속성								
외면		내면			측면			

(4) 癸卯三月大匠惠印 銘 암키와

명문	간지명	간지명 년도				추정연대		
癸卯三月大匠惠印	癸卯	943, 1003, 1063, 1123, 1183, 1243, 1303, 1363				1123, 1183, 1243		
종류	태토	소성도	색조			제원		
			내	외	속심	길이	폭	두께
高麗時代 歷年代 資料集						(29)	(15)	1.2
문양 및 제작속성								
외면		내면				측면		

(5) 癸卯三月大匠惠印 銘 암키와

0   5cm[½]

명문	간지명	간지명 년도						추정연대	
癸卯三月大匠惠印	癸卯	943, 1003, 1063, 1123, 1183, 1243, 1303, 1363						1123, 1183, 1243	
종류	태토	소성도	색조			제원			
			내	외	속심	길이	폭	두께	
						(29)	(15)	1.2	
문양 및 제작속성									
외면		내면				측면			

(6) ○統三年癸○ 銘 기와

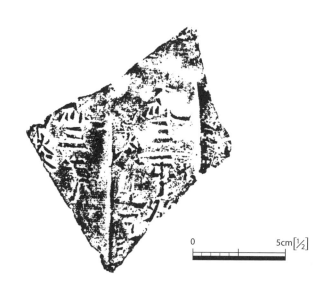

명문		연호	연호명 년도	국명(왕)		고려	절대연대
○統三年癸○		乾統	1101~1110	遼 (天祚帝 3年)		肅宗 8年	1103

종류	태토	소성도	색조			제원		
			내	외	속심	길이	폭	두께
기와	모래섞임	경질				(14)	(11.5)	2

문양 및 제작속성		
외면	내면	측면
타날폭-5㎝	포목흔	

8) 순창 대모산성 (淳昌 大母山城)

유적위치	전라북도 순창군 순창읍 백산리 산 55번지 일원
조사사유	성곽 및 북문지 복원사업 관련
조사연혁	발굴조사 : 2001.11.28 ~ 2002.01.16 (1차-호남문화재연구원) 　　　　　　2002.07.02 ~ 2002.07.31 (2차-호남문화재연구원)
유적입지	대모산에 위치한 대모산성은 행정구역상 순창군 순창읍 백산리에 속한다. 이곳은 순창읍 서쪽 약 1.5㎞ 지점의 백산리 산 55번지 일원이다. 대모산은 해발 180m 봉우리가 남서쪽에 자리하고 있지만 대체로 160m 정도의 높이를 유지하고 있다. 그러나 산 아래의 해발이 100m 내외이므로 실제 산의 높이는 60~80m 정도에 불과하다. 대모산의 북쪽과 서쪽은 급경사 지형을 이루고 있고 동남쪽의 산 밑으로는 금성산에서 발원하여 흐르는 경천(鏡川)이 휘감아 돌아 순창읍 남쪽을 관통한다. 이렇듯 지형적으로 다소 낮은 산에 축조된 대모산성은 북쪽과 서쪽은 급경사 지형이고, 남쪽과 동쪽의 일부는 경천이 자연해자의 역할을 해줌으로써 방어상의 약점을 보완하고 있다. 대모산성의 북서쪽 가까운 곳에 순창읍과 팔덕면을 이어주는 '머거리재'가 위치하고 있다. 이런 면에서 순창읍을 가로질러 동쪽의 섬진강으로 흘러드는 경천 역시 주요한 교통로 역할을 담당하였을 것으로 보인다. '머거리재' 쪽으로는 산성의 북문이 개설되어 있고, 경천 쪽으로는 남문이 설치되어 있어 상호 교통로상에 위치하는 셈이다.
유구현황	삼국시대(백제)~고려시대　　문지(2), 건물지(1), 성벽
주요유물	고려시대의 토기편, 철모, 투석용 자갈, 선문 「三秀」·「秀」자가 새겨진 명문 등 백제시대 기와류, 「延祐元年」·「卍」등이 새겨진 고려시대 명문기와, 기타 고려시대 기와류
시기·성격	조사를 통해 성문의 평면형태, 축조방식 등이 확인되었으며, 유물은 삼국시대 백제의 기와로 알려진 평기와가 출토되었다. 그리고 백제 산성에서 보여지는 특징 중 하나인 입지적 조건이나 성문의 위치 선정 등이 대모산성에서도 적용되고 있어 백제에 의해 축조된 산성임이 분명해 졌다. 이와 더불어 순창은 백제 지방행정의 하나인 '道實郡'을 두었던 기록이 남아 있어 대모산성은 도실군의 치소지일 가능성이 크다. 하지만 산성의 내부조사가 이루어져야 그 성격이 명확하게 밝혀질 것으로 사료된다.
참고문헌	湖南文化財研究院, 2004, 『淳昌 大母(홀어머니)山城』, 第23册.

대모암

대웅전

남문지

북문지

〈 대모산성 전체 평면도 (1:1,000) 〉

0　　　　　　　　　　50m [1/1000]

8)-1 순창 대모산성 건물지

유구성격	산성 내부의 북동쪽에 자리하고 있다. 지대는 다소 높은 곳의 평평한 지형으로 동-서 방향으로 길게 대지가 조성되어 있다. 그곳에는 장방형의 토단이 동·서에 각각 1개소씩 형성되어 있으며, 토단은 길이 약 40m, 폭 8m 정도의 장방형 형태를 이루고 있다. 기단은 길쭉한 천석을 가로방향으로 1~2단 정도 열을 맞추어 배열되어있다. 앞과 뒤의 기단 폭은 814㎝이다. 초석은 5개가 노출되었는데, 그 배치상태로 보아 측면 2칸 건물이 있었던 것으로 생각된다. 측면 초석간 거리는 전 296㎝, 후 272㎝이며, 정면의 초석간 거리는 320㎝이다. 남쪽 초석간에는 판판한 할석을 부석으로 깔았다. 그 외에 초석 주변에서 또 다른 적심석이 확인되어 건물의 중수가 있었던 것으로 추정된다.

시 기	고려시대				
기년유물	「延祐元年」銘 수키와(1점)				
	연번	보고서 유물번호	기와 종류	명문내용	연대
	1	101	수키와	延祐元年	1314
공반유물	명문와(朋○心東, 心東, 瓦 銘), 수파문계 등 기와류				

〈 대모산성 건물지 평·단면도 (1:50) 〉

(1) 延祐元年 銘 수키와

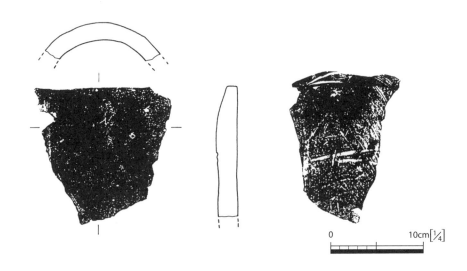

명문	연호	연호명 년도	국명(왕)	고려	절대연대
延祐元年	延祐	1314~1320	元 (仁宗 3年)	忠肅王 元年	1314

종류	태토	소성도	색조			제원		
			내	외	속심	길이	폭	두께
수키와	정선된 점토에 가는 사립이 섞임		회흑색	회흑색		(14.9)	(13.3)	2.5

문양 및 제작속성		
외면	내면	측면
무문	포목흔	

〈 대모산성 건물지 공반출토유물 〉

9) 익산 미륵사지 (益山 彌勒寺址)

유적위치	전라북도 익산시 금마면 기양리 23번지 일대				
조사사유	가람 실체 구명, 유적보존 및 정비				
조사연혁	발굴조사 1차 5개 년도 : 1980.07 ~ 1984 발굴조사 2차 5개 년도 : 1985.03.02 ~ 1989.12 발굴조사 3차 5개 년도 : 1990.04.14 ~ 1994.12.24				
유적입지	미륵사지는 전라북도 익산시 금마면 기양리에 소재한 미륵산의 남쪽 기슭에 위치하고 있으며, 행정구역상으로는 전라북도 익산시 금마면 기양리 23번지 일대에 해당한다. 미륵사지가 위치한 미륵산은 노령산맥의 한 지맥에 속하며, 남쪽으로는 만경강과 북쪽으로 금강을 끼고 발달한 익산평야의 중심부에 위치한다. 미륵사지는 미륵산의 남쪽으로 뻗어 내린 지맥이 좌우로 병풍처럼 감싸고 있고 남쪽은 소하천을 낀 넓은 들이 펼쳐져 있어서 배산임수의 지형을 갖추고 있다.				
유구현황	백제~조선시대	건물지, 통일시대 공방지, 가마터(6), 배수로, 조선시대 아궁이			
주요유물	백제시대 평기와류, 고려시대 기와류, 조선시대 기와류, 주름무늬토기병, 선해무리굽, 분청사기, 중국자기, 사면편병				
기년유물	「太平興國五年庚辰六月日彌勒藪龍泉房凡草」銘 암키와(30점), 「戊申年二月日 大匠隣才造瓦」銘 수키와(81점) 「延祐四年 丁巳彌力」銘 암키와(46점), 「天歷三年庚午施主張介耳」銘 암키와(7점)				
	연번	보고서 유물번호	기와 종류	명문내용	연대
	1	탁본 13-1	암키와	太平興國五年庚辰六月日彌勒藪龍泉房凡草	980
	2	탁본 15-2	수키와	戊申年二月日 大匠隣才造瓦	1248
	3	탁본 15-4	암키와	延祐四年 丁巳彌力	1317
	4	탁본 15-5	〃	天歷三年庚午施主張介耳	1330
시기·성격	미륵사는 백제 무왕 때 창건되었을 것으로 보이며, 잔존 건물지 등의 구조, 구 지표 상태 및 출토 유물로 보아 통일신라 후반 경까지는 초창기 건물지의 기본 형태를 유지하면서 그 명맥을 유지해 왔던 것으로 파악된다. 미륵사는 고려시대 초에 큰 변화가 일어났을 것으로 추정된다. 그리고 조선시대 사역에서 출토한 기와에 「萬曆十五年(1587년)」 및 「萬曆十七年(1589년)」 명문와가 확인됨으로써 이 시기를 전후하여 그 명맥이 단절되었던 것으로 파악된다. 이는 1592년에 일어난 임진왜란 때 미륵사의 건축물들이 모두 소진되고 그 이후로 중수되지 못해 결국 그 동안 1,000년의 법맥이 끊어지게 된 직접적 동기로 짐작되었다. 한편 미륵사지 내에 생산시설을 확인할 수 있었다.				
참고문헌	國立扶餘文化財研究所, 1996, 『彌勒寺 遺蹟發掘調査報告書 II』, 第13冊.				

〈 미륵사지 연차발굴조사도 (1:2,500) 〉

(1) 太平興國五年庚辰六月日彌勒藪龍泉房凡草 銘 암키와

명문		연호	연호명 년도	국명(왕)	고려	절대연대
太平興國五年庚辰六月日彌勒藪龍泉房凡草		太平興國	976~983	北宋 (太宗 5年)	景宗 5年	980

종류	태토	소성도	색조			제원		
			내	외	속심	길이	폭	두께
암키와								

문양 및 제작속성		
외면	내면	측면

(2) 戊申年二月日 大匠隣才造瓦 銘 수키와

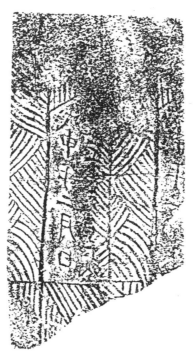

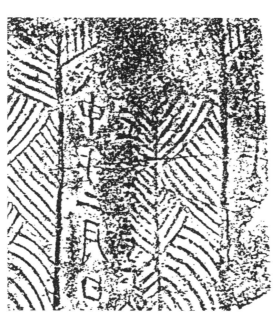

명문	간지명	간지명 년도						추정연대
戊申年二月日 大匠隣才造瓦	戊申	948, 1008, 1068, 1128, 1188, 1248, 1308, 1368						1248
종류	태토	소성도	색조			제원		
			내	외	속심	길이	폭	두께
수키와								
문양 및 제작속성								
외면		내면				측면		

⑶ 延祐四年 丁巳彌力 銘 암키와

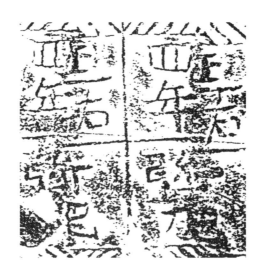

명문		연호	연호명 년도	국명(왕)		고려	절대연대
延祐四年 丁巳彌力		延祐	1314~1320	元 (仁宗 6年)		忠肅王 4年	1317
종류	태토	소성도	색조			제원	
			내	외	속심	길이	폭	두께
암키와							
문양 및 제작속성							
외면		내면			측면		

(4) 天歷三年庚午施主張介耳 銘 암키와

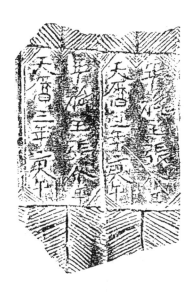

명문	연호	연호명 년도	국명(왕)	고려	절대연대
天歷三年庚午施主張介耳	天歷	1328~1330	元 (文宗 2年)	忠肅王 17年	1330

종류	태토	소성도	색조			제원		
			내	외	속심	길이	폭	두께
암키와								

문양 및 제작속성		
외면	내면	측면

10) 익산 사자암 (益山 獅子菴)

전라도

유적위치	전라북도 익산시 금마면 신용리 산 609-1번지 일대				
조사사유	사자암 불당에 대한 신축공사를 위한 사전조사				
조사연혁	시굴조사 : 1992.10.09 발굴조사 : 1993.02.24 ~ 1993.03.24 (1차- 국립부여문화재연구소) 　　　　　 1993.05.04 ~ 1993.08.03 (2차- 국립부여문화재연구소)				
유적입지	사자암은 사적 제150호로 지정된 미륵사지 인근의 미륵산 장군봉의 동남편 계곡 8부 능선상(해발 320m)에 위치하며, 행정구역상으로 전북 익산군 금마면 신용리 산609-1번지에 해당한다. 조사지역은 급경사진 언덕에 바짝 붙여 지은 법당지와 그 전면의 공터로서 약 100평 남짓한 넓이이다. 사자암터는 비록 좌우에 있는 바위나 나무들이 주위를 가로막고는 있지만 위치상 산 정상이 아닌 기슭에 있기 때문에 주위의 바위, 나무로 둘러싸여 있으며 3단 이상의 계단석 석축으로 지반을 고르게 구축한 뒤 축조하여 앞면 시야가 넓게 트인 상태이다.				
유구현황	고려시대~조선시대		건물지(5), 석축(3)		
주요유물	통일신라 토기병, 통일신라 청동약사여래입상, 백제 평기와, 고려시대 토기류, 북송의 자기편, 조선 백자류, 소탑, 향로, 금동부조신장상, 청동보살입상, 청동여래입상 등				
기년유물	3차 건물지(원래 유구층 아님) :「至治二年師自寺造瓦」銘 암막새(1점), 4차 건물지 및 관련층 :「天曆三年 庚牛, 年施主 張介耳」銘 수키와(13점)				
기년유물	연번	보고서 유물번호	기와 종류	명문내용	연대
	1	탁본 3-4	암막새	至治二年師自寺造瓦	1322
	2	탁본 9-5	수키와	天曆三年 庚牛, 年施主 張介耳	1330
시기 · 성격	현 사자암터가 백제의 사자사터일 것이라는 의견은 있었으나 수십 차례에 걸친 지표조사 결과에서 백제시대 유물을 발견할 수 없었으므로 검증이 되지 않았다. 하지만 출토유물 중 백제, 통일신라시대의 유물과 사명을 확인함으로써 학계에서 품어온 의혹을 풀어주었다. 유물을 통해서 본 사자사터는 백제 기와와 다량의 통일신라시대 토기로 사찰의 명맥이 끊임없이 이어져 왔음을 판단할 수 있었고, 이 조사에서 확인된 건물지는 고려 초기에서 중기 경까지의 건물지, 고려 말 경에서 조선시대 전기까지 건물지, 조선 후기 건물지로 크게 나누어 확인할 수 있었다.				
참고문헌	國立扶餘文化財研究所, 1994,『獅子菴 遺蹟發掘調査報告書』, 第10冊.				

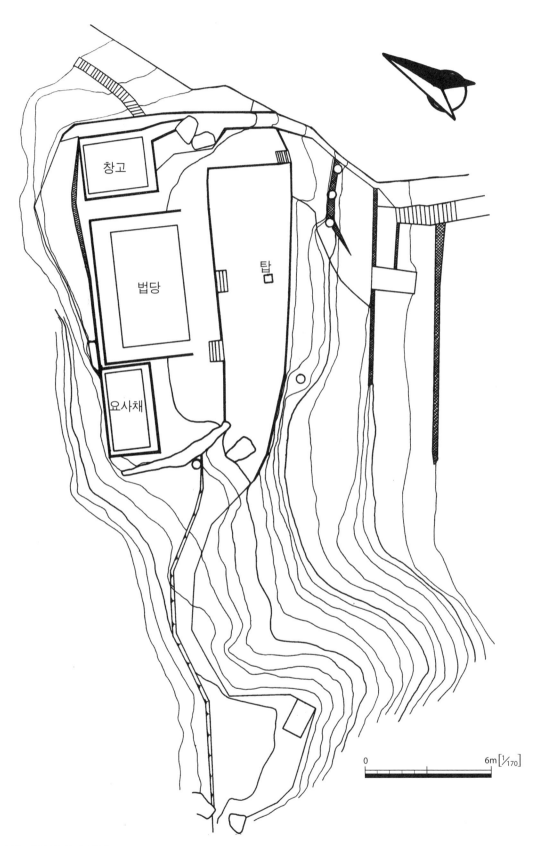

〈 사자암 지형도 (1:170) 〉

(1) 至治二年師自寺造瓦 銘 암막새

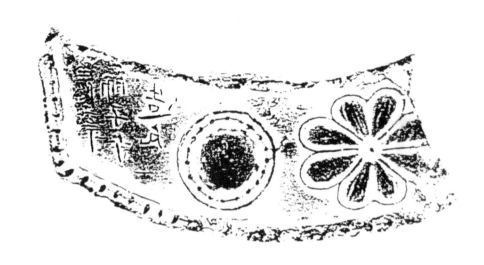

명문		연호	연호명 년도	국명(왕)	고려	절대연대
至治二年師自寺造瓦		至治	1321~1323	元 (寧宗 元年)	忠肅王 9年	1322

종류	태토	소성도	색조			제원		
			내	외	속심	길이	폭	두께
암막새	정선된 점토에 가는 모래를 혼입			회흑색		(25)	8.3	

문양 및 제작속성		
외면	내면	측면
연화문, 휘안문을 하나씩 배치	하단조정-건장치기	

⑵ 天曆三年 庚牛, 年施主 張介耳 銘 수키와

명문			연호	연호명 년도	국명(왕)	고려	절대연대
天曆三年 庚牛, 年施主 張介耳			天曆	1328~1330	元 (文宗 2年)	忠肅王 17年	1330

종류	태토	소성도	색조			제원		
			내	외	속심	길이	폭	두께
수키와	정선된 점토	경질						2
문양 및 제작속성								
외면			내면			측면		
어골문								

11) 장흥 상방촌 유적 (長興 上芳村 遺蹟)

전라도

유적위치	전라남도 장흥군 유치면 대리 상방촌 505답 외				
조사사유	탐진다목적댐 건설로 인한 수몰지역내 문화재 조사				
조사연혁	지표조사 : 1997.11.24 ~ 1998.08.30 (목포대학교박물관) 시굴조사 : 2000.11.01 ~ 2001.04.20 (목포대학교박물관) 발굴조사 : 2001.09.01 ~ 2002.04.26 (목포대학교박물관)				
유적입지	상방촌유적은 장흥군의 서북쪽의 유치면 대리 상방촌 일대에 위치한다. 지형적인 조건을 보면 남북이 길고 동서가 짧은 마름모꼴 형태를 취하고 있다. 이 밖에도 신월리 유적을 관통하여 옴천천이 흐르고 있다. 그리고 이러한 산과 하천 사이로 소규모의 평야지대와 선상지가 만들어져 사람이 생활하기에 유리한 조건들이 조성되어 있으며, 이러한 지형적인 조건을 갖춘 수몰지역 대부분에 유적이 분포하고 있다.				
유구현황	통일신라	건물지(5), 우물(1), 도로, 석열			
	고려시대	건물지(9), 우물(16), 도로, 수로, 석열			
주요유물	평기와, 막새, 명문와, 도기류, 해무리굽완, 청자압출연관문대접, 분청자 등				

기년유물					
「庚午(?)任內有恥鄕○○○○」銘 암키와(1점), 「庚午九月日(造瓦差使)」銘 마루기와(1점), 「庚午九月(日造瓦差使)」銘 암키와(1점), 「(庚午)九月日造瓦差(使)」銘 암키와(1점)					
연번	보고서 유물번호	기와 종류	명문내용		연대
1	그림 93-170	암키와	庚午(?)任內有恥鄕○○○○		970, 1030, 1090, 1150, 1210, 1270, 1330, 1390
2	그림 96-181	마루기와	庚午九月日(造瓦差使)		〃
3	그림 96-182	암키와	庚午九月(日造瓦差使)		〃
4	그림 96-183	〃	(庚午)九月日造瓦差(使)		〃

시기 · 성격	상방촌 유적의 A-1지구 서쪽에서 확인된 8개의 건물지는 모두 사찰과 관련된 것으로 볼 수 있다. 한편 A-2지구 북동쪽에서 확인된 건물지는 건물의 성격과 규모를 파악하는데 한계가 있으나 우물 수로 등의 유구와 많은 양의 기와편, 자기편 등이 출토되는 것으로 보아 고려시대에 많은 수의 건물지들이 들어서 있었음을 알 수 있다. A-3지구에서 발굴된 건물지 또한 성격은 알 수 없으나 규모가 큰 시설 군(群)이 특정시기 동안에 존재했던 것으로 볼 수 있다. 　상방촌 A유적은 주변지역과 교류가 활발하게 이루어졌던 곳으로 고려시대에도 이 일대는 교류의 중심지 역할을 수행하였을 것으로 보인다.
참고문헌	木浦大學校博物館, 2008, 『장흥 상방촌A유적 II』, 第158冊.

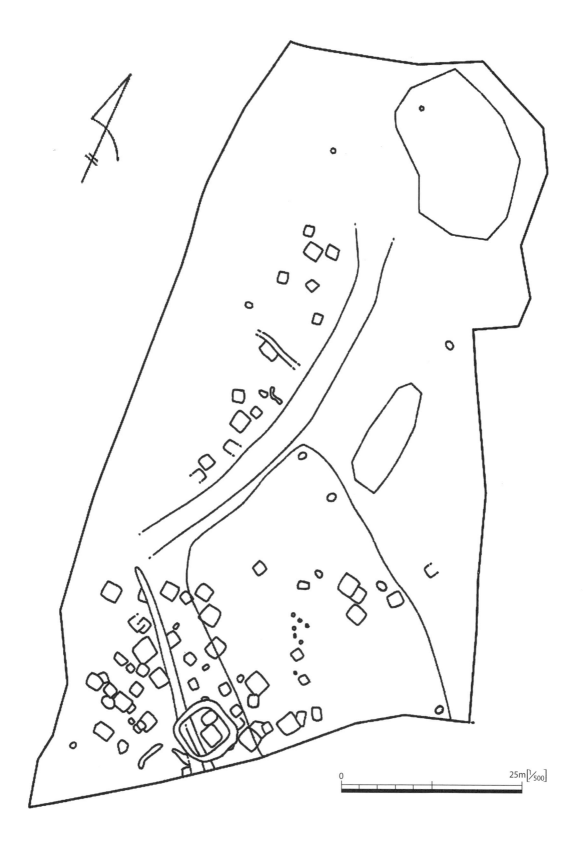

〈 장흥 상방촌 유적 A-1지구 유구배치도 (1:500) 〉

11)-1 장흥 상방촌 유적 A-2지구 건물지

유구성격	건물지는 A-2지구의 북동쪽에 위치한다. 건물지에서는 적심 3개와 초석 1개, 석열 등이 확인되었다. 이 외에도 건물지와 중복되어 적심, 석렬, 할석 등이 군집을 이루고 있다. 잔존하는 유구로 건물지의 규모를 파악해 보면 정면 2칸, 측면 1칸 규모이지만 측면은 툇간의 가능성이 높다. 유구의 현상을 종합해 보면 규모가 정면 2칸, 측면 1칸이지만 북쪽에 있는 기단과 담장, 정측면의 간격차 등은 건물지가 축조당시에는 현재보다 더 크고 잔존하는 것은 본건물의 後退부분에 해당하는 것으로 판단된다.

시 기	고려시대

| 기년유물 | 「庚戌二月 日造主事審別將同正表〇〇」銘 암키와(1점), 「(庚)戌二月 日造主事審(別將同正表〇〇」銘 암키와(1점), 「(庚戌二)月 日造主事審別將同正(表〇〇)」銘 암키와(1점), 「(庚戌二月 日造主事)審別將同正表〇〇」銘 암키와(1점), 「壬辰年厚心堂主散員同正表〇〇」銘 암키와(1점) |

연번	보고서 유물번호	기와 종류	명문내용	연대
5	그림 94-174	암키와	庚戌二月 日造主事審別將同正表〇〇	950, 1010, 1070, 1130, 1190, 1250, 1310, 1370
6	그림 94-175	〃	(庚)戌二月 日造主事審 (別將同正表〇〇)	〃
7	그림 94-176	〃	(庚戌二)月 日造主事審別將同正 (表〇〇)	〃
8	그림 95-177	〃	(庚戌二月 日造主事)審別將同正表〇〇	〃
9	그림 95-178	〃	壬辰年厚心堂主散員同正表〇〇	932, 992, 1052, 1112, 1172, 1232, 1292, 1352

공반유물	명문와(月日任), 평기와류, 암막새, 도기류, 완, 접시 등

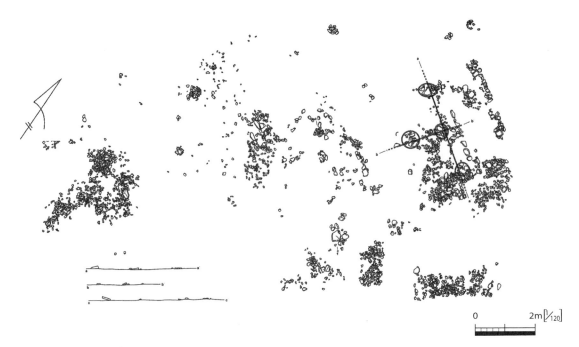

〈A-2건물지 평 · 단면도(1:120)〉

(1) 庚午(?)任內有恥鄕○○○○ 銘 암키와

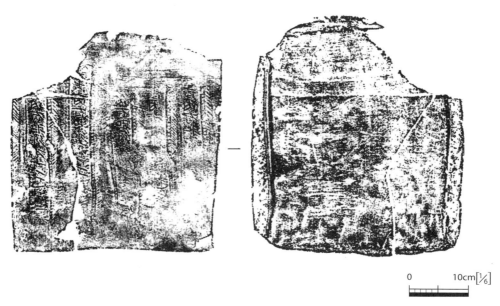

0 10cm[⅙]

명문	간지명	간지명 년도						추정연대
庚午(?)任內有恥鄕○○○○	庚午	970, 1030, 1090, 1150, 1210, 1270, 1330, 1390						

종류	태토	소성도	색조			제원		
			내	외	속심	길이	폭	두께
암키와	정선된 점토에 다량 가는 사립 혼입			회백색		34.9	24.5	2.1~3.8

문양 및 제작속성		
외면	내면	측면
사격자문 타날판이 종방향 9줄+어골문, 물손질	포목흔, 윤철흔, 사절흔	내측 0.7㎝ 와도흔

(2) (庚)戌二月日造主事審(別將同正表○○) 銘 마루기와

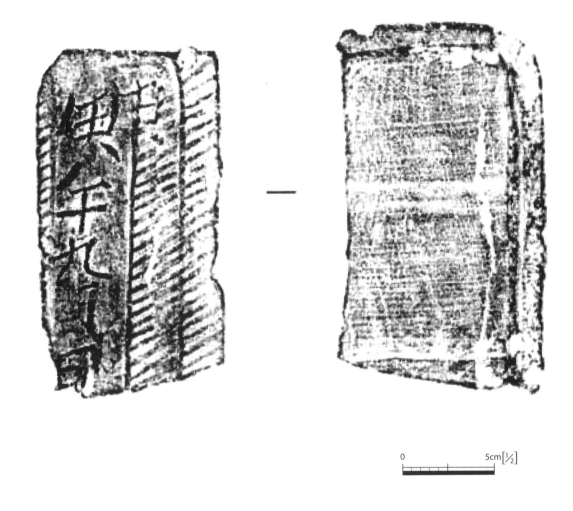

명문			간지명		간지명 년도			추정연대
(庚)戌二月 日造主事審(別將同正表○○)			庚戌		970, 1030, 1090, 1150, 1210, 1270, 1330, 1391			
종류	태토	소성도	색조			제원		
			내	외	속심	길이	폭	두께
마루기와	정선된 점토에 다량 가는 사립 혼입			회흑색		(11.9)	(8)	0.9~2.4
문양 및 제작속성								
외면			내면			측면		
세사선문			포목흔			내측 0.5㎝ 와도흔		

⑶ 庚午九月(日造瓦差使) 銘 암키와

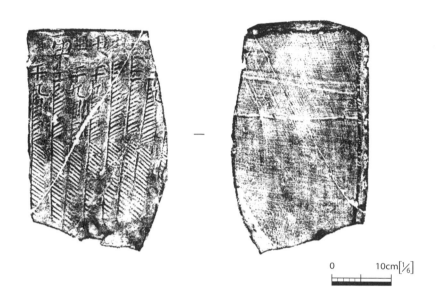

명문		간지명	간지명 년도					추정연대
庚午九月(日造瓦差使)		庚午	970, 1030, 1090, 1150, 1210, 1270, 1330, 1392					
종류	태토	소성도	색조			제원		
			내	외	속심	길이	폭	두께
암키와	정선된 점토에 다량 가는 사립 혼입			회백색		38.1	31.1	1.5~2
문양 및 제작속성								
외면			내면			측면		
세사선문			포목흔, 합철흔			내측 0.6㎝ 와도흔		

(4) (庚午)九月日造瓦差(使) 銘 암키와

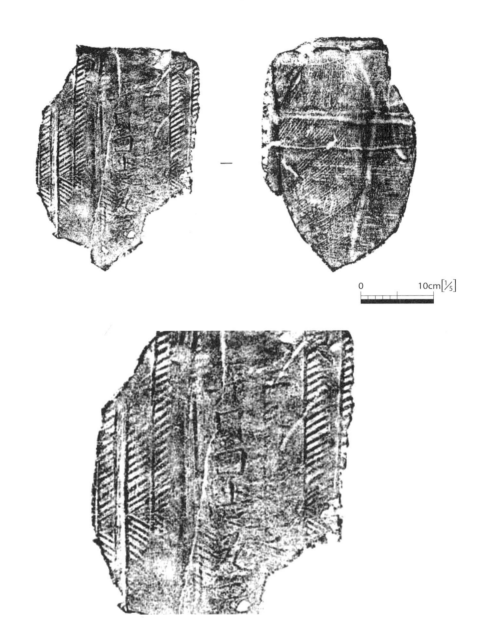

0   10cm[⅕]

명문	간지명	간지명 년도						추정연대
(庚午)九月日造瓦差(使)	庚午	970, 1030, 1090, 1150, 1210, 1270, 1330, 1393						
종류	태토	소성도	색조			제원		
			내	외	속심	길이	폭	두께
암키와	정선된 점토에 다량 가는 사립 혼입			회백색		(28.5)	(17)	1.7~2.4
문양 및 제작속성								
외면		내면			측면			
세사선문		포목흔, 연철흔, 사절흔			내측 1.4cm 와도흔			

⑸ 庚戌二月 日造主事審別將同正表○○ 銘 암키와

0   5cm[¼]

명문			간지명	간지명 년도				추정연대
庚戌二月 日造主事審別將同正表○○			庚戌	950, 1010, 1070, 1130, 1190, 1250, 1310, 1370				
종류	태토	소성도	색조			제원		
			내	외	속심	길이	폭	두께
암키와	정선된 점토에 다량 가는 사립 혼입			회청색		(22.8)	(19.8)	1.6~2.8
문양 및 제작속성								
외면		내면			측면			
세사선문		포목흔, 사절흔, 지두흔			내측 1㎝ 와도흔			

⑹ (庚)戌二月 日造主事審(別將同正表○○) 銘 암키와

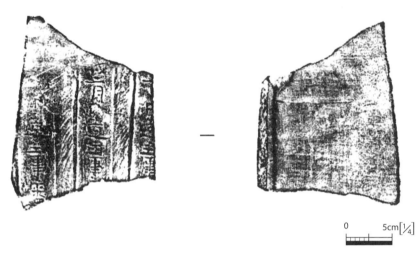

0 5cm[¼]

명문			간지명	간지명 년도					추정연대
(庚)戌二月 日造主事審(別將同正表○○)			庚戌	950, 1010, 1070, 1130, 1190, 1250, 1310, 1370					
종류	태토	소성도		색조			제원		
			내	외	속심	길이	폭	두께	
암키와	정선된 점토에 다량 가는 사립 혼입			회백색		(20.5)	(10.9)	1.5~2.9	
문양 및 제작속성									
외면			내면			측면			
세사선문			포목흔, 사절흔			내측 1cm 와도흔			

(7) (庚戌二)月 日造主事審別將同正(表OO) 銘 암키와

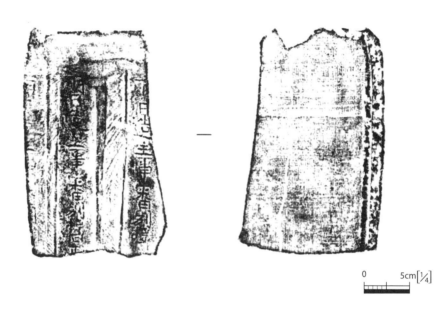

0　　　5cm[¼]

명문		간지명	간지명 년도			추정연대
(庚戌二)月日造主事審別將同正(表OO)		庚戌	950, 1010, 1070, 1130, 1190, 1250, 1310, 1370			
종류	태토	소성도	색조			제원
			내	외	속심	길이	폭	두께
암키와	정선된 점토에 다량 가는 사립 혼입			회흑색		(20.9)	(17)	1.6~2.4
문양 및 제작속성						
외면		내면		측면		
세사선문		포목흔, 윤철흔		내측 0.8㎝ 와도흔		

⑻ (庚戌二月 日造主事)審別將同正表○○ 銘 암키와

0 ____ 10cm[⅕]

명문	간지명	간지명 년도					추정연대
(庚戌二月 造主事)審別將同正表○○	庚戌	950, 1010, 1070, 1130, 1190, 1250, 1310, 1370					
종류	태토	소성도	색조			제원	
			내	외	속심	길이	폭	두께
암키와	정선된 점토에 다량 가는 사립 혼입			회흑색		(20.7)	(7.5)	1.4~2.8
문양 및 제작속성							
외면		내면			측면		
세사선문		합철흔, 사절흔			내측 2㎝ 와도흔		

(9) 壬辰年厚心堂主散員同正表〇〇 銘 암키와

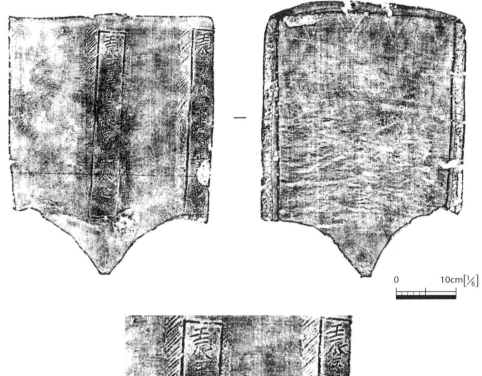

0   10cm[⅙]

명문		간지명	간지명 년도					추정연대
壬辰年厚心堂主散員同正表〇〇		壬辰	932, 992, 1052, 1112, 1172, 1232, 1292, 1352					
종류	태토	소성도	색조			제원		
			내	외	속심	길이	폭	두께
암키와	정선된 점토에 다량 가는 사립 혼입			회흑색		(34.17)	(31.1)	1.5~2.2
문양 및 제작속성								
외면			내면			측면		
세사선문, 물손질			포목흔, 빗질흔			내측 0.7㎝ 와도흔		

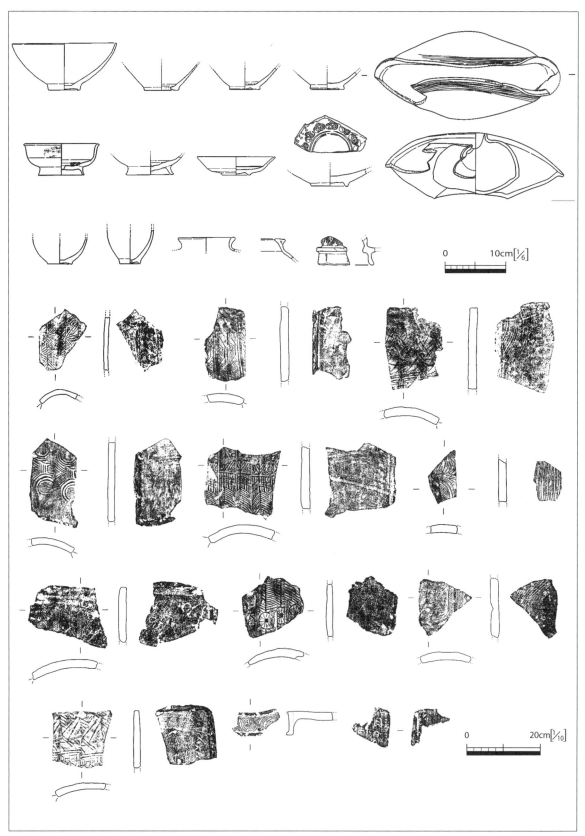

0　　　　10cm[1/6]

0　　　　20cm[1/10]

〈 A-2 건물지 공반출토유물 〉

12) 제주 법화사지 (濟州 法華寺址)

유적위치	제주도 서귀포시 하원동 1071번지 외	
조사사유	법화사 九品蓮池 추정구역에 대한 의뢰조사	
조사연혁	지표조사 : 1982.07 ~ 1982.08 (금성종합설계공사) 발굴조사 : 1982.12 ~ 1983.02 (1차-명지대학교박물관) 　　　　　1990.12.11 ~ 1991.01.21 (2차-제주대학교박물관) 　　　　　1991.12.31 ~ 1992.02.29 (3차-제주대학교박물관) 　　　　　1991.12.31 ~ 1992.11.30 (4차-제주대학교박물관)	
유적입지	법화사는 서귀포 서쪽 11㎞지점의 구중문면 하원동에 위치한다. 현 행정구역으로는 서귀포시 하원동 1071번지이다. 유적은 하원동 일주도로에서 북쪽으로 1.5㎞지점에 자리하고 있다. 유적이 자리한 지점의 표고는 160-170m이다. 뒤편 220m 높이의 구릉에서 능선이 동서로 뻗어 내려와 형성된 동서 260m, 남북 500m의 완만한 지형에 사지가 자리 잡고 있다. 법화사에서 가장 가까운 대포리 해안과의 거리는 4㎞정도이며, 해발 165m의 구산봉과 앞 능선이 바다를 가리고 있다.	
유구현황	고려시대	건물지(6)
	조선시대	온돌유규(5), 성격미상 적석시설(1)
주요유물	금동불상, 청동탁, 명문기와(기년명), 자기 등	
시기·성격	법화사의 건물지 구역에서는 크게 세 번에 걸쳐 건물이 축조되었음이 확인되었다. 첫 번째는 제주에 대한 元의 지배가 이루어지고 이에 따른 탐라총관부가 설치(고려 충렬왕 원년, 1275)된 직후 축조되었던 것이다. 두 번째 시기는 고려후기 사찰건물이 허물어진 다음 시기로, 문헌과 유물 출토상황으로 미루어 조선조의 성립 시기에 신축되었고 분청사기의 전성시기까지 존속했을 것으로 짐작된다. 세 번째 시기는 조선전기 건물이 허물어진 후에 만들어진 것이다. 이 건물들은 사찰의 말기 단계인 16세기 말-17세기 초까지 존속했으리라 추측된다.	
참고문헌	濟州大學校博物館, 1992,『法華寺址』, 第10册.	

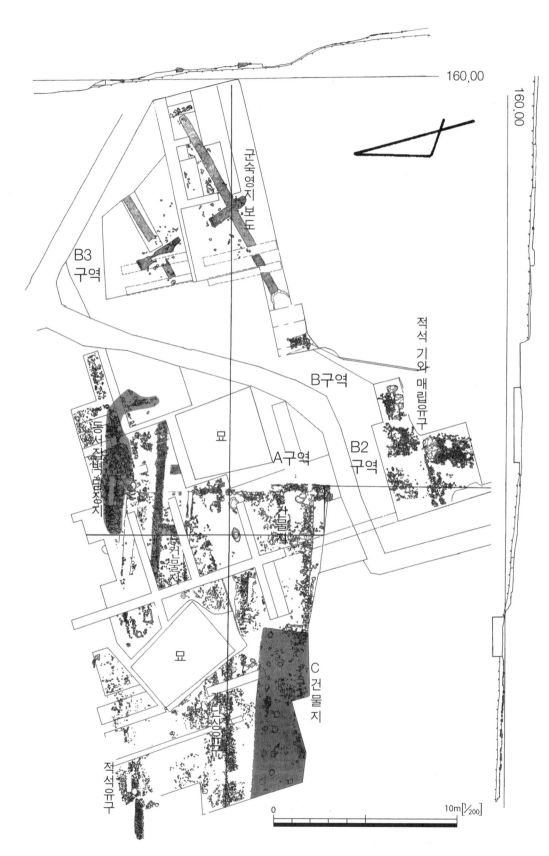

160.00

160.00

B3
구역

군숙영지 보도

적석 기와 매립유구

B구역

A구역

묘

B2
구역

동서잡석·담장지

ㄴ건물지

ㄷ건물지

산물지

묘

C
건물지

거ㄴ성유ㄱ

적석유구

0   10m[1/200]

〈 제주 법화사지 발굴유구 실측도 (1:200) 〉

12)-1 제주 법화사지 A지구 a건물지

유구성격	축조 시기는 조선전기로 여겨지는데, 고려후기 건물지의 주춧돌과 기와 등을 재이용하여 신축하였다. 건물지 내부 성토층에서 雲鳳文 수막새가 수습되었고 청자편도 섞여있다. 현재 건물지 북쪽 기단부는 완전 파괴되어 정확한 전체 건물지 규모를 파악하기는 어려우나, 건물내 주춧돌의 간격을 고려해 볼 때 정면 5칸, 측면 3칸 이상의 건물로 추정된다. 북편에 이 건물지와 관련된 배수 시설이 만들어졌다. 이 건물지는 당시 자연 경사면을 그대로 이용하여 조성되었다. 건물 내부 시설로는 암키와를 일렬로 연결하여 만든 온돌 부속시설이 확인되며, 건물지 기단 동쪽으로 폭 1m, 길이 5m의 기와보도가 시설되어 있다.				
시 기	고려시대~조선시대				
기년유물	「重創十六年己卯畢」銘 암키와(1점)				
	연번	보고서 유물번호	기와 종류	명문내용	연대
	1	도면59-6	암키와	重創十六年己卯畢	1269
공반유물	명문와(大, 万戸, 奉, ○玉○自 銘), 운봉문 숫막새, 양각이형 암막새, 기와류, 전, 청자, 분청상감, 백자, 질그릇 편 등				

0   4m[1/120]

〈 A구역 a건물지 실측도 (1:120) 〉

(1) 重創十六年己卯畢 銘 암키와

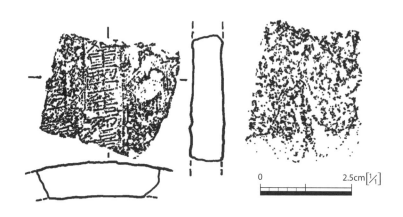

명문	간지명	간지명 년도					추정연대
重創十六年己卯畢	己卯	969, 1029, 1089, 1149, 1209, 1269, 1329, 1389					1269

종류	태토	소성도	색조			제원		
			내	외	속심	길이	폭	두께
	양호	경질		회청색				

문양 및 제작속성		
외면	내면	측면
지두흔	포목흔-모래받침	

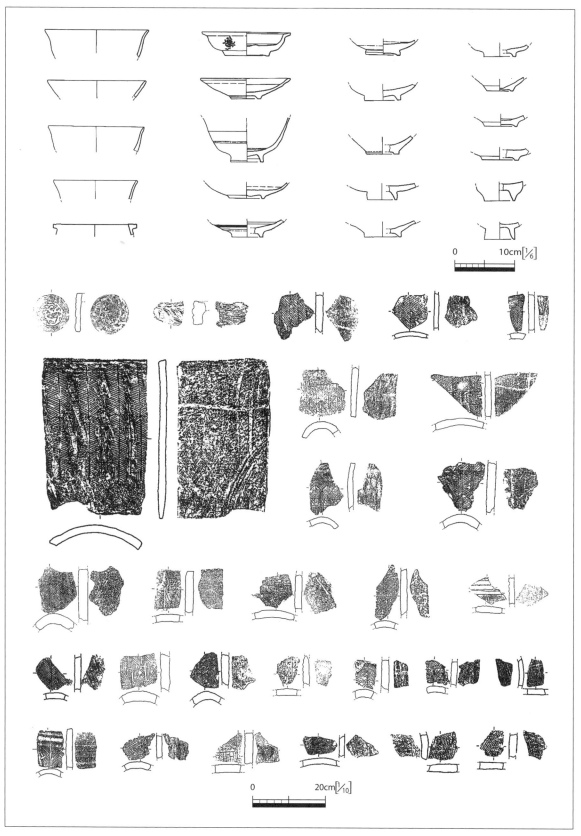

〈 A구역 a건물지 공반출토유물 〉

13) 화순 잠정리 유적 (和順 蠶亭里 遺蹟)

유적위치	전남 화순군 능주면 잠정리 47번지 일원	
조사사유	화순 농어촌 뉴타운 조성 시범사업으로 인한 발굴조사	
조사연혁	지표조사 : 2009.10.05 ~ 2009.10.24 (동북아지석묘연구소) 시굴조사 : 2010.02.03 ~ 2010.08.24 (동북아지석묘연구소) 발굴조사 : 2010.09.27 ~ 2011.03.17 (동북아지석묘연구소)	
유적입지	조사지역은 평지로 이어지는 산기슭으로, 행정구역상 화순군 능주면 잠정리 47번지 일원에 해당한다. 능주 농공단지, 능주 중·고등학교 사이에 위치하는 곳으로서 동쪽에는 조사지역과 직교하는 방향으로 822번 도로가 지나고 있다. 잠정리 마을은 석고리 마을과 함께 지석천(충신강)을 끼고 있는데 川과 맞닿은 퇴적 평지부는 경지정리를 하여 논농사 위주로 경작하고 있으며, 산사면부와 이어지는 산기슭에 마을을 형성하고 있다. 　조사지역은 산사면의 말단부로서, '동정굴'로 불리우고 있으며, 과거 마을이 있었다는 안텃골의 서쪽 사면으로 잠정제가 위치한 주변의 산사면부 밭과 남쪽 계단식 논 일대에 해당된다.	
유구현황	통일신라시대~조선시대	건물지(15), 가마(2), 주거지(1), 수로(1), 우물(2)
주요유물	일휘문 암막새, 당초문 암막새, 고려시대 청동정병, 청동향완, 청동발, 청동접시 등	
시기·성격	전체적으로 본 유적의 건물지는 통일신라 말~조선 초에 이르는 건물지일 가능성이 높으며 주 조영연대는 고려시대로 판단된다. 또한 삼국시대~조선 초에 이르는 다양한 유구가 조사되었다. 특히 1구역 1-1호 건물지에서 완형으로 출토된 고려시대 청동정병과 퇴장유물(일괄 청동제기)은 호남에서 처음 발견된 것으로 그 형태와 보존상태가 대단히 양호하여 고려시대의 뛰어난 금속공예를 보여주는 귀중한 학술자료로 평가된다. 본 유적이 위치한 능주면 잠정리에 대한 기록은 구한말 읍지류가 비교적 자세하다. 읍지의 기록에 따르면 본 유적에서 북쪽으로 400m 정도 떨어진 현 능주면사무소 주변에 관아가 배치된 것으로 되어 있는데, 화순 잠정리유적은 그러한 관아와 관련된 건물이거나 사찰일 가능성을 배제할 수 없다.	
참고문헌	東北亞支石墓研究所, 2012,『和順 蠶亭里遺蹟』, 第15册.	

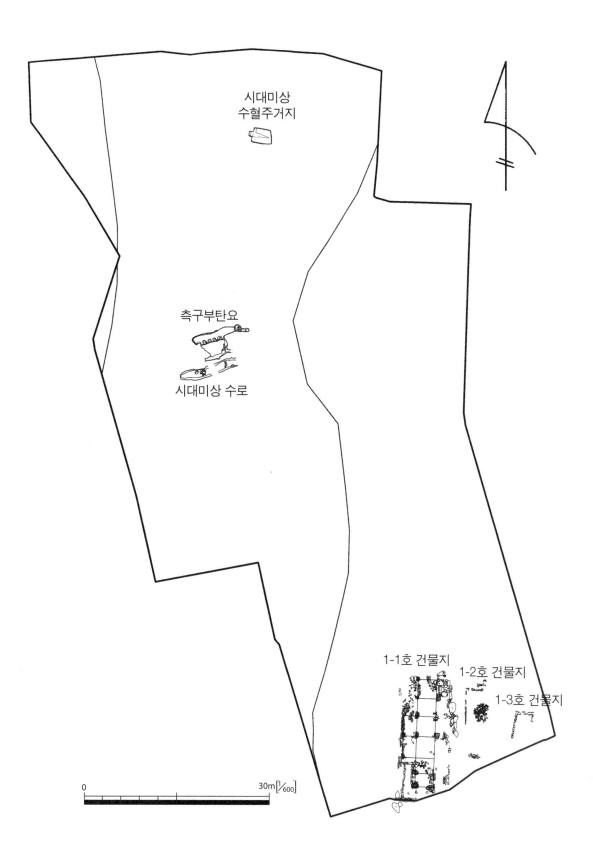

시대미상
수혈주거지

측구부탄요

시대미상 수로

1-1호 건물지　　1-2호 건물지

1-3호 건물지

0　　　　　　　　　　　　　　30m[1/600]

〈 1구역 유구배치도 (1:600) 〉

13)-1 화순 잠정리유적 1-2호 건물지

유구성격	건물지는 1-1호 건물지 바로 하단에 해당되며 해발 63m 지점의 평탄한 곳에 위치한다. 전체적으로 훼손이 심하여 기단만 일부 남아있으며 건물 내부에는 기와가 일부 와적 되어 있었다. 건물지의 전체적인 형태는 장방형으로 남북방향의 장축을 가지고 동향을 하고 있다. 잔존규모는 정확히 알 수 없으나, 기단 석열로 본 잔존규모는 길이 6.4m, 너비 3.4m이고, 면적은 대략 22m이다.			
시 기	고려시대			
기년유물	「甲申」銘 암키와(1점)			
	연번	보고서 유물번호	기와 종류	명문내용	연대
	1	도면 38-3	암키와	甲申	924, 984, 1044, 1104, 1164, 1224, 1284, 1344
공반유물	명문와(靑, 長庫, 刦○里), 수키와, 암키와			

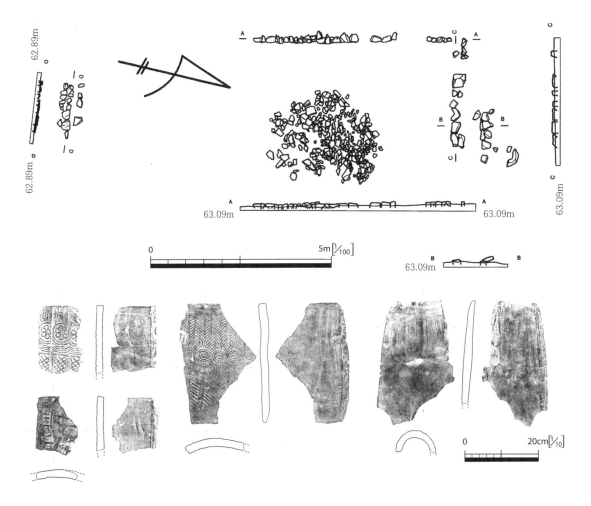

〈 1-2호 건물지 평 · 단면도 (1:100) 및 공반출토유물 〉

(1) 甲申 銘 수키와

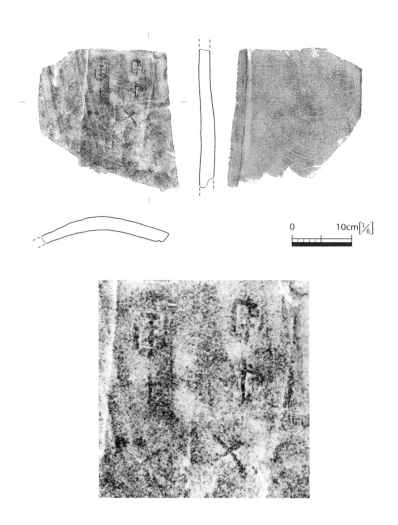

명문	간지명	간지명 년도						추정연대
甲申	甲申	924, 984, 1044, 1104, 1164, 1224, 1284, 1344						

종류	태토	소성도	색조			제원		
			내	외	속심	길이	폭	두께
수키와	세사립이 일부 포함된 정선된 점토	경질	회청색			(22)	(20.8)	2.3

문양 및 제작속성		
외면	내면	측면
	포목흔, 연철흔, 사절흔	와도흔

Ⅲ. 지역별 역연대 기와

6. 경상도

1) 거창 상동 유적 (居昌 上洞 遺蹟)

유적위치	경남 거창군 상동 438번지 일원
조사사유	택지개발 조성사업에 따른 문화유적 발굴조사
조사연혁	발굴조사 : 2001.03.27 ~ 2001.07.24 (1차-경남문화재연구원) 2001.09.24 ~ 2001.12.22 (2차-경남문화재연구원)
유적입지	거창은 소백산맥의 영향을 받아 대체로 험준한 지형을 이루고 있다. 덕유산의 서남부에 해당하는 거창지역의 서부는 험준한 산령이 발달해 있고, 북부도 산지가 발달해 있으나 중남부의 거창읍 일대는 평야를 이루고 있어 거창 지역은 거대한 盆地相地形을 하고 있다. 　　거창 상동유적은 거창분지의 정중앙부에 위치하는데 조사지역의 북서쪽으로 거열산성이, 북쪽으로는 향교가 각각 위치하고 있다.

유구현황	통일신라시대~조선시대	건물지, 온돌시설, 가마, 제련로, 집석유구, 수혈유구 등
주요유물	토기, 기와, 자기 등	

기년유물	「大平」銘 수키와(1점) - A지구 지표수습				
	연번	보고서 유물번호	기와 종류	명문내용	연대
	1	33	수키와	大平	1021~1030

시기 · 성격	거창 상동 1구간 유적에서는 건물지와 함께 가마, 제련로, 공방시설인 수혈유구 등이 확인되었다. 이처럼 1구간 유적에서는 건물지를 중심으로 한 주변의 생산시설이 먼저 확인되었으며, 제2차 발굴조사에서는 최근에 실시된 경지정리사업으로 인하여 대부분의 유구가 상당부분 파괴된 가운데 건물지, 적심과 담장, 저장혈 그리고 그 주변의 수혈유구 등이 조사되었다. 　　1차 조사구간과 2차 조사구간은 거리상으로 매우 가까우며, 조사된 유구의 형태(적심, 토취장) 등에서 많은 부분 유사한 점도 있으나 1차 조사구간에서 출토된 유물은 통일신라 말기와 고려 초로 편년되는 것이 대부분이어서 2차 조사구간의 바로 앞선 시기에 형성된 유적으로 판단된다. 또한 1차 조사에서 확인된 담장 석열과 적심, 온돌시설과 함께 2차 조사에서 확인된 저장혈(저장용기)이 노출된 건물지 등으로 미루어 볼 때 이곳에 분명 상당한 규모의 건물군이 있었던 것은 틀림없는 사실이다. 18세기 지방지도나 『海東地圖』, 『興地圖書』등을 참고하면 거창현의 치소와 객사 등의 건물지는 지금의 향교 남쪽 바로 아래에 조사구간을 포함한 지역에 위치하고 있으며, 유적과 인접하여 나있는 길은 대동여지도에도 나타나 있는 관도로서 유적이 교통상 중요한 곳을 점하고 있음을 보여준다. 　　이러한 사실과 함께 유적에서 출토되는 유물의 양상을 고려하면, 이 지역은 고려시대에서 조선전기까지 존속하다 燒失된 것으로 보이는 거창현의 치소가 위치하였던 곳으로 추정된다.
참고문헌	慶南文化財研究院, 2003,『居昌 上洞遺蹟 Ⅰ』, 學術調査硏究叢書 第25輯. 慶南文化財研究院, 2003,『居昌 上洞遺蹟 Ⅱ』, 學術調査硏究叢書 第26輯.

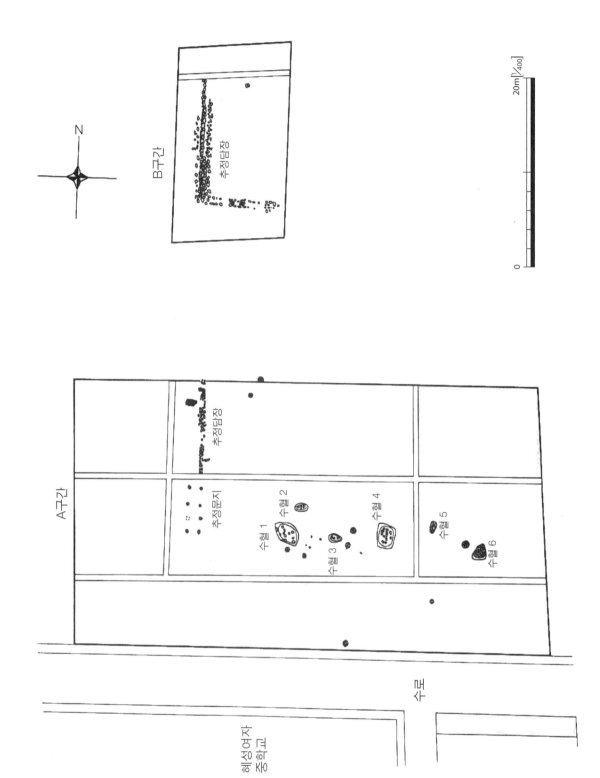

〈 거창 상동 전체 유구배치도 (1:400) 〉

(1) 大平 銘 암키와

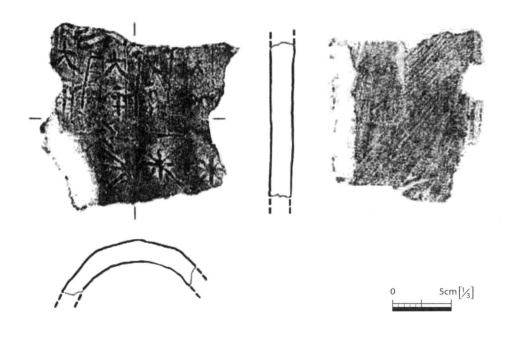

명문		연호	연호명 년도	국명(왕)	고려		절대연대
大平		大平	1021~1030	遼 (成宗)	顯宗 12~21年		
종류	태토	소성도	색조			제원	
			내	외	속심	길이	폭	두께
수키와	사립이 혼입된 점토	와질	적갈색	적갈색	적갈색	(18.2)		1.7
문양 및 제작속성							
외면				내면			측면
사격자+종선의 선문, 단부쪽 문양은 선문이 타날된 복합문, 타날은 횡방향, 단부 물손질 정면				단부내면조정(너비 3㎝), 물손질 조정			

2) 김해 봉황동 유적 (金海 鳳凰洞 遺蹟)

유적위치	경상남도 김해시 봉황동 220-3 · 5 · 9번지 일원	
조사사유	근린시설 및 주택 신축을 위한 구제발굴조사	
조사연혁	시굴조사 : 2008.09.24 ~ 2008.12.23 (동서문물연구원) 발굴조사 : 2009.02.02 ~ 2009.03.20 (동서문물연구원)	
유적입지	조사지역에 인접한 봉황대 구릉은 해반천에 연한 돌출된 독립 구릉상 지형으로 서편의 경운산(해발 378.7m)에서 임호산(해발 178m)으로 이어지는 구릉과 동편의 분성산(해발 382m)구릉에 의해 폐쇄되어 있으며, 남으로는 고김해만 시기 내만환경인 충적지(현 김해평야)가 형성되어 있다. 조사지역은 봉황대 구릉의 남쪽 말단부에 해당한다.	
유구현황	고려시대~조선시대	건물지(4), 수혈(3), 소성유구(2), 석렬(1), 구상유구(2)
주요유물	명문기와(기년명), 청자류, 동곳, 불명 토제품 등	
시기 · 성격	봉황동 유적은 2개의 층위로 구분된다. 1문화층은 16세기 중~후반, 2문화층은 고려시대로 비정된다. 2문화층에서는 기와와 청자편이 출토유물의 대다수를 차지하며 특히 다양한 명문기와가 확인되어 주목된다. 「丁亥年金海(府?) / 客舍(桃?)東面」이 그 중 하나인데, 상감청자 편과 함께 확인되는 양상으로 미루어 정해년의 역년대는 12세기 중반에서 13세기 전반으로 비정되며, 절대연대로는 1167년 혹은 1227년이 해당된다. 이 외에도 「南丁」·「白丁」·「東面」·「北面(癸)」·「 O子草」銘 등의 명문이 확인되어 건물의 성격과 명문의 의미 등에 대한 다양한 해석이 요구된다. 더욱이 조사지역에 인접한 나말여초(추정)의 토성 및 조선시대 김해읍성에 대해 종합적으로 검토하고, 아울러 고려시대 김해지역의 경관적 분포양상과 지역의 위상 등에 대해서도 다각적으로 연구할 필요가 있다.	
참고문헌	동서문물연구원, 2011, 『金海 鳳凰洞 220-3 · 5 · 9番地 遺蹟』, 調査硏究報告書 第33冊.	

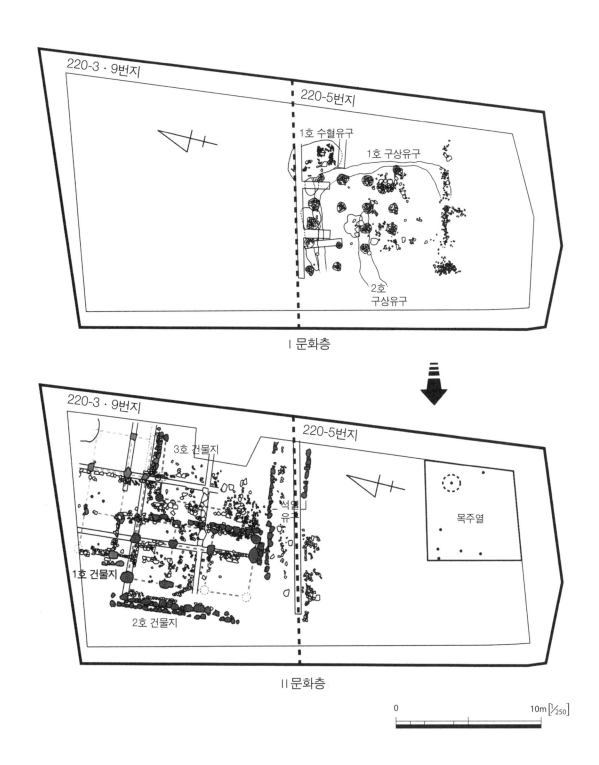

Ⅰ문화층

Ⅱ문화층

〈 조사지역 유구배치도 (1:250) 〉

2)-1 김해 봉황동 220-3,5,9번지 유적 II문화층 1호 건물지

유구성격	조사지역 북쪽 경계부에 위치하여 조사지역 외곽으로 연장되는 것으로 파악된다. 동편에는 후축된 1호 소성유구가 조성되면서 초석과 적심을 파괴하였다. 건물지의 잔존규모는 9.7m×4.7m 정도이다. 건물지는 서편과 남편에 기단으로 추정되는 석렬이 일부 잔존하며, 초석은 3×1칸 정도가 확인된다. 초석의 간격은 약 2~2.2m 정도이다. 주초석 외에 건물지 남편의 기단석렬에 접해서 퇴칸으로 추정되는 적심과 초석이 동-서향으로 1열이 일부 확인되며 초석 사이에는 기와와 소형 할석이 열을 이루고 있다. 유물은 청자, 명문기와편이 다수 확인되었다.				
시 기	고려시대				
기년유물	「丁亥」銘 암키와(1점)				
	연번	보고서 유물번호	기와 종류	명문내용	연대
	1	도면 41	암키와	丁亥年金海(府?)/客舍桃東面	1167, 1227
공반유물	명문와(南丁, 白丁, 東面, 北面(癸), O子草 銘), 기와, 청자, 동곳, 불명토제품 등				

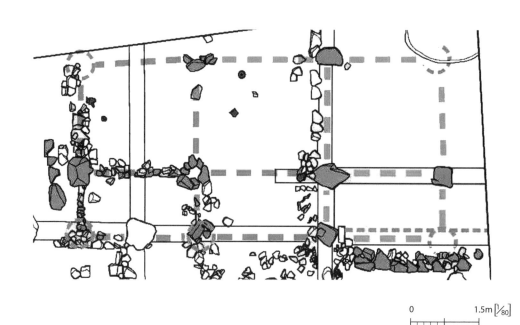

0   1.5m [1/80]

〈 1호 건물지 평면도 (1:80) 〉

1) 丁亥銘 암키와

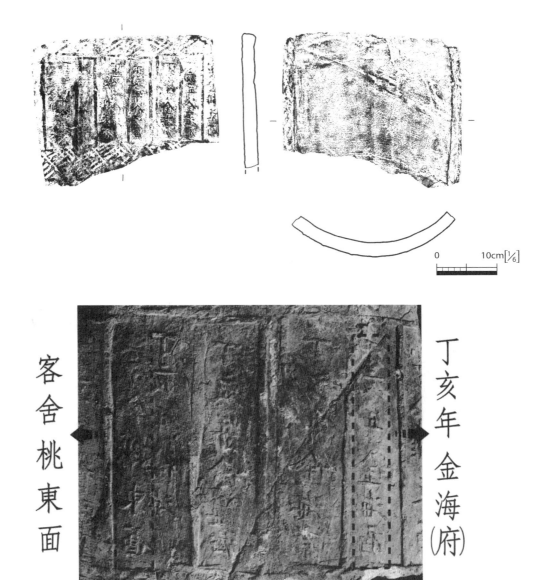

명문	간지명	간지명 년도					추정연대	
丁亥年金海(府?) / 客舍桃東面	丁亥	927, 987, 1047, 1107, 1167, 1227, 1287, 1347					1167, 1227	
종류	태토	소성도	색조			제원		
			내	외	속심	길이	폭	두께
암키와	사립과 석립 혼입된 점토	경질		회청색		(39.0)	(17.5)	2.3
문양 및 제작속성								
외면		내면			측면			
종선문		포목흔, 사절흔, 소지흔			와도흔 내측 1/2			

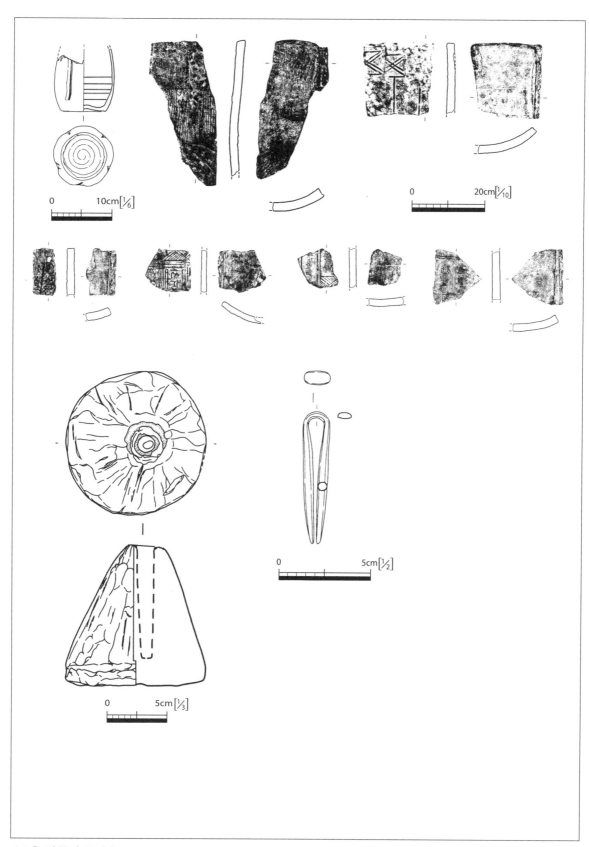

〈 1호 건물지 공반출토유물 〉

3) 대구 팔공산 북지장사 (大邱 八公山 北地藏寺)

유적위치	대구광역시 동구 도학동 620번지				
조사사유	북지장사의 역사적 고증을 위한 학술조사				
조사연혁	발굴조사 : 1996.08.08 ~ 1996.09.26 (영남매장문화재연구원)				
유적입지	북지장사는 팔공산 관봉(갓바위)의 서쪽 지맥인 노족봉(해발 600m)의 남쪽 기슭에 위치하며, 행정구역상으로는 대구광역시 동구 도학동 620번지에 해당한다. 이곳은 관봉의 지맥과 북쪽의 노족봉이 좌우로 감싸는 곳으로, 남쪽으로 트여있어 멀리 대구 남산과 시가지가 조망된다. 사찰의 북쪽으로는 노족봉의 고개를 통해 동화사로 연결되고, 동북쪽으로는 지맥을 따라 관봉으로 통하는 등산로가 있다. 이 등산로는 현재의 도로가 개설되기 전까지 대구쪽에서 관봉으로 오르는 구 교통로로 이용되었다.				
유구현황	고려시대	대웅전지			
주요유물	기와, 토기, 자기, 철제 등				
기년유물	「‥三年壬戊‥日, ‥化主李應春兩主, ‥金佑石兩主, ‥趙‥」銘 암막새(2점)				

연번	보고서 유물번호	기와 종류	명문내용	연대
1	도면 18-1	암막새	‥三年壬戊‥日, ‥化主李應春兩主, ‥金佑石兩主, ‥趙‥	962, 1022, 1082, 1142, 1202, 1262
2	도면 18-2	〃	〃	〃

시기·성격	현재의 사역은 남-북 보다 동-서로 넓게 자리하고 있으며 남-북으로는 석축에 의해 크게 4단으로 구분된다. 최상단은 대부분이 공지이고 서편에 치우쳐 산영각이 위치한다. 제2단은 서편에 치우쳐 극락전(현 대웅전)이 있고, 중앙의 조금 높은 곳에는 명부전이 있다. 동편에는 극락전 기단면과 비슷한 높이로 마련된 舊 대웅전지가 있다. 제3단은 경내 마당에 해당하며, 극락전의 서편은 'ㄱ'자상의 기단시설에 의해 30~40㎝ 높게 마련되어 있고, 현 대웅전의 정면인 남쪽에는 문이 있다. 사역의 중앙에는 요사 3동이 자리하고 있고, 요사 동편에는 2기의 삼층석탑이 구 대웅전지와 마주하고 있다. 사역의 동측 외곽담장과 접한 곳은 텃밭으로 이용되고 있는 공지(舊 요사건물지)가 있고 그 앞에는 수조가 있다. 이들 제3단은 서편을 제외하고는 평면레벨이 비슷하다.\n\n제4단은 제3단과 약 3.5m 높이의 단으로 구분되며, 동측에는 신축한 현대식 요사가 있고 중앙에는 인공 연못이 있다. 서쪽으로는 사역으로 오르는 길이 연결되어 있다. 제4단의 남쪽 아래는 계단식 경작지로 되어 있고, 서편에 치우쳐 근래에 만든 주차장이 있다. 이 중 현재의 사역은 제3단까지이고, 제2·3단이 사역의 主 공간으로 사용되고 있다. 동-서상으로 볼 때 대웅전지가 있는 동편이 사역의 외곽지로 바뀌고, 서편에 있는 극락전을 대웅전으로 하는 새로운 가람배치를 하고 있다. 즉, 사찰의 중심공간이 전체적으로 동쪽에서 서쪽으로 이동된 듯한 현상을 보이고 있다.
참고문헌	영남매장문화재연구원, 1996, 『팔공산북지장사-대웅전지 발굴조사-』, 학술조사보고 제4책.

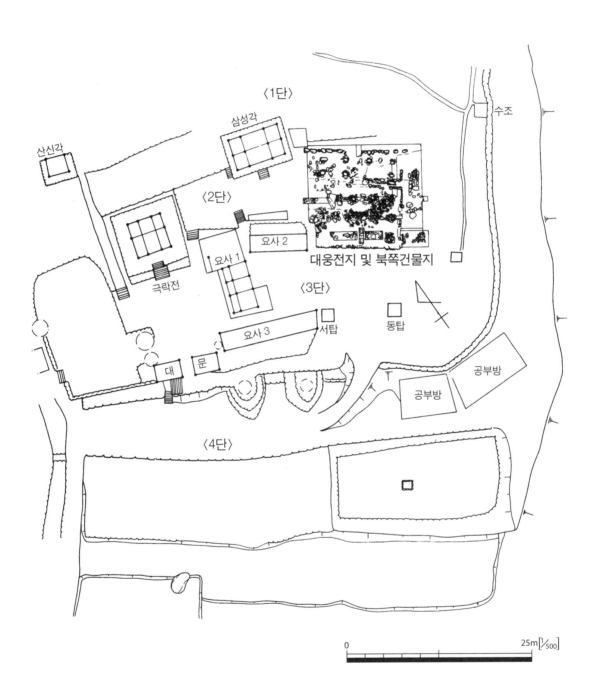

〈 조사구역 유구배치도 (1:500) 〉

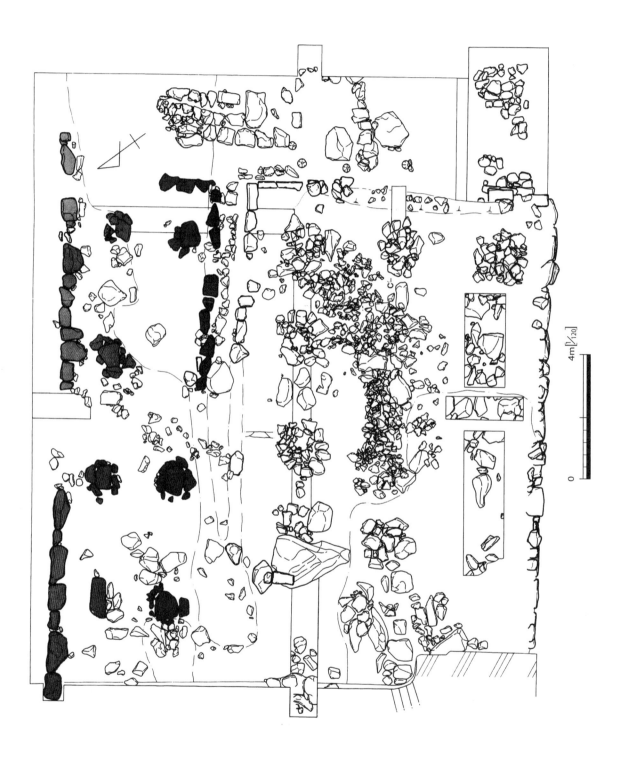

〈 대웅전지 유구평면도 (1:120) 〉

(1) ‥三年壬戌‥日, ‥化主李應春兩主, ‥金佑石兩主, ‥趙‥ 銘 암막새

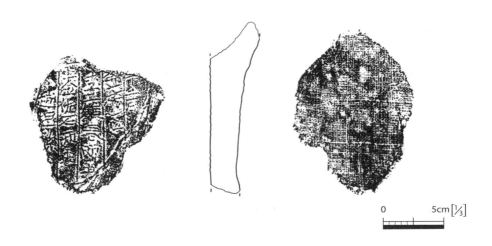

명문			간지명	간지명 년도			추정연대
‥三年壬戌‥日, ‥化主李應春兩主, ‥金佑石兩主, ‥趙‥			壬戌	962, 1022, 1082, 1142, 1202, 1262			
종류	태토	소성도	색조			제원		
			내	외	속심	길이	폭	두께
암막새	사립 함유	경질	회청색	회청색		(13.4)		2.1~3.9
문양 및 제작속성								
외면		내면			측면			
종선문		포목의 빈도수 8×9						

⑵ ‥三年壬戌‥日, ‥化主李應春兩主, ‥金佑石兩主, ‥趙‥ 銘 암막새

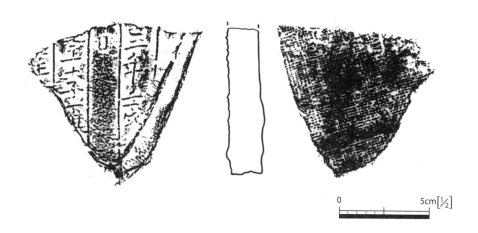

0   5cm[½]

명문			간지명	간지명 년도			추정연대
‥三年壬戌‥日, ‥化主李應春兩主, ‥金佑石兩主, ‥趙‥			壬戌	962, 1022, 1082, 1142, 1202, 1262			
종류	태토	소성도	색조			제원	
			내	외	속심	길이	폭	두께
암막새	사립 함유	경질	회색	회색	회색	(7.9)	(8.7)	1.7
문양 및 제작속성							
외면		내면			측면		
종선문		포목의 빈도수 8×9					

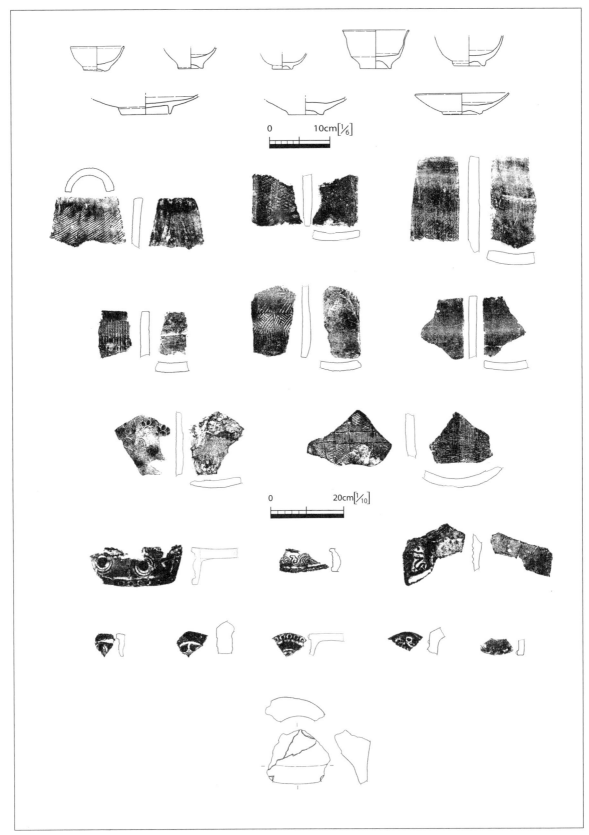

〈 북지장사 공반출토유물 〉

4) 마산 회원현성 (馬山 會原縣城)

유적위치	경남 마산시 자산동 산 16, 17-1번지				
조사사유	마산현성의 복원 정비를 위한 시굴 및 발굴조사				
조사연혁	발굴조사 : 2004.10.25 ~ 2005.04.22 (경남발전연구원 역사문화센터)				
유적입지	회원현성은 마산시의 가장 중심 지역인 무학산 남쪽 기슭에 돌출한 해발 143.8m의 낮은 야산의 서남쪽 계곡을 둘러싼 包谷式城으로, 남북을 장축으로 한 장타원형 형태를 하고 있다. 이곳의 남쪽으로는 마산만이 한눈에 내려다보이고 북동쪽으로는 창원지역의 시가지가 펼쳐져 있다. 서쪽으로는 마산-고성을 잇는 마산순환 외곽국도가 지나가고 있으며 이 國道와 회원현성지 사이에는 현재 마산 합포고등학교가 위치하고 있다.				
유구현황	통일신라시대~고려시대		토성		
주요유물	기와				
기년유물	「正豊二年丁丑, 寺○一品八月造」銘 암키와(6점) - 3구간 내황 1층, 8층, 10층, 13층				

「正豊二年丁丑, 寺○一品八月造」銘 암키와(6점)
- 3구간 내황 1층, 8층, 10층, 13층

연번	보고서 유물번호	기와 종류	명문내용	연대
1	도면 34-2	암키와	○二年丁丑, …一品○○造	1157
2	도면 34-3	〃	…年丁丑, …一品○○造	〃
3	도면 39-2	〃	…豊二年丁丑, …一品八月造	〃
4	도면 46-3	〃	…丁丑, …八月造	〃
5	도면 49-2	〃	…○二年丁丑, …一品八月造	〃
6	도면 52-2	〃	○○○年丁丑, ○○○○月造	〃

「正豊二年丁丑, 寺○一品八月造」銘 암키와(20점)
- 8구간 외벽 트렌치 1층, 3층, 3-1층, 4층, 5층, 6층, 7층

연번	보고서 유물번호	기와 종류	명문내용	연대
7	도면 81-2	암키와	…二年丁丑, …八月造	1157
8	도면 85-3	〃	○豊二年丁丑, …○○○○八月造	〃
9	도면 87-2	〃	○○二年丁丑, …○○○品八月○	〃
10	도면 87-3	〃	○○二年○○○, …○一品八月○	〃
11	도면 88-1	〃	○○二年丁丑, ○○八○	〃
12	도면 88-2	〃	○○二年丁, …○○一品八月…	〃
13	도면 90-3	〃	○○二年丁丑, …○○品八○	〃
14	도면 97-1	〃	○○二年丁丑, …○○○品八○	〃
15	도면 100-2	〃	…丁丑, …○○	〃
16	도면 102-2	〃	…二年丁丑, …○○○	〃

17	도면 102-3	〃	…年丁丑, …品八月○	〃
18	도면 103-1	〃	…年丁丑, …品八月○	〃
19	도면 105-3	〃	‥丁丑, …○	〃
20	도면 106-2	〃	…年丁丑, …八月造	〃
21	도면 107-2	〃	‥丁丑, …○○	〃
22	도면 109-3	〃	…二年丁丑, …八月‥	〃
23	도면 110-1	〃	…二年, 丁丑…	〃
24	도면 112-1	〃	…二年, 丁○…	〃
25	도면 112-2	〃	…二年丁丑, …八月○‥	〃
26	도면 112-3	〃	‥丁丑, …月造	〃

「正豊二年丁丑, 寺○一品八月造」銘 암키와(5점) - 지표채집

연번	보고서 유물번호	기와 종류	명문내용	연대
27	도면 115-2	암키와	正豊二年丁丑, 寺○一品八月造	1157
28	도면 115-3	〃	…二年丁丑	〃
29	도면 116-1	〃	…○二年丁丑, …一品八月○	〃
30	도면 116-2	〃	…二年丁丑…	〃
31	도면 119-2	〃	…年丁丑, …八月造	〃

시기 · 성격

회원현성에서 출토되는 유물과 축조 방법으로 미루어 볼 때 그 시기를 통일신라 말 까지는 올려다 볼 수 있지만, 기와 이외의 토기류 등의 생활 유물이 거의 전무하다시피 하기 때문에 정확한 연대설정에는 어려움이 있다. 그래도 출토되는 명문기와 등을 통해 볼 때 적어도 10세기 말에는 회원현성이 축조되어 사용된 것으로 볼 수 있다. 때문에 비교적 사용시기가 동일하게 파악되어지는 당감동성지 및 동래 고읍성, 김해 고읍성 등의 토성들과 그 축조양상이 비슷하게 확인되고 있다.

회원현성의 축조양상을 살펴보면 체성부는 경사면을 따라 갈색계열의 점토를 이용하여 바닥을 다진 후 기단석을 2~3단 정도 쌓아 내탁으로 기단을 조성한 후 체성을 축조하고 있다. 축조 구간은 영정주의 간격과 동일한 380~400㎝ 내외로 확인되고 있다. 영정주는 각 단계마다 같은 간격으로 이전 단계의 영정주 위에 세워지고 있으며, 대부분 단독이나 일부 보조목을 사용한 것도 있다. 기단부 구성시 순수 판축만이 아닌 기와를 함께 사용한 구간도 확인되고 있다. 내벽 영정주에서 수직으로 축조구분석열이 확인되는데 이는 경사면에서 내려오는 토압을 분산시키는 역할도 함께 수행한 것으로 보인다.

참고문헌

경남발전연구원 역사문화센터, 2008, 『馬山 會原縣城』, 調査研究報告書 第65冊.

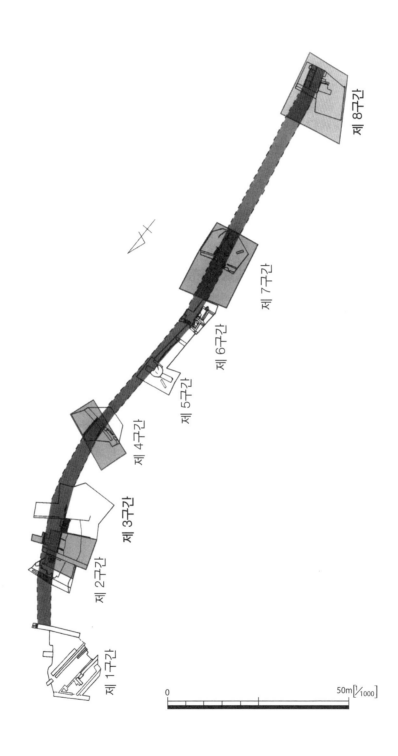

제 8구간

제 7구간

제 6구간

제 5구간

제 4구간

제 3구간

제 2구간

제 1구간

0　　　　　　　　　　50m [¹⁄₁₀₀₀]

〈 발굴조사지역 구획도 (1:1,000) 〉

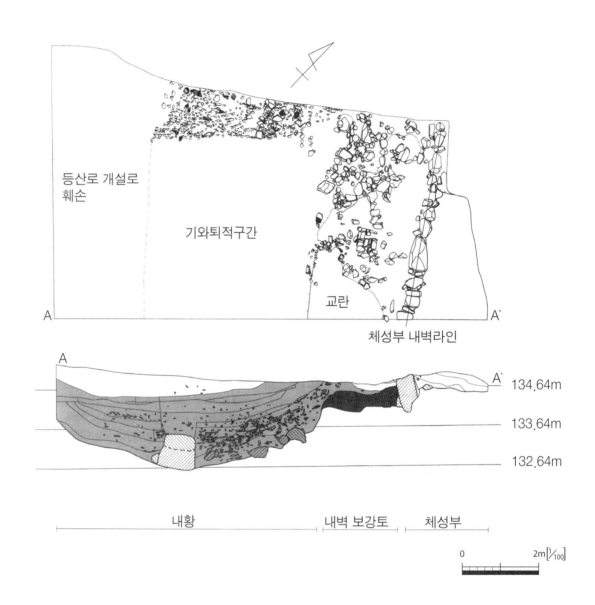

등산로 개설로
훼손

기와퇴적구간

교란

체성부 내벽라인

134.64m

133.64m

132.64m

내황   내벽 보강토   체성부

0   2m[1/100]

〈 제3구간 내벽 내부 적석시설 평면도 및 내황 토층도 (1:100) 〉

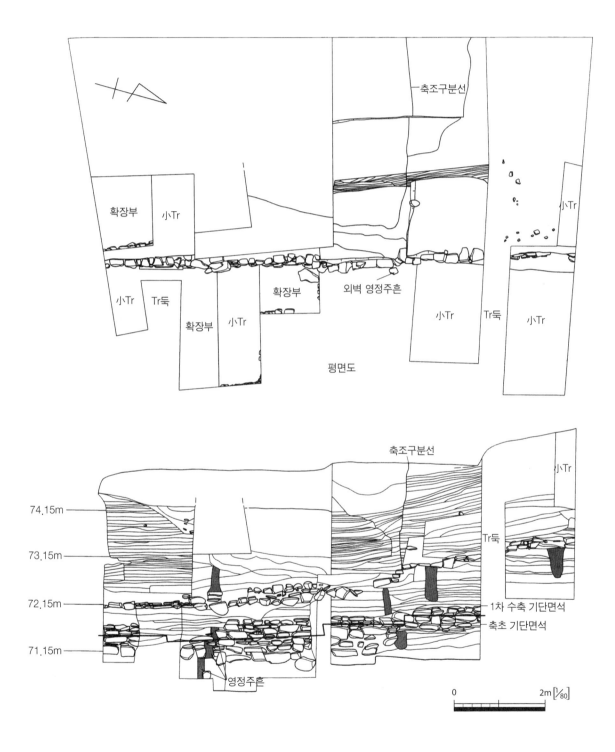

〈 제8구간 내벽 내부 적석시설 평면도 및 내황 토층도 (1:80) 〉

(1) ○二年丁丑, …一品○○造 銘 암키와

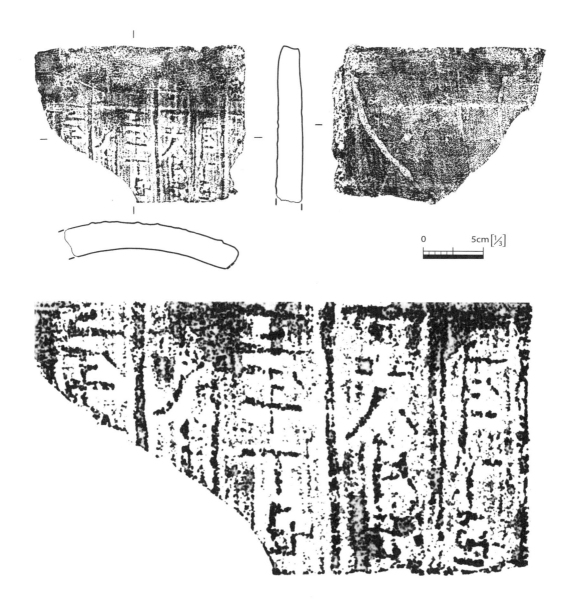

명문	연호	연호명 년도	국명(왕)	고려	절대연대
○二年丁丑, …一品○○造	正豊(正隆)	1156~1161	金 (帝亮 2年)	毅宗 11年	1157

종류	태토	소성도	색조			제원		
			내	외	속심	길이	폭	두께
암키와	세사립 다량 혼입	고화도 경질		암회청색		(12.8)	(16.7)	2.3

문양 및 제작속성		
외면	내면	측면
상단 지두흔, 4㎝ 횡방향 물손질로 문양 지워짐	연철흔, 포목흔(8×6), 상단 2.5㎝ 횡방향 물손질로 포목흔 지워짐	

(2) …年丁丑, …一品○○造 銘 암키와

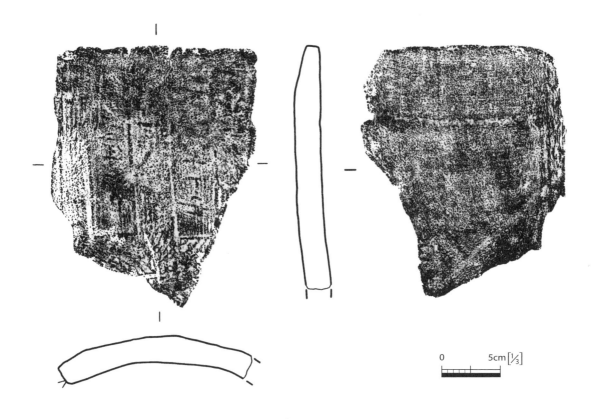

명문	연호	연호명 년도	국명(왕)	고려	절대연대
…年丁丑, …一品○○造	正豊(正隆)	1156~1161	金 (帝亮 2年)	毅宗 11年	1157

종류	태토	소성도	색조			제원		
			내	외	속심	길이	폭	두께
암키와	세사립 다량 혼입	고화도 경질		회청색		(21.2)	(16.2)	2.3

문양 및 제작속성		
외면	내면	측면
기면 마모가 심함	마모심함, 포목흔 잔존	와도흔 내측, 극히 일부

(3) …豊二年丁丑, …一品八月造 銘 암키와

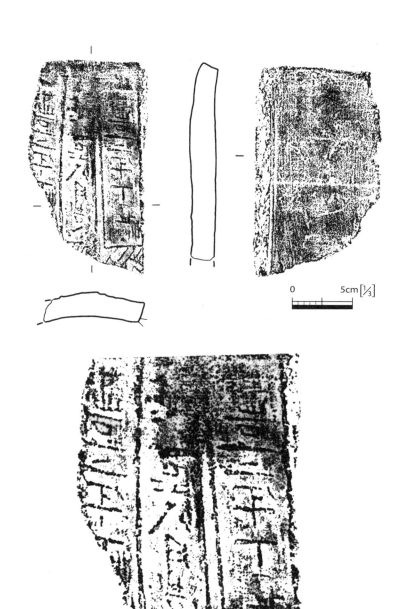

명문	연호	연호명 년도	국명(왕)	고려	절대연대
…豊二年丁丑, …一品八月造	正豊(正隆)	1156~1161	金 (帝亮 2年)	毅宗 11年	1157

종류	태토	소성도	색조			제원		
			내	외	속심	길이	폭	두께
암키와	세사립 다량과 사립 소량 혼입	고화도 경질		회백색		(17.1)	(9.4)	2.1

문양 및 제작속성		
외면	내면	측면
상단 5㎝ 물손질에 의해 명문 지워짐	포목 흔들림	와도흔 내측 1/4

(4) …丁丑, …八月造 銘 암키와

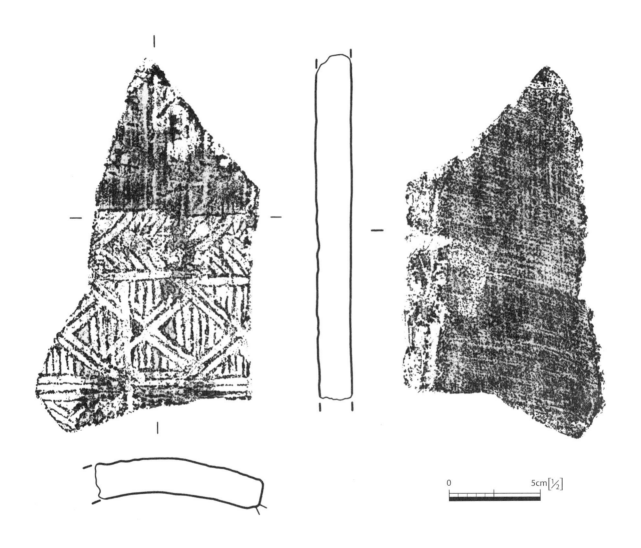

명문	연호	연호명 년도	국명(왕)		고려	절대연대
…丁丑, …八月造	正豊(正隆)	1156~1161	金 (帝亮 二年)		毅宗 11年	1157

종류	태토	소성도	색조			제원		
			내	외	속심	길이	폭	두께
암키와	세사립과 세석립 다량 혼입	고화도 경질		회색		(19.9)	(11.9)	2.0

문양 및 제작속성		
외면	내면	측면
호상 집선문, 집선문	분할돌대흔, 포목흔(10吋)	와도흔 내측 1/5

(5) …○二年丁丑, …一品八月造 銘 암키와

명문		연호	연호명 년도	국명(왕)	고려	절대연대
…○二年丁丑, …一品八月造		正豊(正隆)	1156~1161	金 (帝亮 二年)	毅宗 11年	1157

종류	태토	소성도	색조			제원		
			내	외	속심	길이	폭	두께
암키와	세사립과 굵은 석립 다량 혼입	고화도 경질		회황색		(37.0	(28.8)	2.7

문양 및 제작속성		
외면	내면	측면
호상집선문+집선문, 상단 4㎝, 하단 10㎝ 물손질로 문양 지워짐	분할 돌대흔, 합철흔, 포목흔(12×8), 점토 접합흔, 하단 7.5㎝ 단부조정 및 물손질	와도흔 내측 1/5

⑹ ○○○年丁丑, ○○○○月造 銘 암키와

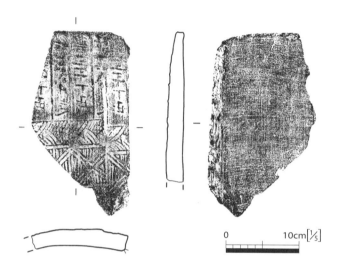

명문	연호	연호명 년도	국명(왕)	고려	절대연대
○○○年丁丑, ○○○月造	正豊(正隆)	1156~1161	金 (帝亮 二年)	毅宗 11年	1157

종류	태토	소성도	색조			제원		
			내	외	속심	길이	폭	두께
암키와	굵은 석립 소량과 세석립 다량 혼입	고화도 경질		담황회색		(24.8)	(13.9)	2.4

문양 및 제작속성		
외면	내면	측면
상단 4.5㎝ 물손질로 명문 시작부분은 일부 지워짐	분할 돌대흔, 포목흔(6×7)	와도흔 내측 0.2㎝

(7) …二年丁丑, …八月造 銘 암키와

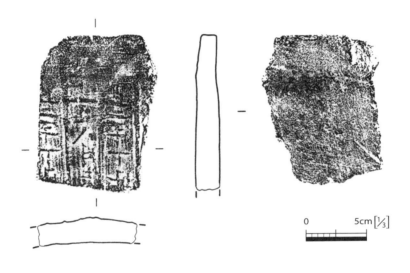

명문	연호	연호명 년도	국명(왕)	고려	절대연대
…二年丁丑, …八月造	正豊(正隆)	1156~1161	金 (帝亮 2年)	毅宗 11年	1157

종류	태토	소성도	색조			제원		
			내	외	속심	길이	폭	두께
암키와	사립 다량 혼입	고화도 경질		담회갈색		(12.3)	(10.0)	2.1

문양 및 제작속성		
외면	내면	측면
상단 6.7㎝ 물손질로 명문 지워짐, 지두흔	연철흔, 마모심함, 포목흔 잔존, 상단 4.5㎝ 물손질	

⑻ ○豊二年丁丑, …○○○○八月造銘 암키와

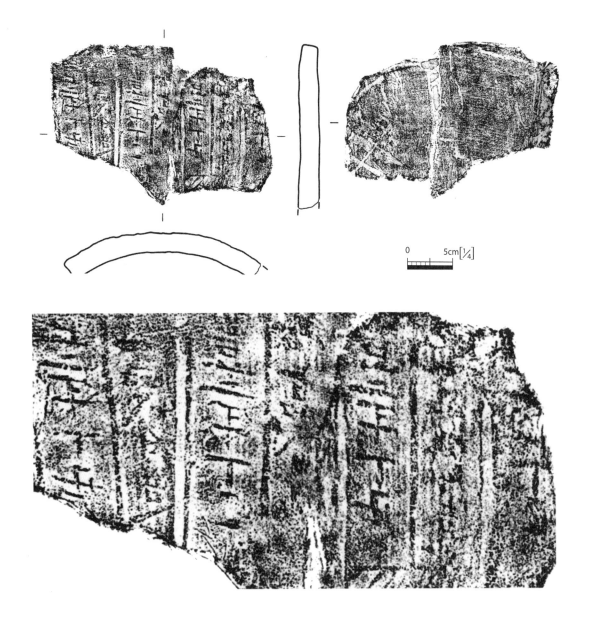

명문	연호	연호명 년도	국명(왕)	고려	절대연대
○豊二年丁丑, …○○○○八月造	正豊(正隆)	1156~1161	金 (帝亮 2年)	毅宗 11年	1157

종류	태토	소성도	색조			제원		
			내	외	속심	길이	폭	두께
암키와	세석립 소량과 사립 다량 혼입	고화도 경질		회백색		(17.4)	(22.2)	2.4

문양 및 제작속성		
외면	내면	측면
상단 6cm 물손질로 명문 시작 부분은 일부 지워짐	분할 돌대흔, 마모 심함, 포목흔 잔존	와도흔 내측 1/4

(9) ○○二年丁丑, …○○○品八月○ 銘 암키와

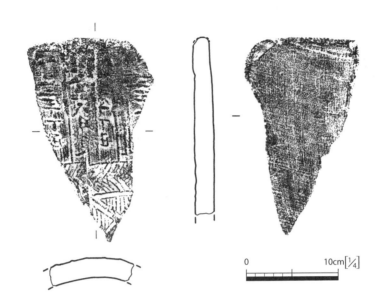

명문	연호	연호명 년도	국명(왕)	고려	절대연대
○○二年丁丑, …○○○品八月○	正豊(正隆)	1156~1161	金 (帝亮 2年)	毅宗 11年	1157

종류	태토	소성도	색조			제원		
			내	외	속심	길이	폭	두께
암키와	사립 다량 혼입	고화도 경질		회색		(21.6)	(12.2)	2.2

문양 및 제작속성		
외면	내면	측면
상단 5.7㎝ 물손질로 명문 일부 지워짐, 일부 마모	윤철흔, 포목흔(5×6)	와도흔 내측 0.2㎝

(10) ○○二年○○○, …○一品八月○ 銘 암키와

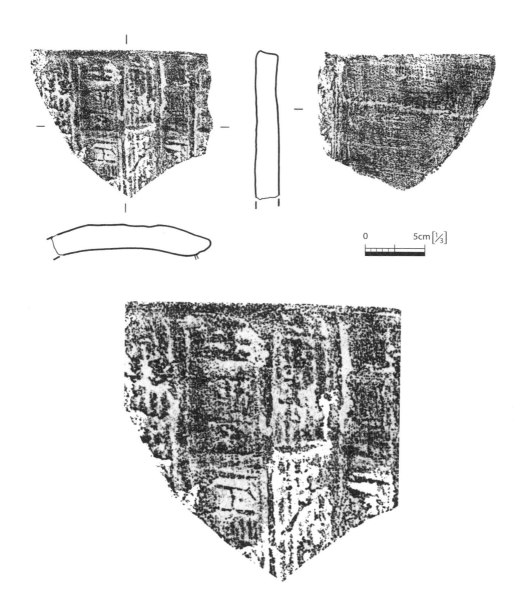

0   5cm[⅓]

명문		연호	연호명 년도	국명(왕)	고려	절대연대
○○二年○○○, …○一品八月○		正豊(正隆)	1156~1161	金 (帝亮 2年)	毅宗 11年	1157
종류	태토	소성도	색조			제원		
			내	외	속심	길이	폭	두께
암키와	사립 다량 혼입	고화도 경질		회백색		(12.2)	(15.0)	2.1
문양 및 제작속성								
외면			내면			측면		
상단 7.2㎝ 물손질로 명문 일부 지워짐			연철흔, 전면 마모, 포목흔 잔존			와도흔 내측 0.2㎝		

(11) ○○二年丁丑, ○○八○ 銘 암키와

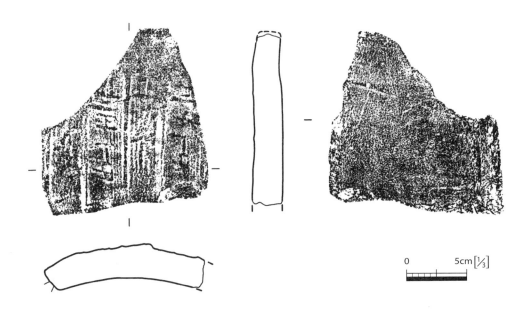

0 　　　5cm[⅓]

명문		연호	연호명 년도	국명(왕)	고려	절대연대
○○二年丁丑, ○○八○		正豊(正隆)	1156~1161	金 (帝亮 2年)	毅宗 11年	1157
종류	태토	소성도	색조			제원	
			내	외	속심	길이	폭	두께
암키와	사립 다량 혼입	고화도 경질		회백색		(15.1)	(13.3)	2.7
문양 및 제작속성							
외면			내면			측면	
상단 6.7㎝ 물손질과 마모로 명문 일부 지워짐			전면 마모로 제작흔적 관찰 어려움			와도흔 내측 1/3	

(12) ○○二年丁, …○○一品八月…銘 암키와

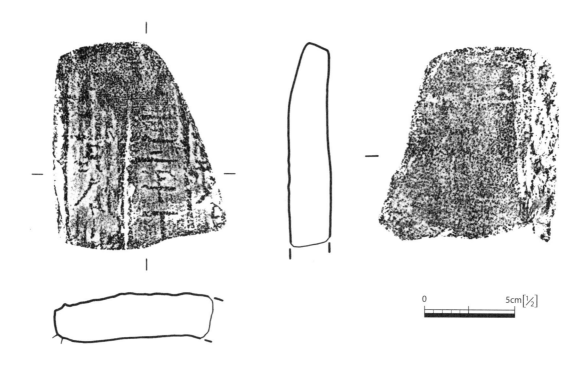

0   5cm[½]

명문		연호	연호명 년도	국명(왕)	고려	절대연대
○○二年丁丑, ○○八○		正豊(正隆)	1156~1161	金 (帝亮 2年)	毅宗 11年	1157
종류	태토	소성도	색조			제원		
			내	외	속심	길이	폭	두께
암키와	세석립 소량과 사립 다량 혼입	고화도 경질		회백색, 일부 암회색		(11.2)	(9.4)	2.4
문양 및 제작속성								
외면			내면			측면		
상단 3.8㎝ 물손질로 명문 일부 지워짐			전면 마모로 제작흔적 관찰 어려움			와도흔 내측 0.2㎝		

(13) ○○二年丁丑, …○○品八○ 銘 암키와

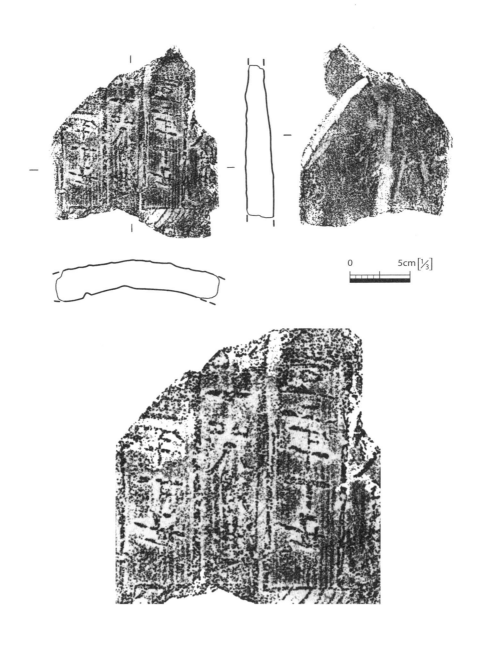

명문		연호	연호명 년도	국명(왕)	고려	절대연대
○○二年丁丑, …○○品八○		正豊(正隆)	1156~1161	金 (帝亮 2年)	毅宗 11年	1157
종류	태토	소성도	색조			제원		
			내	외	속심	길이	폭	두께
암키와	사립 다량 혼입	고화도 경질		회백색		(15.6)	(13.7)	2.6
문양 및 제작속성								
외면			내면			측면		
호상집선문, 상단 4㎝물손질로 문양 지워짐			전면 마모, 포목흔 잔존			와도흔 내측 1/3		

(14) ○○二年丁丑, ⋯○○品八○ 銘 암키와

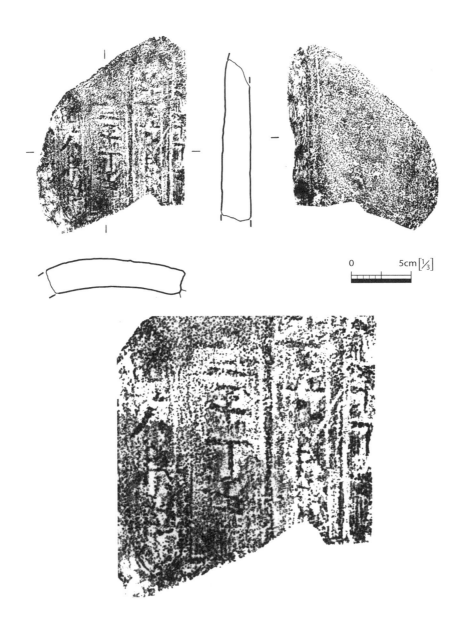

명문		연호	연호명 년도	국명(왕)	고려	절대연대
○○二年丁丑,⋯ ○○○品八○		正豊(正隆)	1156~1161	金 (帝亮 2年)	毅宗 11年	1157
종류	태토	소성도	색조			제원		
			내	외	속심	길이	폭	두께
암키와	사립 다량 혼입	고화도 경질		회흑색		(16.1)	(11.4)	2.3
문양 및 제작속성								
외면			내면			측면		
상단 6.6㎝ 물손질로 명문 일부 지워짐			전면 마모, 포목흔 잔존					

(15) ‥丁丑, …○○ 銘 암키와

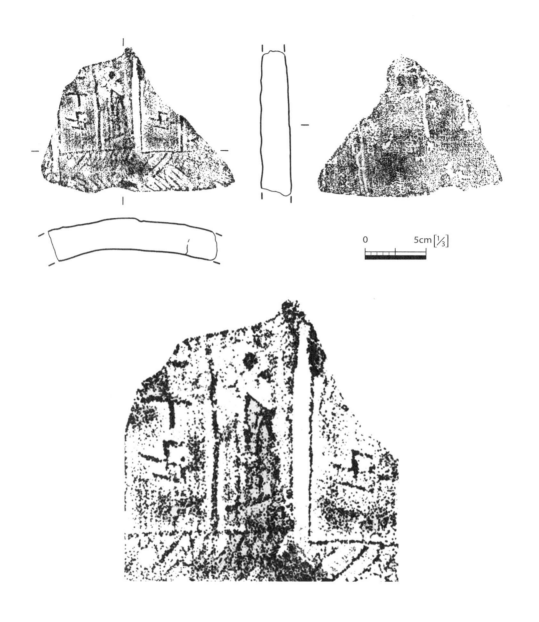

명문	연호	연호명 년도	국명(왕)	고려	절대연대
‥丁丑, …○○	正豊(正隆)	1156~1161	金 (帝亮 2年)	毅宗 11年	1157

종류	태토	소성도	색조			제원		
			내	외	속심	길이	폭	두께
암키와	굵은 사립과 석립 소량 혼입	저화도 경질		담회흑색		(12.2)	(16.2)	2.6

문양 및 제작속성		
외면	내면	측면
호상집선문	포목흔, 점토 접합흔	

(16) '…二年丁丑, …○○○」銘 암키와

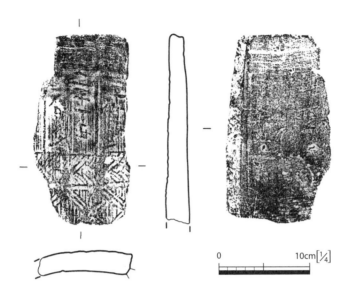

명문	연호	연호명 년도	국명(왕)	고려	절대연대
…二年丁丑, …○○○	正豊(正隆)	1156~1161	金 (帝亮 2年)	毅宗 11年	1157

종류	태토	소성도	색조			제원		
			내	외	속심	길이	폭	두께
암키와	세사립과 세석립 다량 혼입	고화도 경질		명회색		(20.4)	(10.8)	2.5

문양 및 제작속성		
외면	내면	측면
호상집선문+집선문, 상단 4.4㎝ 물손질로 문양 지워짐	윤철흔, 물손질로 포목흔 지워짐	와도흔 내측 1/3

(17) ‘…年丁丑, …品八月○」銘 암키와

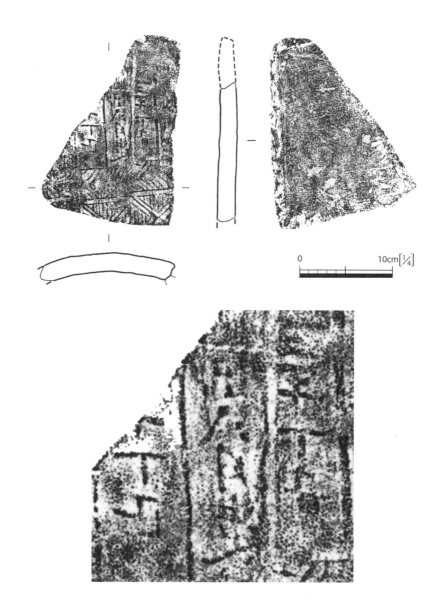

명문	연호	연호명 년도	국명(왕)	고려	절대연대
…年丁丑, …品八月○	正豊(正隆)	1156~1161	金 (帝亮 2年)	毅宗 11年	1157

종류	태토	소성도	색조			제원		
			내	외	속심	길이	폭	두께
암키와	세사립과 세석립 다량 혼입	저화도 경질		담회흑색		(10.6)	(15.9)	2.1

문양 및 제작속성		
외면	내면	측면
호상집선문+집선문	물손질로 극히 일부만 관찰됨	

(18) …年丁丑, …品八月○ 銘 암키와

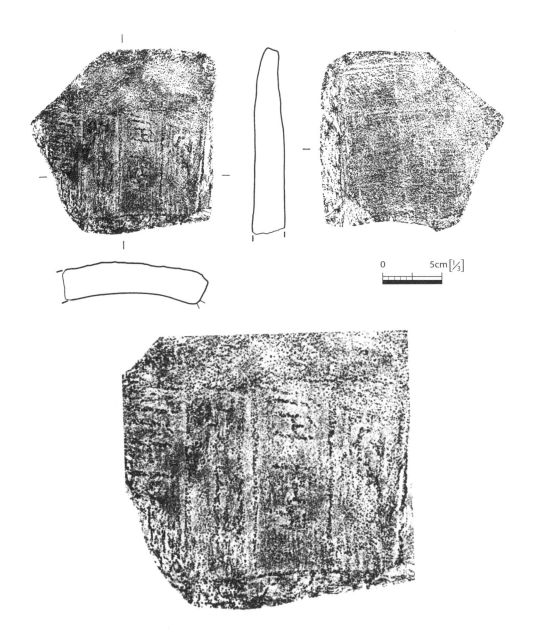

명문	연호	연호명 년도	국명(왕)		고려	절대연대
…年丁丑, …品八月○	正豊(正隆)	1156~1161	金 (帝亮 2年)		毅宗 11年	1157

종류	태토	소성도	색조			제원		
			내	외	속심	길이	폭	두께
암키와	세석립 다량 혼입	저화도 경질		담회색		(15.0)	(14.8)	3.0

문양 및 제작속성		
외면	내면	측면
상단 4.8㎝ 물손질 정면	기면의 마모가 심하여 포목흔 일부만 관찰됨	

(19) ‥丁丑, …○ 銘 암키와

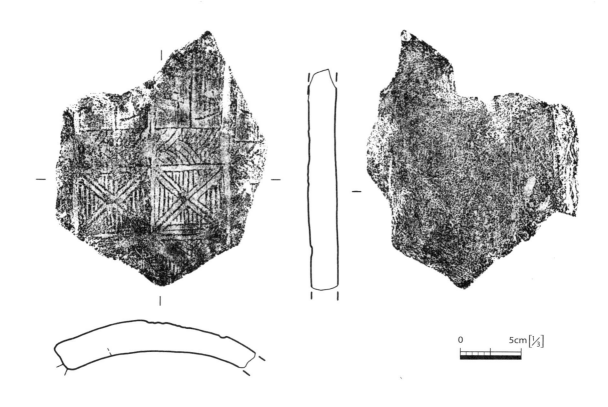

명문	연호	연호명 년도	국명(왕)	고려	절대연대
‥丁丑, …○	正豊(正隆)	1156~1161	金 (帝亮 2年)	毅宗 11年	1157

종류	태토	소성도	색조			제원		
			내	외	속심	길이	폭	두께
암키와	세석립 다량 혼입	저화도 경질		담회색		(23.2)	(18.7)	2.9

문양 및 제작속성		
외면	내면	측면
호상집선문+집선문, 지두흔	점토 접합흔, 마모가 심하여 제작흔적 관찰 어려움	

(20) …年丁丑, …八月造 銘 암키와

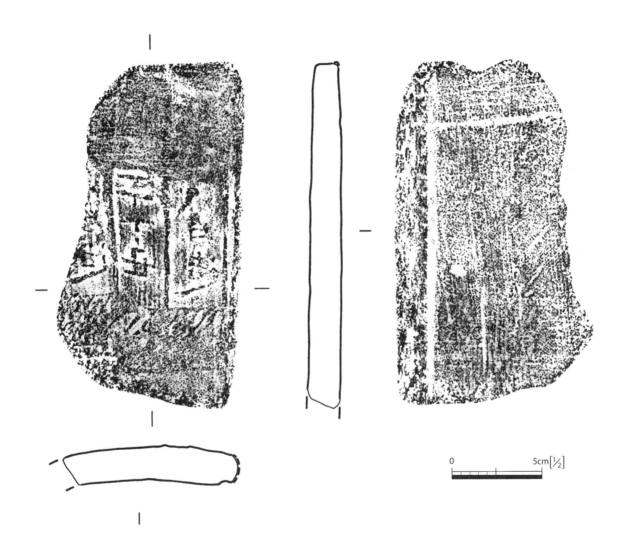

0 ────── 5cm[½]

명문	연호	연호명 년도	국명(왕)		고려	절대연대
…年丁丑, …八月造	正豊(正隆)	1156~1161	金 (帝亮 2年)		毅宗 11年	1157

종류	태토	소성도	색조			제원		
			내	외	속심	길이	폭	두께
암키와	세사립 다량과 석립 소량 혼입	고화도 경질		회백색		(18.7)	(10.7)	2.0

문양 및 제작속성		
외면	내면	측면
호상집선문, 상단 5.6cm 물손질로 문양 지워짐	분할 돌대흔, 연철흔, 포목흔(9×9)	

(21) ‥丁丑, ⋯○○ 銘 암키와

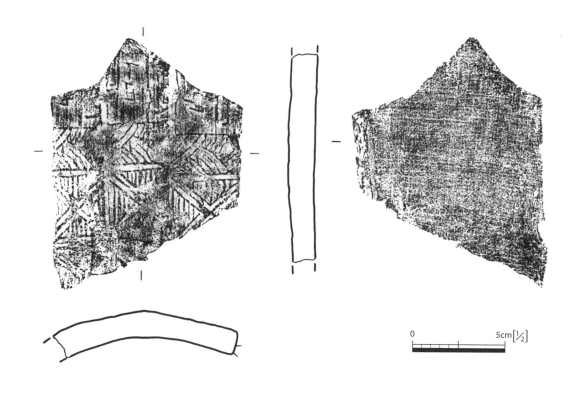

명문	연호	연호명 년도	국명(왕)	고려	절대연대
‥丁丑, ⋯○○	正豊(正隆)	1156~1161	金 (帝亮 2年)	毅宗 11年	1157

종류	태토	소성도	색조			제원		
			내	외	속심	길이	폭	두께
암키와	세석립 다량 혼입	경질, 고화도 소성		담회황색		(21.0)	(15.7)	2.3

문양 및 제작속성		
외면	내면	측면
호상집선문+집선문, 지두흔	포목흔(10승)	와도흔 내측 1/2

(22) …二年丁丑, …八月‥銘 암키와

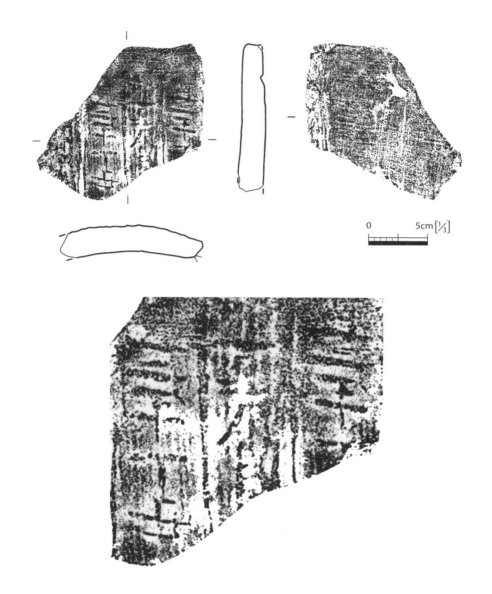

명문		연호	연호명 년도	국명(왕)	고려	절대연대
…二年丁丑, …八月‥		正豊(正隆)	1156~1161	金 (帝亮 2年)	毅宗 11年	1157
종류	태토	소성도	색조			제원		

종류	태토	소성도	내	외	속심	길이	폭	두께
암키와	세사립 다량, 석립 극소량 혼입	고화도 경질		암회청색		(13.1)	(11.8)	2.1

문양 및 제작속성		
외면	내면	측면
상단 4㎝ 물손질에 의해 문양 지워짐	물손질로 포목흔 희미하게 관찰됨	와도흔 내측 극히 일부

(23) …二年, 丁丑…銘 암키와

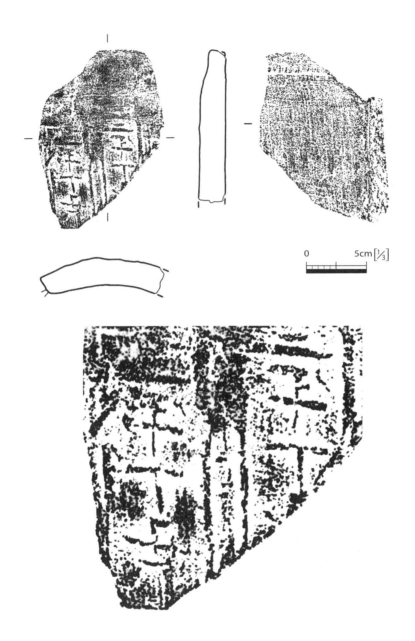

명문		연호	연호명 년도	국명(왕)		고려	절대연대
…二年, 丁丑…		正豊(正隆)	1156~1161	金 (帝亮 2年)		毅宗 11年	1157
종류	태토	소성도	색조			제원	
			내	외	속심	길이	폭	두께
암키와	세사립 다량 혼입	고화도 경질		회색		(14.1)	(10.0)	2.2
문양 및 제작속성							
외면			내면			측면	
상단 5cm 물손질로 문양 지워짐			연철흔, 포목 흔들림			와도흔 내측, 극히 일부	

(24) …二年, 丁○…銘 암키와

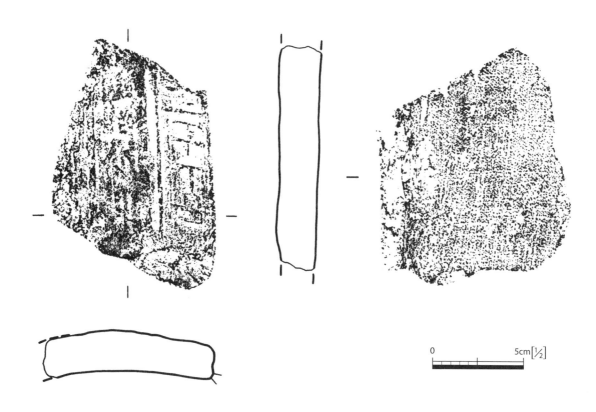

명문		연호	연호명 년도	국명(왕)	고려	절대연대
…二年, 丁○…		正豊(正隆)	1156~1161	金 (帝亮 2年)	毅宗 11年	1157

종류	태토	소성도	색조			제원		
			내	외	속심	길이	폭	두께
암키와	세사립 다량, 세석립 소량 혼입	고화도 경질		회황색		(13.1)	(9.5)	2.3

문양 및 제작속성		
외면	내면	측면
중복 타날과 물손질로 명문 관찰이 어려움	포목흔(8×9), 물손질 정면	와도흔 내측 극히 일부

(25) …二年丁丑, …八月○… 銘 암키와

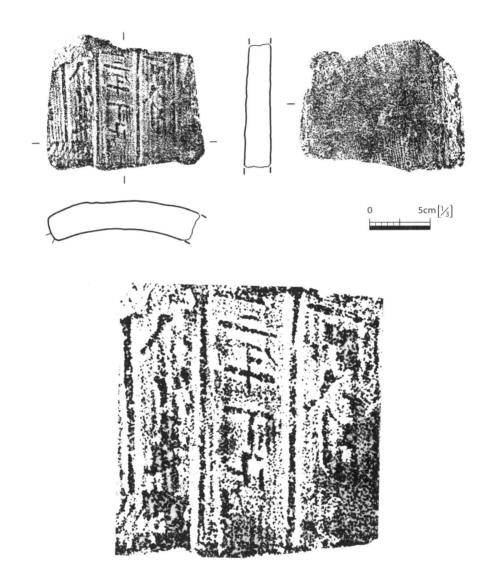

명문	연호	연호명 년도	국명(왕)	고려	절대연대
…二年丁丑, …八月○…	正豊(正隆)	1156~1161	金 (帝亮 2年)	毅宗 11年	1157

종류	태토	소성도	색조			제원		
			내	외	속심	길이	폭	두께
암키와	세사립과 세석립 다량 혼입	고화도 경질		회황색		(10.7)	(12.7)	2.4

문양 및 제작속성		
외면	내면	측면
마모 심함	물손질에 의해 포목흔 지워짐	와도흔 내측 1/3

(26) ‥丁丑, …月造 銘 암키와

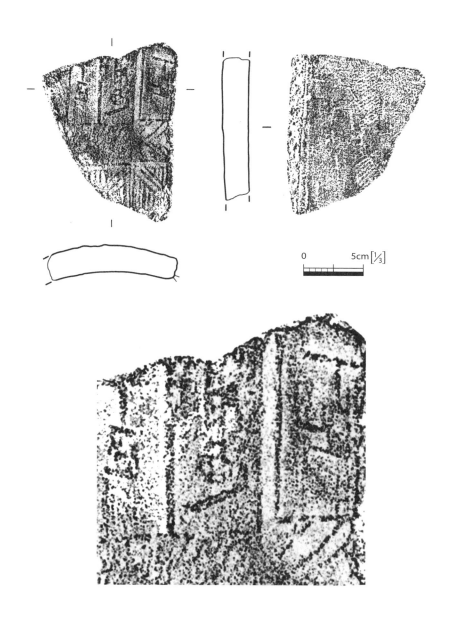

명문	연호	연호명 넌도	국명(왕)		고려	절대연대
‥丁丑, …月造	正豊(正隆)	1156~1161	金 (帝亮 2年)		毅宗 11年	1157

종류	태토	소성도	색조			제원		
			내	외	속심	길이	폭	두께
암키와	세사립 다량, 세석립 소량 혼입	고화도 경질		회청색		(14.0)	(10.5)	2.2

문양 및 제작속성		
외면	내면	측면
호상집선문+집선문, 마모 심함	사절흔, 물손질, 포목흔 잔존	와도흔 내측 1/6~1/3

(27) 正豊二年丁丑, 寺○一品八月造 銘 암키와

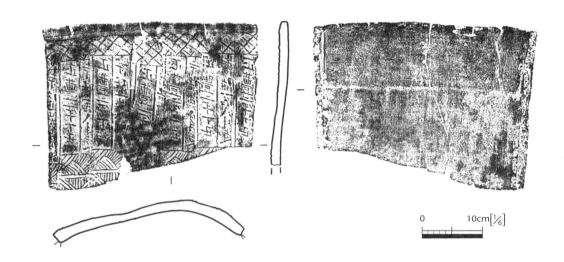

명문	연호	연호명 년도	국명(왕)	고려	절대연대
正豊二年丁丑, 寺○一品八月造	正豊(正隆)	1156~1161	金 (帝亮 2年)	毅宗 11年	1157

종류	태토	소성도	색조			제원		
			내	외	속심	길이	폭	두께
암키와	세석립과 굵은 석립 소량 혼입	고화도 경질		회청색		(25.9)	34.3	2.0

문양 및 제작속성		
외면	내면	측면
상단 2㎝ 횡방향의 물손질, 일부 지두흔과 물손질로 문양 지워짐, 기면이 크게 휨	포목흔(10吊), 상단 2㎝ 횡방향 물손질로 포목흔 지워짐	와도흔 내측(2회), 극히 일부~1/3

(28) ···二年丁丑 銘 암키와

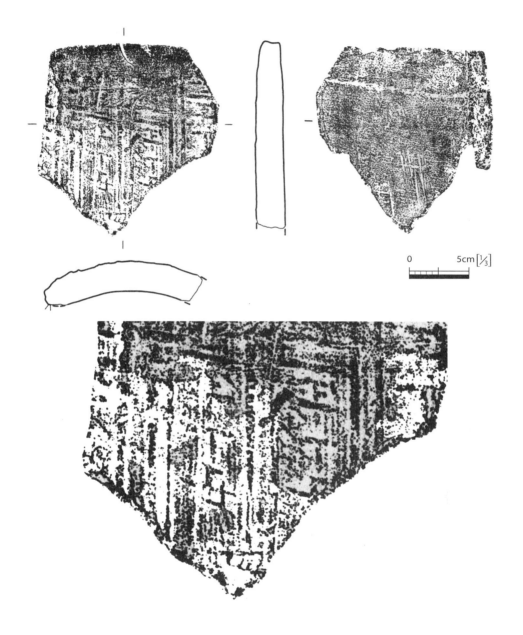

명문	연호	연호명 년도	국명(왕)	고려	절대연대
···二年丁丑	正豊(正隆)	1156~1161	金 (帝亮 2年)	毅宗 11年	1157

종류	태토	소성도	색조			제원		
			내	외	속심	길이	폭	두께
암키와	세사립과 세석립 다량 혼입	고화도 경질		황회색		(15.1)	(14.0)	2.4

문양 및 제작속성		
외면	내면	측면
상단 6.5㎝ 횡방향의 물손질로 문양 일부 지워짐	물손질로 포목흔 지워짐	와도흔 내측 극히 일부

(29) …○二年丁丑, …一品八月○ 銘 암키와

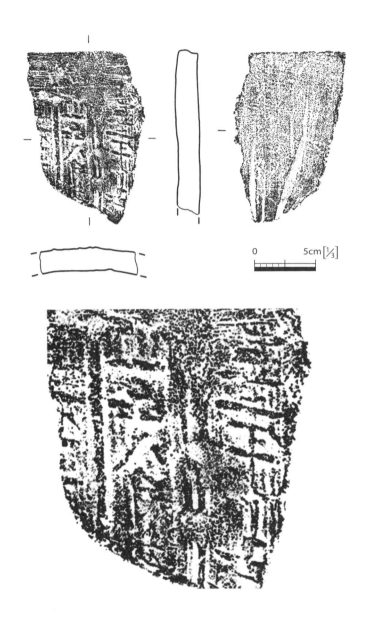

0   5cm[⅓]

명문		연호	연호명 년도	국명(왕)	고려	절대연대
…○二年丁丑, …一品八月○		正豊(正隆)	1156~1161	金 (帝亮 2年)	毅宗 11年	1157
종류	태토	소성도	색조			제원		
			내	외	속심	길이	폭	두께
암키와	세석립 다량, 석립 소량 혼입	고화도 경질		명회색		(14.2)	(9.2)	1.9
문양 및 제작속성								
외면			내면				측면	
상단 4.3㎝ 횡방향 물손질로 문양 일부 지워짐			포목 흔들림, 일부 물손질로 포목흔 지워짐				결실	

(30) …二年丁丑…銘 암키와

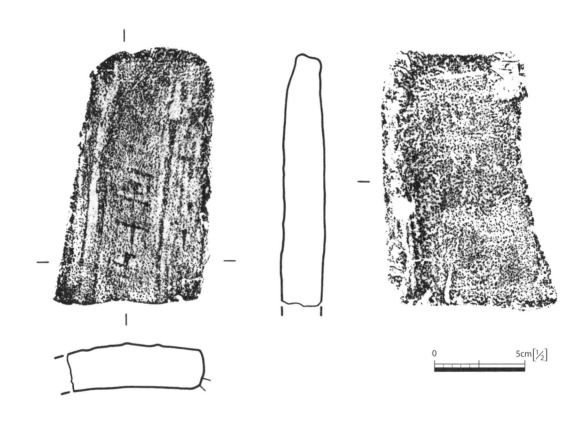

명문	연호	연호명 년도	국명(왕)		고려	절대연대
…二年丁丑…	正豊(正隆)	1156~1161	金 (帝亮 2年)		毅宗 11年	1157

종류	태토	소성도	색조			제원		
			내	외	속심	길이	폭	두께
암키와	사립 다량 혼입	고화도 경질		회청색		(13.6)	(8.7)	2.4

문양 및 제작속성		
외면	내면	측면
전반적으로 기면 마모	마모가 심하여 제작 기법 관찰이 어려움	와도흔 내측 1/4

(31) …年丁丑, …八月造銘 암키와

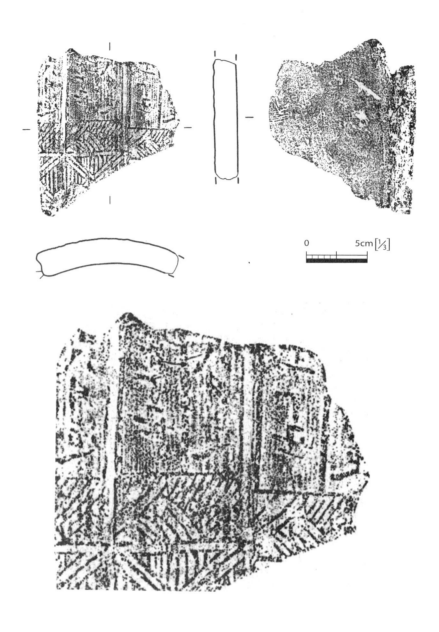

명문	연호	연호명 년도	국명(왕)	고려	절대연대
…年丁丑, …八月造	正豊(正隆)	1156~1161	金 (帝亮 2年)	毅宗 11年	1157

종류	태토	소성도	색조			제원		
			내	외	속심	길이	폭	두께
암키와	세사립과 세석립 다량 혼입	고화도 경질		황회색		(18.8)	(15.8)	2.7

문양 및 제작속성		
외면	내면	측면
호상집선문+집선문	전면 물손질 정면으로 포목흔 지워짐	와도흔 내측 극히 일부~1/4

〈 제3구간 공반출토유물 〉

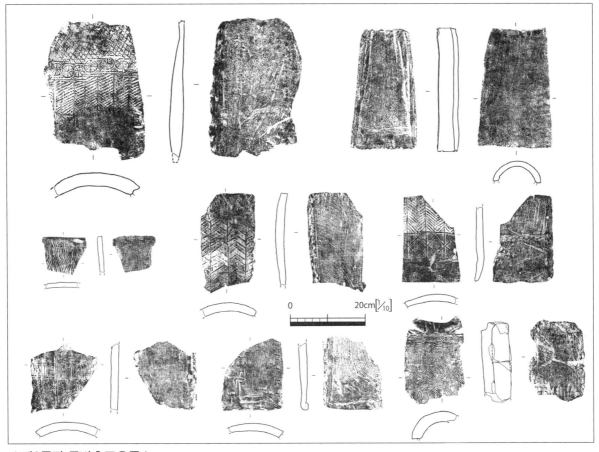

〈 제8구간 공반출토유물 〉

5) 부산 당감동성 (釜山 堂甘洞城)

유적위치	부산시 부산진구 당감3동 350번지 일대와 당감4동 705번지 일대				
조사사유	잔존성지의 정확한 성격 규명과 이에 대한 학술연구자료 확보				
조사연혁	발굴조사 : 1992.4.27 ~ 1992.6.20 (부산광역시립박물관)				
유적입지	당감동성지는 백양산의 남쪽 일지맥과 동천의 수원으로 현재 복개되어 당감동 앞을 흐르는 감물천과의 사이에 위치하고 있다. 동평초등학교를 포함하여 평면이 서쪽으로 기울어진 동북장축의 타원형에 가까운 평산진구와 북구의 경계가 되며, 동북쪽에는 해발 152.3m의 금용산이 연지동쪽으로 뻗어내려 있다.				
유구현황	고려시대		성벽		
주요유물	기와, 녹청자, 청자, 상감청자, 분청사기 등				
기년유물	「大平」銘 수키와(1점) - 동성벽 2층 출토				
	연번	보고서 유물번호	기와 종류	명문내용	연대
	1	도면 32-2		大平	1021~1030
시기 · 성격	당감동성지는 문헌에 보이는 동평현성지인데, 동평현은 신라 대증현으로서 기장현과 함께 신라 경덕왕때 거칠산군을 개명한 동내군의 영현으로 기록되어 있다. 이러한 동평현의 연혁은 삼국시대의 동래군성으로 추정되고 있는 고읍성지와 더불어 동평현성지의 축조시기가 신라시대로 알려져 있어 부산지방의 고대사연구에 있어 중요한 유적으로 인식되어 왔다. 그러나 당감동성지의 발굴조사 결과 통일신라시대까지 소급할 수 있는 자료가 검출되지 않고, 최하층에서 출토된 녹청자와 「大平」(1021~1030)으로 추정되는 「大平」銘 기와편, 청자편, 상감청자편, 상감기법의 분청사기편, 「仁壽府」(1400年, 1457~1556年) 분청사기편, 「三品」·「南面東萊郡」·「西面」·「東…」 등의 명문기와 유물이 출토되어 일단 고려시대 초기에 축조되어 조선시대 초기까지 사용된 읍성으로 판단되었다. 한편, 당감동 성지의 발굴조사에 있어서 무엇보다도 중요한 것은 성벽의 축조에 있어서 판축방법이 사용되었다는 점으로 당감동성지에서 판축공사 시 사용되었던 것으로 보이는 주혈흔이 400㎝~430㎝ 간격으로 조사되었고, 2차에 걸쳐 판축기법으로 축조된 성벽이 확인되었다. 이러한 당감동성의 판축토루의 축조기법은 내벽의 축조에 있어서 다소 차이가 있으나, 외벽의 축조에 있어서 부소산성, 목천토성, 오금산성에서처럼 석축렬이 외벽 하단에 있어 일정한 구역마다 수평으로 하고 柱를 세워 판축한 축조수법과 유사하다고 할 수 있겠다.				
참고문헌	부산광역시립박물관, 1996,『堂甘洞城地 Ⅰ』, 研究叢書 第10册.				

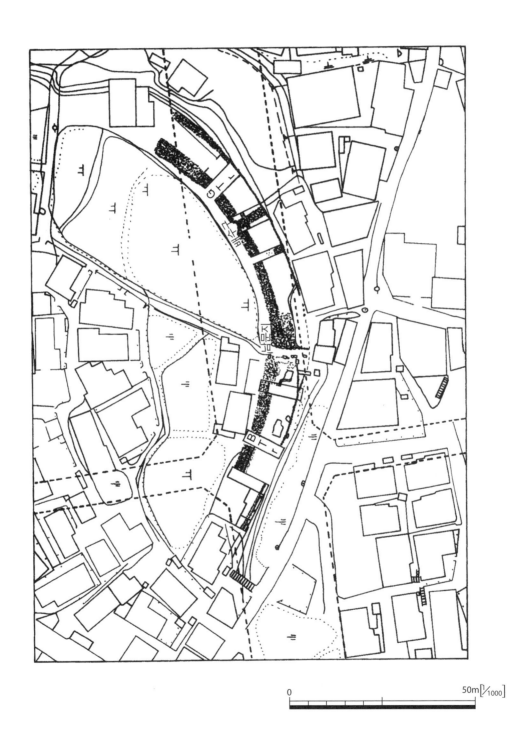

〈 당감동성 유구배치도 (1:1,000) 〉

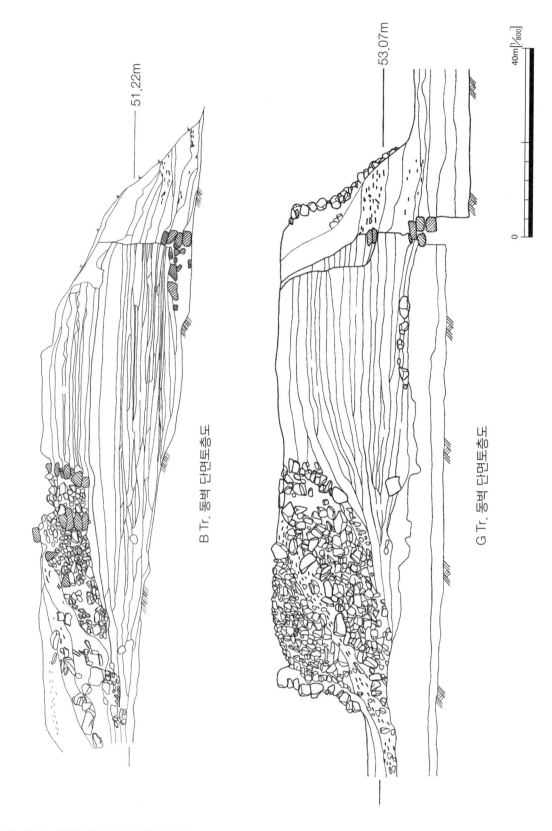

51.22m

53.07m

40m [1/800]

B Tr. 동벽 단면토층도

G Tr. 동벽 단면토층도

〈 B · G Tr. 동벽 단면토층도 (1:800) 〉

(1) 大平 銘 기와

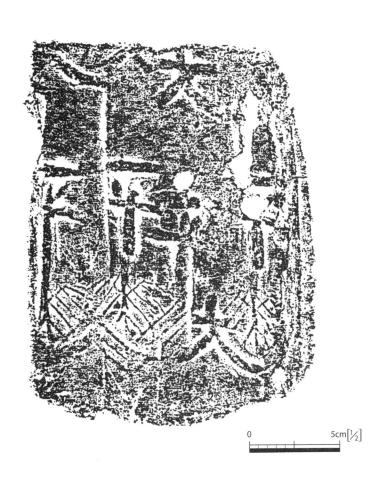

0   5cm[½]

명문	연호	연호명 년도	국명(왕)	고려	절대연대
大平	大平	1021~1030	遼 (成宗)	顯宗 12~21年	

종류	태토	소성도	색조			제원		
			내	외	속심	길이	폭	두께
	사립 다량 혼입	양호		흑회색		(20)	(14.8)	2.2

문양 및 제작속성		
외면	내면	측면
大平(행서)+사격자문		

6) 부산 동래 고읍성 (釜山 東來 古邑城)

유적위치	부산시 수영구 망미동 640-1번지, 868-1~4대, 987-74구, 681-3번지 일원
조사사유	망미동 공동주택건설예정부지에 대한 구제발굴
조사연혁	시굴조사 : 2002. 8 (동의대학교 박물관) 　　　　　　 2003.2.17 ~ 2003.7.22 (경남문화재연구원) 발굴조사 : 2004.11.4 ~ 2005.3.3 (경남문화재연구원)
유적입지	본 유적은 부산 시내의 동쪽에 위치하고 있다. 조사지역 남쪽에 위치한 금련산과 북서쪽의 배산이 이어지는 계곡 능선 하단의 완만한 구릉성 대지에 해당하는 지역으로 동쪽에는 장산, 남쪽에는 백산이 위치하고 있으며, 조사지역 동쪽 1.5㎞에는 원동천과 온천천이 합류하여 흐르는 수영천이 동해와 합류하는 지점이다. 　조사지역이 위치한 수영구 일대는 전기한 바와 같이 사방이 4개의 산으로 막혀 있는 분지상의 지형으로 남동쪽으로는 바다와 연한 해상 교통의 요지이자, 대왜적 최전방 방어선이라 할 수 있다. 이러한 입지요건이 통일신라시대 이후 조선시대 후기까지 수영지역 일대에 계속해서 성이 축조되어 운영되었던 요인일 것이다.
유구현황	통일신라시대~조선시대　　　　　　　토성, 건물지, 우물, 매납갱군, 보도유구 등
주요유물	청자, 도기, 기와 등
시기·성격	동래 고읍성 시·발굴조사를 통해 동래 고읍성 내의 일부 시설만이 확인되어 성 내의 전반적인 공간 구획과 시설물 배치는 알 수 없었다. 다만 고읍성은 중앙을 동-서로 관통하여 흐르는 구하도를 중심으로 남-북으로 양분되는 기본적인 배치를 가진 것으로 생각된다. 또한, 고읍성 내의 3개의 단을 기준으로 서쪽 최상단은 衙舍 공간, 동쪽 최하단은 생활용수나 하수의 처리 및 저장과 관련된 공간, 중앙은 유구가 전혀 확인되지 않았으나, 고읍성이 관방의 성격을 띠고 있는 점을 감안할 때 관병의 주둔지와 연무장 등이 배치되었을 것으로 추정된다. 　부산·경남지방에서 조사된 토성 중 양산 순지리 토성을 제외하고는 모두 기단 석축형 판축토성이다. 또, 부산 당감동 성지는 11세기 초에 축조된 것으로 보고 있으나 그 외는 모두 삼국시대 말에서 통일신라시대로 편년되고 있다. 　한편 이 시기에 축조된 기단 석축형 판축토성의 판축 구간 간격, 즉 영정주의 주간 거리는 380~400㎝가 일반적인 것으로 알려져 있다. 그러나 본 유적의 경우는 435㎝정도로 비교적 늦은 시기에 축조된 것으로 추정되고 있는 당감동성지의 간격과 유사하다. 본 유적 토성의 경우 초축 영정주의 주간거리와 수축 영정주의 주간거리가 크게 달라지지 않고 있어 초축 시부터 이 정도의 간격으로 축조된 것으로 보인다. 이러한 점에서 당감동 성지와 마찬가지로 고려 초기에 축성되었을 가능성도 있다. 그러나 성벽의 폭과 주혈의 간격이 상관성을 띤다는 견해를 생각해 볼 때 삼국시대 말에서 통일신라시대에 축조된 대부분 토성의 폭이 9m가 넘지 않는 반면, 본 유적의 토성 기저부 폭이 최대 10m에 이르고 있어 주간 거리가 넓은 것은 성 폭과 관련된 것으로 생각해 볼 수 있다. 향후 판축 영정주의 주간거리와 축조시기의 상관관계는 보다 신중히 검토해야 할 문제로 생각된다.
참고문헌	동의대학교 박물관, 2006,『釜山 望美洞 東來古邑城』, 學術叢書 12. 경남문화재연구원, 2007,『東來 古邑城址』, 學術調査研究叢書 第60輯.

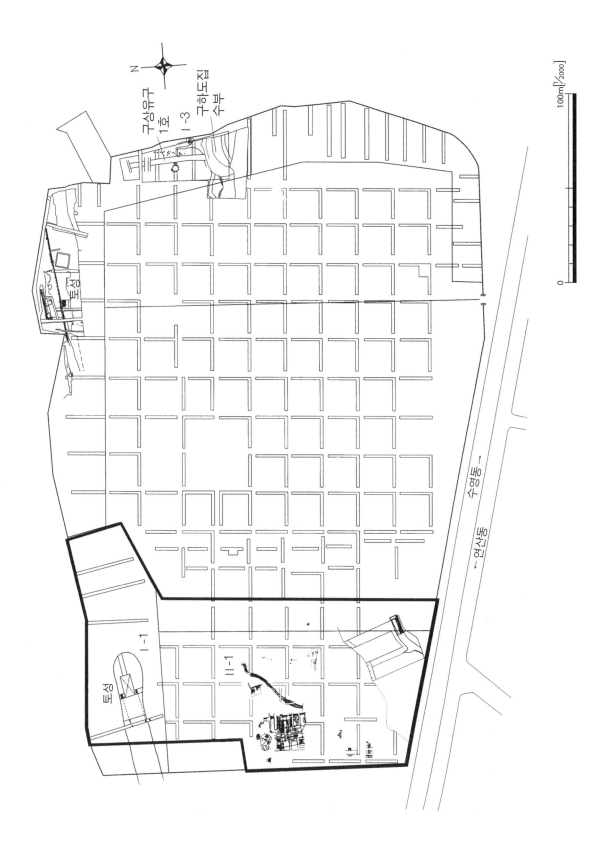

〈 동래 고읍성 시·발굴 현황도 (1:2,000) 〉

6)-1 부산 동래 고읍성 Ⅰ- 3지구 구상유구 1호

유구성격	Ⅰ- 3지구 북단의 시굴 트렌치1에서 확인된 구상유구 1호는 전면 제토 결과 트렌치15에서 노출된 구하도 집수부로 합류되었다. 유구의 기반층은 트렌치14 북쪽의 경우는 황갈색 풍화 암반토층, 14 남쪽의 경우는 하상역층이며, 단면형태는 역제형, 바닥은 편평하게 굴착하였다. 내부에는 황갈색 사질점토, 흑황색 사질점토, 흑갈색 점토, 회흑색 사질점토, 암흑색 점토가 순차적으로 퇴적되어 있으며, 특히 상부에 역석이 다량 퇴적된 부분이 산발적으로 노출되는 것으로 보아 홍수로 인해 최종 매몰된 것으로 보인다. 구상유구 남단에서 8m 지점의 동벽에 중첩되어 유구에 직교한 소형 구 1기가 노출되었다. 소형 구는 집수부로 입수되는 2호 구상유구와 연결되며, 내부에 암갈색 사질점토가 퇴적되어 있고, 와편이 소량 출토되었다. 유구의 크기는 길이 현 42m, 너비 약 275~300㎝, 깊이 40~70㎝이며, 장축방향은 남-북향이다.				
시 기	고려시대				
기년유물	「…癸丑…」銘 암키와(1점)				
	연번	보고서 도면번호	기와 종류	명문내용	연대
	1	127	암키와	…癸丑…	1193
공반유물	동이, 도기, 청자, 분청자, 수막새, 암막새, 수키와, 암키와, 명문기와, 전돌, 토제 어망추, 철정 등				

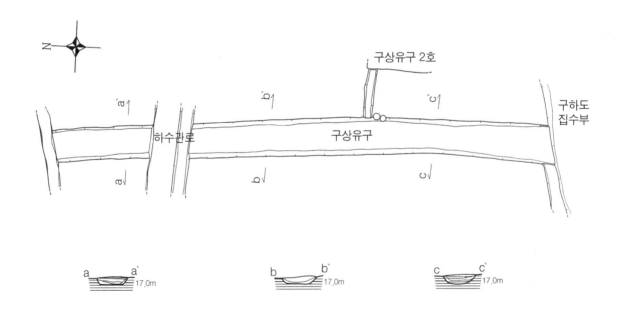

〈 Ⅰ-3지구 구상유구 1호 평·단면도 (1:250) 〉

(1) 癸丑 銘 암키와

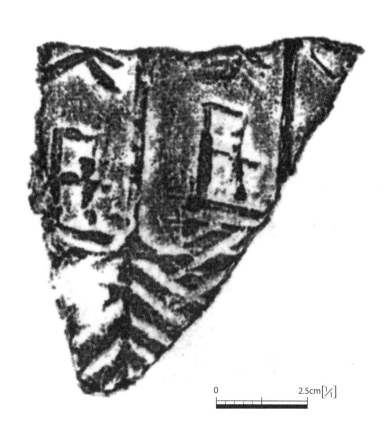

0　　　　　　2.5cm[⅟₁]

명문	간지명	간지명 년도						추정연대
…癸丑…	癸丑	953, 1013, 1073, 1133, 1193, 1253, 1313, 1373						1193

종류	태토	소성도	색조			제원		
			내	외	속심	길이	폭	두께
암키와		경(와)질		회청색		(10)	(9.2)	1.9

문양 및 제작속성		
외면	내면	측면
복합문 어골문+명문+어골문		귀접이 흔적

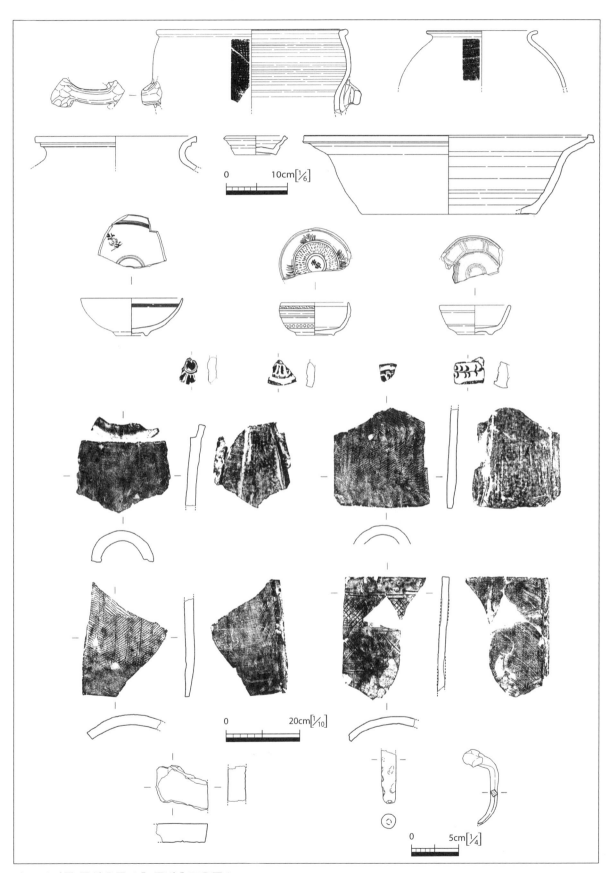

〈 Ⅰ-3지구 구상유구 1호 공반출토유물 〉

6)-2 부산 동래 고읍성지 Ⅰ-3지구 구하도 집수부

유구성격	구하도 집수부는 Ⅰ-3지구 중앙에서 확인된 유구로 고읍성의 중앙을 동-서로 가로질러 조사구역 서단에서 노출된 구하도와 연결되는 것으로 추정되나, Ⅱ-2·Ⅲ-3지구에서는 이미 삭평되어 확인되지 않았으며, 동단은 조사구역 밖으로 연장된다. 　유구의 기반층은 하상퇴적층으로 유구 조성 이전에 자연하도가 있었던 것을 알 수 있고, 원래 하상의 폭이 넓은 하천이 장기간의 퇴적으로 인해 유로가 좁아진 것을 일부 준설과 확장작업을 거치고, 제방을 쌓아 사용한 것으로 보인다. 　유구의 평면형태는 동단이 노출되지 않아 명확히 알 수 없으나, 한 차례의 준설을 통해 형태 및 용도가 바뀐 것으로 보인다.
시 기	고려시대

기년유물	「客癸丑」銘 암키와(1점), 「客癸, 舍○」銘 암키와(1점), 「○癸丑」銘 암키와(1점), 「客癸…, 舍…」銘 암키와(1점)

연번	보고서 번호	기와 종류	명문내용	연대
2	349	암키와	客癸丑	1193
3	350	〃	客癸, 舍○	〃
4	353	〃	○癸丑	〃
5	424	〃	客癸…, 舍…	〃

공반유물	도기, 청자, 분청자, 수키와, 암키와, 전돌, 수막새, 암막새, 명문기와, 특수기와, 동곳, 청동순가락, 주조철부, 원형토제품 등

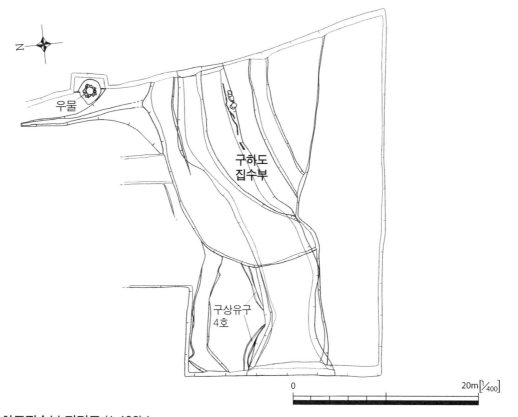

〈 Ⅰ-3지구 구하도집수부 평면도 (1:400) 〉

(2) 客癸丑 銘 암키와

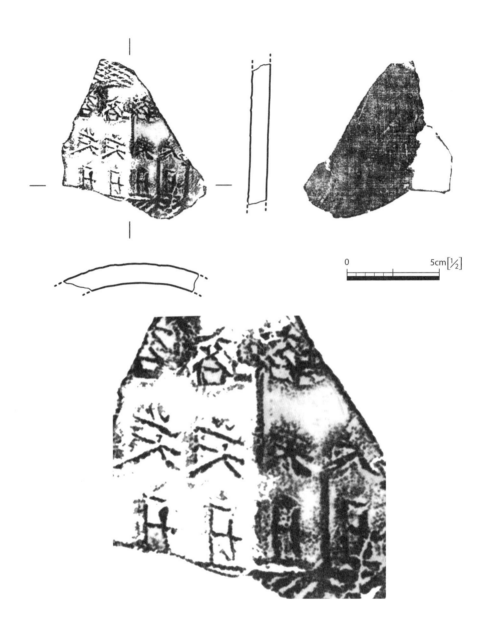

명문	간지명	간지명 년도					추정연대
客癸丑	癸丑	953, 1013, 1073, 1133, 1193, 1253, 1313, 1373					1193

종류	태토	소성도	색조			제원		
			내	외	속심	길이	폭	두께
암키와		와질		회청색		(17.8)	(16.1)	2.0

문양 및 제작속성		
외면	내면	측면
복합문-중앙명문 상하 사격자문		

(3) 客癸, 舍○ 銘 암키와

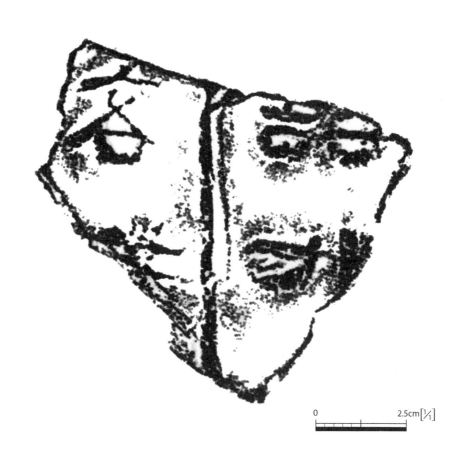

0   2.5cm[1/1]

명문	간지명	간지명 년도					추정연대	
客癸, 舍○	癸丑	953, 1013, 1073, 1133, 1193, 1253, 1313, 1373					1193	
종류	태토	소성도	색조			제원		
			내	외	속심	길이	폭	두께
암키와		와질		회색		(10.2)	(10.0)	2.3
문양 및 제작속성								
외면			내면			측면		
복합문-중앙명문 상하 사격자문								

(4) ○癸丑 銘 암키와

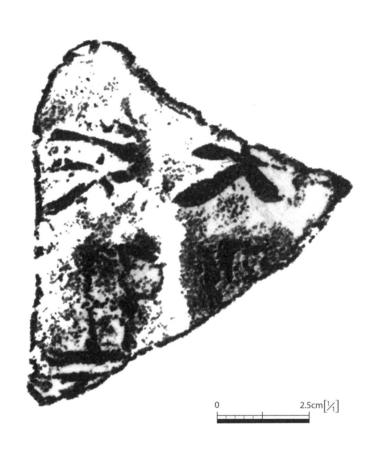

0   2.5cm[⅓]

명문	간지명	간지명 년도					추정연대
○癸丑	癸丑	953, 1013, 1073, 1133, 1193, 1253, 1313, 1373					1193
종류	태토	소성도	색조			제원		
			내	외	속심	길이	폭	두께
암키와		와질		회색		(11.2)	(8.4)	1.7
문양 및 제작속성								
외면			내면			측면		
복합문-중앙 명문 상하 사격자문						분할선		

(5) 客癸…, 舍… 銘 암키와

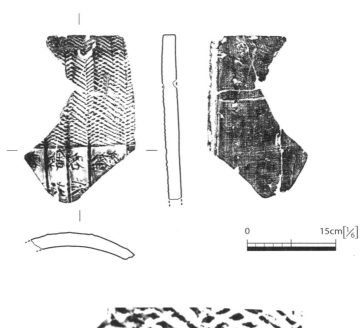

명문	간지명	간지명 년도						추정연대
客癸…, 舍…	癸丑	953, 1013, 1073, 1133, 1193, 1253, 1313, 1373						1193
종류	태토	소성도	색조			제원		
			내	외	속심	길이	폭	두께
암키와		경(와)질		회청색		(27.0)	(17.8)	2.2
문양 및 제작속성								
외면			내면			측면		
복합문-중앙 명문 상하 사격자문			상단 단부 물손질, 연철흔, 점토합흔					

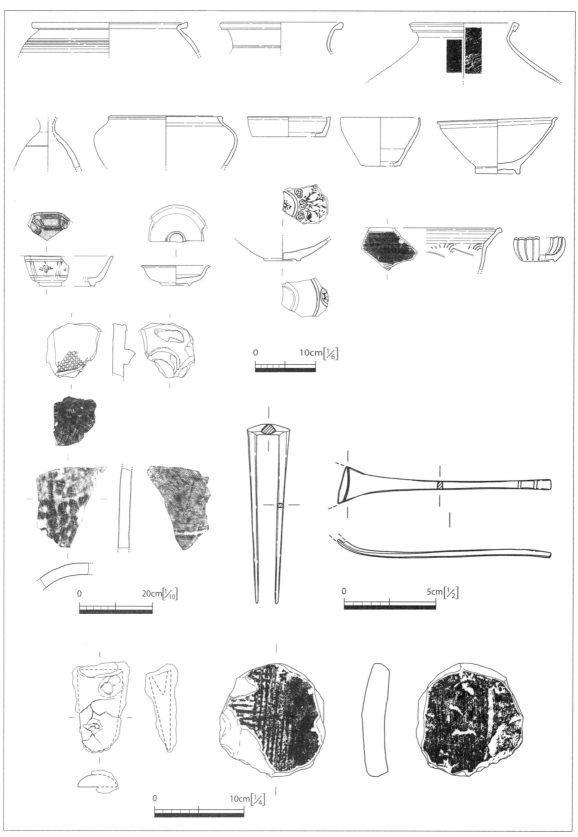

0   10cm[⅙]

0   20cm[1/10]

0   5cm[½]

0   10cm[¼]

< Ⅰ- 3지구 구하도집수부 공반출토유물 >

7) 사천 본촌리 사지 (泗川 本村里 寺址)

경상도

유적위치	경상남도 사천시 곤명면 본촌리 3-1번지 일대
조사사유	하도개량사업의 대상지 구제발굴
조사연혁	발굴조사 : 1995.7.19 ~1995.10.6 (경상대학교박물관)
유적입지	본촌리 본촌마을은 배후에 있는 해발 158.3m의 야산 끝자락에 자리 잡고 있으며, 앞쪽으로는 덕천강이 북쪽에서 남쪽으로 흐르고 있다. 강과 마을 사이에는 충적토로 이루어진 넓은 평지가 펼쳐져 있어서 오래전부터 사람들이 살기에 적합한 곳이었던 것으로 보여 진다. 본촌리 유적은 위와 같은 본촌마을과 덕천강 사이의 평지지형에 형성되어 있는데, 마을로부터는 동쪽으로 약 300m 떨어진 곳에서 발견되었다.
유구현황	고려시대~조선시대　　　　건물지(2)
주요유물	기와, 석불, 토기류, 청자류, 백자류 등
시기·성격	본촌리 사지는 고려 현종 5년 (1014년) 甲寅年에 창건된 資福寺로서 고려시대를 거쳐서 전국의 자복사가 혁파된 조선 세종 6년(1424년)까지 존속했다. 이곳에서 발견된 고려자기, 각종의 기와, 조선초의 분청사기는 기록에 나타나는 자복사의 置廢와 그 존속시기를 잘 알려주고 있다. 다만 유적이 크게 파손되어 본촌리 자복사의 전모를 밝히기에는 어려움이 있었다. 그리고 특히 서부 경남 일대의 자기가마에 대한 조사가 부족한 상황 하에서 이 유적에서 최고급의 비색 청자들이 출토된 점이 주목되고 있다.
참고문헌	경상대학교박물관, 1997,『泗川 本村里 廢寺址』, 硏究叢書 第17輯.

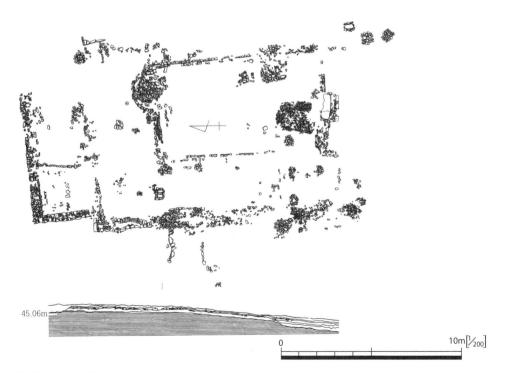

45.06m

0　　　　　　　　　　　　　　10m [1/200]

〈 '가' 지구 건물지 배치도 및 토층도 (1:200) 〉

7)-1 사천 본촌리 사지 '가' 지구 건물지

유구성격	'가' 지구 건물지의 대체적인 형태는 남북 축의 장방형이며 종횡으로 크게 3부분으로 구획되어 있다. 중앙과 남단은 폭이 동일하나 북단은 폭이 좁혀져 있다. 횡으로 구획된 3부분 중 제일 남쪽 부분 중앙에는 길이 2.5m, 폭 0.9m 가량의 장대석이 놓여져 있는데 상면이 마치 민가 부엌의 문지방과 같이 중앙부로 갈수록 완만하게 만곡된 형태로 되어 있어 출입구에 부속된 부재로 판단된다. 장대석 좌측 단부에서 80㎝ 가량 떨어져서, 중앙에 직경 10㎝ 가량의 인공으로 가공한 둥근 홈이 패여있는 폭 40㎝, 길이 50㎝, 높이 35㎝ 가량의 아래 윗면은 편평하고 옆면은 다소 둥근 형태의 자연석이 수습되었는데 홈이 패인 형상으로 미루어 外陳柱를 받치는 초석은 아니고 문을 달았던 돌쩌귀로 추정된다. 우측의 것은 유실되어 발견할 수 없었다. 이것으로 미루어 남쪽 부분 중앙부에 출입하는 문이 있었던 것으로 판단된다.

시 기	고려시대

기년유물	「甲寅年造資福寺匠亡金棟梁善良」銘 암키와(12점)

연번	보고서 도면번호	기와 종류	명문내용	연대
1	도면 27-86	암키와	甲寅年造資福寺匠亡金棟梁善良	1014?
2	도면 27-87	〃	〃	〃
3	도면 27-88	〃	〃	〃
4	도면 27-91	〃	〃	〃
5	도면 28-89	〃	〃	〃
6	도면 28-90	〃	〃	〃
7	도면 28-92	〃	〃	〃
8	도면 28-93	〃	〃	〃
9	도면 28-94	〃	〃	〃
10	도면 28-95	〃	〃	〃
11	도면 29-96	〃	〃	〃
12	도면 29-97	〃	〃	〃

공반유물	암키와, 수키와, 암막새, 수막새, 전

(1) 甲寅年造資福寺匠亡金棟梁善良 銘 암키와

0   10cm[¼]

명문			간지명	간지명 년도			추정연대
甲寅年造資福寺匠亡金棟梁善良			甲寅	954, 1014, 1074, 1134, 1194, 1254, 1314, 1374			1014
종류	태토	소성도	색조			제원	
			내	외	속심	길이	폭	두께
암키와		양호		암회청색		(30.1)	(22.6)	1.3~2.6
문양 및 제작속성							
외면				내면		측면	
상단부 사방향 어골문, 하단부 종선과 마름모 문양				윤철흔			

(2) 甲寅年造資福寺匠亡金棟梁善良 銘 암키와

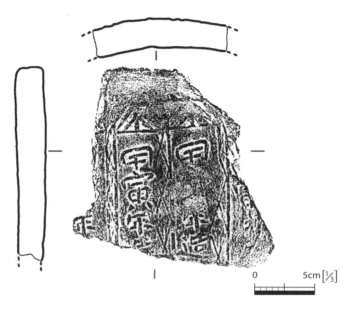

5cm [⅓]

명문			간지명	간지명 년도			추정연대
甲寅年造資福寺匠亡金棟梁善良			甲寅	954, 1014, 1074, 1134, 1194, 1254, 1314, 1374			1014
종류	태토	소성도	색조			제원	
			내	외	속심	길이	폭	두께
암키와		보통		황갈색		(15.8)	(16.0)	2.0~2.2
문양 및 제작속성							
외면				내면		측면	
상단부 사방향 어골문, 하단부 종선과 마름모 문양				윤철흔			

(3) 甲寅年造資福寺匠亡金棟梁善良 銘 암키와

명문		간지명	간지명 년도			추정연대
甲寅年造資福寺匠亡金棟梁善良		甲寅	954, 1014, 1074, 1134, 1194, 1254, 1314, 1374			1014
종류	태토	소성도	색조			제원
			내	외	속심	길이	폭	두께
암키와		보통		회흑색		(17.1)	(15.8)	1.4~2.0
문양 및 제작속성						
외면			내면			측면
상단부 사방향 어골문, 하단부 종선과 마름모 문양			윤철흔			

(4) 甲寅年造資福寺匠亡金棟梁善良 銘 암키와

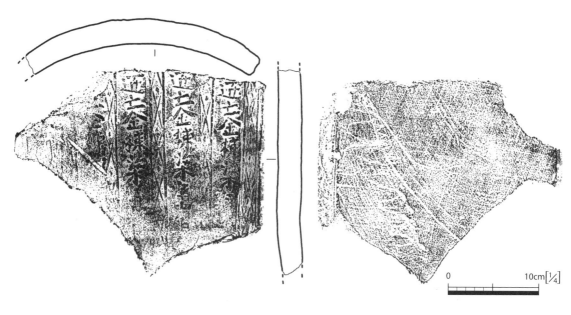

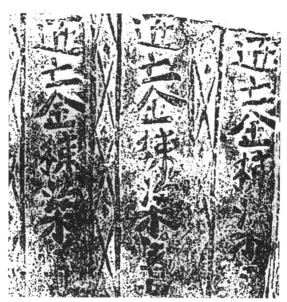

명문	간지명	간지명 년도					추정연대
甲寅年造資福寺匠亡金棟梁善良	甲寅	954, 1014, 1074, 1134, 1194, 1254, 1314, 1374					1014
종류	태토	소성도	색조			제원	
			내	외	속심	길이	폭	두께
암키와		보통		회색		(26.1)	(22.3)	2.5~2.7
문양 및 제작속성							
외면				내면		측면	
상단부 사방향 어골문, 하단부 종선과 마름모 문양							

⑸ 甲寅年造資福寺匠亡金棟梁善良 銘 암키와

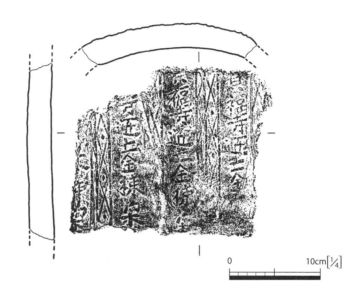

명문			간지명	간지명 년도			추정연대
甲寅年造資福寺匠亡金棟梁善良			甲寅	954, 1014, 1074, 1134, 1194, 1254, 1314, 1374			1014
종류	태토	소성도	색조			제원	
			내	외	속심	길이	폭	두께
암키와		보통		회청색		(19.0)	(19.5)	2.6
문양 및 제작속성							
외면				내면		측면	
상단부 사방향 어골문, 하단부 종선과 마름모 문양				윤철흔			

⑹ 甲寅年造資福寺匠亡金棟梁善良 銘 암키와

명문		간지명	간지명 년도				추정연대
甲寅年造資福寺匠亡金棟梁善良		甲寅	954, 1014, 1074, 1134, 1194, 1254, 1314, 1374				1014
종류	태토	소성도	색조			제원	
			내	외	속심	길이	폭	두께
암키와		양호		암회청색		(22.2)	(18.3)	2.7~3.2
문양 및 제작속성							
외면			내면			측면	
상단부 사방향 어골문, 하단부 종선과 마름모 문양							

(7) 甲寅年造資福寺匠亡金棟梁善良 銘 암키와

명문			간지명	간지명 년도			추정연대
甲寅年造資福寺匠亡金棟梁善良			甲寅	954, 1014, 1074, 1134, 1194, 1254, 1314, 1374			1014
종류	태토	소성도	색조			제원	
			내	외	속심	길이	폭	두께
암키와		보통		황갈색		(17.6)	(12.8)	1.8~2.1
문양 및 제작속성							
외면				내면		측면	
상단부 사방향 어골문, 하단부 종선과 마름모 문양				점토합흔, 합철흔			

⑻ 甲寅年造資福寺匠亡金棟梁善良 銘 암키와

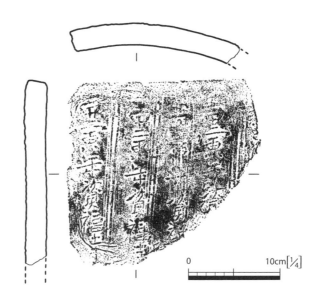

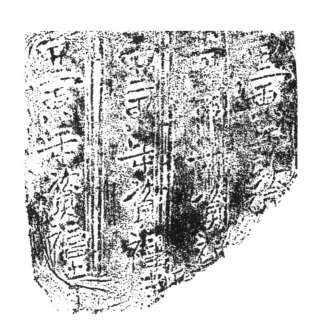

명문	간지명	간지명 년도		추정연대
甲寅年造資福寺匠亡金棟梁善良	甲寅	954, 1014, 1074, 1134, 1194, 1254, 1314, 1374		1014

종류	태토	소성도	색조			제원		
			내	외	속심	길이	폭	두께
암키와		양호		암회청색		(20.0)	(20.3)	2.4

문양 및 제작속성		
외면	내면	측면
상단부 사방향 어골문, 하단부 종선과 마름모 문양	윤철흔	

(9) 甲寅年造資福寺匠亡金棟梁善良 銘 암키와

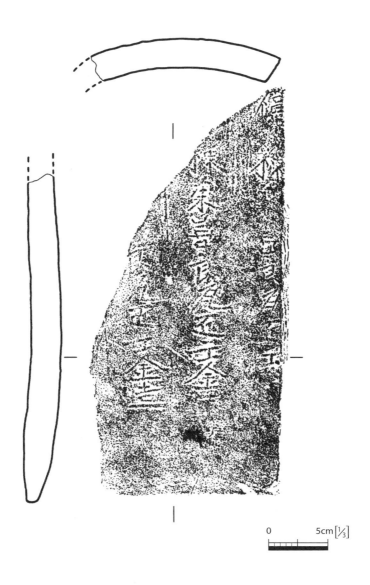

명문			간지명		간지명 년도		추정연대
甲寅年造資福寺匠亡金棟梁善良			甲寅		954, 1014, 1074, 1134, 1194, 1254, 1314, 1374		1014
종류	태토	소성도	색조			제원	
			내	외	속심	길이	폭	두께
암키와		양호		회흑색		(32.8)	(15.6)	0.9~2.5
문양 및 제작속성							
외면					내면		측면
상단부 사방향 어골문, 하단부 종선과 마름모 문양, 물손질 조정					전체적 물손질 조정		

(10) 甲寅年造資福寺匠亡金棟梁善良 銘 암키와

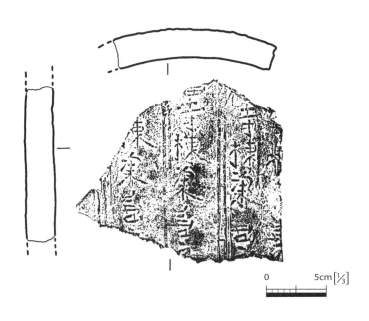

명문	간지명	간지명 년도				추정연대
甲寅年造資福寺匠亡金棟梁善良	甲寅	954, 1014, 1074, 1134, 1194, 1254, 1314, 1374				1014

종류	태토	소성도	색조			제원		
			내	외	속심	길이	폭	두께
암키와		양호		암회청색		(15.3)	(16.0)	2.0~2.5

문양 및 제작속성		
외면	내면	측면
상단부 사방향 어골문, 하단부 종선과 마름모 문양	윤철흔	

(11) 甲寅年造資福寺匠亡金棟梁善良 銘 암키와

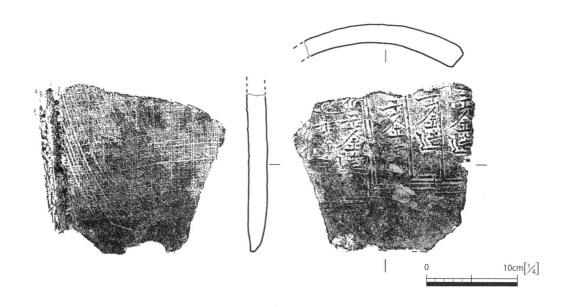

0   10cm[¼]

명문			간지명	간지명 년도					추정연대
甲寅年造資福寺匠亡金棟梁善良			甲寅	954, 1014, 1074, 1134, 1194, 1254, 1314, 1374					1014
종류	태토	소성도	색조			제원			
			내	외	속심	길이	폭	두께	
암키와		보통		회흑색		(18.2)	(19.3)	0.8~2.0	
문양 및 제작속성									
외면						내면		측면	
상단부 사방향 어골문, 하단부 종선과 마름모 문양, 하단부 물손질 조정						윤철흔, 하단부 물손질 조정			

(12) 甲寅年造資福寺匠亡金棟梁善良 銘 암키와

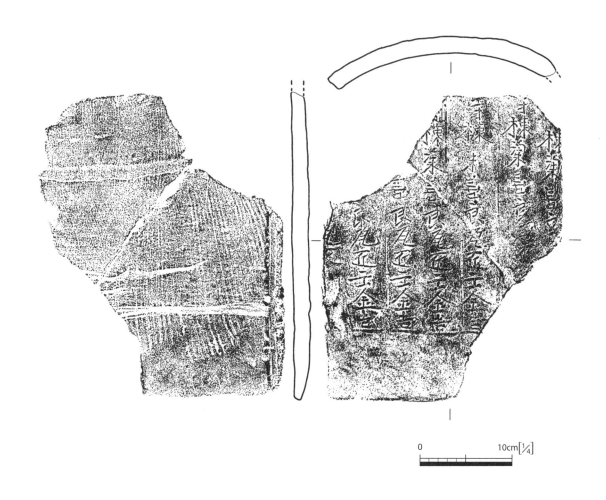

0   10cm[¼]

명문		간지명	간지명 년도			추정연대
甲寅年造資福寺匠亡金棟梁善良		甲寅	954, 1014, 1074, 1134, 1194, 1254, 1314, 1374			1014
종류	태토	소성도	색조			제원
			내	외	속심	길이	폭	두께

종류	태토	소성도	내	외	속심	길이	폭	두께
암키와		양호		회청색		(33.0)	(25.0)	0.7~2.2

문양 및 제작속성		
외면	내면	측면
상단부 사방향 어골문, 하단부 종선과 마름모 문양, 하단부 물손질 조정	윤철흔, 하단부 물손질 조정	

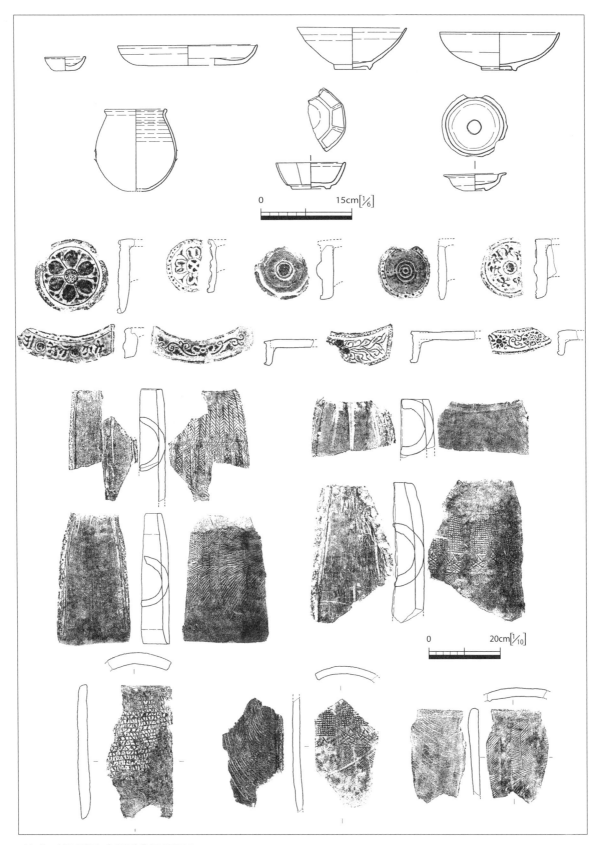

〈 '가' 지구 건물지 공반출토유물 〉

8) 사천 선진리성 (泗川 船津里城)

유적위치	경상남도 사천시 용현면 선진리 774-1번지 일대				
조사사유	남해안관광벨트사업에 따른 구제발굴조사				
조사연혁	발굴조사 : 2002.01.04 ~ 2002.03.20 (1차-경남문화재연구원) 　　　　　 2004.03.26 ~ 2004.11.12 (2차-경남문화재연구원) 　　　　　 2004.11.23 ~ 2005.02.28 (3차-경남문화재연구원) 　　　　　 2006.01.06 ~ 2006.05.05 (4차-경남문화재연구원)				
유적입지	선진리 왜성의 입지는 해안형으로 바다와 인접하고, 주위를 조망하기 좋은 곳에 축조되었으며, 이와 유사한 입지의 왜성은 부산왜성, 안골포왜성, 웅천왜성, 마산왜성(창원왜성), 가덕왜성, 송진포왜성, 순천왜성 등이다. 특히 왜성 이전에 선축된 토성의 위치로 보아 서부경남의 중심지인 진주에서 가장 가까운 해안으로 선진리 왜성을 축조함으로써 진주 지역으로 연결되는 바닷길을 통제하였던 것으로 추정된다.				
유구현황	통일신라시대~ 조선시대		토성(성벽, 성문), 왜성		
주요유물	도기류, 자기류, 기와류				
기년유물	「太平十五連」銘 암키와(1점) - 토성E지점 내벽 퇴적토 하부 출토				
	연번	보고서 유물번호	기와 종류	명문내용	연대
	1	219	암키와	太平十五連	1035
시기·성격	선진리 토성은 사천읍성에서 남서쪽으로 직선거리로 6.7㎞ 정도 떨어진 곳에 위치한다. 현재 확인되는 성벽의 둘레도 980m 정도이고, 확인되지 않는 부분까지 포함한다면 1,300m 정도이므로 문헌자료 기록과 거의 일치한다. 　선진리 토성의 성벽은 급경사를 이루는 서쪽이 편축식인데 비해, 남서쪽 말단부와 북쪽, 동쪽, 남쪽 등은 협축식으로 축조하였다. 편축식의 서쪽 성벽은 원지형을 완만하게 굴착하거나, 미약하게나마 단상으로 굴착하여 대지를 조성하였으며, 외벽 하단부에 기단석렬을 설치한 후 판축하였다. 협축식의 남서쪽 말단부, 북벽, 동벽, 남벽은 성벽이 축조될 부분보다 넓게 굴착한 뒤 곧바로 되메우기를 하여 어느 정도 수평을 맞춘 후, 그 위로 흑갈색 사질점토를 다졌다. 그리고 흑갈색 사질점토층 위에는 기단석렬을 놓았고, 그 위로 사질토와 점질토를 교대로 판축하였다. 　위치와 평면형태, 그리고 축조수법 등을 선진리 토성과 유사한 해룡산성, 회진토성, 청해진 토성 등과 비교할 때 그 축조시기는 9세기 전반을 전후한 시기로 판단된다.				
참고문헌	慶南文化財研究院, 2008,『泗川 船津里城』, 學術調査研究叢書 第65輯.				

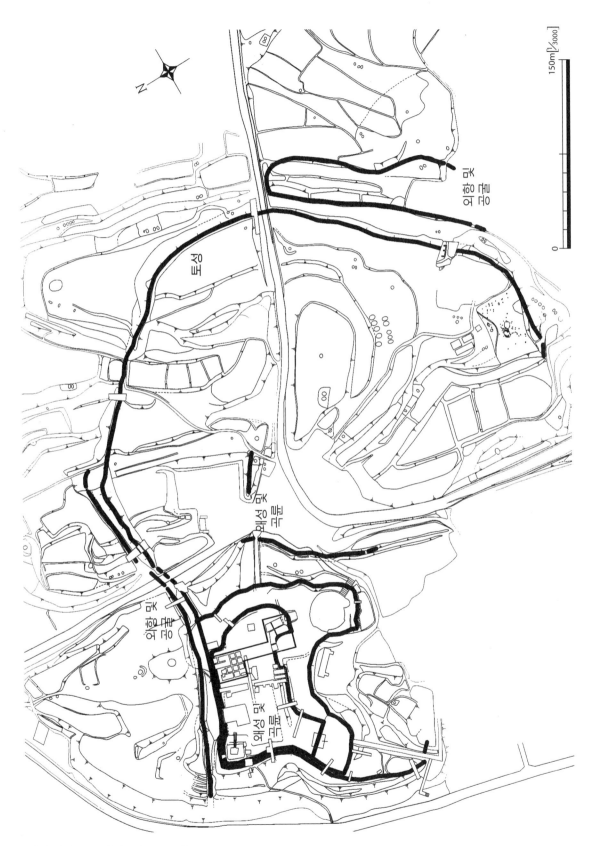

〈 선진리성 유구배치도 (1:3,000) 〉

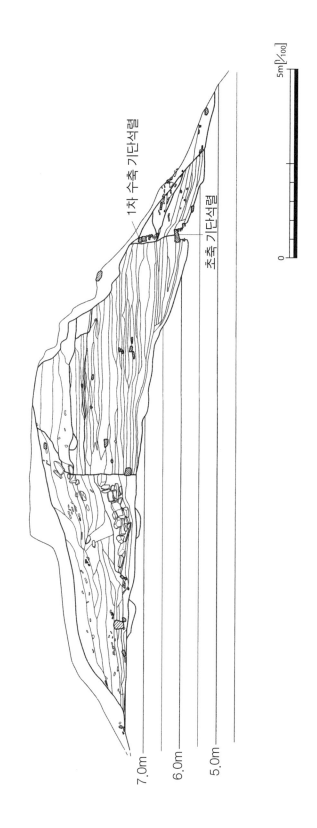

〈 선진리 토성 E지점 토층도 (1:100) 〉

(1) 太平十五連 銘 암키와

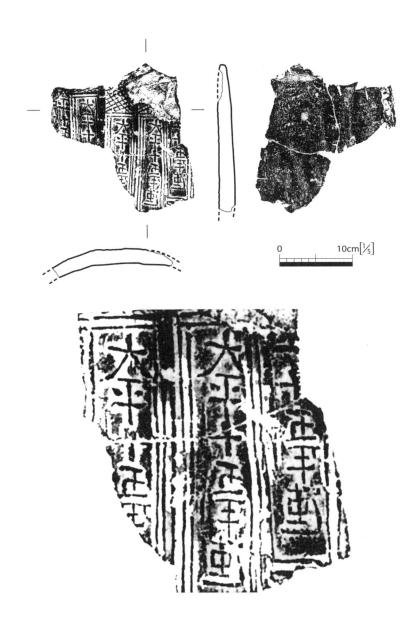

명문	연호	연호명 년도	국명(왕)		고려	절대연대
太平十五連	太平	1021~1030	療 (成宗 10年)		顯宗 21年	1035

종류	태토	소성도	색조			제원		
			내	외	속심	길이	폭	두께
	석립이 다량 혼입된 점토	와질		회색		(20.4)	(17.0)	2.2

문양 및 제작속성		
외면	내면	측면
구획복합문, 사격자문+명문	포흔, 부분 물손질	와도 분할방향 내→외

9) 산청 강누리 유적 (山淸 江樓里 遺蹟)

유적위치	경상남도 산청군 단성면 강누리 67번지 외
조사사유	도로개설에 따른 이주단지 조성
조사연혁	지표조사 : 2005.10.19 (경남문화재연구원) 발굴조사 : 2006.06.19 ~ 2006.09.01 (경남문화재연구원)
유적입지	조사대상지역은 석대산(해발 534m) 동쪽 구릉 끝자락으로서 단성면 소재지에서 북동쪽으로 2km 정도 떨어진 곳에 위치하며 인접하여 국도 3호선과 20호선이 지나가고 있다. 거창, 함양 등지에서 발원하여 남류하던 경호강이 백마산과 적벽산을 기점으로 남서 방향으로 급격히 곡류하는 지점에 해당한다. 경호강을 경계로 남서쪽은 유수에 의해 퇴적된 하안 충적대지이고 북쪽과 동쪽은 백마산과 적벽산의 단애면으로 가로막혀 있다.
유구현황	고려시대~조선시대 추정건물지(4), 담장지 및 배수로 등
주요유물	토기, 청자, 백자, 옹기 기와편 등
시기·성격	조사지역에서 확인되는 유구는 3차에 걸쳐 형성된 건물지인데 제한적인 조사로 인해 전체적인 유구의 성격을 제대로 확인하지는 못하였다. 조사지역에 대한 고지도 및 문헌을 보면 강누리에 조선전기와 후기의 2차례에 걸쳐 관아를 두었다는 기록이 확인되는데, 건물지 뒤로는 백마산이 위치하며 앞으로는 넓은 평지가 펼쳐져 있어 관아가 위치하기에 적합한 곳으로 추정해 볼 수 있다. 강누리에는 지명에서 보듯이 강루, 경연, 담분, 유취, 매연, 우화의 6루가 있었다고 전해지며, 조사결과 민가 건물로 보기 어려운 많은 건물지가 집중적으로 위치하고 있었다. 이와 같이 공공의 성격으로 보이는 건물지가 다수 확인된다는 것은 조사지역을 포함하여 주변으로 관아가 위치할 가능성이 높다는 것을 보여준다. 이러한 건물지 유구와 관련하여 조선후기 기록인 『輿地圖書』「丹城縣誌」建置沿革條의 강누리 관아 설치 기록이 참고가 된다.
참고문헌	慶南文化財硏究院, 2005,「江樓地區 移住團地 造成工事 敷地內 文化遺蹟 地表調査 結果報告」. 慶南文化財硏究院, 2008,『산청 강누지구 이주단지 조성부지내 山淸 江樓里遺跡遺』, 학술조사보고서 제69집.

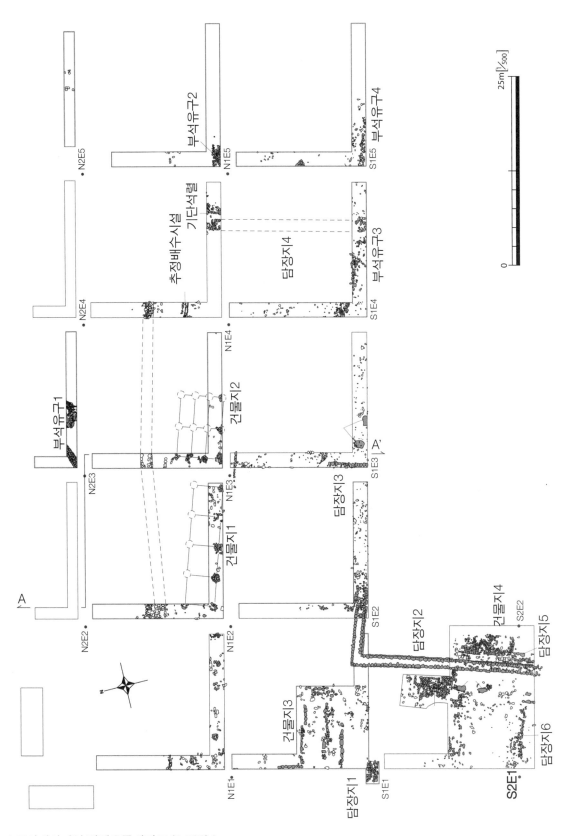

〈 조사대상지역 전체유구배치도 (1:500) 〉

9)-1 산청 강누리 유적 S2E1 그리드

유구성격	암갈색 점사질토의 트렌치 내부에서 초석 2기, 적심 1기, 부석유구 1기, 담장지 3기, 기단석렬 1기가 확인되었다. 초석 2기는 크기가 1.3m×0.7m로 타원형에 가까운 자연석이며, 트렌치 확장부 중앙에 3m의 거리를 두고 남-북 방향으로 일직선상에 놓여 있다. 적심은 남쪽에 위치한 초석 옆에 나란히 위치하나 상호 별개의 유구여서 건물지가 중복된 것으로 보이며 초석이 적심보다 후대의 것으로 추정된다. 부석유구는 초석과 인접하여 북쪽에 대부분이 위치하고 있으며 서쪽에서도 일부 확인된다. 20~30×30~60㎝ 정도의 비교적 큰 냇돌이나 부정형 할석을 사용하여 바닥에 박석하였는데 촘촘히 시설하지 않고 석재 간의 평면 높이도 일정하지 않다. 석재의 일부가 부분적으로 훼손되었고 유구가 완전히 노출되지 않은 상태여서 정확한 형태나 규모는 알 수 없다. 초석의 동쪽에서 부석유구와 중복된 양상을 보이는 담장지3은 S1E3 그리드 내부의 담장지와 직교 상태로 이어지는 동일한 유구이다. 부석유구 위로 25㎝정도 흙과 기와를 다져서 기반토를 조성한 후 기초석을 놓고 들여쌓기 하였다. 기단은 3단 정도가 확인되며 부석유구보다 후대에 축조한 것이다. 담장지6은 트렌치 남동쪽 끝단부에 위치하며 남-북 방향으로 길이 3m 정도가 노출되었고 폭은 90㎝이다. 담장지7은 「ㄱ」字 형태로 폭이 1.5m, 길이 9m×2m 정도가 노출되었고 석렬의 교란이 심하여 정확한 형태를 알 수 없지만 담장지로 추정된다. 담장지3의 동쪽에 위치하고 있는 기단석렬은 「ㄴ」字 형태로 노출되어 건물지 남·서쪽 모서리 기단부로 판단된다. 기단석렬이 「ㄴ」字로 직교하는 모서리 부분과 담장지5는 중복되어 있으며 기단석렬이 담장5를 파괴하고 축조되어 있다.
시 기	고려시대~조선시대

기년유물	「癸酉湧仙寺持O丘僧 信行(?)」銘 암키와(4점)				
	연번	보고서 유물번호	기와종류	명문내용	연대
	1	113	암키와	信, 佳	973, 1033, 1093, 1153, 1213, 1273, 1333, 1393
	2	115	〃	酉湧	〃
	3	118	〃	癸酉湧仙寺持O丘僧 信行(?)	〃

공반유물	기와류, 청자류, 백자류

B

B'
53.5m

부석유구5

A
A'
53.5m

B'

A

A'

초석

적심

건물지4

담장지6

담장지2

담장지5

0   8m [1/160]

〈 S2E1그리드 평면도 (1:160) 〉

(1) 信, 佳 銘 암키와

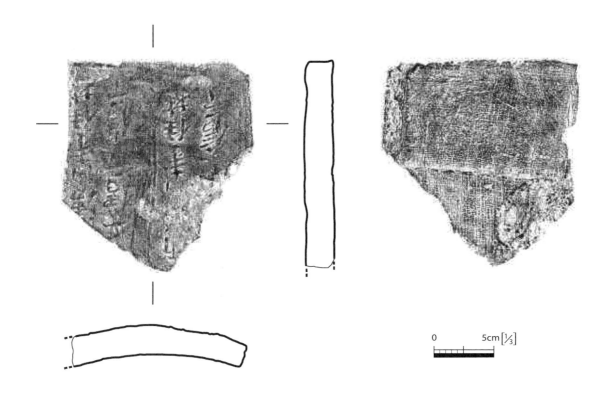

명문	간지명	간지명 년도						추정연대
信, 佳	癸酉	973, 1033, 1093, 1153, 1213, 1273, 1333, 1393						
종류	태토	소성도	색조			제원		
			내	외	속심	길이	폭	두께
암키와	사립 혼입	연질		적황		(17.0)	(15.1)	2.3
문양 및 제작속성								
외면		내면			측면			
		포목흔, 윤철흔			와도흔 내측 1/5			

(2) 酉湧 銘 암키와

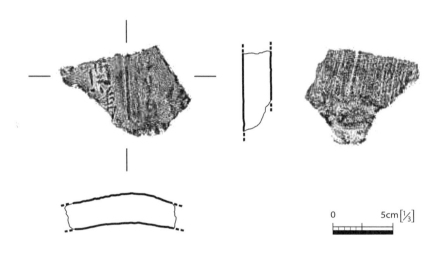

명문	간지명	간지명 년도					추정연대
酉湧	癸酉	973, 1033, 1093, 1153, 1213, 1273, 1333, 1393					

종류	태토	소성도	색조			제원		
			내	외	속심	길이	폭	두께
암키와	비교적 정선	연질		적갈		(14.0)	(11.0)	2.2

문양 및 제작속성		
외면	내면	측면
	포목흔, 사절흔	

⑶ 癸酉湧仙寺持○丘僧 信行(?) 銘 암키와

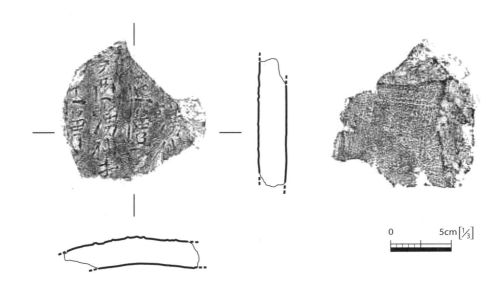

0　　　　　5cm [⅓]

명문	간지명	간지명 년도					추정연대
癸酉湧仙寺持○丘僧 信行(?)	癸酉	973, 1033, 1093, 1153, 1213, 1273, 1333, 1393					

종류	태토	소성도	색조			제원		
			내	외	속심	길이	폭	두께
암키와	비교적 정선	연질		적갈		(11.8)	(11.6)	2.1
문양 및 제작속성								
외면		내면			측면			
		포목흔						

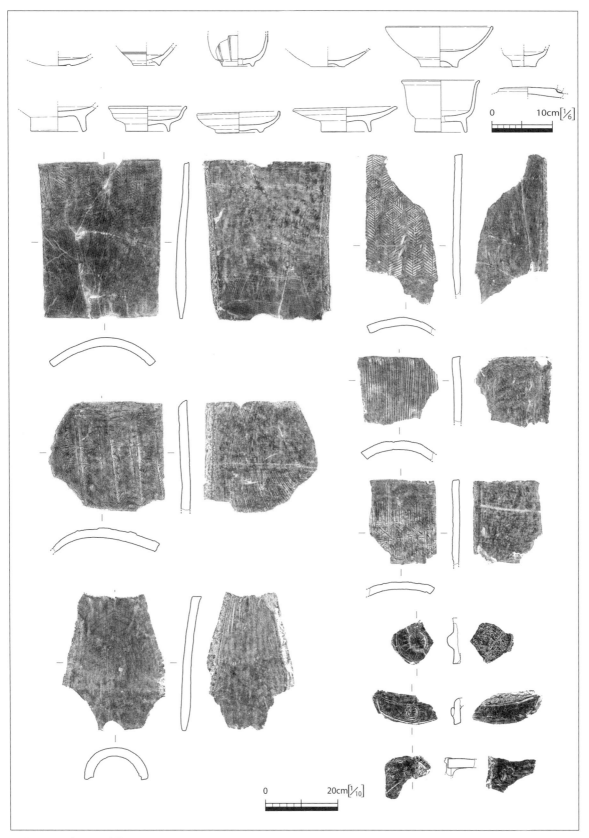

〈 S2E1그리드 공반출토유물 〉

10) 영덕 묘장사지 (盈德 妙藏寺址)

유적위치	영덕군 축산면 칠성리 627번지 일대
조사사유	영덕 칠성리 농업용수 개발사업에 따른 문화유적 발굴조사
조사연혁	지표조사 : 1999.05.19 ~ (경상북도문화재연구원) 시굴조사 : 1999.09.08 ~ (경상북도문화재연구원) 발굴조사 : 2001.04.23 ~ 2001.09.16(경상북도문화재연구원)
유적입지	묘장사지의 주변은 사방으로 해발 200~ 500m에 급경사를 이루는 능선 봉우리가 병풍처럼 둘러싸여져 있고, 이 곡간부에 칠성천이 ∿形으로 휘감아 동류한다. 발굴조사지의 곡간지는 칠성천이 빠져 나가는 남동쪽으로만 양편의 봉우리가 열려있어 그나마 겨우 막힌 숨통을 틔워주는 지세이다.

유구현황	통일신라시대	건물지(1)
	통일신라시대~고려시대	건물지(1)
	통일신라시대~조선시대	건물지(7)
	조선시대	건물지(9)

주요유물	풍탁, 금동불대좌, 명문와전류, 자기류 등
시기·성격	발굴조사 결과 묘장사는 통일신라시대에 초창된 이후 조선시대까지 법등이 이어졌던 고찰임을 알 수 있었다. 건물지의 배치형식은 크게 남향, 동향 건물지군으로 대별된다. 남향 건물지군은 통일신라시대부터 조선시대까지 거의 동일 위치에 중복배치되는 양상을 띠고, 동향 건물지군은 조선시대 건물이 4동 산지중정식(山地中庭式)으로 배치되어 있다. 그러나 사역 내 각 건물은 폐기된 터를 재활용해서 재차 건립되는 배치 구성체계로 인해 상하 중복양상이 매우 심하다. 특히 남향 건물지군은 제한된 범위 내에 통일신라시대에 초창된 후 고려시대, 조선시대까지 유지되었으나 끊임없이 폐기와 중창이 거듭되었다. 　한편, 유물 중「順治 六年五月 盖瓦記…」라는 명문와를 통해 17세기경에 기와 燔瓦가 이루어졌음을 알 수 있고 그 후 100여년이 지난 18세기 중엽에 제작된『嶺南地圖』에 최초로 妙莊菴이라는 寺名을 찾을 수 있다. 그리고 또『勝覽』〈樓亭 附 墓齋〉條 중에 大遯亭이 묘장사 옛 터에 英陽人 時庵 南皐의 별업으로 지어졌다는 기록이 있다. 이 기록에 따르면 남고가 대둔정을 지을 당시에는 이미 묘장사가 폐기된 후라는 사실을 알 수 있는데, 대둔정은 19세기 말경에 지은 것이다. 따라서 묘장사는 통일신라시대에 초창된 이후 고려·조선시대를 거쳐 여러 차례 중창을 거듭하며 19세기 말경까지 법등이 지속되었던 고찰이었음을 알 수 있다. 그리고 묘장사라는 寺名은 조선후기에 와서야 문헌에서 찾을 수 있다.
참고문헌	慶尙北道文化財研究院, 2003,『盈德 妙藏寺址』, 學術調査報告 第28冊.

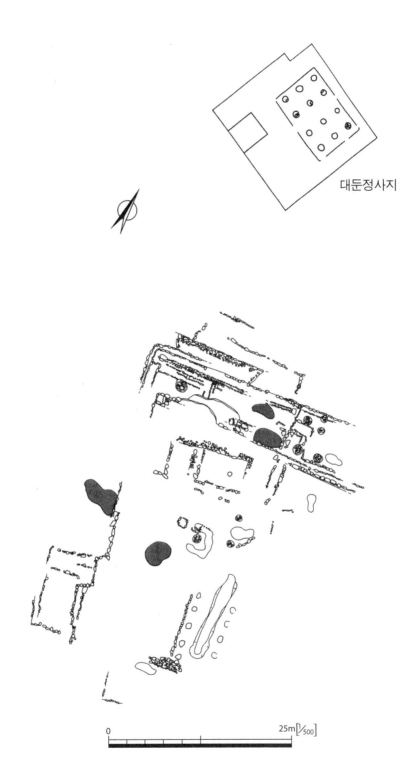

대둔정사지

0   25m $\frac{1}{500}$

〈 묘장사지 전체유구배치도 (1:500) 〉

10)-1 영덕 묘장사지 건물지 5

유구성격	건물지5는 남향 건물지군 동단에 위치하며, 내부의 중복관계에 따라 1차, 2차, 3차 건물지로 대별할 수 있다. 먼저 건물지5에서는 남쪽에 동서간으로 이어지는 세줄의 기단이 확인된다. 이들 기단 중에서 가장 남쪽 외곽에 있는 것이 2차 건물지이다. 이 2차 건물지 기단에서 다시 안쪽으로 1m 가량 들어간 지점에 2차 건물지와 동일 방향으로 진행하는 또 하나의 기단석열이 확인되는데, 이것이 1차 건물지의 남쪽기단에 해당된다. 이 1차 건물지의 기단석열에서 다시 60㎝ 안쪽 지점에 앞서 두 건물지의 기단석열과 거의 동일 방향으로 진행하는 기단이 또 하나 잔존하는데, 이것이 3차 건물지이다. 이들 층위상에서 확인된 각종 특성을 고려해 볼 때, 각 건물지간의 존속기간과 건립시기는 다음과 같이 추정해 볼 수 있다. 건물지5의 1차 건물지는 가장 선대의 건물지로서 그 창건시기는 통일신라시대 또는 고려시대로 추정된다. 그 다음으로 2차 건물지가 고려시대 또는 조선시대에 1차 건물지 앞쪽으로 확장된 범위에 건립되었고, 3차 건물지가 조선시대에 1·2차 건물지 안쪽 지역에 터를 잡고 지어진 것으로 추정된다. 이들 3동의 건물지는 서로 건립시기와 존속기간은 다르지만 건물의 중심체는 거의 동일한 범위에 터를 잡고, 3동 모두 일치된 배치구성으로 중복되어 있다.

시 기	통일신라시대~조선시대

기년유물	「己丑年閏二月日朴…」銘 암키와(1점)				
	연번	보고서 유물번호	기와 종류	명문내용	연대
	1	도면 14-2	암키와	己丑年閏二月日朴…	989, 1049, 1109, 1169, 1205, 1265, 1325

공반유물	토기뚜껑, 분청사기접시, 백자류, 연화문수막새, 당초문암막새, 유단식수키와, 명문암키와('火相', '妙藏寺), 와범 등

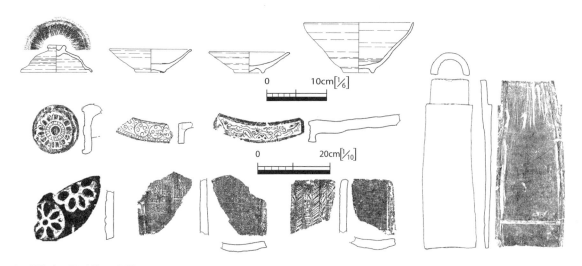

〈 건물지5 공반출토유물 〉

〈 건물지1~5 · 9 · 10 평 · 단면도 (1:250) 〉

(1) 己丑年閏二月日朴… 銘 암키와

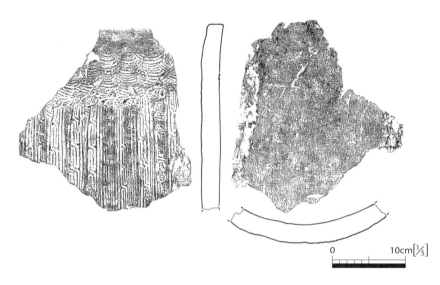

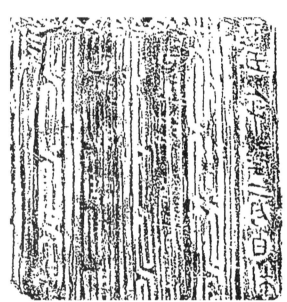

명문	간지명	간지명 년도				추정연대	
己丑年閏二月日朴…	己丑	989, 1049, 1109, 1169, 1205, 1265, 1325				1300	
종류	태토	소성도	색조			제원	
			내	외	속심	길이	폭	두께
암키와	다량의 세사립이 함유된 점토	경질		암회청색	암회청색	(24.5)		2.5
문양 및 제작속성							
외면		내면				측면	
중호문+명문+뇌문		포흔					

11) 영천 본촌동 유적 (永川 本村洞 遺蹟)

유적위치	경상북도 영천시 본촌동 663-1번지 일원				
조사사유	경부고속도로 동대구-경주 확장구간 건설에 따른 구제발굴				
조사연혁	지표조사 : 1998 (영남대학교박물관) 시굴조사 : 2002 (경상북도문화재연구원) 발굴조사 : 2003.02.27 ~ 2003.09.24 (경상북도문화재연구원)				
유적입지	서쪽에 솟은 해발 129.1m의 산정부에서 동쪽으로 뻗은 구릉의 사면 중간쯤에 해당되는 곳이다. 조사대상지의 동쪽 약 150m 지점에는 봉동천(鳳洞川)이라는 작은 하천이 남에서 북으로 흐르고 있다. 이곳에는 포도나무와 같은 과수가 주로 재배되고 있었고, 일부 지역은 밭에 민가가 들어서 있다.				
유구현황	고려시대~조선시대	건물지(12), 수혈(4), 적심(4), 기와배수로(1), 석렬(1), 부석렬(1), 주혈군(1)			
	근대	배수로(2)			
주요유물	명문와,「礼賓」명 분청자접시 등				
기년유물	「泰定三年戊O王(三?)公山利(社?)造瓦大丙梁日」銘 암키와(2점) - 1지구 지표수습				
	연번	보고서 유물번호	기와 종류	명문내용	연대
	1	도면 29-5	암키와	泰定三年戊O王(三?)公山利(社?)造瓦大丙梁日	1326
	2	도면 29-6	〃	〃	〃

시기·성격	I 지구에서는 조선시대로 추정되는 기단, 담장열, 축대, 적심 등과 같은 건물지 11동과 이들 건물지와 관련된 것으로 보이는 수혈유구 등이 확인되었다. II지구에서는 조선시대 건물지와 수혈유구, 부석렬 등이 확인되었다.
	  I 지구에서는 다수의 건물지에서 각종 자기류, 토기류 등의 유물이 출토되었는데, 특히 명문와가 다수 출토되어 주목된다. 명문의 내용은 「泰定三年戊O王(三?)公山利(社?)造瓦大丙梁日」로서 I 지구 건물지의 성격을 알 수 있는 좋은 자료로 생각된다. 명문의 내용 가운데 「-利(社?)-」라는 명문으로 보아 아마도 건물지는 寺址였던 것으로 판단된다. 그러나 건물지는 심하게 훼손되어 정확한 구조와 배치를 파악할 수는 없었다.
	  II지구 건물지 역시 심하게 파괴되어 그 전모를 밝히기에는 많은 무리가 있다.				

참고문헌	영남대학교박물관, 1998,『동대구·경주간의 문화유적』. 慶尙北道文化財硏究院, 2005,『永川 本村洞遺蹟』, 學術調査報告 第52冊.				

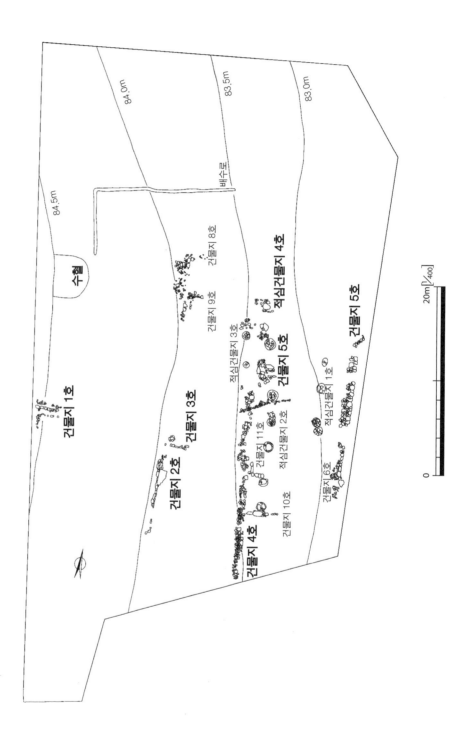

〈 I 지구 유구배치도 (1:400) 〉

(1) 泰定三年戊○王(三?)公山利(社?)造瓦大丙梁日 銘 암키와

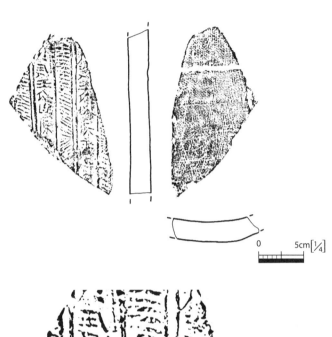

명문		연호	연호명 년도	국명(왕)	고려	절대연대
泰定三年戊○王(三?) 公山利(社?)造瓦大丙梁日		泰定	1324~1327	元 (晋宗 2年)	忠肅王 11年	1326
종류	태토	소성도	색조			제원		

종류	태토	소성도	내	외	속심	길이	폭	두께
암키와	세사립과 석립이 함유된 점토			회색		(17.4)		2.2

문양 및 제작속성		
외면	내면	측면
종선문+사선문	포목흔, 윤철흔	

(2) 泰定三年戊○王(三?)公山利(社?)造瓦大丙梁日 銘 암키와

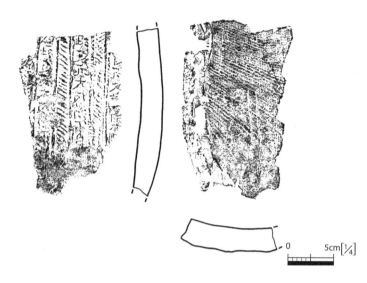

0 5cm[¼]

명문		연호	연호명 년도	국명(왕)		고려	절대연대
泰定三年戊○王(三?) 公山利(社?)造瓦大丙梁日		泰定	1324~1327	元 (晋宗 2年)		忠肅王 11年	1326
종류	태토	소성도	색조			제원		
			내	외	속심	길이	폭	두께
암키와	세사립과 석립이 다량 함유된 점토			회색		(17.8)		2.3
문양 및 제작속성							
외면		내면				측면	
종선문+사선문		포목흔, 사절흔, 하단 깎기 후 물손질				와도흔 내측	

11)-1 영천 본촌동 유적 건물지 1호

유구성격	조사대상지의 중앙부 가장 서단쪽에서 확인되었다. 이 유구는 황적갈색 생토층 위에 조성되었으며 현재 대부분 유실되고 1열의 석렬만이 남아있다. 유구 상부에는 각종 자기편과 와편이 심하게 교란된 채 적재되어 있었다. 현재 총 길이는 동서 약 280cm이다. 석재는 대부분 20~40cm 정도의 할석을 사용하였으나 간간이 천석도 섞여 있다.				
시 기	고려시대~조선시대				
기년유물	「泰定三年戊ㅇ王(三?)公山利(社?)造瓦大丙梁日」銘 암키와(1점)				
	연번	보고서 유물번호	기와 종류	명문내용	연대
	3	도면 2-2	암키와	泰定三年戊ㅇ王(三?)公山利(社?)造瓦大丙梁日	1326
공반유물	원형토제품, 평기와 등				

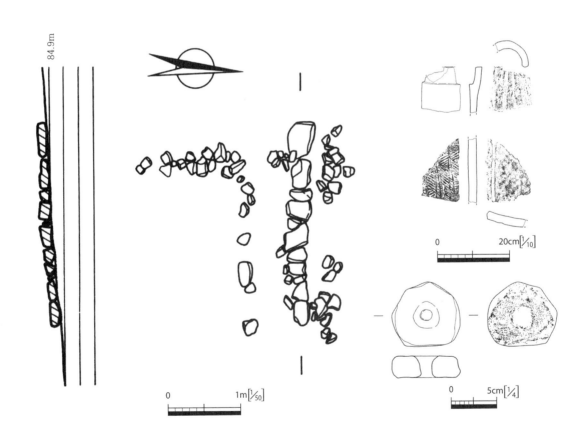

84.9m

0   1m[1/50]

0   20cm[1/10]

0   5cm[1/4]

〈 건물지 1호 평 · 단면도 (1:50) 및 공반출토유물 〉

⑶ 泰定三年戊○王(三?)公山利(社?)造瓦大丙梁日 銘 암키와

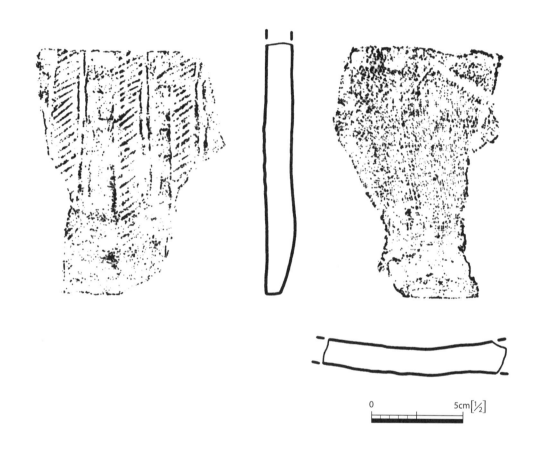

0   5cm[½]

명문	연호	연호명 년도	국명(왕)	고려	절대연대
泰定三年戊○王(三?) 公山利(社?)造瓦大丙梁日	泰定	1324~1327	元 (晋宗 2年)	忠肅王 11年	1326

종류	태토	소성도	색조			제원		
			내	외	속심	길이	폭	두께
암키와	세사립이 소량 함유된 점토			회색		(1.37)		1.5

문양 및 제작속성		
외면	내면	측면
종선문+사선문, 하단 물손질	포목흔, 사절흔, 하단 깎기 후 물손질	

11)-2 영천 본촌동 유적 건물지 2,3호

유구성격	건물지 2호는 조사대상지의 중앙부에서 남쪽으로 치우쳐 위치하고 있으며 서쪽으로 12m 떨어진 지점에 건물지 1호, 북쪽으로 1m 떨어진 곳에 건물지 3호가 위치한다. 황적갈색 생토층 위에 축조되었으며 총길이는 남북 860㎝ 정도로 현재 잘 남아있는 곳이 2단 정도이다. 건물지는 석재의 면을 동쪽으로 맞춘 것으로 보아 남북을 장축으로 하고 동향을 취하고 있었음을 알 수 있다. 기단석은 두께 5㎝ 내외의 납작한 판상할석을 사용하여 평적하였다. 건물지에 사용된 석재의 크기는 다양한 편인데, 이 중 가장 규모가 큰 판석재는 길이 100㎝ 정도이다. 건물지 3호는 황적갈색 생토층 위에 축조되었으며 현 길이는 240㎝ 정도이다. 현재 남쪽으로 면을 맞춘 1단의 석렬이 남아있고, 석렬과 북쪽으로 30㎝ 떨어진 지점에 직경 70㎝ 정도의 적심 1기가 확인된다. 석렬은 모두 납작한 점판암재 판석을 사용하여 평적하였고, 남아있는 상태로 보아 남향 또는 동향이었을 것으로 추정된다. 적심은 현재 1단만 남아있는 상태이다. 적심과 석렬이 거의 비슷한 레벨을 이루고 있는 것으로 보아 단이 없는 건물지였던 것으로 추정된다.

시 기	고려시대~조선시대

기년유물

- 건물지 2호, 3호
「泰定三年戊○王(三?)公山利(社?)造瓦大丙梁日」銘 암키와(3점)

연번	보고서 유물번호	기와 종류	명문내용	연대
4	도면 3-4	암키와	泰定三年戊○王(三?)公山利(社?)造瓦大丙梁日	1326
5	도면 5-1	〃	〃	〃
6	도면 5-2	〃	〃	〃

공반유물	건물지 2호- 청자저부, 평기와 등 건물지 3호- 청자구연부편, 평기와, 명문와 등

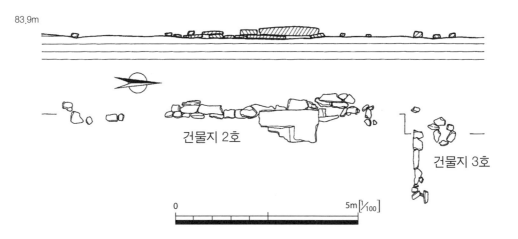

83.9m

건물지 2호

건물지 3호

0   5m[¹⁄₁₀₀]

〈 건물지 2 · 3호 평 · 단면도 (1:100) 〉

⑷ 泰定三年戊○王(三?)公山利(社?)造瓦大丙梁日 銘 암키와

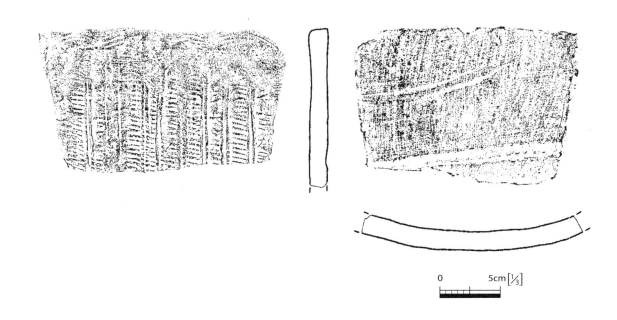

0   5cm [⅓]

명문		연호	연호명 년도	국명(왕)	고려	절대연대
泰定三年戊○王(三?) 公山利(社?)造瓦大丙梁日		泰定	1324~1327	元 (晋宗 2年)	忠肅王 11年	1326

종류	태토	소성도	색조			제원		
			내	외	속심	길이	폭	두께
암키와	세사립과 석립이 함유된 점토			회색		(12.5)		1.5

문양 및 제작속성		
외면	내면	측면
종선문+사선문	포목흔, 사절흔, 윤철흔	

⑸ 泰定三年戊○王(三?)公山利(社?)造瓦大丙梁日 銘 암키와

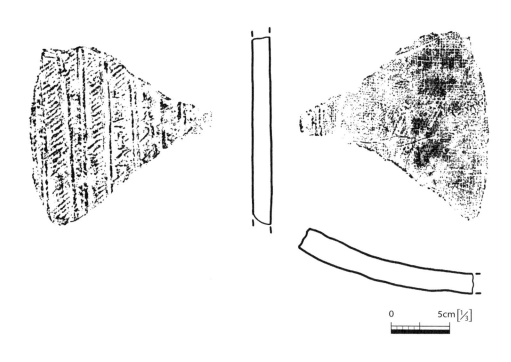

0   5cm [⅓]

명문		연호	연호명 년도	국명(왕)	고려	절대연대
泰定三年戊○王(三?) 公山利(社?)造瓦大丙梁日		泰定	1324~1327	元 (晋宗 2年)	忠肅王 11年	1326
종류	태토	소성도	색조			제원		

종류	태토	소성도	색조			제원		
			내	외	속심	길이	폭	두께
암키와	세사립이 소량 함유된 점토			청회색		(14.9)		1.5

문양 및 제작속성		
외면	내면	측면
종선문+사선문	포목흔, 점토합흔, 사절흔	와도흔 내측

⑹ 泰定三年戊○王(三?)公山利(社?)造瓦大丙梁日 銘 암키와

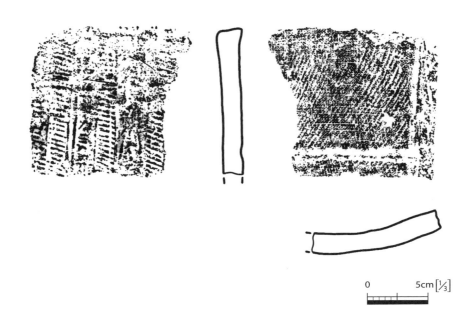

명문		연호	연호명 년도	국명(왕)	고려	절대연대
泰定三年戊○王(三?) 公山利(社?)造瓦大丙梁日		泰定	1324~1327	元 (晋宗 2年)	忠肅王 11年	1326

종류	태토	소성도	색조			제원		
			내	외	속심	길이	폭	두께
암키와	세사립이 소량 함유된 점토			회청색		(10.5)		1.5

문양 및 제작속성		
외면	내면	측면
종선문+사선문	포목흔, 윤철흔, 사절흔	와도흔 내측

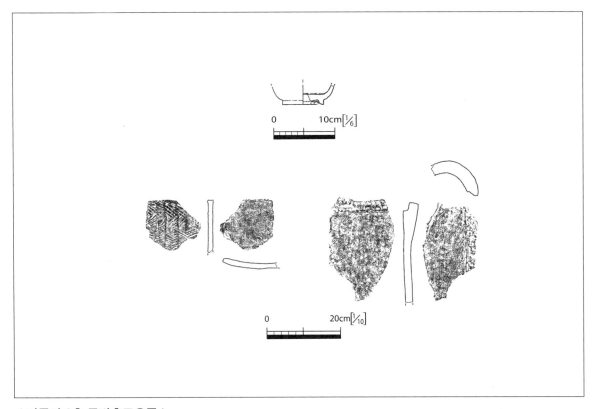

〈 건물지 2호 공반출토유물 〉

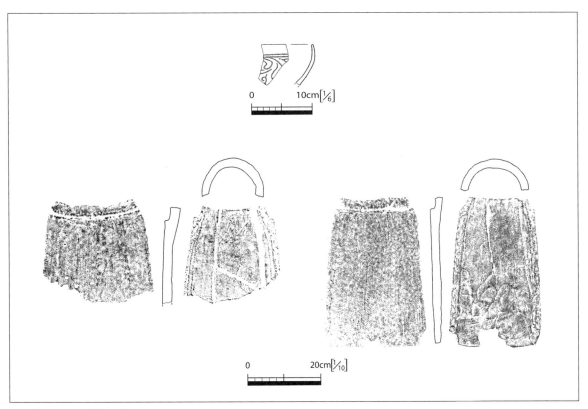

〈 건물지 3호 공반출토유물 〉

11)-1 영천 본촌동 유적 건물지 4호

유구성격	조사대상지의 중앙부에 위치하며 남북으로 긴 석렬의 형태로 남아있다. 대부분 할석을 사용하여 쌓았는데, 석재의 동쪽과 서쪽면을 맞춘 것으로 보아 담장열인 것으로 추정된다. 규모는 총 길이 2,100㎝, 폭 100㎝이고 현재 1~2단 정도 남아있다.			
시 기	고려시대~조선시대			
기년유물	「泰定三年戊O王(三?)公山利(社?)造瓦大丙梁日」銘 암키와(9점)			
	연번	보고서 유물번호	기와 종류	명문내용	연대
	7	도면 8-5	암키와	泰定三年戊O王(三?)公山利(社?)造瓦大丙梁日	1326
	8	도면 9-1	〃	〃	〃
	9	도면 9-2	〃	〃	〃
	10	도면 9-4	〃	〃	〃
	11	도면 9-5	〃	〃	〃
	12	도면 10-4	〃	〃	〃
	13	도면 11-1	〃	〃	〃
	14	도면 11-2	〃	〃	〃
	15	도면 11-3	〃	〃	〃
공반유물	토기류, 원형토제품, 청자류, 분청자접시, 백자류, 수막새, 평기와 등			

83.4m

0   4m [1/160]

〈 건물지 4호 평 · 단면도 (1:160) 〉

(7) 泰定三年戊○王(三?)公山利(社?)造瓦大丙梁日 銘 암키와

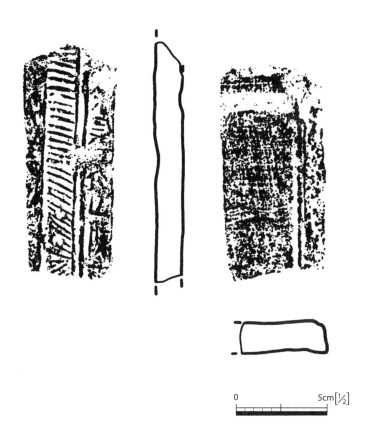

0   5cm[½]

명문		연호	연호명 년도	국명(왕)	고려	절대연대
泰定三年戊○王(三?) 公山利(社?)造瓦大丙梁日		泰定	1324~1327	元 (晋宗 2年)	忠肅王 11年	1326
종류	태토	소성도	색조			제원		
			내	외	속심	길이	폭	두께
암키와	세사립과 석립이 함유된 점토			청회색		(12.8)		1.5
문양 및 제작속성								
외면		내면			측면			
종선문+사선문		포목흔, 윤철흔, 눈테흔			와도흔 내측			

⑻ 泰定三年戊○王(三?)公山利(社?)造瓦大丙梁日 銘 암키와

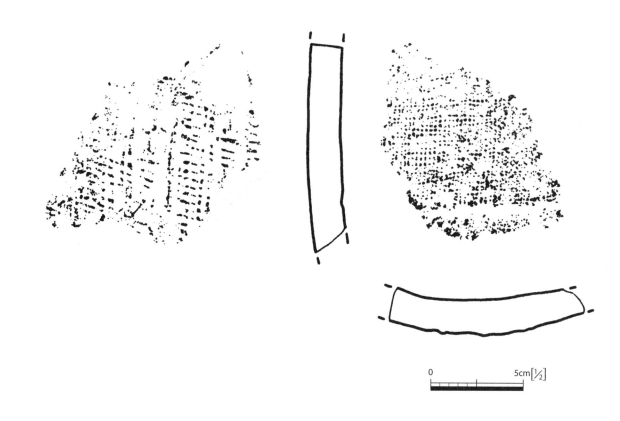

0   5cm[½]

명문	연호	연호명 년도	국명(왕)	고려	절대연대
泰定三年戊○王(三?) 公山利(社?)造瓦大丙梁日	泰定	1324~1327	元 (晋宗 2年)	忠肅王 11年	1326

종류	태토	소성도	색조			제원		
			내	외	속심	길이	폭	두께
암키와	세사립과 다량의 굵은 석립이 함유된 점토		청회색		회색	(18.6)		2.1

문양 및 제작속성		
외면	내면	측면
종선문+사선문	포목흔, 윤철흔, 눈테흔	와도흔 내측

(9) 泰定三年戊○王(三?)公山利(社?)造瓦大丙梁日 銘 암키와

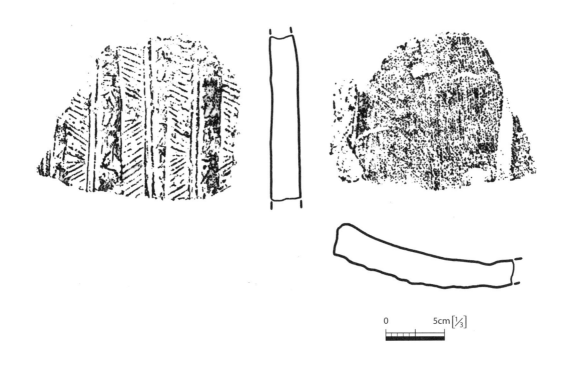

0 　　　5cm [⅓]

명문		연호	연호명 년도	국명(왕)		고려	절대연대
泰定三年戊○王(三?) 公山利(社?)造瓦大丙梁日		泰定	1324~1327	元 (晋宗 2年)		忠肅王 11年	1326
종류	태토	소성도	색조			제원		
			내	외	속심	길이	폭	두께
암키와	세사립이 함유된 점토			청회색		(10.9)		2
문양 및 제작속성								
외면			내면			측면		
종선문+사선문			포목흔, 윤철흔			와도흔 내측		

(10) 泰定三年戊○王(三?)公山利(社?)造瓦大丙梁日 銘 암키와

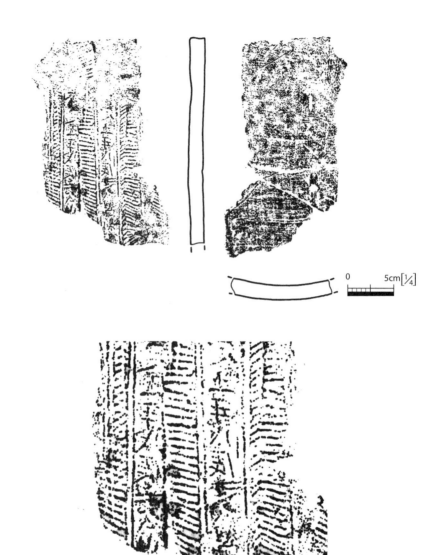

명문		연호	연호명 년도	국명(왕)	고려	절대연대
泰定三年戊○王(三?) 公山利(社?)造瓦大丙梁日		泰定	1324~1327	元 (晋宗 2年)	忠肅王 11年	1326
종류	태토	소성도	색조			제원		
			내	외	속심	길이	폭	두께
암키와	세사립과 석립이 함유된 점토		청회색		회색	(22)		1.5
문양 및 제작속성								
외면		내면			측면			
종선문+사선문		포목흔, 윤철흔						

(11) 泰定三年戊〇王(三?)公山利(社?)造瓦大丙梁日 銘 암키와

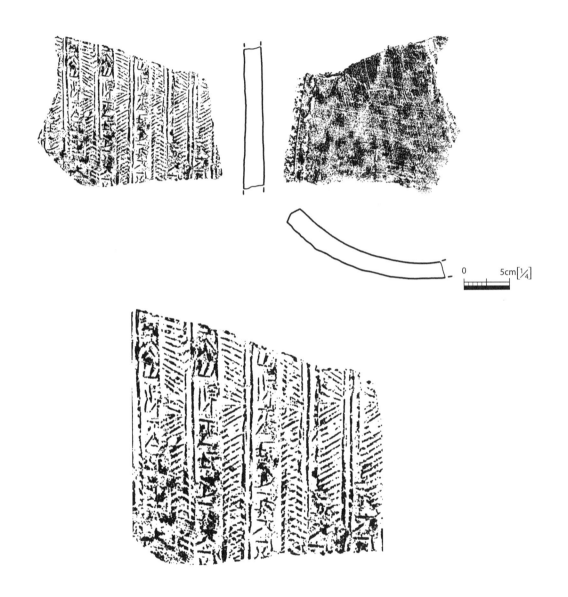

명문	연호	연호명 년도	국명(왕)	고려	절대연대
泰定三年戊〇王(三?) 公山利(社?)造瓦大丙梁日	泰定	1324~1327	元 (晋宗 2年)	忠肅王 11年	1326

종류	태토	소성도	색조			제원		
			내	외	속심	길이	폭	두께
암키와	세사립과 석립이 함유된 점토			청회색		(5.4)		1.9

문양 및 제작속성		
외면	내면	측면
종선문+사선문	포목흔	와도흔 내측

(12) 泰定三年戊○王(三?)公山利(社?)造瓦大丙梁日 銘 암키와

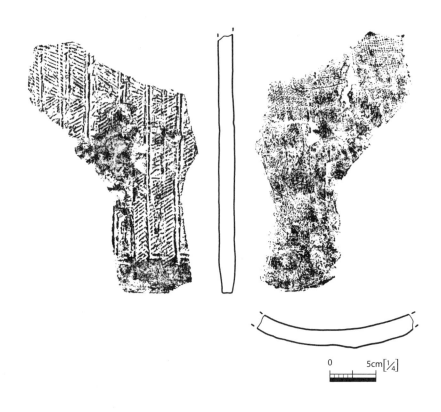

0   5cm[¼]

명문		연호	연호명 년도	국명(왕)	고려	절대연대
泰定三年戊○王(三?) 公山利(社?)造瓦大丙梁日		泰定	1324~1327	元 (晋宗 2年)	忠肅王 11年	1326
종류	태토	소성도	색조			제원		
			내	외	속심	길이	폭	두께
암키와			청회색		회색	(27)		1.6
문양 및 제작속성								
외면			내면			측면		
종선문+사선문, 하단 물손질			포목흔, 윤철흔					

(13) 泰定三年戊〇王(三?)公山利(社?)造瓦大丙梁日 銘 암키와

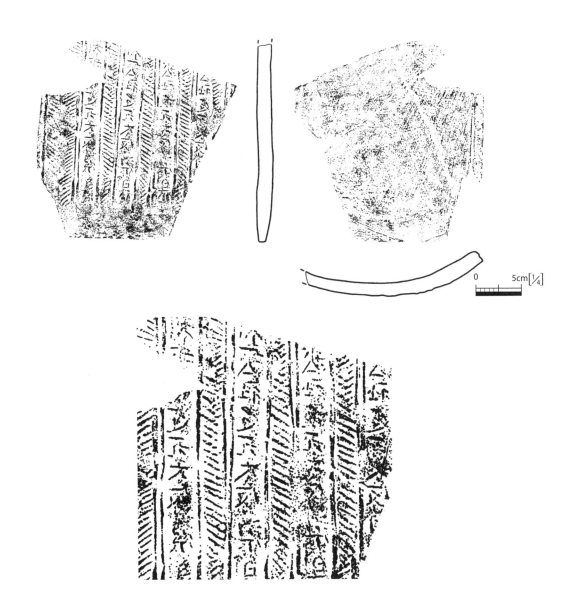

명문	연호	연호명 년도	국명(왕)	고려	절대연대
泰定三年戊〇王(三?) 公山利(社?)造瓦大丙梁日	泰定	1324~1327	元 (晋宗 2年)	忠肅王 11年	1326

종류	태토	소성도	색조			제원		
			내	외	속심	길이	폭	두께
암키와	세사립이 함유된 점토			청회색		(20.9)		1.6

문양 및 제작속성		
외면	내면	측면
종선문+사선문, 하단 물손질	포목흔, 연철흔, 하단 깎기 후 물손질	와도흔 내측

(14) 泰定三年戊〇王(三?)公山利(社?)造瓦大丙梁日 銘 암키와

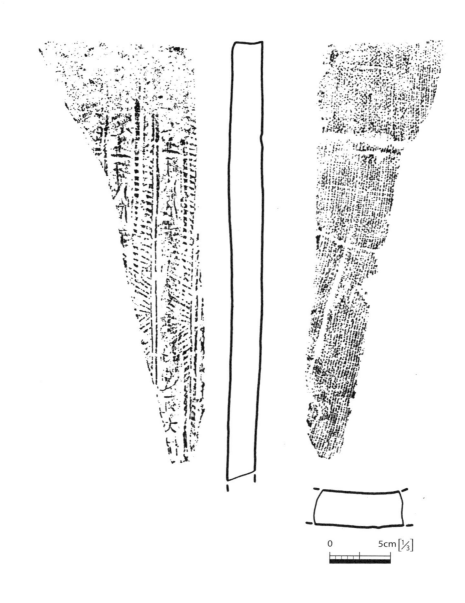

명문		연호	연호명 년도	국명(왕)	고려	절대연대
泰定三年戊〇王(三?) 公山利(社?)造瓦大丙梁日		泰定	1324~1327	元 (晋宗 2年)	忠肅王 11年	1326
종류	태토	소성도	색조			제원		

종류	태토	소성도	내	외	속심	길이	폭	두께
암키와	세사립과 석립이 함유된 점토			청회색		(29)		2.3

문양 및 제작속성		
외면	내면	측면
종선문+사선문, 상단 물손질조정	포목흔, 윤철흔	

(15) 泰定三年戊○王(三?)公山利(社?)造瓦大丙梁日 銘 암키와

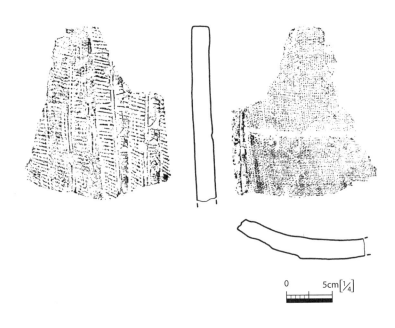

0　　　5cm[¼]

명문		연호	연호명 년도	국명(왕)	고려	절대연대
泰定三年戊○王(三?) 公山利(社?)造瓦大丙梁日		泰定	1324~1327	元 (晋宗 2年)	忠肅王 11年	1326

종류	태토	소성도	색조			제원		
			내	외	속심	길이	폭	두께
암키와	세사립과 다량의 석립이 함유된 점토		청회색		회색	(18.6)		2.1

문양 및 제작속성		
외면	내면	측면
종선문+사선문	포목흔, 윤철흔, 눈테흔	와도흔 내측

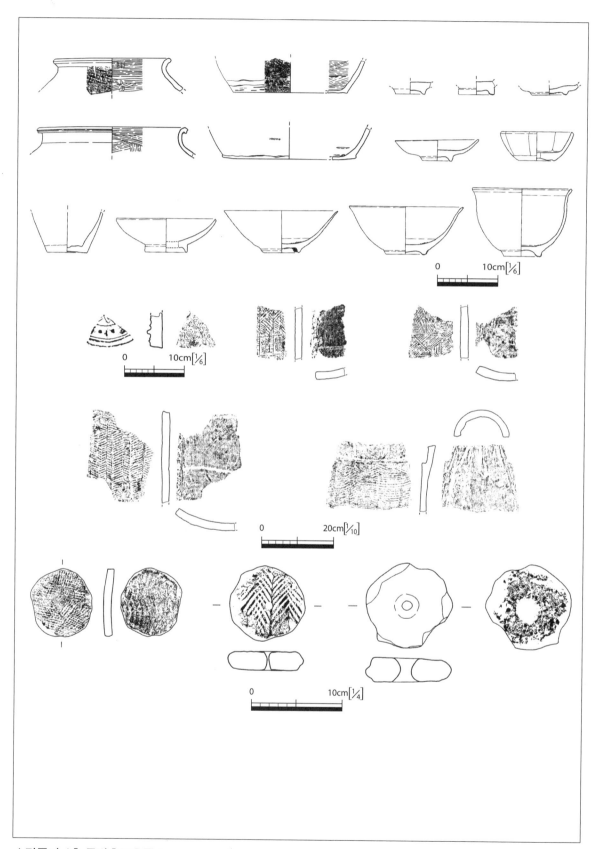

〈 건물지 4호 공반출토유물 〉

11)-2 영천 본촌동 유적 건물지 5호

유구성격	조사지의 가장 동단쪽에 위치하는 유구로 남쪽에는 건물지 6호가 인접하여 위치한다. 본 건물지와 건물지 6호는 동일선상에 놓여있으나 면을 맞춘 동쪽의 열이 약간 틀어져 있어 서로 다른 건물지로 파악하였다. 남북 길이 1,000㎝, 폭 120㎝ 내외이고 한 단 정도 남아있다. 비교적 큰 돌을 사용하여 동쪽면을 맞추고 그 안쪽에는 작은 천석과 할석을 메운 상태이다. 서쪽으로 2m 떨어진 지점에 적심 건물지 1호가 있는데, 이와 관련된 유구인 것으로 추정된다. 남아있는 상태로 보아 건물의 축대나 기단으로 추정된다.				
시 기	고려시대~조선시대				
기년유물	「泰定三年戊○王(三?)公山利(社?)造瓦大丙梁日」銘 암키와(3점)				
	연번	보고서 유물번호	기와 종류	명문내용	연대
	16	도면 13-4	암키와	泰定三年戊○王(三?)公山利(社?)造瓦大丙梁日	1326
	17	도면 14-1	〃	〃	〃
	18	도면 14-2	〃	〃	〃
공반유물	토기편, 분청대접, 용도미상청동기, 명문와 등의 와편				

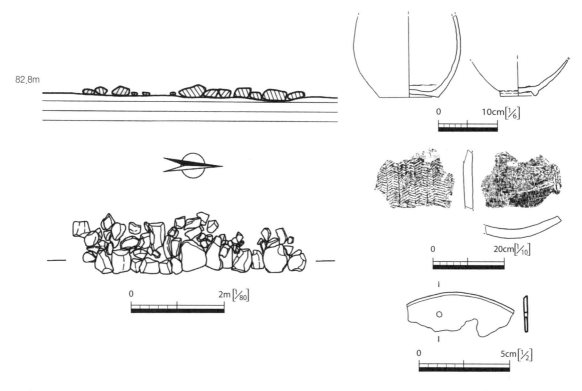

〈 건물지 5호 평 · 단면도 (1:80) 및 공반출토유물 〉

(16) 泰定三年戊○王(三?)公山利(社?)造瓦大丙梁日 銘 암키와

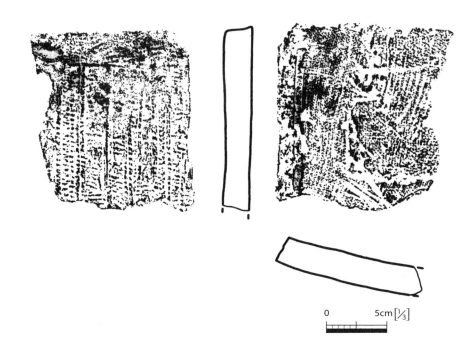

명문		연호	연호명 년도	국명(왕)	고려	절대연대
泰定三年戊○王(三?) 公山利(社?)造瓦大丙梁日		泰定	1324~1327	元 (晋宗 2年)	忠肅王 11年	1326

종류	태토	소성도	색조			제원		
			내	외	속심	길이	폭	두께
암키와	세사립과 굵은 석립이 함유된 점토			회색		(14.7)		2.3

문양 및 제작속성		
외면	내면	측면
종선문+사선문, 상단 물손질조정	포목흔, 점토합흔	와도흔 내측

(17) 泰定三年戊〇王(三?)公山利(社?)造瓦大丙梁日 銘 암키와

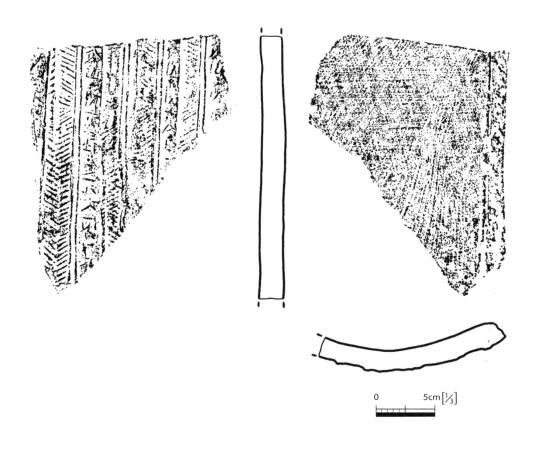

0 　　5cm [⅓]

명문		연호	연호명 년도	국명(왕)	고려	절대연대
泰定三年戊〇王(三?) 公山利(社?)造瓦大丙梁日		泰定	1324~1327	元 (晋宗 2年)	忠肅王 11年	1326
종류	태토	소성도	색조			제원		
			내	외	속심	길이	폭	두께
암키와	세사립과 석립이 함유된 점토		청회색		회색	(21)		1.7
문양 및 제작속성								
외면		내면			측면			
종선문+사선문		포목흔, 사절흔			와도흔 내측			

(18) 泰定三年戊〇王(三?)公山利(社?)造瓦大丙梁日 銘 암키와

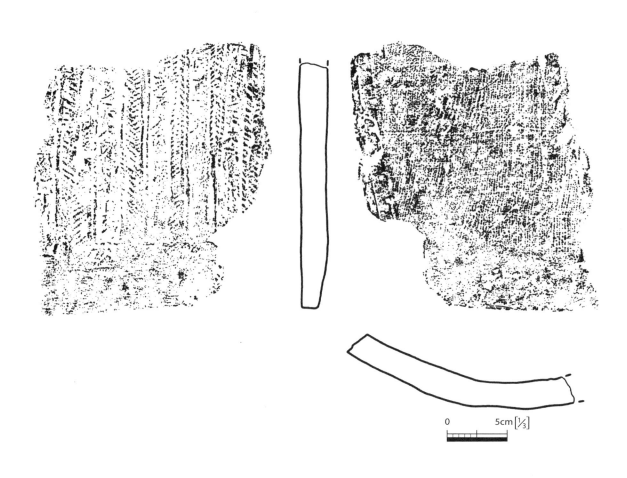

0   5cm [⅓]

명문		연호	연호명 년도	국명(왕)	고려	절대연대
泰定三年戊〇王(三?) 公山利(社?)造瓦大丙梁日		泰定	1324~1327	元 (晋宗 2年)	忠肅王 11年	1326

종류	태토	소성도	색조			제원		
			내	외	속심	길이	폭	두께
암키와	세사립과 굵은 석립이 함유된 점토			회색		(19.5)		2.2

문양 및 제작속성		
외면	내면	측면
종선문+사선문, 하단 물손질조정	포목흔, 사절흔, 하단 깎기 후 물손질 조정	와도흔 내측

11)-3 영천 본촌동 유적 건물지 7호

유구성격	조사지의 중앙부에 위치하며 북쪽으로 인접한 곳에 적심건물지 3호, 남쪽에는 적심건물지 2호가 위치한다. 이 건물지는 형태가 부정연하게 남아있어 그 용도를 짐작하기 어려우나 건물이 무너져 내린 흔적으로 짐작할 뿐이다.				
시 기	고려시대~조선시대				
기년유물	「泰定三年戊O王(三.?)公山利(社.?)造瓦大丙梁日」銘 암키와(1점)				
	연번	보고서 유물번호	기와 종류	명문내용	연대
	19	도면 17-4	암키와	泰定三年戊O王(三.?)公山利(社.?)造瓦大丙梁日	1326
공반유물	토기편, 자기, 기와류				

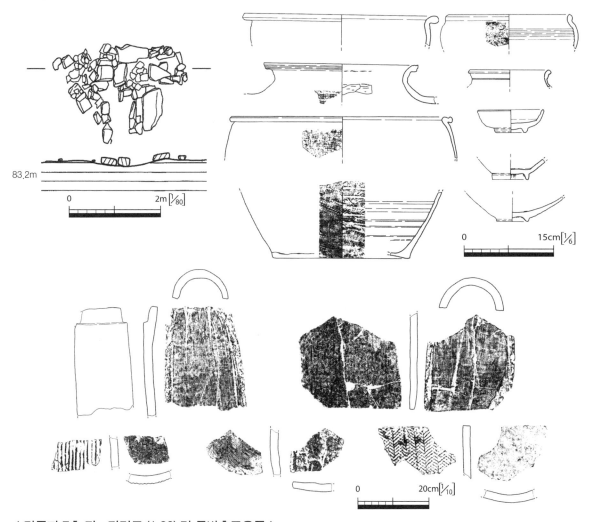

〈 건물지 7호 평·단면도 (1:80) 및 공반출토유물 〉

(19) 泰定三年戊○王(三?)公山利(社?)造瓦大丙梁日 銘 암키와

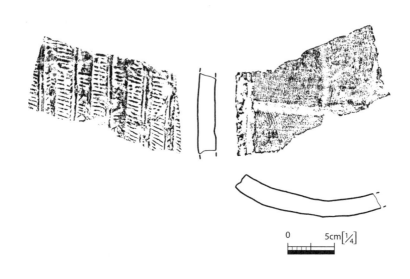

0   5cm[¼]

명문		연호	연호명 년도	국명(왕)	고려	절대연대
泰定三年戊○王(三?) 公山利(社?)造瓦大丙梁日		泰定	1324~1327	元 (晋宗 2年)	忠肅王 11年	1326

종류	태토	소성도	색조			제원		
			내	외	속심	길이	폭	두께
암키와	세사립과 석립이 다량 함유된 점토			회색		(8.4)		1.9

문양 및 제작속성		
외면	내면	측면
종선문+사선문	포목흔, 윤철흔	와도흔 내측

11)-4 영천 본촌동 유적 적심 건물지 4호

유구성격	적심 건물지 4호는 남북상으로 2기가 남아있다. 이중 북쪽의 적심은 대형판석으로 된 초석이 잔존한다. 적심간의 간격은 300㎝ 이고, 개별 적심의 직경은 140㎝ 내외이다. 적심은 점판암재의 판석을 쪼개어 채워 넣었다.				
시 기	고려시대~조선시대				
기년유물	「泰定三年戊O王(三?)公山利(社?)造瓦大丙梁日」銘 암키와(3점)				
	연번	보고서 유물번호	기와 종류	명문내용	연대
	20	도면 21-1	암키와	泰定三年戊O王(三?)公山利(社?)造瓦大丙梁日	1326
	21	도면 21-2	〃	〃	〃
	22	도면 21-3	〃	〃	〃
	23	도면 21-5			
공반유물	병, 자기편, 기와류				

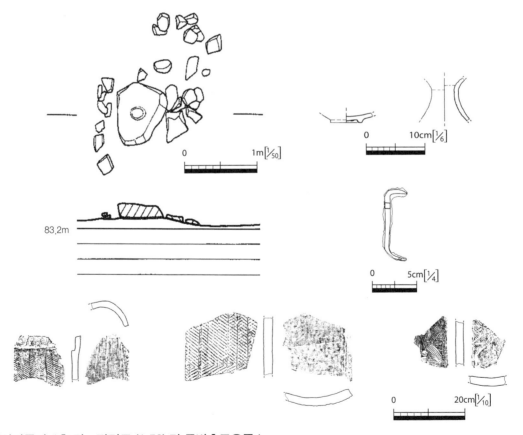

83,2m

〈 적심건물지 4호 평 · 단면도 (1:50) 및 공반출토유물 〉

⒇ 泰定三年戊〇王(三?)公山利(社?)造瓦大丙梁日 銘 암키와

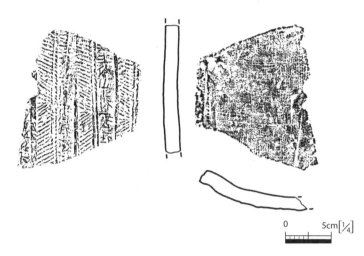

0 5cm[¼]

명문		연호	연호명 년도	국명(왕)	고려	절대연대
泰定三年戊〇王(三?) 公山利(社?)造瓦大丙梁日		泰定	1324~1327	元 (晋宗 2年)	忠肅王 11年	1326
종류	태토	소성도	색조			제원		
			내	외	속심	길이	폭	두께
암키와	세사립과 다량의 석립이 함유된 점토			회색		(13.2)		1.5
문양 및 제작속성								
외면		내면			측면			
종선문+사선문		포목흔, 물손질			와도흔 내측			

(21) 泰定三年戊O王(三?)公山利(社?)造瓦大丙梁日 銘 암키와

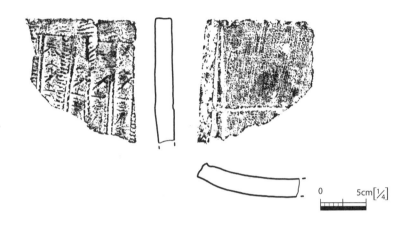

명문		연호	연호명 년도	국명(왕)	고려	절대연대
泰定三年戊O王(三?) 公山利(社?)造瓦大丙梁日		泰定	1324~1327	元 (晋宗 2年)	忠肅王 11年	1326
종류	태토	소성도	색조			제원		
			내	외	속심	길이	폭	두께
암키와	세사립과 석립이 함유된 점토		청회색		회색	(13)		1.8
문양 및 제작속성								
외면			내면			측면		
종선문+사선문, 물손질			포목흔, 윤철흔, 눈테흔			와도흔 내측		

(22) 泰定三年戊〇王(三?)公山利(社?)造瓦大丙梁日 銘 암키와

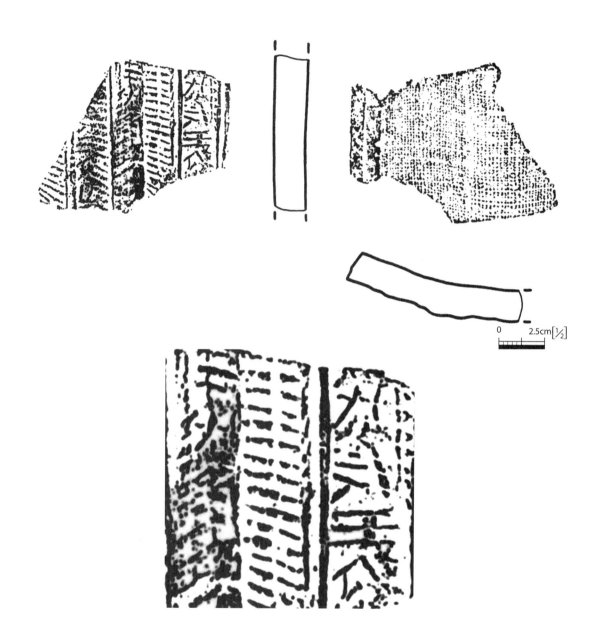

명문		연호	연호명 년도	국명(왕)	고려	절대연대
泰定三年戊〇王(三?) 公山利(社?)造瓦大丙梁日		泰定	1324~1327	元 (晋宗 2年)	忠肅王 11年	1326
종류	태토	소성도	색조			제원		
			내	외	속심	길이	폭	두께
암키와	세사립과 석립이 함유된 점토			회색		(8)		1.7
문양 및 제작속성								
외면			내면			측면		
종선문+사선문			포목흔			와도흔 내측		

(23) 泰定三年戊O王(三?)公山利(社?)造瓦大丙梁日 銘 암키와

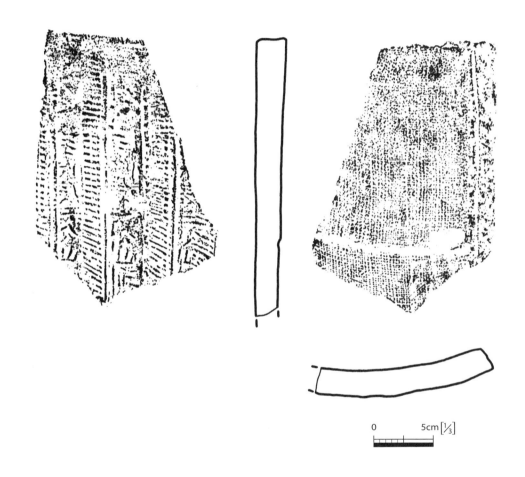

0   5cm[⅓]

명문	연호	연호명 년도	국명(왕)	고려	절대연대
泰定三年戊O王(三?)公山利(社?)造瓦大丙梁日	泰定	1324~1327	元 (晋宗 2年)	忠肅王 11年	1326

종류	태토	소성도	색조			제원		
			내	외	속심	길이	폭	두께
암키와	세사립과 다량의 석립이 함유된 점토		청회색	회색	회색	(18.1)		1.6

문양 및 제작속성		
외면	내면	측면
종선문+사선문	포목흔, 연철흔	와도흔 내측

11)-5 영천 본촌동 유적 수혈

유구성격	조사지의 서단쪽 발굴조사지역의 경계부에 위치한다. 현재 규모는 남북길이 490cm, 동서길이 450cm, 깊이 20cm 내외이다. 남아있는 상태로 보아 동서 방향으로 긴 장방형이었을 것으로 추정된다. 수혈 내부에서 별다른 시설은 확인되지 않았고, 명문와 등의 기와류와 토기 구연부, 자기편 등이 흩어져있었다.				
시 기	고려시대~조선시대				
기년유물	「泰定三年戊O王(三?)公山利(社?)造瓦大丙梁日」銘 암키와(3점)				
	연번	보고서 유물번호	기와 종류	명문내용	연대
	24	도면 23-1	암키와	泰定三年戊O王(三?)公山利(社?)造瓦大丙梁日	1326
	25	도면 24-1	〃	〃	〃
	26	도면 26-2	〃	〃	〃
공반유물	옹기류, 분청자대접, 평기와 등				

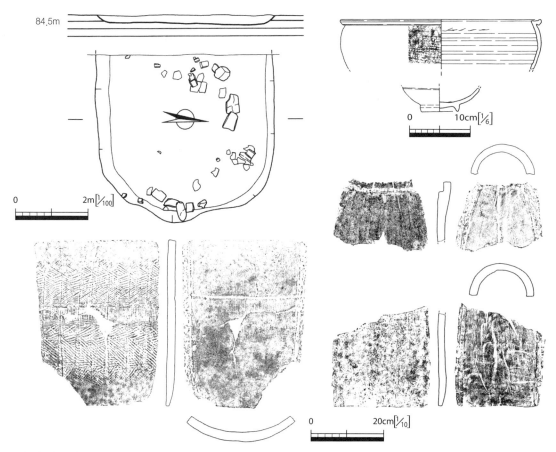

〈 수혈 평 · 단면도 (1:100) 및 공반출토유물 〉

(24) 泰定三年戊○王(三?)公山利(社?)造瓦大丙梁日 銘 암키와

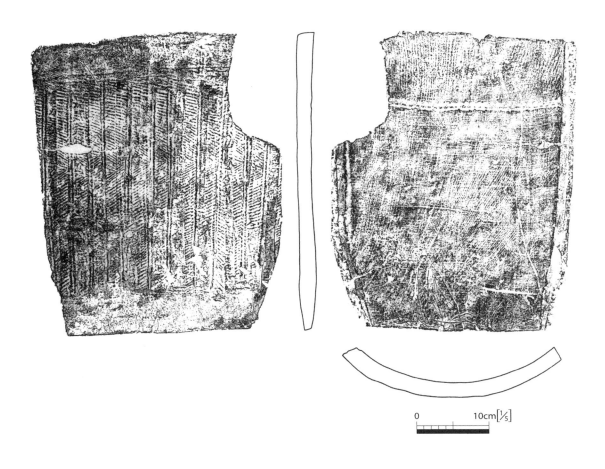

0   10cm[⅕]

명문		연호	연호명 년도	국명(왕)	고려	절대연대
泰定三年戊○王(三?) 公山利(社?)造瓦大丙梁日		泰定	1324~1327	元 (晋宗 2年)	忠肅王 11年	1326

종류	태토	소성도	색조			제원		
			내	외	속심	길이	폭	두께
암키와	세사립이 소량 함유된 점토			청회색		40		2.5

문양 및 제작속성		
외면	내면	측면
종선문+사선문, 상·하단 물손질조정	포목흔, 윤철흔, 점토합흔, 눈테흔, 하단 깎기 후 물손질 조정	와도흔 내측

⒅ 泰定三年戊○王(三?)公山利(社?)造瓦大丙梁日 銘 암키와

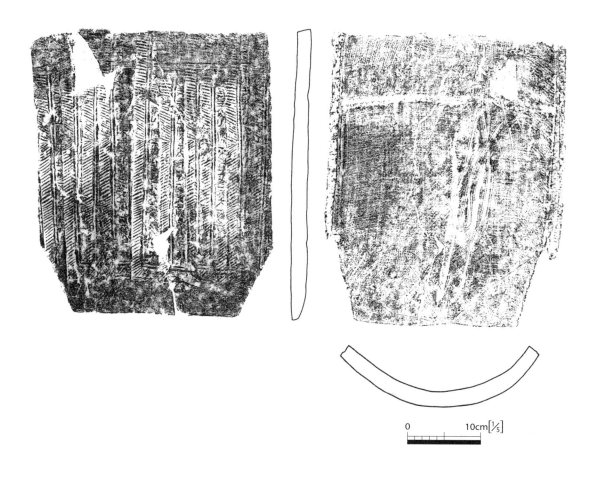

0   10cm[⅕]

명문		연호	연호명 년도	국명(왕)	고려	절대연대
泰定三年戊○王(三?) 公山利(社?)造瓦大丙梁日		泰定	1324~1327	元 (晋宗 2年)	忠肅王 11年	1326

종류	태토	소성도	색조			제원		
			내	외	속심	길이	폭	두께
암키와	세사립과 석립이 함유된 점토			청회색		39		2.2

문양 및 제작속성		
외면	내면	측면
종선문+사선문, 하단 물손질조정	포목흔, 윤철흔, 점토합흔, 눈테흔, 하단 깎기 후 물손질 조정	와도흔 내측

(26) 泰定三年戊〇王(三?)公山利(社?)造瓦大丙梁日 銘 암키와

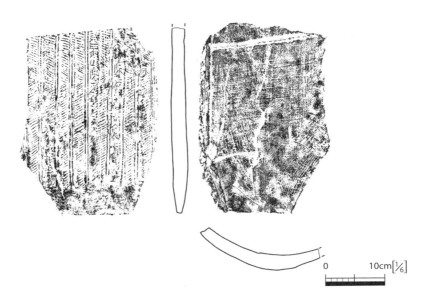

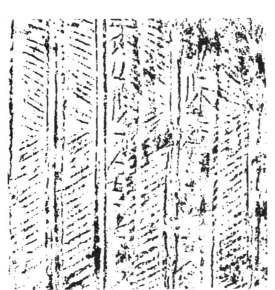

명문		연호	연호명 년도	국명(왕)	고려	절대연대
泰定三年戊〇王(三?) 4公山利(社?)造瓦大丙梁日		泰定	1324~1327	元 (晋宗 2年)	忠肅王 11年	1326

종류	태토	소성도	색조			제원		
			내	외	속심	길이	폭	두께
암키와	사립과 석립이 함유되지 않은 점토			청회색		(29.1)		1.9

문양 및 제작속성		
외면	내면	측면
종선문+사선문, 상·하단 물손질	포목흔, 윤철흔, 점토합흔, 눈테흔, 사절흔, 하단 깎기 후 물손질	와도흔 내측

12) 창녕 술정리 사지 (昌寧 述亭里 寺址)

유적위치	경남 창녕군 창녕읍 술정리 120번지 외				
조사사유	창녕 술정리 동·서삼층석탑 주변정비사업부지 내 문화재 확인조사				
조사연혁	지표조사 : 2002.05.31 ~ 2002.06.08 (동아대학교박물관) 시굴조사 : 2004.10.07 ~ 2004.11.30 (동아문화연구원) 발굴조사 : 2008.10.21 ~ 2009.07.31 (국립가야문화재연구소)				
유적입지	조사대상지역의 북쪽에는 중요민속자료 제10호인 하병수씨 가옥을 비롯한 민가가 형성되어 있으며, 조사대상의 남쪽에는 화왕산에서 발원한 하천이 흐르고 있다. 조사대상지역의 동쪽은 현재 창녕시장이 위치하여 민가와 상점들이 밀집된 상태로 들어서 있다.				
유구현황	통일신라시대	석탑기저부(2)			
	통일신라시대~고려시대	건물지(4), 수혈유구(3), 축대유구(1)			
주요유물	금동풍탁, 수막새 등				
기년유물	「松林寺瓦草/興國十日」銘 암키와(1점) - S10W30 탐색갱 교란층 수습				
	연번	보고서 유물번호	기와 종류	명문내용	연대
	1	106	암키와	松林寺瓦草/興國十日	976~983
시기·성격	동삼층석탑의 서편지역 일부에서 문지로 추정되는 건물지 1동과 계단유구, 일부만 잔존하고 있는 건물지 3동을 확인하였고, 탑 기저부 조사를 통해 탑 축조연대와 관련된 자료를 획득할 수 있었다. 또한 출토유물의 분석과 유구 중복관계 확인을 통해 동삼층석탑과 관련된 사찰의 사역 형성과정을 추정할 수 있었는데, 통일신라시대 8세기 중엽 경의 어느 시점에 탑이 조성되고, 추정 건물지②(8세기 중엽~9세기 전반)→건물지①(9세기 중엽 이후)→ 추정 건물지④(10세기~13세기 초)의 순서로 건물이 조성된 것을 확인할 수 있었다. 또한 추정 건물지④에서 출토된 「松林寺」銘 명문와는 그동안 논란이 되어왔던 탑과 관련된 사찰의 寺銘이 '송림사' 였음을 보여주는 자료이다. 이는 창녕의 탑금당치성문기비에서도 확인할 수 있는 것처럼 8세기~9세기에 이르는 시기 동안 창녕지역에서 많은 불사가 행해졌다는 사실을 확인시켜 준다. 또한 조사를 통해 동·서삼층석탑의 기저부 확인조사를 통해 창녕지역 통일신라시대 삼층석탑 하부구조의 변화양상을 확인할 수 있었다.				
참고문헌	東亞大學校博物館, 2002,『昌寧 述亭里 東三層石塔 精密 地表調査 報告書』. 東亞文化研究院, 2005,『창녕 술정리 동삼층석탑 주변 정비사업부지내 文化遺跡試掘調査 報告書』. 국립가야문화재연구소, 2011,『창녕 술정리사지 동·서삼층석탑 주변지역 발굴조사 보고서』, 학술조사보고 제46집.				

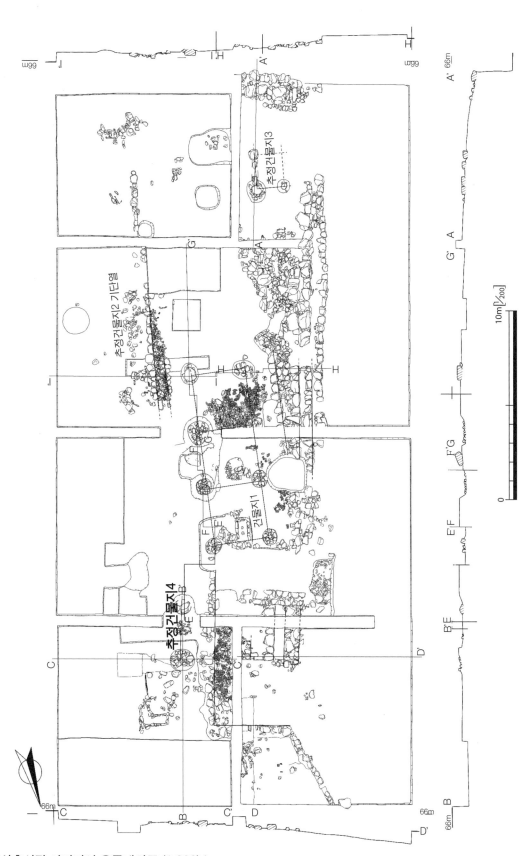

추정건물지3

추정건물지2 기단열

건물지1

추정건물지4

66m

66m

66m

66m

66m

66m

10m 1/200

〈 동삼층석탑 서편지역 유구배치도 (1:200) 〉

(1) 松林寺瓦草/興國十日 銘 암키와

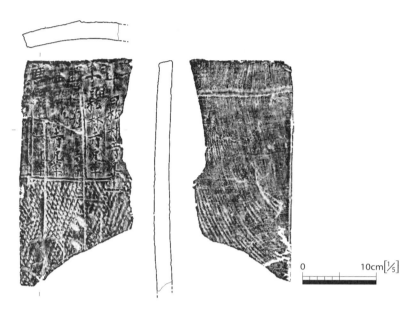

명문	연호	연호명 년도	국명(왕)	고려	절대연대
松林寺瓦草/興國十日	太平興國	976~983	宋 (太宗 1~8年)	景宗 1年~成宗 2年	

종류	태토	소성도	색조			제원		
			내	외	속심	길이	폭	두께
암키와	흰색 세사립이 혼입된 정선된 점토	경질		회청색		(15.3)	(30.1)	2

문양 및 제작속성		
외면	내면	측면
사격자문	포목흔, 윤철흔, 눈테흔, 사절흔	와도흔 내측

12)-1 창녕 술정리 사지 추정건물지 ④

유구성격	간격이 일정하지 않은 3개의 적심시설과 역 'ㄱ' 형의 기단석열, 계단식 석열유구가 확인되었다. 적심의 간격이 일정하지 않고, 거의 바닥층만 확인되는 점으로 볼 때 한 건물의 적심시설이었는지는 명확하지 않다. 적심의 서쪽에서 지붕에서 무너져 내린 것으로 추정되는 기와더미가 소토층에서 확인되는데, 건물지로 추정된다. 기와더미와 소토층을 제거한 후 확인된 기단석열은 비교적 넓적한 자연석을 1단~3단 가량 쌓은 양상으로 확인되었는데, 주위 교란으로 인해 경계가 확인되지 않았다. 기단석열의 남쪽에서 역시 넓적한 자연석을 이용한 4단의 계단상 석열이 확인되었는데, 이 석열 남쪽 끝은 건물 폐기 후에 축조된 담장열과 연결되어있다.
시 기	고려시대

기년유물	「松林寺瓦草/興國十日」銘 암키와(2점), 수키와(1점)				
	연번	보고서 유물번호	기와 종류	명문내용	연대
	2	48	암키와	松林寺瓦草	976~983
	3	54	〃	松林寺瓦草/興國十日	〃
	4	56	수키와	松林寺瓦草	〃
공반유물	명문암키와, 어골문, 승문, 사격자문 평기와, 청자편 등				

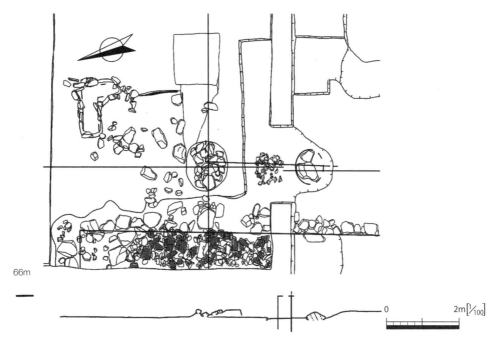

66m

〈 추정건물지 4호 평 · 단면도 (1:100) 〉

(2) 松林寺瓦草 銘 암키와

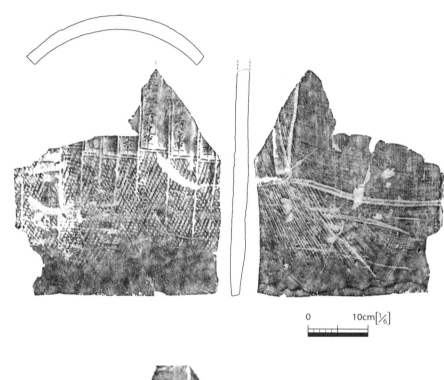

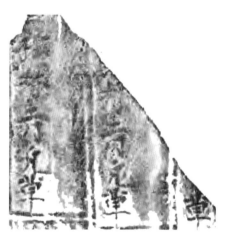

명문	연호	연호명 년도	국명(왕)		고려		절대연대
松林寺瓦草	太平興國	976~983	宋 (太宗 1~8年)		景宗 1年~成宗 2年		

종류	태토	소성도	색조			제원		
			내	외	속심	길이	폭	두께
암키와	세사립이 소량 혼입된 정선된 태토	경질		회갈색	갈색	35.9	29.2	2.2

문양 및 제작속성		
외면	내면	측면
사격자문		

⑶ 松林寺瓦草/興國十日 銘 암키와

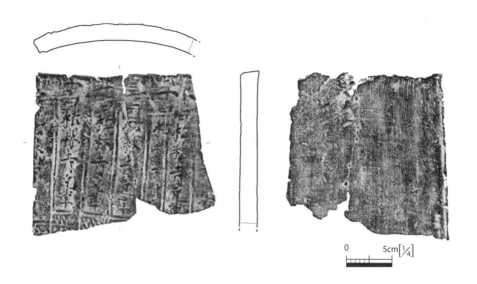

명문	연호	연호명 년도	국명(왕)	고려	절대연대
松林寺瓦草/興國十日	太平興國	976~983	宋 (太宗 1~8年)	景宗 1年~成宗 2年	

종류	태토	소성도	색조			제원		
			내	외	속심	길이	폭	두께
암키와	세사립이 소량 혼입된 정선된 태토	와질		황적색	적색	(16.2)	(17.5)	1.8

문양 및 제작속성		
외면	내면	측면
사격자문	포목흔, 점토합흔, 눈테흔, 사절흔	와도흔 내측

(4) 松林寺瓦草 銘 수키와

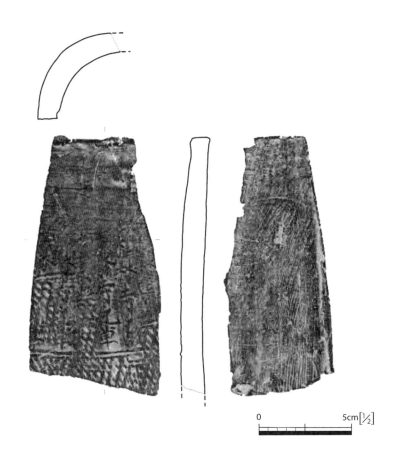

명문	연호	연호명 년도	국명(왕)	고려		절대연대
松林寺瓦草	太平興國	976~983	宋 (太宗 1~8年)	景宗 1年~ 成宗 2年		

종류	태토	소성도	색조			제원		
			내	외	속심	길이	폭	두께
수키와		경질		회청색	회색	(9)	(20.3)	2

문양 및 제작속성		
외면	내면	측면
사격자문	포목흔, 눈테흔, 사절흔	와도흔 내측

〈 추정건물지4 공반출토유물 〉

13) 창원 삼정자동 유적 (昌原 三丁子洞 遺蹟)

유적위치	경상남도 창원시 삼정자동 48번지 일원	
조사사유	창원 성주개발사업지구 내 일부 구역에 대한 구제 발굴조사	
조사연혁	지표조사 : 2005.03 (우리문화재연구원) 발굴조사 : 2006.07.05 ~ 2006.08.03 (우리문화재연구원)	
유적입지	이 일대는 창원시 불모산동과 김해시 장유면 및 진례면의 분수령이 되는 대암산(해발 669.8m)의 남서 사면부로, 내리마을의 배후 골짜기를 따라 좁고 긴 계단식의 밭 경작지로 이루어져 있는 지형의 최상단부(해발 150m)에 해당된다. 또한 주변 사면부는 크고 작은 침식곡으로 이루어져 있으며, 이 일대는 산지에서 지하수가 복류하여 용출하고 있다.	
유구현황	고려시대~조선시대	건물지(1), 적심(1), 석축 및 관련시설
주요유물	도기편, 자기편, 기와편, 명문기와 등	
시기 · 성격	본 유적의 건물지는 내부토에서 출토된 「O申寺」銘文 암키와편과 석축 채움토에서 출토된 「O申寺」銘文 암키와, 「卍」銘文 수막새 등의 명문기와와 塼, 그리고 바로 인접하고 있는 삼정자동마애불 및 주변 일대에 분포하는 성주사, 불모사 등 사찰의 존재 등으로 보아 寺刹 혹은 사찰의 말사 내지 암자 등의 건물지일 가능성이 높다. 이곳의 석축은 건물의 조성 이전에 축조된 것으로 잠정 판단하고 있으며, 유적 바깥 동쪽의 평탄면과 본 유적과 마애불사이의 평탄면 등에 사지 관련 건물지의 일부분이 유존할 가능성이 매우 크다.	
참고문헌	우리문화재연구원, 2005,「창원 성주지구개발사업(잔여공구)구역 내 문화재 지표조사 결과보고서」. 우리문화재연구원, 2008,『창원 성주개발사업지구 내 昌原 三丁子洞 48番地 遺蹟』, 학술조사보고 10책.	

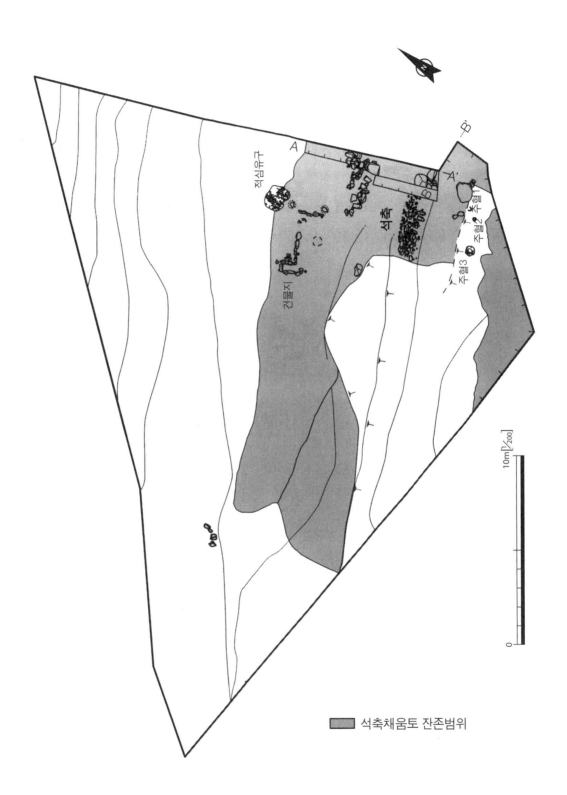

적심유구

건물지

석축

주혈3

주혈2

주혈1

A

A'

B

B'

N

10m 1/200

0

■ 석축채움토 잔존범위

〈 전체유구배치도 (1:200) 〉

13)-1 창원 삼정자동 유적 석축 및 관련시설

유구성격	석축의 축조방법은, 먼저 경사면의 구 지표층을 제거한 다음 풍화암반을 계단상이나 혹은 경사지게 절토하였는데, 부분적으로는 '凹'자 형태로 절토하기도 하였다. 그 다음에 화강암풍화대의 기반층에 갈색사양토를 부분적으로 쌓은 후, 암갈색 식양토를 여러 층 겹겹이 깔았다. 이 층위에서는 양토와 식양토를 호층상으로 쌓기도 하였는데, 전체적으로는 완경사면을 이룬다. 그 상부에는 명갈색 사양토, 등색 양토, 명갈색 식양토, 갈색 양토를 차례로 쌓았다. 표준층위 Ⅳ~Ⅵ층에는 소량의 도기편과 다량의 기와편이 혼입되어 있었다. 석축은 5단으로 높이는 1.75m 정도, 길이는 1.8m 정도로 1열만 확인되었다. 출토유물로는 「太平」銘 암키와 및 수키와가 출토되었는데 「太平」이라는 연호는 고려 성종13년(1021)~현종12년(1030)에 사용된 연호여서, 석축의 초축시기는 적어도 11세기경인 고려시대 전기 이후 어느 시점으로 판단된다.
시 기	고려시대

「太平」銘 암키와(1점), 수키와(1점)

기년유물	연번	보고서 유물번호	기와 종류	명문내용	연대
	1	도면12-3	수키와	太平	1021~1030
	2	도면12-4	암키와	〃	〃

공반유물	도질토기편, 청자편, 백자편, 명문와, 명문 수막새, 돌망치 등

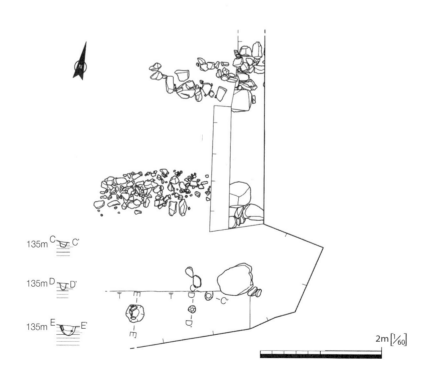

135m C─C'

135m D─D'

135m E─E'

2m [¹⁄₆₀]

〈 석축 및 관련시설 평·단면도 (1:60) 〉

(1) 太平 銘 수키와

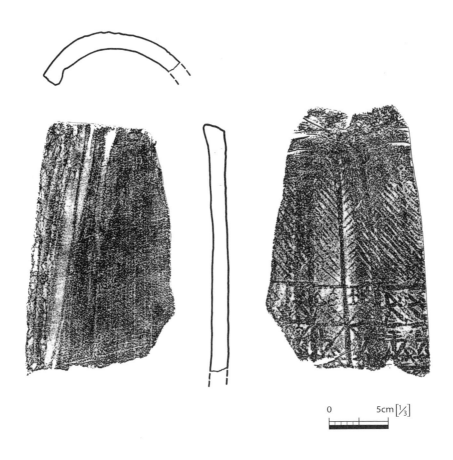

0   5cm [⅓]

명문	연호	연호명 년도	국명(왕)	고려		절대연대
太平	太平	1021~1030	宋 (眞倧 15年~仁宗 9年)	成宗 13年~顯宗 12年		

종류	태토	소성도	색조			제원		
			내	외	속심	길이	폭	두께
수키와	백색 석립 및 세사립이 혼입된 점토	경질		갈색		(19.4)	(11.2)	1.4

문양 및 제작속성		
외면	내면	측면
어골문+격자문, 물손질	포목흔	와도흔 내측 0.7㎝

⑵ 太平 銘 암키와

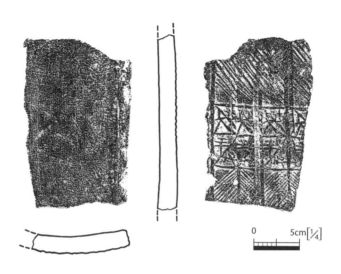

0   5cm[¼]

명문	연호	연호명 년도	국명(왕)		고려	절대연대
太平	太平	1021~1030	宋 (眞倧 15年~仁宗 9年)		成宗 13年~顯宗 12年	
종류	태토	소성도	색조			제원		

종류	태토	소성도	내	외	속심	길이	폭	두께
암키와	백색 석립 및 세사립이 혼입된 점토	경질		갈색		(18.3)	(10.9)	1.8

문양 및 제작속성		
외면	내면	측면
사선문+격자문+세선어골문+사격자문	포목흔, 상단 물손질조정	와도흔 내측 0.6㎝

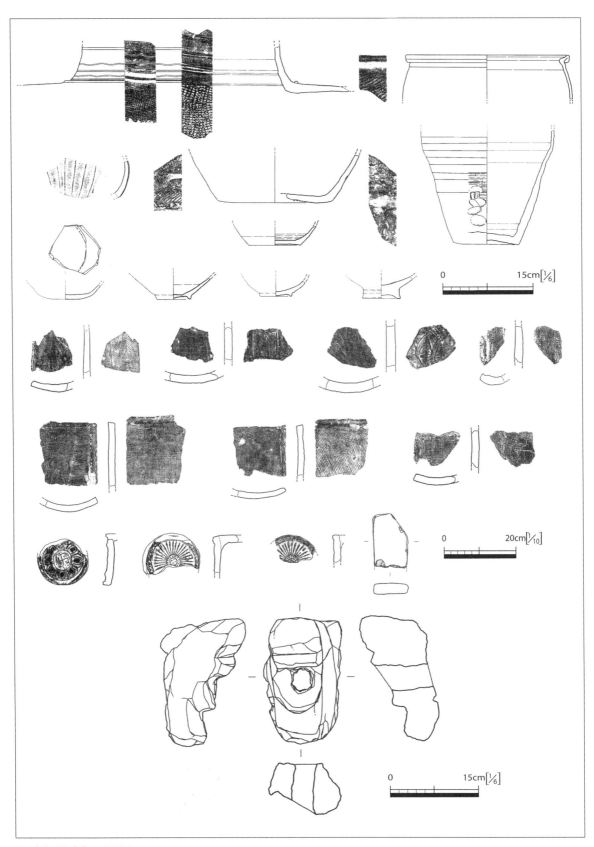

〈 석축 공반출토유물 〉

14) 창원 봉림사지 (昌原 鳳林寺址)

유적위치	경상남도 창원시 봉림동 165번지 등 5필지
조사사유	창원 봉림사지 정비 복원 자료 확보를 위한 유적현황 조사
조사연혁	발굴조사 : 1995 ~ 1998 (1~4차- 국립창원문화재연구소)
유적입지	봉림사지는 창원시의 북편에 위치하고 있는 봉림산의 남서쪽 작은 봉우리의 서편 골짜기에 위치한다. 이 곳은 절터의 입구 쪽에서 능선이 좁아들고 있어 밖에서 안쪽에 보이지 않는 '주머니' 형태의 지형을 이루고, 산 능선이 둘러싸고 있다.

유구현황	나말여초~조선시대	건물지(7), 탑지(1), 배수로(2), 암거시설(1), 연못(1)
주요유물	기와류(귀목문·보상화문막새, 명문와 등), 자기류(청자, 분청사기, 백자), 청동불입상, 금동여래불입상 등	

기념유물

「丙寅年鳳林瓦造」銘 암키와(20점)

연번	보고서 유물번호	기와 종류	명문내용	연대
1	(1차) 81	암키와	丙寅年	906, 966, 1026, 1086, 1146, 1206, 1266, 1326, 1386
2	82	〃	丙寅年	〃
3	83	〃	丙寅	〃
4	85	〃	丙寅	〃
5	86	〃	丙寅年	〃
6	89	〃	丙寅	〃
7	90	〃	丙寅	〃
8	(2차) 181	암키와	丙寅年	〃
9	(3차) 226	암키와	丙寅年鳳林	〃
10	228	〃	丙寅年	〃
11	229	〃	丙寅	〃
12	(4차) 261	암키와	丙寅年鳳林	〃
13	263	〃	丙寅年鳳林	〃
14	264	〃	丙寅年	〃
15	265	〃	丙寅年鳳	〃
16	272	〃	丙寅年	〃
17	273	〃	丙寅	〃
18	279	〃	寅年鳳林	〃
19	282	〃	丙寅	〃
20	283	〃	丙寅年鳳	

시기 · 성격	봉림사지는 眞鏡大師가 개창한 통일신라시대의 대선찰이다. 4차례의 발굴조사를 통하여 조사대상 지역 내에서 확인된 건물지는 그 시기가 나말여초로 추정되나 조선시대의 건물지도 있는 것으로 보인다. 금당지의 초석 주변에서 수습된 금동·청동불 역시 나말여초에 제작된 것으로 추정되고 현재 상북초등학교에 있는 삼층석탑 역시 고려 초의 것으로서, 九山禪門이 활발하게 활동하던 그 시대와 부합함을 엿 볼 수 있다. 특히 발굴조사에서 수습된 「丙寅年鳳林瓦造」의 명문와에서 丙寅年은 A.D 906(신라 효공왕 10년)으로 추정되어 진경대사 입적 이전에 최대로 번창하였음을 추론해볼 수 있다. 그리고 수습된 「普齊寺」란 명문와를 통해 봉림사가 보제사로 개명되어 그 명맥을 유지하였던 것으로 추정되는데, 진경대사의 부도와 탑비가 조선총독부에 의해 1919년 경복궁으로 옮겨진 이후는 완전히 香火가 끊어졌을 것으로 판단된다. 봉림사지에서 수습된 다양한 형식의 내림새와 막새를 통해 통일신라에서 고려시대까지 봉림사의 중창이 여러 번 있었음을 알 수 있다. 또, 봉림사는 산지가람임에도 불구하고 건물지 주변에 많은 배수로와 암거시설들을 설치하여 治水와 관련하여 많은 노력을 들였음을 알 수 있다.
참고문헌	國立昌原文化財研究所, 2000, 『昌原 鳳林寺址』, 學術調査報告書 第10輯.

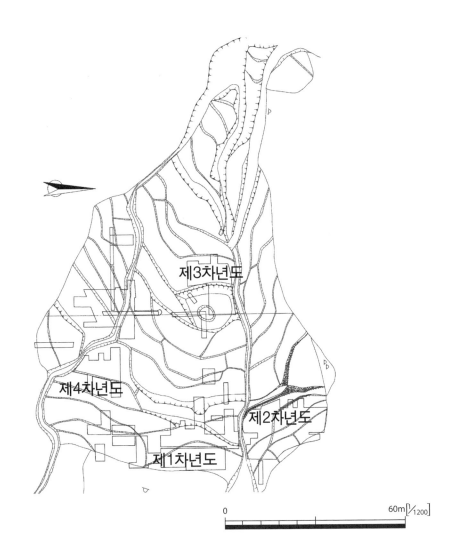

〈 창원봉림사지 지형도 및 탐색도 (1:1,200) 〉

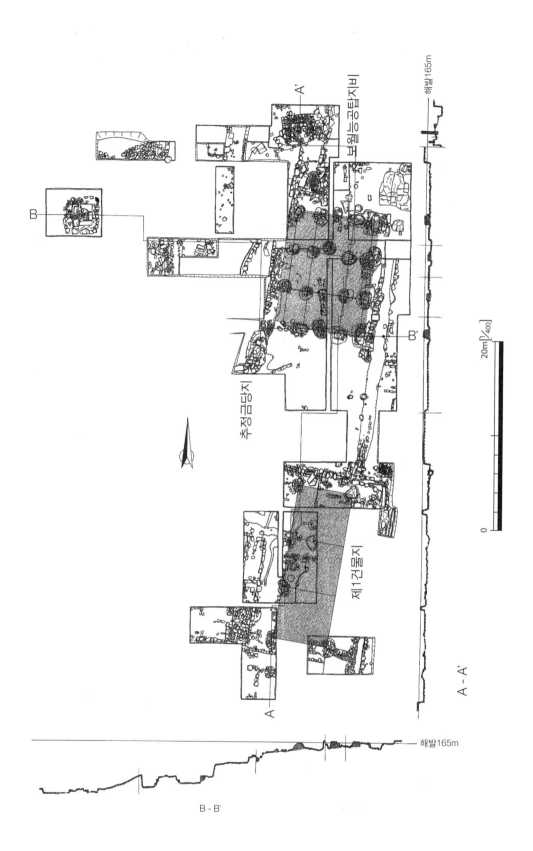

해발165m

A'

보월능금당탑지비

추정금당지

B'

B

제1건물지

A

20m[1/400]

0

A - A'

해발165m

B - B'

〈 제1차년도 발굴조사 전체유구배치도 (1:400) 〉

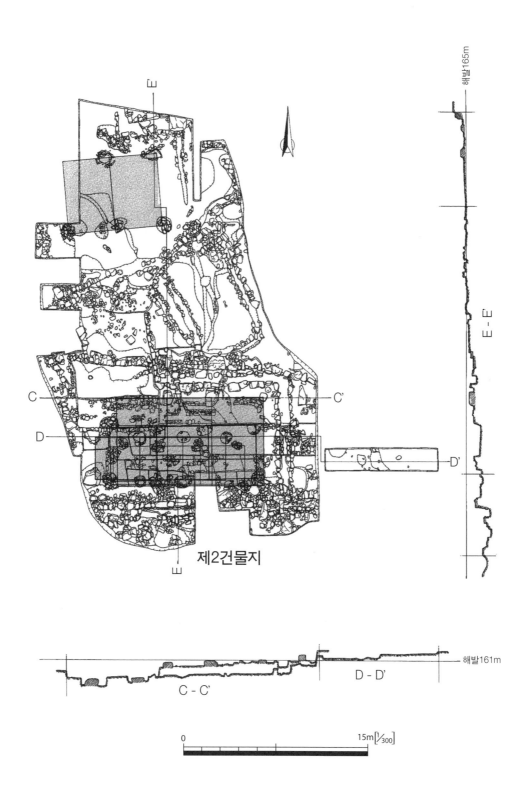

제2건물지

〈 제2차년도 발굴조사 전체유구배치도 (1:300) 〉

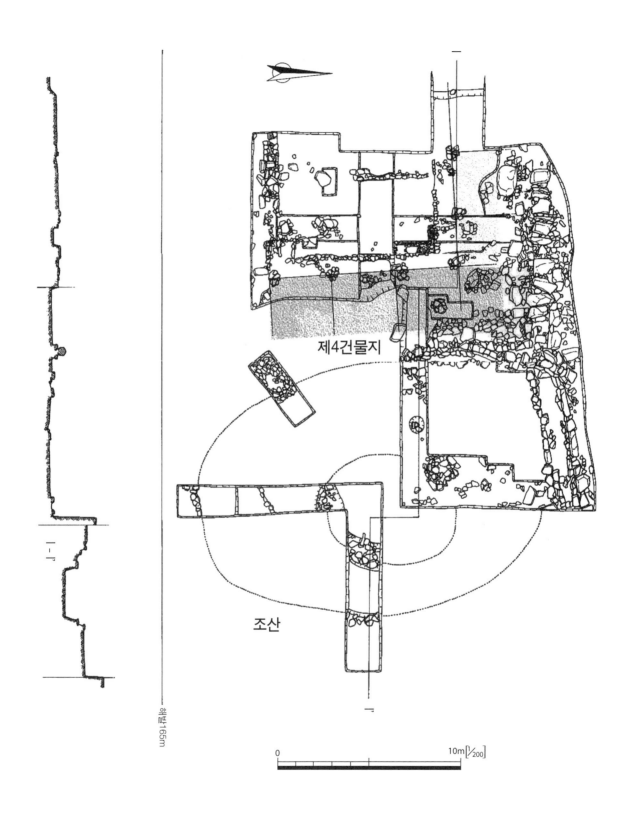

제4건물지

조산

해발166m

0   10m[1/200]

〈 제3차년도 발굴조사 전체유구배치도 (1:200) 〉

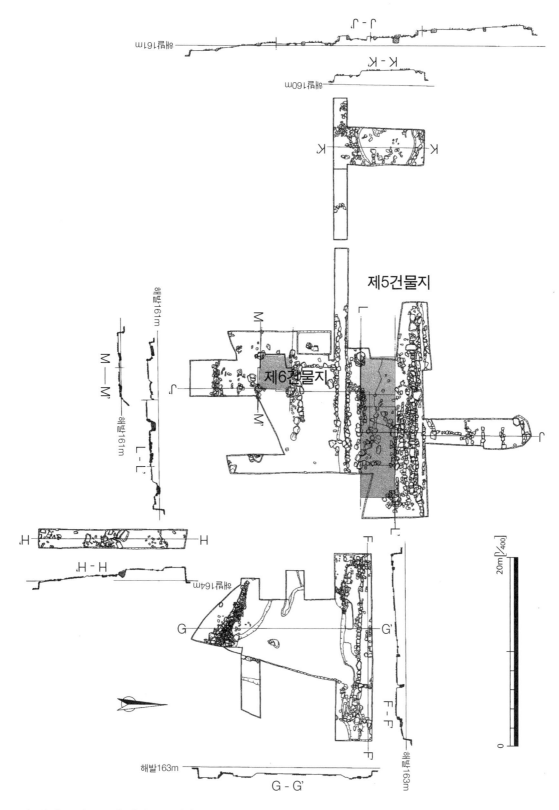

제5건물지

제6건물지

〈 제4차년도 발굴조사 전체유구배치도 (1:400) 〉

(1) 丙寅年 銘 암키와

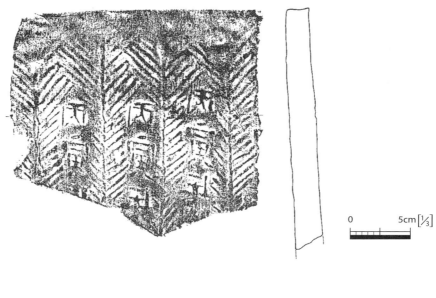

명문	간지명	간지명 년도						추정연대
丙寅年	丙寅	960, 966, 1026, 1086, 1146, 1206, 1266, 1326, 1386						960

종류	태토	소성도	색조			제원		
			내	외	속심	길이	폭	두께
암키와	정선+사립	경질	회백	회청	회청	(19.0)	(20.2)	1.8

문양 및 제작속성		
외면	내면	측면
어골문	눈테흔	와도흔 내측 0.4~1.1cm

⑵ 丙寅年 銘 암키와

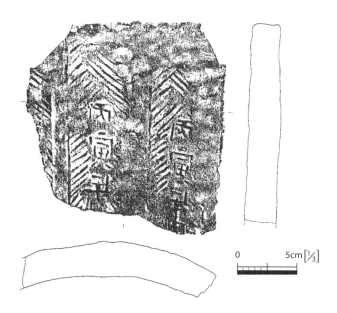

명문	간지명	간지명 년도					추정연대	
丙寅年	丙寅	960, 966, 1026, 1086, 1146, 1206, 1266, 1326, 1386					960	
종류	태토	소성도	색조			제원		
			내	외	속심	길이	폭	두께
암키와	정선+사립	경질	회청	회청	회청	(20.7)	(18.4)	2.6
문양 및 제작속성								
외면		내면			측면			
어골문		눈테흔			와도흔 내측 0.4~1.1㎝			

⑶ 丙寅 銘 암키와

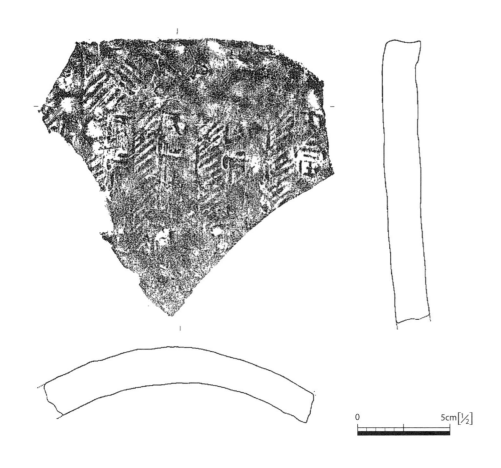

0   5cm[½]

명문	간지명	간지명 년도						추정연대
丙寅	丙寅	960, 966, 1026, 1086, 1146, 1206, 1266, 1326, 1386						960

종류	태토	소성도	색조			제원		
			내	외	속심	길이	폭	두께
암키와	정선+사립	경질	회청	회청	회청	(20.2)	(20.3)	2.4

문양 및 제작속성		
외면	내면	측면
어골문	눈테흔	와도흔 내측 0.4~1.1cm

(4) 丙寅 銘 암키와

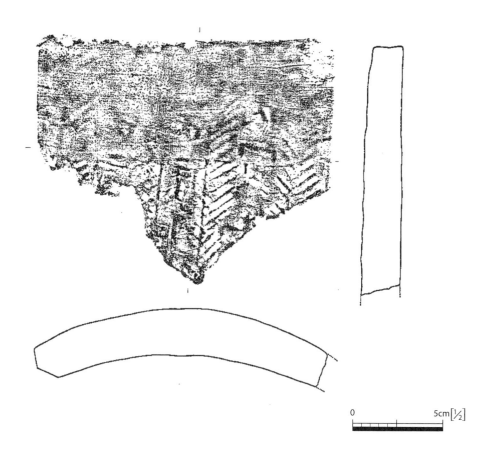

명문	간지명	간지명 년도						추정연대
丙寅	丙寅	960, 966, 1026, 1086, 1146, 1206, 1266, 1326, 1386						960

종류	태토	소성도	색조			제원		
			내	외	속심	길이	폭	두께
암키와	정선+사립	경질	회청	회청	회청	(15.6)	(18.8)	2.2

문양 및 제작속성		
외면	내면	측면
어골문	눈테흔	와도흔 내측 0.4~1.1㎝

⑸ 丙寅年 銘 암키와

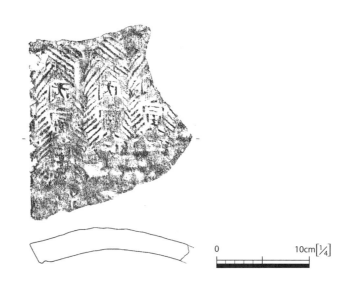

명문	간지명	간지명 년도						추정연대
丙寅年	丙寅	960, 966, 1026, 1086, 1146, 1206, 1266, 1326, 1386						960

종류	태토	소성도	색조			제원		
			내	외	속심	길이	폭	두께
암키와	정선+사립	경질	회청	회청	회청	(21.7)	(17.7)	2.3

문양 및 제작속성		
외면	내면	측면
어골문	눈테흔	와도흔 내측 0.4~1.1㎝

(6) 丙寅 銘 암키와

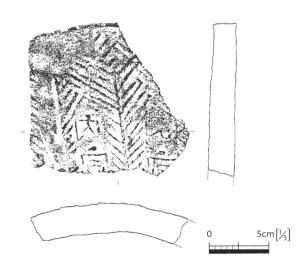

명문	간지명	간지명 년도						추정연대
丙寅	丙寅	960, 966, 1026, 1086, 1146, 1206, 1266, 1326, 1386						960
종류	태토	소성도	색조			제원		
			내	외	속심	길이	폭	두께
암키와	정선+사립	경질	회청	회청	회청	(13.5)	(13.4)	2.3
문양 및 제작속성								
외면		내면			측면			
어골문		눈테흔			와도흔 내측 0.4~1.1㎝			

(7) 丙寅 銘 암키와

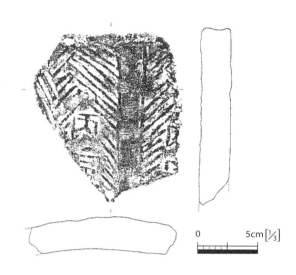

명문	간지명	간지명 년도					추정연대
丙寅	丙寅	960, 966, 1026, 1086, 1146, 1206, 1266, 1326, 1386					960
종류	태토	소성도	색조			제원	
			내	외	속심	길이	폭	두께
암키와	정선+사립	경질	회청	회청	회청	(14.0)	(12.0)	2.1
문양 및 제작속성							
외면		내면		측면			
어골문		눈테흔		와도흔 내측 0.4~1.1㎝			

(8) 丙寅年 銘 암키와

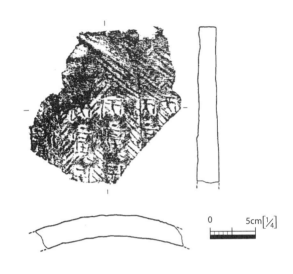

명문	간지명	간지명 년도						추정연대
丙寅年	丙寅	960, 966, 1026, 1086, 1146, 1206, 1266, 1326, 1386						960

종류	태토	소성도	색조			제원		
			내	외	속심	길이	폭	두께
암키와	정선+사립	경질	회청	회청	회청	(16.2)	(16.1)	2.1

문양 및 제작속성		
외면	내면	측면
어골문	포목흔, 눈테흔	와도흔

⑼ 丙寅年鳳林 銘 암키와

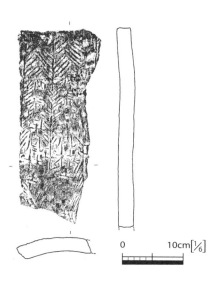

명문	간지명	간지명 년도					추정연대
丙寅年鳳林	丙寅	960, 966, 1026, 1086, 1146, 1206, 1266, 1326, 1386					960
종류	태토	소성도	색조			제원	
			내	외	속심	길이	폭	두께
암키와	정선+사립	경질	회청	회청	회청	(33.4)	(15.3)	2.0
문양 및 제작속성							
외면		내면			측면		
수지문		포목흔			와도흔		

(10) 丙寅年 銘 암키와

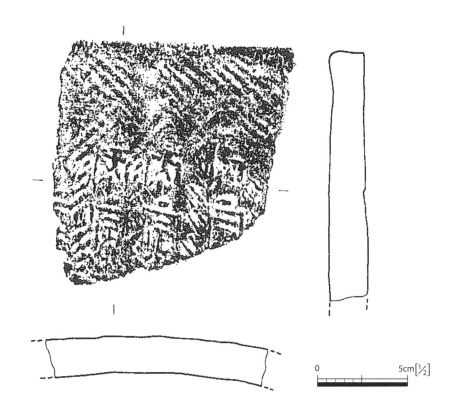

명문	간지명	간지명 년도						추정연대
丙寅年	丙寅	960, 966, 1026, 1086, 1146, 1206, 1266, 1326, 1386						960

종류	태토	소성도	색조			제원		
			내	외	속심	길이	폭	두께
암키와	정선+사립	경질	회청	회청	회청	(16.6)	(17.1)	2.1

문양 및 제작속성		
외면	내면	측면
수지문	포목흔	와도흔

(11) 丙寅銘 암키와

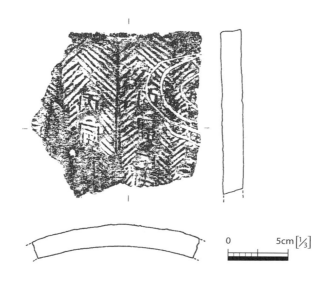

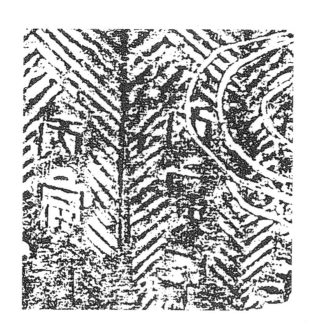

명문	간지명	간지명 년도					추정연대	
丙寅	丙寅	960, 966, 1026, 1086, 1146, 1206, 1266, 1326, 1386					960	
종류	태토	소성도	색조			제원		
			내	외	속심	길이	폭	두께
암키와	정선+사립	경질	회청	회청	회청	(13.7)	(12.6)	2.0
문양 및 제작속성								
외면		내면			측면			
수지문		포목흔			와도흔			

(12) 丙寅年鳳林 銘 암키와

명문	간지명	간지명 년도					추정연대	
丙寅年鳳林	丙寅	960, 966, 1026, 1086, 1146, 1206, 1266, 1326, 1386					960	
종류	태토	소성도	색조			제원		
			내	외	속심	길이	폭	두께
암키와	정선+사립	경질	회청	회청	회청	(23.5)	(21.4)	2.9
문양 및 제작속성								
외면		내면			측면			
수지문		포목흔, 물손질			와도흔 내측 0.2~0.9㎝			

(13) 丙寅年鳳林 銘 암키와

명문	간지명	간지명 년도					추정연대
丙寅年鳳林	丙寅	960, 966, 1026, 1086, 1146, 1206, 1266, 1326, 1386					960
종류	태토	소성도	색조			제원	
			내	외	속심	길이	폭	두께
암키와	정선+사립	경질	회청	회청	회청	(26.8)	(17.3)	2.2
문양 및 제작속성							
외면		내면			측면		
수지문		포목흔, 물손질			와도흔 내측 0.2~0.9㎝		

(14) 丙寅年 銘 암키와

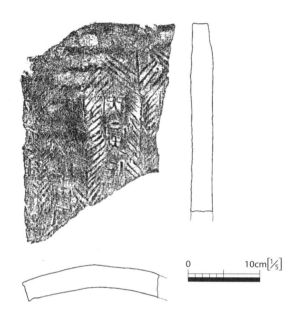

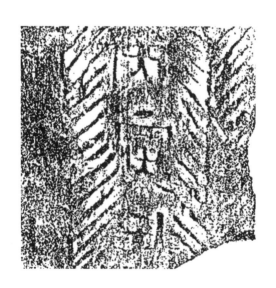

명문	간지명	간지명 년도						추정연대
丙寅年	丙寅	960, 966, 1026, 1086, 1146, 1206, 1266, 1326, 1386						960

종류	태토	소성도	색조			제원		
			내	외	속심	길이	폭	두께
암키와	정선+사립	경질	회청	회청	회청	(23.6)	(15.3)	2.4

문양 및 제작속성		
외면	내면	측면
수지문	포목흔, 물손질	와도흔 내측 0.2~0.9㎝

(15) 丙寅年鳳 銘 암키와

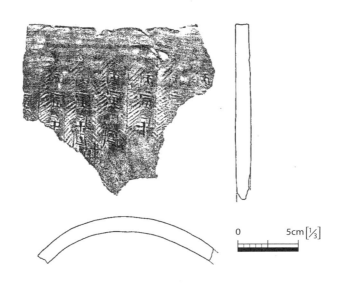

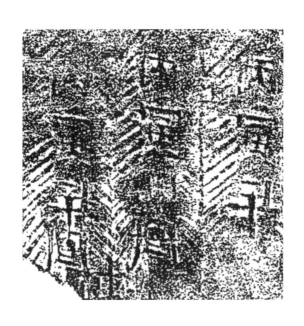

명문	간지명	간지명 년도						추정연대
丙寅年鳳	丙寅	960, 966, 1026, 1086, 1146, 1206, 1266, 1326, 1386						960
종류	태토	소성도	색조			제원		
			내	외	속심	길이	폭	두께
암키와	정선+사립	경질	회청	회청	회청	(28.1)	(28.5)	2.4
문양 및 제작속성								
외면		내면			측면			
수지문		포목흔, 물손질			와도흔 내측 0.2~0.9㎝			

(16) 丙寅年 銘 암키와

명문	간지명	간지명 년도						추정연대
丙寅年	丙寅	960, 966, 1026, 1086, 1146, 1206, 1266, 1326, 1386						960
종류	태토	소성도	색조			제원		
			내	외	속심	길이	폭	두께
암키와	정선+사립	경질	회청	회청	회청	(13.2)	(12.8)	2.5
문양 및 제작속성								
외면		내면			측면			
수지문		포목흔, 물손질			와도흔 내측 0.2~0.9㎝			

(17) 丙寅 銘 암키와

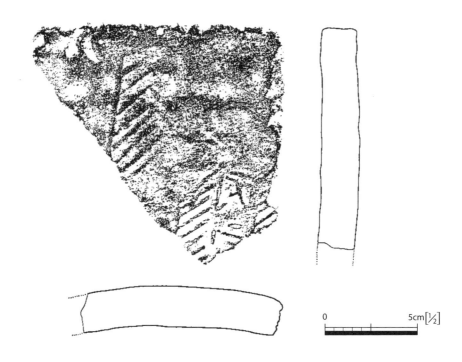

명문	간지명	간지명 년도					추정연대
丙寅	丙寅	960, 966, 1026, 1086, 1146, 1206, 1266, 1326, 1386					960

종류	태토	소성도	색조			제원		
			내	외	속심	길이	폭	두께
암키와	정선+사립	경질	회청	회청	회청	(13.0)	(13.3)	2.2

문양 및 제작속성		
외면	내면	측면
수지문	포목흔, 물손질	와도흔 내측 0.2~0.9㎝

(18) 寅年鳳林 銘 암키와

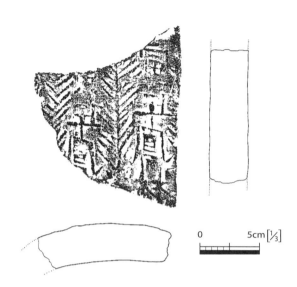

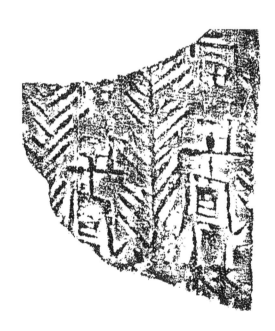

명문	간지명	간지명 년도					추정연대	
寅年鳳林	丙寅	960, 966, 1026, 1086, 1146, 1206, 1266, 1326, 1386					960	
종류	태토	소성도	색조			제원		
			내	외	속심	길이	폭	두께
암키와	정선+사립	경질	회청	회청	회청	(14.2)	(11.6)	2.8
문양 및 제작속성								
외면		내면			측면			
수지문		포목흔, 물손질			와도흔 내측 0.2~0.9㎝			

(19) 丙寅 銘 암키와

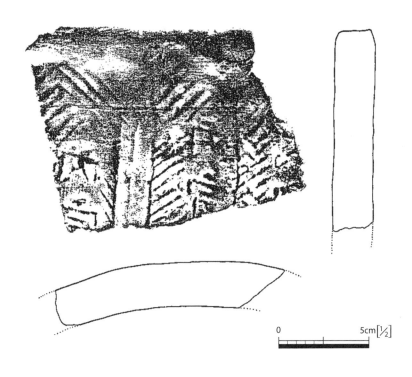

명문	간지명	간지명 년도					추정연대
丙寅	丙寅	960, 966, 1026, 1086, 1146, 1206, 1266, 1326, 1386					960

종류	태토	소성도	색조			제원		
			내	외	속심	길이	폭	두께
암키와	정선+사립	경질	회청	회청	회청	(11.6)	(13.1)	1.8

문양 및 제작속성		
외면	내면	측면
수지문	포목흔, 물손질	와도흔 내측 0.2~0.9㎝

(20) 丙寅年鳳 銘 암키와

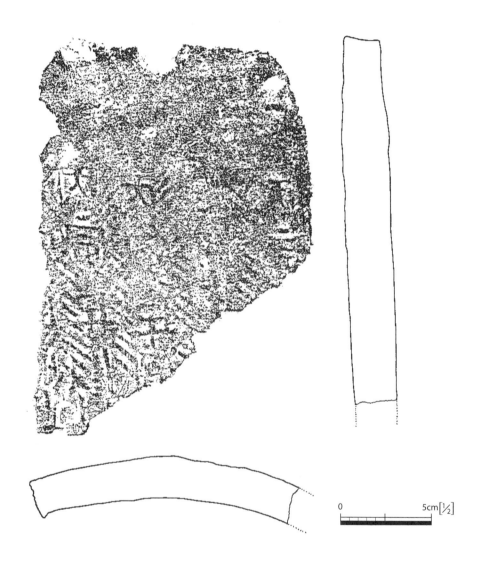

명문	간지명	간지명 년도						추정연대
丙寅年鳳	丙寅	960, 966, 1026, 1086, 1146, 1206, 1266, 1326, 1386						960
종류	태토	소성도	색조			제원		
			내	외	속심	길이	폭	두께
암키와	정선+사립	경질	회청	회청	회청	(21.4)	(15.1)	2.3
문양 및 제작속성								
외면		내면			측면			
수지문		포목흔, 물손질			와도흔 내측 0.2~0.9㎝			

15) 합천 백암리 사지 (陜川 白岩里 寺址)

유적위치	경상남도 합천군 대양면 백암리 90-2, 90-4, 105번지 일원
조사사유	합천 백암리 석등 주변 정비사업부지내 유적현황 조사
조사연혁	발굴조사 : 2005.11.02 ~ 2006.04.04 (1차-경남문화재연구원) 2008.01.03 ~ 2008.05.23 (2차-경남문화재연구원)
유적입지	조사지역 일원은 무월봉, 태백산에서 뻗어 내린 산맥이 대부분을 차지하고 있으며 그 구릉 사이에 곡부가 형성되어 있다. 이 곡부는 대부분 남쪽으로 형성되어 현재 민가는 해발 300m 내외에 형성된 곡부의 상부 또는 말단부에 위치하고 있으며 그 주변 지역은 퇴적에 의해 대지가 형성되어 대부분 계단식 경작지로 이용되고 있다. 그리고 조사대상지역 북쪽으로는 일제강점기에 쌓은 제방 두 곳이 위치하며, 동쪽으로는 소하천이 형성되어 있다.

유구현황	통일신라시대	부전시설(1)
	고려시대	건물지(4), 담장(2), 축대(2), 배수로(5), 추정건물지(1)
	조선시대	건물지(1)

주요유물	도기편, 자기편, 기와편, 사리기 및 금동불상 등

기년유물	「甲辰三月」銘 암키와(1점) - 2차 조사 지표에서 수습됨				
	연번	보고서 유물번호	기와 종류	명문 내용	연대
	1	32	암키와	甲辰三月	944, 1004, 1064, 1124, 1184, 1244, 1304, 1364

시기·성격	발굴 결과 확인된 유구는 대부분 고려시대의 것들이나 애초의 기대와는 달리 온돌시설 등이 있는 승방 및 요사채, 수 동의 건물지 및 축대·담장·배수로 등이 조사되었고, 금당·석탑 등 사역의 중심부분은 확인되지 않았다. 그러나 유물로는 금동불 입상을 비롯해 사리구·팔각대좌·기와류·자기류 및 전돌 등이 출토되어 이 지역이 寺址였던 사실을 잘 알 수 있다. 　백암리 폐사지의 존속기간은 출토유물로 보아 적어도 통일신라시대 후반(8-9세기)~조선시대였음을 알 수 있다. 그러나 통일신라시대 유구와 고려시대 유구와의 구조적 연속성이 불확실하다. 즉 통일신라시대 건물의 부재로 보이는 정밀하게 가공된 장대석, 기단면석, 초석 등의 석재가 주변에 노출되어 있으나, 고려시대 유구에서는 동일한 석재가 보이지 않고, 통일신라시대 문화층 전면에 다량의 소토와 목탄이 확인되어 통일신라시대에 화재에 의해 소실되고, 고려시대에 대규모의 중창이 있었던 것으로 추정된다.

참고문헌	慶南文化財研究院, 2009,『陜川 百岩里 廢寺址』, 學術調査研究叢書 第79輯.

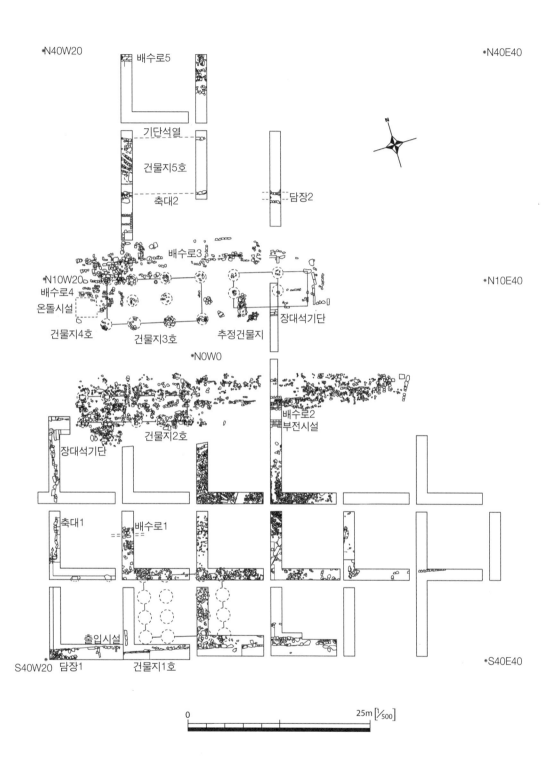

〈 1 · 2차 발굴지역 유구배치도 (1:500) 〉

(1) 甲辰三月 銘 암키와

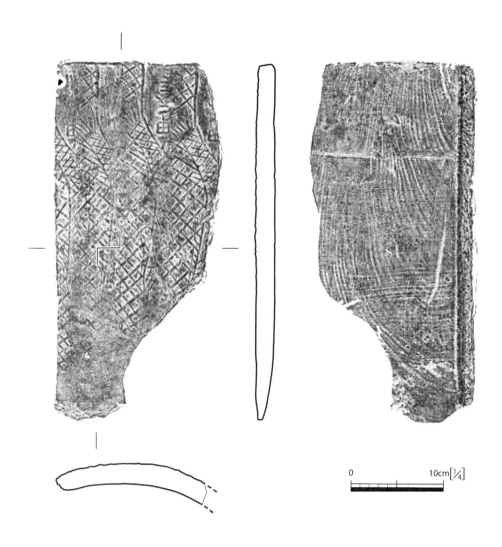

명문	간지명		간지명 년도				추정연대	
甲辰三月	甲辰		944, 1004, 1064, 1124, 1184, 1244, 1304, 1364				1004, 1064	

종류	태토		소성도	색조			제원		
				내	외	속심	길이	폭	두께
암키와			경질		회청색		37.5	(16.6)	2.1

문양 및 제작속성		
외면	내면	측면
사격자문+어골문	포목흔, 사절흔, 연절흔, 상단 물손질조정, 하단 깎기 후 물손질조정	와도흔 내측

16) 합천 영암사지 (陜川 靈巖寺址)

유적위치	경상남도 합천군 가회면 둔내리 산 1654번지 외 3필지				
조사사유	복원 정비를 위한 학술 발굴조사				
조사연혁	발굴조사 : 1984.09.26 ~ 1984.11.21 (1차-동아대학교박물관) 1999.07.20 ~ 1999.10.18 (2차-동아대학교박물관) 2002.08.08 ~ 2002.10.31 (3차-동아대학교박물관) 2009.01.09 ~ 2009.03.09 (4차-경상문화재연구원) 2011.08.22 ~ 2011.08.29 (5차-경상문화재연구원)				
유적입지	조사지역이 위치한 가회면의 북서쪽에는 덕유산의 본맥인 黃梅山(1,108m)의 험준한 산릉이 종횡으로 뻗어 있고 이외에도 三峰(843m), 傅岩山(696m)를 비롯한 높은 산지가 펼쳐져있다. 영암사지는 황매산의 남쪽 기슭에 위치한 산지가람으로 서쪽으로는 모산재(767m)가 주위를 둘러싸고 있다.				
유구현황	간지명 수막새가 출토된 4차 발굴조사(경상문화재연구원, 2011)의 유구현황				
	고려시대~조선시대	건물지(7), 초석 및 적심(4), 석축(4), 계단시설 및 보도시설(4), 제사유구(2), 수혈 및 기와유구(5)			
	조선시대	집수시설(1), 아궁이시설 및 소성유구(5)			
주요유물	명문막새, 명문기와, 정형청자편, 해무리굽 청자편 등				
기년유물	「丁酉年造」銘 암막새(1점) - 지표수습				
	연번	보고서 유물번호	기와 종류	명문내용	연대
	1	18	수막새	丁, 造	937, 997, 1057, 1117, 1177, 1237, 1297, 1357
시기·성격	영암사지에서는 통일신라시대에서 조선시대에 이르는 막새·기와, 청자·분청사기·백자 등이 출토되었다. 건물지의 중복과 후대교란 등으로 인해 당시의 생활면에서 출토된 유물은 소량이었지만 막새나 기와는 건물이 사용되었을 때 만들어진 것으로 판단된다. 이로 보아 영암사지에는 통일신라시대부터 조선시대까지의 오랜 기간 동안 가람이 존속되었음을 알 수 있다. 출토유물 중 「司膳」銘 분청사기는 영암사의 폐사시기에 대한 단서가 된다. 최근 조사된 합천 장대리 도요지유적의 발굴조사 결과, 이 주변이 長興庫였음이 증명되었는데 장대리 도요지에서 출토된 분청사기의 기종과 문양구성이 영암사지 출토 분청사기와 유사하다. 이로 보아 영암사 출토 분청사기는 장흥고에서 공급되었을 가능성이 높으므로 조선전기까지는 영암사가 존속했음을 알 수 있다. 하지만 『擇里志』, 『嶠南誌』 등의 지리지나 19세기 제작된 조선시대 지방지도에서 영암사의 기록이 확인되지 않는 것으로 보아 영암사는 택리지가 제작되기 전에 이미 폐사되었을 것으로 추정된다.				
참고문헌	동아대학교박물관, 1985, 『陜川 靈巖寺址 I』. 동아대학교박물관, 2005, 『陜川 靈巖寺址 II』. 경상문화재연구원, 2011, 『陜川 靈巖寺址』 發掘調査報告書 第2册. 경상문화재연구원, 2013, 『陜川 靈巖寺址 II』 發掘調査報告書 第28册.				

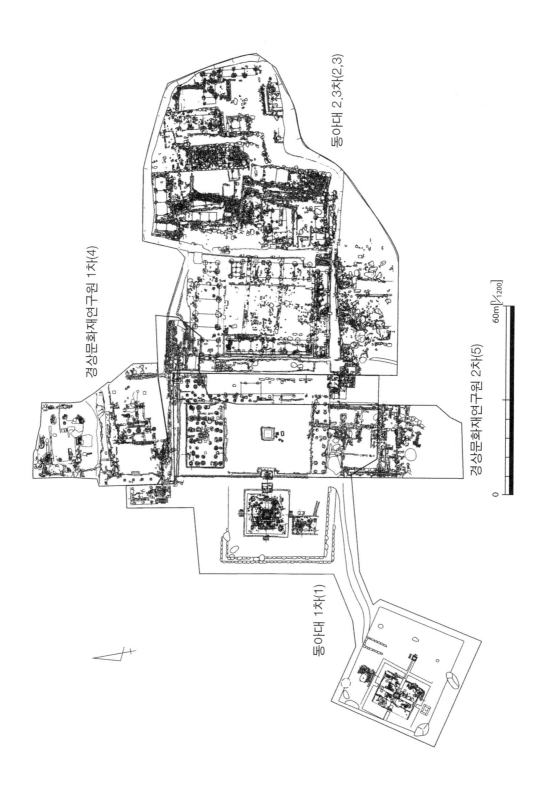

동아대 2.3차(2,3)

경상문화재연구원 1차(4)

경상문화재연구원 2차(5)

60m $\frac{1}{1200}$

0

동아대 1차(1)

〈 조사구역 현황도 (1:1,200) 〉

A구역

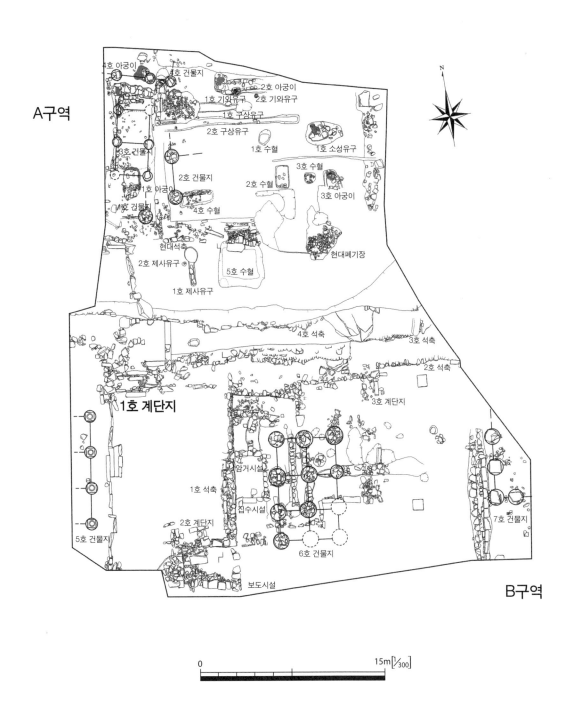

4호 아궁이
1호 건물지
2호 아궁이
1호 기와유구
2호 기와유구
1호 구상유구
2호 구상유구
1호 수혈
1호 소성유구
3호 건물지
3호 수혈
1호 아궁이
2호 건물지
2호 수혈
4호 수혈
3호 아궁이
1호 건물지
현대석축
2호 제사유구
5호 수혈
현대폐기장
1호 제사유구

4호 석축
3호 석축
2호 석축
1호 계단지
3호 계단지
암거시설
1호 석축
집수시설
7호 건물지
5호 건물지
2호 계단지
6호 건물지
보도시설

B구역

0   15m [1/300]

〈 4차 발굴조사지역 유구배치도 (1:300) 〉

(1) 丁, 造 銘 수막새

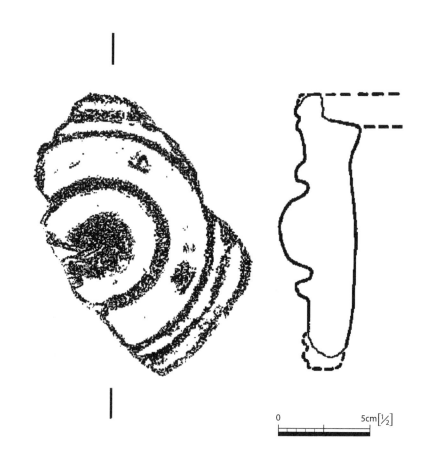

명문	간지명	간지명 년도						추정연대
丁, 造	丁酉	937, 997, 1057, 1117, 1177, 1237, 1297, 1357						1297, 1357
종류	태토	소성도	색조			제원		
			내	외	속심	길이	폭	두께
수막새	사립이 포함된 점토	와질				드림새 (13.8)	귀목문 5	1.8
문양 및 제작속성								
외면			내면			측면		
명문외곽에 2조의 원권으로 주연부 성형								

16)-1 합천 영암사지 B구역 1호 계단지

유구성격	1호 계단지는 5호 건물지 기단에 덧대어 석축을 조성한 후 계단을 만들었는데, 170×40×25㎝ 정도의 장대석을 사용하였고 후대삭평에 의해 현재는 4단만이 잔존해 있다.				
시 기	고려시대~조선시대				
기년유물	「丁酉年造」銘 수막새(2점)				
	연번	보고서 유물번호	기와 종류	명문내용	연대
	2	16	수막새	丁酉年造	937, 997, 1057, 1117, 1177, 1237, 1297, 1357
	3	17	〃	年	〃
공반유물	상감청자편, 분청자기편 등				

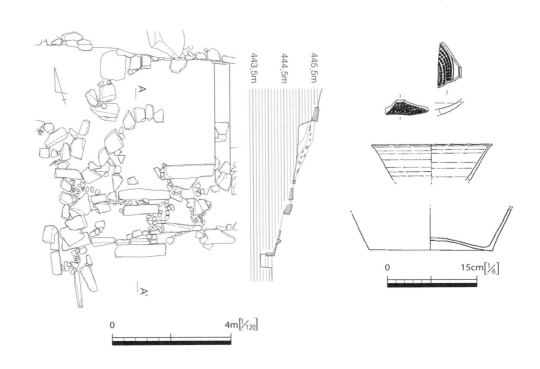

〈 B구역 1호 계단지 평 · 단면도 (1:120) 및 공반출토유물 〉

⑵ 丁酉年造 銘 수막새

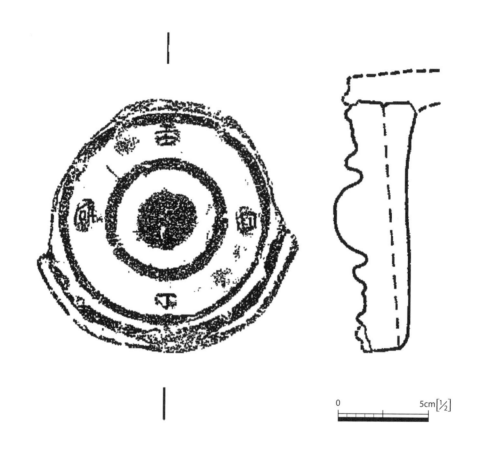

0   5cm[½]

명문	간지명	간지명 년도						추정연대
丁酉年造	丁酉	937, 997, 1057, 1117, 1177, 1237, 1297, 1357						1297, 1357
종류	태토	소성도	색조			제원		
			내	외	속심	길이	폭	두께
수막새	사립이 포함된 점토	와질				드림새 (13)	귀목문 4.2	2
문양 및 제작속성								
외면		내면			측면			
귀목문 주위로 명문 양각								

(3) 年銘 수막새

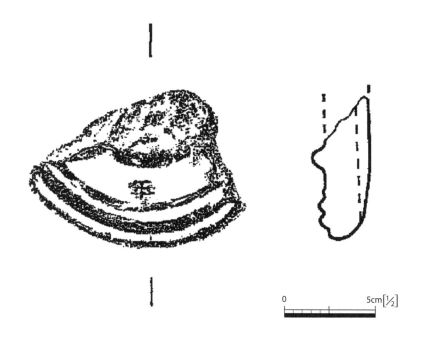

명문	간지명	간지명 년도						추정연대
年	丁酉	937, 997, 1057, 1117, 1177, 1237, 1297, 1357						1297, 1357
종류	태토	소성도	색조			제원		
			내	외	속심	길이	폭	두께
수막새	사립이 포함된 점토	와질				드림새 (7.5)		2
문양 및 제작속성								
외면		내면			측면			

IV. 기타 역연대 유물

발굴조사 출토 기년명 유물

1) 자기

	시기	국명	기년명	출토유적	지역	비고
1332	충숙왕 복립 2년	고려	壬申	김해 덕산리사지	경상도	바닥 일부만 잔존. 운학(雲鶴)흑백상감.
1332	충숙왕 복립 2년	고려	壬申	동래 고읍성지	경상도	상감청자접시

2) 동전

동전명	초주년	왕	나라	출토유적	유구성격
貨泉	14	王莽	新	청주 율량동	분묘
五銖錢	119	安帝	漢	청주 봉명동	분묘
開元通寶	621	高祖	唐	경기도-오산 가장동, 화성 와우리, 화성 분천리, 평택 용이동, 파주 서곡리 고려 벽화묘, 안성 도기동	분묘
				경기도-화성 반송리 행장골	분묘
				인천-강화 창후리	
				충청도-충주 본리 · 영평리 · 완오리, 연기 갈운리, 청주 율량동, 서천 추동리, 천안 남산리 고려묘, 청주 봉명동,	분묘
				경상도-산청 평촌리, 부산 노포동, 대구 상동(수혈 1점), 성주 장학리, 안동 성곡동, 경주 물천리 고려묘, 구미 봉산리(건물지 1점)	분묘, 수혈 및 건물지
淳化元寶 淳化通寶	990	太宗	北宋	경기도-오산 가장동, 평택 용이동	분묘
周元通寶	955	世宗	後周 (5대 10국)	경기도-오산 가장동	분묘
太平通寶	976	太宗	北宋	경기도-평택 용이동	분묘
				인천-강화 창후리	
				충청도-오소 학소리 · 장대리, 천안 남산리 고려묘, 청주 봉명동	분묘
				경상도-산청 평촌리	분묘
至道元寶	995	太宗	北宋	경기도-오산 가장동, 화성 분천리, 파주 서곡리	분묘
				충청도-천안 남산리 고려묘,	분묘
				경상도-산천 평촌리	분묘
乾元重寶	996	成宗	高麗	경기도-오산 가장동, 화성 분천리	분묘
				충청도-청주 봉명동	분묘

咸平元寶	998	眞宗	北宋	경기도-오산 가장동, 화성 분천리, 안산 대부도 육곡 고려고분, 파주 서곡리 고려 벽화묘	분묘
				강원도-영월 삼옥리	분묘
				충청도-오창 학소리 장대리, 청주 봉명동	
				전라도-광주읍성	건물지 주변
				경상도-남해 관당 성지, 경주 물천리 고려묘	건물지
景德元寶	1004	眞宗	北宋	경기도-오산 가장동, 평택 용이동	분묘
				강원도-영월 삼옥리	분묘
				충청도-청주 율량동, 천안 남산리 고려묘, 청주 봉명동	분묘
				경상도-울산 교동, 경주 물천리 고려묘	분묘
祥符元寶	1008	眞宗	北宋	경기도-의왕 오전동, 오산 외삼미동, 오산 가장동, 화성 와우리, 화성 분천리, 평택 용이동, 안산 대부도 육곡 고려고분	분묘
				충청도-충주 수룡리 원모롱이, 청주 율량동, 오창 학소리 장대리, 공주 금학동 고분, 서천 추동리 유적, 천안 남산리 고려묘, 청주 봉명동	분묘
				경상도-울산 복산동 손골, 경주 물천리 고려묘	분묘
天禧通寶	1017	眞宗	北宋	경기도-오산 가장동, 화성 분천리, 평택 용이동, 안산 대부도 육곡 고려고분, 파주 서곡리 고려 벽화묘	분묘
				인천-강화 대산리 유적, 강화 창후리	성격불명
				강원도-영월 삼옥리	분묘
				충청도-청주 율량동, 천안 남산리 고려묘, 아산 수철리고분, 청주 봉명동	분묘
				전라도-광주읍성	관방
				경상도-울산 복산동 손골, 경주 물천리 고려묘	분묘
天聖元寶	1023	仁宗	北宋	경기도-오산 가장동, 화성 분천리, 평택 용이동, 안성 도기동 유적	분묘
				인천-강화 창후리	
				강원도-영월 삼옥리	분묘
				충청도-청주 율량동, 홍성 신경리, 천안 남산리 고려묘, 청주 봉명동	분묘
				경상도-경주 물천리 고려묘, 서삼동 벽화고분	분묘
明道元寶	1032	仁宗	北宋	경상도-서삼동 벽화고분	
景祐通寶	1034	仁宗	北宋	경기도-평택 용이동,	분묘
				경상도-산청 평촌리, 경주 물천리 고려묘, 서삼동 벽화고분	분묘
皇宋通寶	1039	仁宗	北宋	경기도-오산 가장동, 화성 분천리, 평택 용이동, 안산 대부도 육곡 고려고분, 파주 서곡리 고려벽화묘, 안성 도기동	분묘
				강원도-영월 삼옥리	분묘
				충청도-충주 수룡리 원모롱이, 청주 율량동, 아산 장재리(건물지 1점), 공주 금학동, 천안 남산리 고려묘, 청주 봉명동, 태안 마도선	분묘 및 건물지
				경상도-산청 평촌리, 울산 복산동 손골, 경주 물천리 고려묘, 서삼동 벽화고분	분묘
至和元寶	1054	仁宗	北宋	경기도-오산 가장동, 화성 분천리, 평택 용이동, 파주 서곡리 고려벽화묘	분묘
				강원도-영월 삼옥리	분묘
				충청도-청주 율량동	분묘
嘉祐通寶	1056	仁宗	北宋	경상도-서삼동 벽화고분	분묘
治平元寶	1064	英宗	北宋	경기도-오산 가장동, 화성 분천리, 평택 용이동, 파주 서곡리 고려벽화묘	분묘
				충청도-청주 율량동 유적, 청주 봉명동 유적, 청주 율량동, 천안 남산리 고려묘	분묘
				경상도-산청 평촌리, 안동 성곡동 고분, 경주 물천동 고려묘	분묘

				경기도-오산 가장동, 화성 분천리, 평택 용이동, 안성 칠곡리(건물지 1점)	분묘 및 건물지
熙寧重寶	1068	神宗	北宋	인천-강화 창후리	
				충청동-청주 율량동, 공주 금학동 고분, 서천 추동리, 태안 마도선	분묘
				전라도-부안 장동리.부곡리, 광주읍성	분묘
				경상도-산청 평촌리, 울산 복산동 손골, 경주 물천리 고려묘, 서삼동 벽화고분	분묘
元豊通寶	1078	神宗	北宋	경기도-의왕 오전동, 오산 가장동, 화성 반송리 행장골, 화성 와우리, 화성 분천리, 평택 용이동, 고양중산지구, 안산 대부도 육곡 고려고분	분묘
				인천-강화 대산리유적	분묘
				강원도-영월 삼옥리	분묘
				충청도-청주 율량동, 오창 학소리 장대리, 공주 금학동, 서천 추동리, 천안 남산리 고려묘, 아산 수철리 고분, 청주 봉명동	분묘
				경상도-산청 평촌리, 상주 금돌성(용문사지-지표 1점), 대구 상동(수혈 1), 울산 복산동 손골, 경주 물천리, 상주 복룡동, 서삼동 벽화고분	분묘, 수혈 및 지표
元祐通寶	1086	哲宗	北宋	경기도-오산 가장동, 화성 분천리, 평택 용이동, 고양 중산지구, 안산 대부도 육곡 고려고분, 파주 서곡리, 안성 도기동	분묘
				인천-강화 창후리	분묘
				충청도-청주 율량동, 서천 추동리, 천안 남산리 고려묘, 청주 봉명동 유적	분묘
				경상도-산천 평촌리, 성주 장학리 장골, 경주 물천리 고려묘, 서삼동 벽화고분	분묘
紹聖元寶	1094	哲宗	北宋	경기도-오산 가장동, 화성 분천리, 평택 백봉리(건물지1점), 평택 용이동, 파주 서곡리, 안성 도기동	분묘
				인천-강화 창후리	분묘
				강원도-영월 삼옥리	분묘
				충청도-천안 남산리 고려묘, 청주 봉명동	분묘
				경상도-산청 평촌리, 울산 복산동 손골	분묘
東國重寶	1097	肅宗	高麗	인천-강화 창후리	분묘
				충청도-충주 수룡리 원모롱이, 청주 봉명동	분묘
				전라도-나주 송월동	분묘
				경상도-서삼동 벽화고분	분묘
聖宋元寶	1101	徽宗	北宋	경기도-오산 가장동, 안산 대부도 육곡 고려고분, 안성 도기동	분묘
				인천-강화 창후리	분묘
				강원도-춘천 근화동(건물지 내 아궁이1점), 영월 삼옥리	분묘 및 건물지
				충청도-청주 율량동, 충주 목행동, 청주 봉명동	분묘
崇寧重寶	1102	徽宗	北宋	경기도-용인 중동, 의왕 오전동, 화성 분천리, 평택 용이동(지표1), 안산 대부도 육곡 고려 고분	분묘 및 지표
				강원도-영월 삼옥리, 횡성 법주리	분묘
				충청도-충주 수룡리 원모롱이, 연기 갈운리, 청주 율량동, 오창 학소리 장대리, 충주 노게마을(수혈 1점), 안산 운용리, 공주 금학동, 서천 추동리, 충주 호암동, 홍성 신경리, 천안 남산리 고려묘, 청주 봉명동	분묘 및 수혈
				경상도-상주 청리, 산청 평촌리, 대구 상동(수혈 1점), 성주 가암리, 청도 성곡리, 울산 복산동 손골, 경주 물천리, 경주 모량리, 상주 복룡동(지표 1점), 경주 화천리	분묘, 수혈, 지표 등
海東通寶	1102	肅宗 (숙종)	高麗	경기도-오산 외삼미동, 오산 가장동	분묘
				충청도-충주 수룡리 원모롱이, 충주 호암동(지표 1), 청주 봉명동	분묘 및 지표
				경상도-경산 임당, 성주 장학리 장골, 서삼동 벽화고분	분묘

三韓重寶	1103	肅宗	高麗 高麗	경기도-오산 가장동	분묘
				충청도-청주 봉명동	분묘
大觀通寶	1107	徽宗	北宋	경기도-오산 가장동, 평택 용이동	분묘
				경상도-성주 장학리 장골, 예천 남본리(건물지 1점)	분묘 및 건물지
政和通寶	1111	徽宗	北宋	경기도-화성 분천리, 평택 용이동, 고양 중산, 파주 서곡리	분묘
				인천-강화 창후리	분묘
				강원도-영월 삼옥리	분묘
				충청도-청주 율량동, 오창 학소리 장대리, 청주 봉명동, 태안 마도선	분묘
				경상도-산청 평촌리, 경주 물천리 고려묘	분묘
宣和通寶	1119	徽宗	北宋	경기도-오산 가장동	분묘
				경상도-안동 성곡동, 경주 물천리	분묘
建炎通寶	1127	高宗	南宋	경기도-화성 분천리	분묘
正隆元寶	1157	煬帝	金	경기도-오산 가장동	분묘
大定通寶	1161	煬帝	金	충청도-공주 금학동	분묘
乾道元寶	1165	孝宗	南宋	충청도-청주 율량동	분묘
淳熙元寶	1174	孝宗	南宋	충청도-청주 율량동	분묘
端平通寶 端平通寶	1234 1234	理宗 理宗	南宋 南宋	충청도-홍성 신경리	분묘
				경상도-상주 청리	분묘
洪武通寶	1368	太祖	明	경상도-사천 선진리성	기단 퇴적토
弍韓通寶	三韓通寶? 동국통보와 앞뒤로 붙어 출토.			충청도-충주 본리·영평리·완오리	분묘
元通笠寶	?			충청도-아산 운용리	분묘
天道禧寶	?			충청도-보은 상장리	건물지
元祠通寶	?			전라도-광주읍성	관방

3) 목기

시기		국명	기년명	출수유적	지역	비고
1207	희종3년	고려	丁卯十二月日竹山縣在京校尉尹○○宅田 ○	태안 마도	전라도	해저유물
1208	희종4년	고려	戊辰二月十九日○○○○○○崔光○宅上 ○○○○○各田出粟拾石木麥參石末醬貳入拾伍斗印 ○○竹山縣○○尹押	〃	〃	〃
1323	충숙왕 10년	고려	寶至治三年五月(하부절단) 陳皮伍拾伍斤	신안	〃	〃

도록 출전(出典)
기념명 유물

1) 자기

유물 종류	명문내용	연대	국명·왕	소장처	유적	出典 (전시도록명)	기관명	발간 연도
靑磁 대접	己巳	1269/ 1329	元 世祖 / 元 明宗	가천박물관		가천박물관 소장품도록	가천박물관	2006
〃	己巳	1269/ 1329	元 世祖 / 元 明宗	〃		〃	〃	〃
〃	己巳	1269/ 1329	元 世祖 / 元 明宗			강진 고려청자 500년	강진청자 박물관	2006
〃	己巳	1269/ 1329	元 世祖 / 元 明宗	대구대학교 박물관		대구대학교 중앙박물관 소장품도록	대구대학교 중앙박물관	2008
〃	己巳	1269/ 1329	元 世祖 / 元 明宗	상주교육청		尙州 옛 상주를 담다	상주박물관	2008
〃	己巳	1269/ 1329	元 世祖 / 元 明宗	전북대학교 박물관		달려온 길 그리고 또 한 번의 도약	전북대학교 박물관	2011
〃	己巳	1269/ 1329	元 世祖 / 元 明宗		강진 사당리	강진 고려청자 502년	강진청자 박물관	2006
〃	庚午	1270/ 1330	元 世祖 / 元 文宗			〃	〃	〃
〃	壬申	1272	元 世祖	계명대학교 박물관		개교 52주년기념 신축박물관 개관전시도록	계명대학교 박물관	2004
〃	壬申	1272	元 世祖	국립중앙 박물관		빛깔있는 책들 고려 청자	대원사	2011
〃	壬申	1272/1332 (추정)	元 世祖 / 元 文宗~英宗	해강도자 미술관		高麗陶磁로의 招待	해강도자 미술관	2004
〃	壬申	1272/1332 (추정)	元 世祖 / 元 文宗~英宗	〃		〃	〃	〃
〃	壬申	1272/1332 (추정)	元 世祖 / 文宗~英宗	〃		〃	〃	〃
〃	壬申	1272/1332 (추정)	元 世祖 / 元 文宗~英宗	〃		〃	〃	〃
〃	丁亥	1347	元 順帝	계명대학교 박물관		개교 53주년기념 신축박물관 개관전시도록	계명대학교 박물관	2004
〃	癸酉	1273	元 世祖			高麗陶瓷銘文	국립중앙 박물관	1992

	癸酉	1273	元 世祖			〃	〃	〃
〃	癸酉	1273	元 世祖			〃	〃	〃
〃	癸酉	1273	元 世祖			〃	〃	〃
〃	癸酉	1273	元 世祖			〃	〃	〃
〃	癸酉	1273/ 1333 (추정)	元 世祖 / 元 文宗~英宗	해강도자 미술관		高麗陶磁로의 招待	해강도자 미술관	2004
〃	乙未	1295	元 成宗			高麗陶瓷銘文	국립중앙 박물관	1992
〃	丁亥	1347	元 順帝	해강도자 미술관		高麗陶磁로의 招待	해강도자 미술관	2004
〃	丁亥	1347	元 順帝	해강도자 미술관		高麗陶磁로의 招待	해강도자 미술관	2004
〃	丁亥	1347	元 順帝			高麗陶瓷銘文	국립중앙 박물관	1992
〃	丁亥	1347	元 順帝			〃	〃	〃
〃	壬申	1272/1332 (추정)	元 世祖 / 元 文宗~英宗	해강도자 미술관		高麗陶磁로의 招待	해강도자 미술관	2004
靑磁 접시	己巳	1269/ 1329	元 世祖 / 元 明宗	계명대학교 박물관		개교 50주년기념 신축박물관 개관전시도록	계명대학교 박물관	2004
〃	己巳	1269/1329 (추정)	元 世祖 / 元 明宗	해강도자 미술관		高麗陶磁로의 招待	해강도자 미술관	2004
〃	己巳	1269/1329 (추정)	元 世祖 / 元 明宗	〃		〃	〃	〃
〃	己巳	1269/1329 (추정)	元 世祖 / 元 明宗	〃		〃	〃	〃
〃	己巳	1269/1329 (추정)	元 世祖 / 元 明宗	〃		〃	〃	〃
〃	己巳	1269/1329 (추정)	元 世祖 / 元 明宗	〃		〃	〃	〃
〃	己巳	1269/1329 (추정)	元 世祖 / 元 明宗	〃		〃	〃	〃
〃	己巳	1269/1329 (추정)	元 世祖 / 元 明宗	해강도자 미술관		高麗陶磁로의 招待	해강도자 미술관	2004
〃	壬申	1272	元 世祖	계명대학교 박물관		개교 51주년기념 신축박물관 개관전시도록	계명대학교 박물관	2004
〃	壬申	1272	元 世祖			高麗陶瓷銘文	국립중앙 박물관	1992
〃	壬申	1272/1332 (추정)	元 世祖/ 文宗~英宗	해강도자 미술관		高麗陶磁로의 招待	해강도자 미술관	2004
〃	甲戌	1274	元 世祖	국립중앙 박물관		빛깔있는 책들 고려 청자	대원사	2011
〃	甲戌	1274/1334 (추정)	元 世祖 / 元 順帝	해강도자 미술관		高麗陶磁로의 招待	해강도자 미술관	2004
〃	壬午	1282	元 世祖	국립중앙 박물관		빛깔있는 책들 고려 청자	대원사	2011
〃	壬午	1282/1342 (추정)	元 世祖 / 元 順帝	해강도자 미술관		高麗陶磁로의 招待	해강도자 미술관	2004
〃	丁亥	1347	元 順帝		강진 사당리	강진 고려청자 503년	강진청자 박물관	2006
〃	乙未	1355	元 順帝			〃	〃	〃

靑磁 梅瓶	庚寅八月日	1230	金 哀宗			천하제일 비색청자	국립중앙 박물관	2012
"	乙酉司醞署	1345	元 順帝		영전 사지 출토	빛깔있는 책들 고려 청자	대원사	2011
靑磁 고배	壬申	1272(추정)	元 世祖	호암 미술관		Korean Art Book 토기·청자 II	예경	2000
靑磁 발우	癸丑年造上大聖持鉢	1073	遼 道宗	국립중앙 박물관		빛깔있는 책들 고려 청자	대원사	2011
靑磁 硯	辛丑五月十日造爲 大口前戶正徐取(?)夫	1181	金 世宗	호암 미술관		Korean Art Book 토기·청자 II	예경	2000
靑磁 사이호	己巳	1269/1329 (추정)	元 世祖/ 元 明宗	해강도자 미술관		高麗陶磁로의 招待	해강도자 미술관	2004
白磁	大明洪武二十四年 辛未五月日月菴與今 侍中李成桂万人…	1391	明 太祖			高麗陶瓷銘文	국립중앙 박물관	1992
"	大明洪武二十四年辛 未四月日立願••…	1391	明 太祖	국립중앙 박물관		빛깔있는 책들 고려 청자	대원사	2011
항아리	淳化四年	993	遼 聖宗	이화여자 대학교 박물관		"	"	"

2) 금속기

유물 종류	명문내용	연대	국명·왕	소장처	비고	유적	出展 (전시도록명)	기관명	발간 연도
梵鐘		936	遼 太宗	일본照蓮寺			하늘꽃으로 내리는 깨달음의 소리 한국의 범종 탁본전	직지성보 박물관	2003
"	太歲丙辰正月二十五日記	956	遼 穆宗	일본奈良國 立文化財 研究所			"	"	"
"	聖居山天興寺鍾銘統和二 十八年庚戌二月日	1010	遼 聖宗				개관기념도록	국립중앙 박물관	2005
"	特爲聖壽天長之鑄成金鐘一 口重一百五十斤淸寧四年戊 戌五月日記	1058	遼 道宗				"	"	"
"	辛亥三月日尙州牧廻浦寺金 鍾入中四十五斤前典香大師 玄寂鑄成	1131	金 太宗				尙州 옛 상주를 담다	상주 박물관	2008
"	奉佛弟子高麗國…/ 明昌三年四月日記	1192	金 章宗				북녘의 문화유산	국립중앙 박물관	2006
"		1225	金 哀宗	고려미술관	관음사 종 1225		하늘꽃으로 내리는 깨달음의 소리 한국의 범종 탁본전	직지성보 박물관	2003
"	癸巳八月日…	1233	金 哀宗		塔山寺 銅鐘		"	"	"
"	至正六年	1346	元 順帝		演福寺 鐘		"	"	"
"	甲亥四月八日記	1011 (추정 연대)	遼 聖宗	일본天倫寺			"	"	"

〃	菩薩之用口山口乙巳九月 十七日造	1185/ 1245	金 世宗/ 蒙古 皇后 海迷失				고려시대를 가다	국립중앙 박물관	2009
〃	乙酉	?	?	계명대학교 박물관			개교 50주년기념 신축박물관 개관전시도록	계명대학교 박물관	2004
銅鐘	己丑五月十三日…	1289	元 世祖				국립대구박물관 상설전시 도록	국립대구 박물관	2011
〃	戊戌年正月…	1238/ 1298	蒙古 太宗/ 元 成宗			고흥 포두면 송산리	국립광주박물관 특별전 남도문화전 V 고흥	국립광주 박물관	2014
〃	丁巳七月日尙主安水寺金 鍾鑄成爲乎事叱段前排 鍾亦水金沙余良破不 用去乎用良寺主幷坐 主寸爲勤善爲秤合鑰 金四十斤乙用良鑄成 納寺爲遺不	?	高麗 後期				부산박물관 소장유물도록 珍寶	부산박물관	2013
香垸	皇統四年甲子四月日廣州 牧金塔道梁林寵次知造納 火垸壹坐入重壹斤壹兩印	1144	金 熙宗	경희대학교 박물관			개교 60주년기념 박물관 대표유물 특별전	경희대학교 박물관	2009
〃	大定四年丁卯八月日 白月庵香완棟梁玄旭	1164	金 世宗	일본 고려미술관			고려시대 향로	국립중앙 박물관	2013
〃	戊子年二月/무자년 2월일 아미타 앞에 모셔 진향완은 모두 3점으로 무게는 11근이고, 신회 등 5인이 만들어 봉안하였다.	1168	金 世宗	국립중앙 박물관		법천사지	고려시대 향로	국립중앙 박물관	2013
〃	大定十七年/ 昌寧北面龍興寺	1177	金 世宗	표충사			〃	〃	〃
〃	太和五年(?)	1205	金 章宗				청풍명월의 보배	국립청주 박물관	2010
〃	貞祐二年	1214	金 宣宗		한국 전쟁 중 소실		고려시대 향로	국립중앙 박물관	2013
〃	貞祐六年	1218	金 宣宗	삼성미술관 리움			〃	〃	〃
〃	至正二年壬午三月十七日松林 寺香垸施主	1342	元 順帝				金屬工藝綜合展	대호고미술 전시관	1997
〃	至正四年	1344	元 順帝	동국대학교 박물관			동국대학교 건학100주년 기념 소장품도록	동국대학교 박물관	2006
〃	至正十二年壬辰閏三月日龍藏 禪寺無量壽展大香垸大功德主 榮祿大夫資政院使高龍寶 永寧公主辛氏大化主慧 琳戒休景眞錄者性謙縷工	1352	元 順帝	평양역사 박물관			고려시대 향로	국립중앙 박물관	2013
〃	至正二十六年	1366	元 順帝	국립중앙 박물관			고려시대 향로	국립중앙 박물관	2013
〃	己丑正月日月溪寺華嚴經 藏前排鑄香垸壹入重壹斤	1289/ 1349	元 世祖/ 元 順帝	동국대학교 박물관			동국대학교 건학101주년 기념 소장품도록	동국대학교 박물관	2006
〃	庚戌二月日亡父崇巾愿佛 前排香院一造納女子嚴加	?	?				국립전주박물관 미술실 불교, 청자, 서화 그리고 전북	국립전주 박물관	2009
金鼓	大安元年乙丑七月日黃利縣戶 長人勇副尉閔棟梁等同心鑄 成半子一口	1085	遼 道宗	동아대학교 박물관			동아대학교 박물관 所藏品圖錄	동아대학교 박물관	2001
〃	大安七年辛未五月日棟梁僧貞 妙次知造納金仁寺飯子一口重 二十斤印	1091	遼 道宗	통도사성보 박물관			僧-求道者의 길	불교중앙 박물관	2009

〃	皇統三年	1143	金 熙宗				국립대구박물관 상설전시도록	국립대구박물관	2011
〃	禪義林寺/大定二十年	1180	金 世宗				개관 30주년 기념 국립박물관 명품전	국립진주박물관	2014
〃	泰和二年	1202	金 章宗		蒲溪寺金鼓		문화리더 梨花	이화여자대학교 박물관	2010
〃	聖壽天長隣兵永息師尊無病長存先亡父母及法界衆生往淨界之愿陽根奉日鄉資福寺絆子入重十斤造成功德者時泰和七年丁卯二月日玄化寺大師大公	1207	金 章宗	경희대학교 박물관			개교 61주년 기념 박물관 대표유물 특별전	경희대학교 박물관	2009
〃	貞祐五年/奉業寺	1217	金 宣宗				僧-求道者의 길	불교중앙박물관	2009
〃	貞祐十二年甲申五月日利義寺火香大師玄津亦同寺飯子小鐘等亦全闕爲去乎才用良	1224	金 哀宗			영동군 양산면 가곡리	고려시대를 가다	국립중앙박물관	2009
〃	乙巳/大子千秋/憐兵不起	1254	蒙古 憲宗	동국대학교 박물관			동국대학교 건학102주년 기념 소장품도록	동국대학교 박물관	2006
〃	乙酉五月祝聖願以全州華嚴寺半子棟梁道人者章同年九月十日造大匠大德重三十斤	?	?			완주 대성리	국립전주박물관 미술실 불교, 청자, 서화 그리고 전북	국립전주박물관	2009
〃	甲寅五月日西原府興德寺禁口壹坐改造入重參拾貳斤印	?	?				청풍명월의 보배	국립청주박물관	2010
〃	己酉年五月二十四日思惱寺半子…	?	?				〃	〃	〃
香爐	太康三年	1077	遼 道宗	국립중앙박물관			고려시대 향로	국립중앙박물관	2013
〃	大康三年	1077	遼 道宗	국립중앙박물관			僧-求道者의 길	불교중앙박물관	2009
〃	戊子年二月/무자년 2월 법천사 아미타 법회의 현향로는 모두 3점으로 무게는 7근 7량이고, 신회 등 5인이 만들어 봉안하였다.	1168	金 世宗	동국대학교 박물관		법천 사지	고려시대 향로	국립중앙박물관	2013
〃	大定十八年戊戌五月日造金山寺大殿彌勒前青銅香一座臺具都重二十斤以銀八兩棟梁祇毗寺住持三重大師惠琚金山寺大師仁美京主人郎將金令候妻崔氏次加女納絲殿前尙乘府承旨同正康信鑄成高正	1178	金 世宗				2008 기획특별전 전북의 역사문물전Ⅷ 김제-지평선이 보이는 풍요의 땅	국립진주박물관	2008
〃	至正十六年癸申五月日…	1356	元 順帝				소장품도록	부산박물관	2005
光明臺	戊子年二月/무자년 2월 법천사 아미타 앞의 22개 광명대 중 3개는 큰 것이고, 신회,혜견,즉강,경신,이문 등의 스님이 만들어 봉안하였고, 무게는 모두 84근 3량이다.	1168	遼 道宗	한독의약박물관		법천 사지	고려시대 향로	국립중앙박물관	2013
〃	戊子年/무자년 2월 아미타 앞의 23개 광명대 중 3개는 큰것이고, 신회 등 5명의 스님이 담당하여 만들어 봉안하였으며, 무게는 72근 8량이다.	1168	遼 道宗	동국대학교 박물관		〃	〃	〃	〃
〃	戊子	1168 (추정)	金 世宗	동국대학교 박물관			동국대학교 건학100주년 기념 소장품도록	동국대학교 박물관	2006

磬子	大定二十年	1180	金 世宗				국립진주박물관	국립진주박물관	2012
〃	壬辰六月日法源寺磬子入重卉斤石棟梁富淵大面金光	?	?				소장품도록	부산박물관	2005
圖章	行軍万戶傍字号之印/崇寧二年三月	1213	金 永濟/金 宣宗				고려시대를 가다	국립중앙박물관	2009
佛像	辛丑正月日男善人金址□	1361/1421	元順帝/明成祖				국립전주박물관 미술실 불교, 청자, 서화 그리고 전북	국립전주박물관	2009
鉢盂	皇統十年庚午四月…	1150	(天德二年)金帝亮	국립청주박물관			僧-求道者의 길	불교중앙박물관	2009
靑銅錘	慶元/庚申年	1320	元 英宗				신안선과 도자기 길	국립중앙박물관	2005

3) 옥·석기

유물종류	명문내용	연대	국명·왕	소장처	비고	유적	出展(전시도록명)	기관명	발간연도
碑石	丙申七月初七日	1021	遼 聖宗		玄化寺碑		유리건판으로 보는 북한의 불교미술	국립중앙박물관	2014
〃	乙未秋九月二十八日	1125	金 太宗		靈通寺 大覺國師碑		〃	〃	〃
〃	皇統元年歲□辛酉□七月十一日記	1141	金 熙宗		普賢寺碑		〃	〃	〃
〃		1384	明 太祖		安心寺 指空懶翁 石鐘碑		유리건판으로 보는 북한의 불교미술	국립중앙박물관	2014
塔誌石	統和十五年四月二十七日國奉人安願以長命寺五層石塔造立	997	遼 聖宗		長命寺 五層石塔		천하제일 비색청자	국립중앙박물관	2012
〃	統和二十三年	1005	遼 聖宗	동국대학교박물관			동국대학교 건학 100주년기념 소장품도록	동국대학교박물관	2006
〃	統和二十七年己酉	1009	遼 聖宗		靈巖 聖風寺址 五層石塔		천하제일 비색청자	국립중앙박물관	2012
〃		1388	元 順帝			영전사지	僧-求道者의 길	불교중앙박물관	2009
石塔	菩薩戒弟子平章事姜邯瓚奉爲邦家永泰遐邇常安敬造此塔永充供養時天禧五年五月日也	1021	遼 聖宗		興國寺 石塔記		고려시대를 가다	국립중앙박물관	2009
〃	해서체 명문 남아있음	1044	遼 興宗		普賢寺 九層塔		유리건판으로 보는 북한의 불교미술	국립중앙박물관	2014
〃	神光至正二年成	1342	元 順帝		神光寺 五層石塔		〃	〃	〃
墓碑	洪武二十四年辛未辛丑朔三十日壬午…	1391	明 太祖				기획특별전 전북의 역사문물전 Ⅶ 淳昌	국립전주박물관	2007
墓誌銘	歲□□階自通仕郎九□□重大匡至正戊子明陵…	1348	元 順帝		化平君 金光轍		하남역사박물관 소장품도록	하남역사박물관	2009

石碾	於施入土佐國五臺山吸江庵臼也貞和五年己丑十一月五日	1349	元 順帝 /日 北朝崇光	일본고치 현큐코사			신안선과도자기 길	`	2005
謚册	皇統六年	1146	金 熙宗		高麗 仁宗 謚册	장릉	고려왕실의도자기	국립중앙박물관	2008
暗門	統和十三年乙未	995	遼 聖宗				특별전 山淸	국립진주박물관	2011
玉燈	至正元年辛巳四月禪源寺佛前于施主三韓國大夫人金氏	1341	元 順帝	동국대학교박물관소장			동국대학교건학100주년 기념소장품도록	동국대학교박물관	2006

4) 목기

유물종류	명문내용	연대	국명·왕	소장처	비고	유구	出展(전시도록명)	기관명	발간연도
木簡	丁卯十二月二十八日竹山縣在京檢校大將軍尹起華宅上田出粟參石各入貳拾斗印□□□□□	1207	金 章宗				특별전 태안마도수중문화재발굴성과-800년전의 타임캡슐	국립해양문화재연구소	2010
〃	戊辰二月九日□□□□□崔光□宅上□□□□□各田出粟拾石木麥參石末醬貳石各入拾伍斗印□□竹山縣□□尹押	1208	金 章宗	국립해양문화재연구소			고려 뱃길로세금을 걷다(특별전)	국립해양문화재연구소	2009
〃	至治三年	1323	元 晋宗				신안선과도자기 길	국립중앙박물관	2005
木板	丙申六月日誌	1236	蒙古 太宗		佛說梵釋四天王陀羅尼經		세계기록유산등재기념해인사 소장목판 특별번	해인사성보박물관	2007
〃	至元十五年仁興寺開板	1278	元 世祖				〃	〃	〃
〃	壽昌四年戊寅三月日謹記	1098	遼 道宗		大方廣佛華嚴經壽昌年看板		〃	〃	〃
竹簡	丁卯十月日田出正租貳拾肆石各入貳拾斗印竹山在京典同正宋	1207	金 章宗	국립해양문화재연구소			고려 뱃길로세금을 걷다(특별전)	국립해양문화재연구소	2009

5) 회화 및 문서

유물종류	명문내용	연대	국명·왕	소장처	비고	유적	出展(전시도록명)	기관명	발간연도
佛畫	乙未	1235	蒙古太宗	일본도쿄국립박물관	五百羅漢圖 第23天聖尊者		고려불화대전	국립중앙박물관	2010
〃	乙未	1235	蒙古太宗	국립중앙박물관	第29 守大藏尊者		〃	〃	〃
〃	乙未	1235	蒙古太宗	〃	第125 展寶藏尊者		〃	〃	〃
〃	乙未	1235	蒙古太宗	일암관소장	第329 圓上周尊者		〃	〃	〃
〃	丙申	1236	蒙古太宗	국립중앙박물관	第145 喜見尊者		〃	〃	〃

〃	丙申	1236	蒙古太宗	〃	第170 慧軍高尊者		〃	〃	〃
〃	丙申 七月	1236	蒙古太宗	〃	第427 (願圓滿尊者		〃	〃	〃
〃	至正二十三年丙戌五月日…	1286	元世祖			特別展高麗佛畫	大和文華館	1978
〃	大德十年…	1306	元成宗			特別展高麗佛畫	大和文華館	1978
〃		1307	元武宗	국립중앙박물관	阿彌陀八大菩薩圖	고려불화대전	국립중앙박물관	2010
〃	至大二年	1309	元武宗			特別展高麗佛畫	大和文華館	1978
〃	淨光茶院比丘覺先抽巳晴繪畫聖相報答恩者皇慶元年二月日題	1312	元仁宗			〃	〃	〃
〃	延祐七年五月日安養寺…	1320	元英宗			〃	〃	〃
〃	至治三年	1323	元晋宗	일본知恩院소장	觀經十六觀變相圖	〃	〃	〃
〃	至治三年癸亥六月日內班…	1323	元晋宗			〃	〃	〃
〃		1330	元文宗	일본호온지法恩寺소장	阿彌陀三尊圖	고려불화대전	국립중앙박물관	2010
〃	天曆三年庚午五月	1330	元文宗			特別展高麗佛畫	大和文華館	1978
〃	至正十年庚寅四月日貪道玄	1350	元順帝			〃	〃	〃
〃	己酉年二月	1369?	明太祖			〃	〃	〃
〃	丁巳	1377?	明太祖			〃	〃	〃
寫經	菩薩戒弟子南…統和二十四年七月日謹記	1006	遼聖宗		紺紙金字大屋三十二一卷	〃	〃	〃
〃	甲辰歲高麗國大藏都監奉勅彫造	1243	蒙古皇后海迷失			개관 1주년 기념특별전 法,소리없는 가르침	불교중앙박물관	2006
〃	至元十二年乙亥	1275	元世祖			特別展高麗佛畫	大和文華館	1978
〃	至元十三年丙子高麗國王發願寫成銀字大藏	1276	元世祖			〃	〃	〃
〃	至元十七年庚辰歲高麗國王發願寫成銀字太藏	1280	元世祖		紺紙銀泥菩薩善戒經卷八	개관 1주년 기념특별전 法,소리없는 가르침	불교중앙박물관	2006
〃	至元二十一年甲申高麗國王發願寫成銀字	1284	元世祖			特別展高麗佛畫	大和文華館	1978
〃	至元二十八年歲次辛卯四月八日光明禪師惠月謹題	1291	元世祖		紺紙金銀字大方広仏華嚴經卷第七十一,七十二,七十三,普賢行願品四帖	〃	〃	〃
〃	至元三十一年甲午十二月日功德主中正太夫宗簿令致仕安節安州郡夫人李氏昌寧郡夫人張氏	1294	元成宗			〃	〃	〃
〃	延祐二年乙卯八月日道環誌同願	1315	元仁宗		紺紙金字妙法蓮華經卷第一 一帖	〃	〃	〃
〃	延祐二年	1315	元仁宗		紺紙金字妙法蓮華經卷第三,四,五,六,七	〃	〃	〃
〃	泰定二年乙丑四月日高麗國王發願寫成銀字大藏	1325	元晋宗			〃	〃	〃
〃	特爲己身現增福壽當生淨界之願債人敬寫蓮七卷爾泰定二年六月日誌上護軍致仕崔有倫立願	1325	元晋宗		紺紙銀字妙法蓮華経卷第一,二,三,四,五,六,七帖	〃	〃	〃
〃	元統二年甲戌九月日誌	1334	元順帝		紺紙金泥大方廣佛華嚴經普賢行願品貞元本卷第四十	高麗末朝鮮初의美術	국립전주박물관	1996

〃	誓願普集綠以黛紙銀泥倩人書寫是經三本流通供養以此功德仰願王年有永國祚延洪於此根或捨納財賄或設供養乃至讚隨喜凡有綠者生生世世得大自在行普賢行證如來智盡衆生界一時成佛者至元二年丙子八月日誌功德主祇林寺住持大禪師善之前密直副使上護軍任瑞奉聖寺住持大師孜西禪師雲其禪師万一綠化比丘雲山明一	1336	元 順帝		紺紙銀字大方広仏華嚴経 卷第六十一帖	特別展高麗佛畫	大和文華館	1978
〃	至元六年	1340	元 順帝			〃	〃	〃
〃	至正元年	1341	元 順帝			〃	〃	〃
〃	至元十年	1350	元 順帝			〃	〃	〃
〃	以此功德普皆廻向上報四恩下濟上有早明般若續佛慧命利樂有情和南謹和至正十一年辛卯十月日誌施主通議大夫□政廉訪使月城府阮君崔濬宣授東陵郡夫人金氏	1351	元 順帝		紺紙金字金剛般若波羅密経一帖	〃	〃	〃
〃	至正二十六年丙午九月日…	1366	元 順帝		紺紙金泥妙法蓮華經 卷第七	고려시대를 가다	국립중앙박물관	2009
〃	宣光七年丁巳十一月日	1377	明 太祖		白紙墨書妙法蓮華經 卷七	高麗末朝鮮初의 美術	국립전주박물관	1996
〃	紹興辛巳八月晦日	1387	明 太祖			松廣寺佛書展示圖錄	송광사성보박물관	2004
文書	郡司戶長仁勇校尉李元敏副戶長應律李成稟柔伸彦尹正宏運副戶正成憲官史光策等太平三年癸亥六月日淨兜寺良中安置是白於爲議出納爲乎事亦在乙	1023	遼 成宗		淨兜寺址五層石塔造成形止記	고려시대를 가다	국립중앙박물관	2009
〃	元世祖至元十八年	1281	元 世祖			松廣寺佛書展示圖錄	송광사성보박물관	2004
〃	泰定四年二月日牒付弟子懶翁慧勤如來遺教弟子傳授一乘戒法西天禪師	1327	元 晉宗		楡岾寺 懶翁和尙戒牒	유리건판으로 보는 북한의 불교미술	국립중앙박물관	2014
〃	成均養正齋生養以時同進士出身者至正十五年二月日	1355	元 順帝			기획특별전 전북의 역사문물전VII 淳昌	국립전주박물관	2007
〃	貞治二年四月	1363	元 順帝			신안선과 도자기 길	국립중앙박물관	2005
〃	從士郎掌服直長楊首生乙科第二人及第者洪武九年六月日	1376	明 太祖			기획특별전 전북의 역사문물전VII 淳昌	국립전주박물관	2007
告身	貞祐四年正月日	1216	金 宣宗	송광사 소장	惠諶告身制書(고종제서)	고려시대를 가다	국립중앙박물관	2009
教藏刊記	壽昌二年丙子歲高麗國大興王	1097	遼 道宗			개관 1주년 기념특별전 法, 소리 없는 가르침	불교중앙박물관	2006
詩集	甲寅歲分司大藏都監彫造	1254	蒙古 憲宗			松廣寺佛書展示圖錄	송광사성보박물관	2004
直指	宣光七年丁巳七月日	1377	明 太祖	프랑스 국립도서관	白雲和尙抄錄佛祖直指心體要節	고려시대를 가다	국립중앙박물관	2009
紅牌	洪武九年六月日	1376	明 太祖	양대우 소장		〃	〃	〃

V. 맺음말

표 1. 발굴 출토 역연대자료

종류	기와		화폐	자기	목기
	연호명	간지명			
수량	송대 5종 10 요대 7종 10 금대 3종 3 원대 6종 13 〈총 21종 36〉	45	북송 27종 남송 4종 후주 1종 금 2종 고려 5종	2	3

현재까지 발굴을 통해 국내에서 확인된 고려시대의 연호명 기와는 송대 연호 5종, 요대 연호 7종, 금대 연호 3종 원대 연호 6종 등 총 21종에 달하며 서울-경기지역 9개소, 강원도 3개소, 충청도 9개소, 전라도 10개소, 경상도 5개소 등 총 36개소의 각종 유적들에서 출토된것으로 집계되었다. 이들 연호명 기와들은 기와의 시간성을 반영해주고 있을 뿐만 아니라 일정한 지역성을 보이고 있는 점도 주목된다. 특히 충청도지역의 경우에는 거의 모든 종류의 연호명 기와들이 출토된 반면, 강원지역에서의 출토례는 상대적으로 적은 편이다.

연호명 기와에 비해 간지명 기와는 47점 정도인데 그 절대연대가 다소 유동적이지만 공반유물과관계를 통해 전체의 60% 정도의 예들에서 그 절대연대의 시간적 범위를 제한하여 제시할 수 있었다.

표 2. 도록 출전 기년명 유물

종류	자기(간지명)	금속기	옥석기	목기	회화 및 문서류
수량	청자대접 7종 27 청자접시 6종 17 청자매병 2종 2 청자고배 1종 1 청자발우 1종 1 청자벼루 1종 1 청자사이호 1종 1 백자 2종 3	범종 12 동종 4 향완 14 금고 12 향로 5 광명대 3 도장 1 불상 1 발우 1 추 1	비석 4 탑지석 4 석탑 3 묘비 1 묘지명 1 석연 1 시책 1 암문 1 옥등 1	목간 3 목판 3 죽간 1	불화 20 사경 21 문서 6 고신 1 교장간기 1 시집 1 직지 1 홍패 1

그리고 표 2에서 보는 바와 같이 도록 등에 소개되어 있는 기년명 유물도 다양한 편으로서 연호나 간지명이 기재되어 있어 편년에 참고가 되나 공반유물 관계가 불확실하여 2차적 자료의 가치를 지닌다 하겠다.

그리고 사실 이번의 역연대 자료 집성에 있어 특히 연호명 자료들의 경우는 출토 맥락과 공반 유물의 상황을 정확히 파악하여 편년적 문제 해결의 실마리를 찾으려 하였으나 상당히 많은 보고서들에서 유물의 출토상황이나 층위 및 공반유물들에 대하여 정확히 기술하지 않고 있어 소기의 목적을 달성하기는 어려웠다.

이처럼 이번 작업을 통해 기존의 우리나라 건물지 등의 발굴에 있어 층위나 출토유물의 위치와 유물의 공반양상이 엄밀하게 파악되지 못한 경우들이 너무 많았다는 사실을 확인할 수 있었는데, 이는 무엇 보다 조속히 개선해야 할 우리나라 고고학의 중요한 문제점이라 하겠다.

이와 같은 다종다량의 자료들을 섭렵하고 정리하는 과정에서 혹시 누락 부분이 존재할 수도 있다고 생각되며 이에 대해서는 지속적으로 보완해 나가고자 한다.

아무쪼록 이 자료집이 한국 중세 연구의 시간성 문제 해결에 중요한 밑거름이 되고 그를 기반으로 우리나라의 중세고고학이 더욱 발전할 수 있게 되기를 기대해본다.

다시 한번 집성작업 참여자들과 세종문화재연구원의 김창억원장 이하 관계자 여러분들게 깊은 감사를 드리는 바이다.

색 인

연호명

간지명